活動芸術論

卯城竜太

イースト・プレス

はじめに

本書は芸術書である。まずは、以下10項目をもって読書の手引きとしたい。

1. 筆者は、アーティストである。

2. 筆者は、個人で活動するアーティストではなく、Chim↑Pom（２０２２年4月にChim↑Pom from Smappa!Group へと改名。本書ではChim↑Pomと表記）のメンバーである。結成当時は「アート集団」と言われていたが、今は「アーティスト・コレクティブ」と呼ばれている。

3. 筆者は、２０１８年までChim↑Pomのリーダーを務めていた。

4. Chim↑Pomとは、身体を駆使したアクション芸術から、社会に介入する行動主義的なアクション芸術を盛んに行ってきたことで知られている。

5. 本書は、芸術においての「アクション」という表現形態と、社会全体にみられる「個と公」の関係を主題とする。

6. 本書は、『いまやアクションあるのみ！』（赤瀬川原平著、筑摩書房、１９８５。のちに『反芸術アンパン』に改題）を批判的に継承することが一つの問題意識として貫かれている。

『いまやアクションあるのみ!』は、無秩序状態となって散った伝説の展覧会・読売アンデパンダン展を中心に、60年代の過激な反芸術をいまに伝える回想録である。これに出会ったのは僕がアートを始める少し前、現代美術とかそういう訳のわからないものが世の中にあるんだな、という認識が芽生えた頃である。血気盛んだった前衛の時代は当時の僕を見事に煽り、不況の時代に育った平たい日常に芸術のラディカリズムを突きつけた。

これを書いた赤瀬川原平という先輩は、絵画や彫刻などが美術のデフォルトだと信じられていた時代に、「直接行動」がアートになる、という嘘みたいなホントを実験した芸術家である。「行動」であるわけだからその芸術は、美術館の中ではなく、デモやテロのように社会そのものをステージにした（しかも無許可で）。折もおり、学生運動などで路上が湧いていたことからも、はた迷惑な芸術家風情も空気を読めていないわけではなかったのかもしれない。

7. 本書は、僕にまつわる実践を読者に方法論として共有する回想録であるとともに、行為から行動へと推移してきた「アクション」が、僕個人やChim↑Pomの中で「活動」へと移ってきたことを考察する理論書でもある。

8. その為、アクションを切り口に本書は、行為、行動、活動、と順を追って読み進めるように構成されている。

赤瀬川同様に社会やアクションを芸術のモチーフと舞台とし、なんなら赤瀬川以上に行動主義的なアーティストだと見做されるようになったChim↑Pomは、過激、介入、反射神経……と、とにかく物騒な形容詞でこれまで方々で紹介されてきた。今年（2022年）開催された森美術館での回顧展の触れ込みも、「日本で最もラディカルな……」と御多分に漏れない。かくいう僕らも2012年に出した『芸術実行犯』（朝日出版社、2012）という自著を「Art As Action」と訳していたのだから、行動的であることは自他ともに認めていたのだろう。本書の目的はその続きにある。かつて宣言された直接行動や、『芸術実行犯』で紹介された社会的介入（ソーシャル・インターベンション）。それは果たして今も有効なのだろうか？という問いである。

いま、無自覚に「アクションあるのみ！」を唱えることには、例えばこんな疑問も含まれないか。「Qアノンによるアメリカの連邦議会襲撃はアートなのか？」「迷惑系YouTuberはアートなのか？」Black Lives Matter運動に端を発する英雄像の撤去運動、ネトウヨによる電凸（企業、マスコミ、官庁などに電話をかけ、組織としての見解を問いただす行為）なども射程に入れると、アクションはさまざまな場へと溶融し、アートという動物園から脱け出した猛獣のように社会で暴れ回っている。あえて左も右もエンターテインメントも混在させてみると、言うなれば、「アクションの氾濫」のような現在地が「行動」周辺には広がるのだ。

そんなことを休むことなく考えて、実践してきたのは、他ならぬChim↑Pomだった。『芸術実行犯』から10年の間、僕らはコアを保ちながら、しかし世の動向とともに表現形態を変化させてきた。今も謎のアクションが街のどこかで起きるたびに、ソーシャルメディアでは「Chim↑Pomの仕業か」と噂される。が、その間、僕らの「アクション」は、ゲリラ的なボム――「直接行動」よりも、複数のアクションを絡み合わせた「間接行動」を強調するようになってきた。何故そのように「変異」したのか……Chim↑Pom内の議論の経緯こそがまさにその文脈だったと思うのだが、新宿で小さなスペースを運営する僕個人の実践も絡めると、ここでいう「アクション」がもはや「行為」や「行動」に留まらない、包括的な「活動」へと立体化してきたことがわかると思う。「活動」……本書のタイトルにも引用されるこの言葉には、「政治活動」といったゴリゴリなニュアンスと、「生活」や「部活」のような何気ないニュアンスの二つが人々の間で共有されている。

9. 本書では、そんな性質を行き来しながら活動するアート・コレクティブやアーティスト・コレクティブ（構成員がアーティストだけかそうでないかで僕はこう使い分けている）、さまざまな小さなスペースたちが紹介される。

そのひとつひとつ――「個」の活動を見ることは、トップダウンに運営されている社会――「公」が、実は無数のオルタナティブによって絡み合っていることを我々に気付かせるはずだ。

漠然と散らかる散文めいたその理由を脳内から引っ張り出して、実践の記録とともにそれをここで解き明かしていくつもりであるが、結論から言えば、僕は、何重にも「アクション」の解釈がねじれたその先に、「アクションあるのみ！」は、新たに有効なキャッチフレーズとしてここに再び召喚できると考えている。もちろん、繰り返すように、その言葉の意味は昔のままでも額面通りのものでもない。その使われ方もかつての前衛アートの「再生」にはならない。だから、この変化はリサイクルのようなマイナーチェンジとは違うスケールの、パラダイム・シフトに匹敵するものだと公言できる。アーティストやアクティヴィストと名乗る一部の行動派による度胸試しのような「直接行動」から、アクションの概念は、すべての人間に実装される「誰もができ得る『活動』」へと新たに拡張されているのである。

そのことを整理する先には、きっと、究極的な目的と世界が広がっているはずだ。……脱資本主義や反権威という命題のもとに自爆を繰り返してきたアナーキーなアクションの文脈において、「新たなアクション」は、社会丸ごとを乗っ取る革命よりも先に、資本主義の支配が実は部分的に既に「終わっている」ことを気づかせるだろう。

10.メンバー紹介をしておこう。本書に多く登場するChim↑Pomのメンバーの人柄を知るために、結成5年目であった2010年に出版された初の作品集『Chim↑Pom作品集』（河出書房新社）から、メンバーのエリイによる紹介文を、あだ名を加筆して引用したい。

エリイ

Chim↑Pomのミューズ。規格外な言動と存在感はたまらないほど圧巻。ネーミング・センスもアイデアも容姿も抜群の上、頭脳も切れる。一度会ったら、愛くるしい存在感は拭い去ることが出来ない。誰もが惚れ込む天下一の魅力の持ち主。

卯城竜太

リーダー。Chim↑Pom のスポークスマン。小さなことから、大きなことまですべてをまとめる。ちょっとやそっとではない心の広さと表現に対する愛情の持ちようは、100年に1人もいない存在だ。これほど、まわりの人間から信頼を持つ男は珍しいだろう。

林靖高

サブリーダー。Chim↑Pom の交渉人。映像編集・デザインも担当する。現代的な感覚を、アイデアに上手くちりばめる。人の心につけこむのが才能で、泣かされる女子も多いが本人もそれなりのリスクを負っている。ローリスク・ハイリターンは無いということだ。

水野俊紀（みずのり）

Chim↑Pom のお調子もの。Chim↑Pom の映像をなくしたり、大事なことを忘れたり、やらなかったりする図太さは閉口する。エリイがA面の主役だとしたらB面の主役。乗りのよさが人並みならないからこそ Chim↑Pom のメンバーなのだろう。

岡田将孝（おかやん）

Chim↑Pom の「ドーナツの穴」役。岡田の発言や表現にメンバーからの信頼は厚い。アイデアマンであり、ひとつひとつ一歩下がって確認作業をする。お父さんが若い頃に亡くなっている。

稲岡求（もっちゃん）

Chim↑Pom from Smappa!Group
写真左より、
水野俊紀（岐阜県生まれ）、
卯城竜太（東京都生まれ）、
エリイ（東京都生まれ）、
岡田将孝（宮崎県生まれ）、
林靖高（東京都生まれ）、
稲岡求（東京都生まれ）
撮影＝山口聖巴

Chim↑Pom の造形担当。Chim↑Pom 作品の造形技術面は彼に負うところが大きく、絵や立体がものすごく上手い。そして10代の頃からちょっとやそっとでは口にできないレジェンドな逸話を持つ。本人は寡黙。

伝わっただろうか。何を言っているのかいまいち謎な上に、特にエリイ自身の説明を中心にツッコミどころは満載である。12年も前のものだから現在の社会認識とはズレる部分もある（現在は自他ともにエリイをミューズとは呼ばない、等）。が、まずは僕の主観では個々の特徴をよく言い当てていて、それぞれに人生が変化したいまになっても通用する解説だと思う。２０１０年時点の文章がいまも使えるというのも何だか成長がないように思われるが、それは、エリイの視点の良さは言うまでもなく、なによりもChim↑Pomがメンバー交代を一度も行わないままに17年間続いてきたことの証でもある。なにしろ、僕らは実は特に何か一致した趣味があって結成された訳ではない。例えばエリイとおかやんは結成後に初めてちゃんと会話した、というくらいには6つの異質なキャラクターの集まりなのである。この妙な関係性が、実は相当に珍しいということが近年ちょくちょく気づかれるようになった。そのことは本書においても最大のモチーフとして考察されるが、言うなれば、Chim↑Pomという容れ物を「公」に見立てたときに、メンバーというバラバラな「個」はそれをいかに運営しうるか。その実践を引いて見たときに、社会や地球の運営に我々はいかにかかわり得るか……という「個と公」の問題が立ち現れてくる。

昔のメンバー紹介を引っ張り出してきた理由はここにある。紆余曲折を経てきたChim↑Pomの運営は、（現在のところ）メンバーを欠かずに持続してきた見張るべき歴史であると自負できるが、その内実を追うことは、時代の変容とともに僕のリーダーとしての失敗と挫折をつぶさに綴ることとも同義となる。このことを前置きとし、本書を、公の運営にまつわる反面教師のドキュメントとして、全ての個人に捧げたい。

私たちの日常はガラリと変わる。そこで行われている全ての行為・行動・活動が「アクション」であるという自覚でもって。アートが育んできたラディカルさにおいて。

活動芸術論*目次

第2章 Chim↑Pomとは誰か？

第3章 アクションの歴史

第2部

第6章「REAL TIMES」206

第7章「芸術実行犯」

第10章 《LOVE IS OVER》「また明日も観てくれるかな？」「道が拓ける」《道》

第3部

第11章 「ReFreedom_Aichi」「ダークアンデパンダン」

第12章 「WHITEHOUSE」

第13章 コレクティヴィズム

第14章 ポスト資本主義とプラネタリー

ブックデザイン　鈴木成一デザイン室
協力　中野活版印刷店

活動芸術論

凡例

＊本文中の人名の敬称は一部を除き省略した。

＊本文中の美術作品名は《　》、プロジェクト名・展覧会名などは「　」、出版物・映画作品名は『　』で表記した。

＊▢で囲われた「計画」「リサーチ」「スタディ」「交渉」「ファンディング」「実践」「実行」「オーガナイズ」「展開」は、作品・プロジェクトの過程におけるオペレーションを示したものである。なお、すべての作品・プロジェクトに各キーワードが適用されるものではないが、分かりやすくするために記載した。

＊本文中においてゴシック体で示した文章は、作品・プロジェクトのステイトメント、解説を意味する。

＊引用に際し、原文における明らかな誤記・誤植以外は原文のママとした。

第1部

第1章「にんげんレストラン」

会場周辺の「異変」

「落ちた！　落ちた！」

3階建ての廃墟の最上階、そのベランダにいたおかやんが、焦った様子で叫びながら階段を駆け降りていく。僕は同じ階の内側で作業していて、それを横目に「異変」がついに起きたことを直感した。

2018年10月26日。明るい昼間だった、とその時を振り返るもっちゃんは、屋上にいて、ベランダにいたおかやんの「うわっ」という声に驚き振り返ったらしい。二人は真ん前の電柱から、向かいのT字路に沿って建つひとつ目のビルにのびる黒い電線が、ばい〜〜んんんという残響音を伴い揺れているのを目の前にした。まるで大きい地震のような電線の横揺れを確認し、二人は向かいのビルから飛び降りた人が、道路に着地する前にこれにバウンドしたことを察した。

通報するか、とにかく外に出ねば、と走り出したおかやんが投身に気づいたのは、「人が落ちたような」鈍く大きい音が、突然耳に入ったからだという。「人が落ちたような」とは、よく考えれば奇妙な言い回しである。が、当時の僕らにしてみれば、その例えほど以心伝心の表現はなかった。

2週間限定の歌舞伎町「にんげんレストラン」は終盤に差し掛かっていて、その時点ですでに半径100メートルで7件の飛び降り自殺が発生していたのである。連日のようにそこらで人が飛んでいたことで、僕らは全員その妄念に取り憑かれていたのだ。

2階には、「生体展示」としてアーティストの松田修[*1]が首輪と鎖に繋がれていた。落ちていたビニール袋をパンツ一丁として、その場で観客への物乞いだけで生きるパフォーマンス《人間の証明1》（図1-1）の7日目だった。その階には当のビルを正面に見晴らせる壁一面の大きなガラス窓があり、フロアには鶏が2羽、あちらこちらを糞だらけにしながら放し飼いになっていた。別の壁にはヘルマン・ニッチュによるドキュメント映像《6-Day Play》。キリスト教のスペクタクルをベースにした多くの村人らとの大饗宴であり、「解除反応演劇」と命名されたその祝祭は、演劇や音楽を伴って、壮大で、家畜の屠体から採取した臓物や血液に数日にわたってまみれるなど、超絶グロテスクな儀式で人々をトランスさせる大規模なものだった。ちょうど客が少なくなっていた昼下がりの部屋に、挿入歌であるポルカのアコーディオンが響いていた。松田はその大窓を、「きゃー」という声を機に見たという。

窓の向こうに人が落ちていた。
その人が「ばん」と落下した。
その人は路上でうつ伏せの状態から、ゆっくりグルンと一回転した。
生きてる、と思った。即死じゃないんだ、と。
血がどくどくと流れ出し、その人が赤くなった。

松田はその人を女性と記憶していたが、おかやんはじめ他の目撃者は男性だと記憶している。おかやんと林、もっちゃんはそれぞれの場所から撮影をしていて直視していたから、男性だった側に信憑性があると思われる。その動画を素材として使うことは、多分もうない。一方、繋がれていて現場に寄れない松田には、次々と関係者が様子を伝令しにきていた。近づくこともできず、目撃者ながら情報を受容する松田には、何故だか当事者意識が芽生えなかった。その窓が大きく、ずっと一定の距離と位置から眺め続けたこともあって、松田は外の風景を

＊1　1979〜。美術作家。兵庫県尼崎市出身。二度の鑑別所収監を経て東京藝術大学へ。社会の格差や貧困をテーマにした作品を制作。卯城竜太との共著に『公の時代』。初の著書『尼人』を準備中。

1-1　松田修《人間の証明 1》2018
撮影＝関優花
Courtesy of the artist

「ずっとテレビを見続けているような」感覚で窓枠の向こうに観ていたという。その日の夜も、ネオンがギラギラと輝く夜景をぼうっと眺めたそう。規制線は早々に取り除かれていて、歌舞伎町の夜にはさっそく日常が取り戻されていた。その日に起きたことを思い出して、「昼間とどう違っているんだろう」とひとり夜の道を観察した。

ちなみに、歌舞伎町のアクシデントへの対応は驚くほど素早い。26日のときも、すぐに警察や救急車が来て規制線をひいた。担架で被害者を運ぶと現場をパーテーションで囲い、現場検証。1時間後には規制線は取り払われて、血の跡を少し残してアスファルトはきれいになっていた。

関係者に改めてその瞬間何を思ったかを聞いたところ、多かったのは僕の脳裏にもよぎった「ついに」だった。嘘のようにその目の前のビルからは、そのひと月だけで3人の人間が飛んでいたのだ。

口切りは若い女性。「にんげんレストラン」を始める前に、僕らはイヴェントについて取材を受けていた。路上で撮影をしていた最中だったが、そこが人だかりになってから気がついた。近づいてみると、知り合いのホストが事情聴取を受けていた。これまでにも制作を手伝ってくれたイケメンで、どうも飛び降りてきた身体が彼に接触したらしい。

次いで展示準備中、設営時に2人目が飛んだ。該当ビルの共用部エントランスホールは屋上までの吹き抜けになっていて、上から外光を取り込むために天井部分が飾り窓になっていた。屋上からみるとそれはワンフロア分ほど下がって設置されており、2人目はこのガラスを突き破ってエントランスに落下した。その後、ガラスだった天井は穴となり、ブルーシートで塞がれた。真下に行くと、シートに溜まった雨水が分刻みで一粒ずつ落ちてくる。手のひらで受けるとぴちゃっと弾けるその水滴を、命の儚さを刻々と告げるアラームのようだな、と冷たく感じた。

このような異例の状況下で、僕らが一番気にかけていたのは、「にんげんレストラン」(図1-2、1-3)が次の現場にならないか、という心配である。明らかに連鎖的な流行を感じていたし、何よりも怖かったのは、内装とし

上・1-2　「にんげんレストラン」オープニングレセプションの様子
撮影＝井手康郎／Courtesy of the artist, ANOMALY and MUJIN-TO Production
下・1-3　「にんげんレストラン」内装「1階」
撮影＝仙波理／Courtesy of the artist, ANOMALY and MUJIN-TO Production

て、屋上、3階、2階の床に2メートル四方の縦穴をぶち抜きで開けていて、その切り取られた3フロアを1階に積み上げステージを作っていたことだ。一般客がもしも3階からその穴に飛び降りたら……と思うと気が気でない。

24時間その場にいた松田もそれが気がかりで、3階の穴から見下ろす客を見ては、注意勧告をしていたという。歌舞伎町らしくひっきりなしに鳴るパトカーのサイレンを聞くたびに、「またか」と思うくらいには僕らはその現象を「内在化」していた。

3階への階段を立ち入り禁止にするかという案も出た。しかしその途中の踊り場には、東日本大震災の遺族から頂いた涙を凍らせて保存した作品《ひとかけら》(図1-4)が展示されていた。それも観られなくなるのではないか。色々と考えた結果、僕らの解決策は、その穴をただの内装ではなく、作品として位置付けることだった。穴に何か特別な意味が宿ってしまった以上、それを尊重する以外にアーティストとしてできることは実は何もない。それがリスクマネージメントに繋がるという考えは、観客にとってそれが雰囲気として傍観するものではなく、直視して思考する対象になるからである。

考えてみると、Chim↑Pomはいつもそうやってリスキーなものを観客の前に差し出してきた。その2年前には同じ歌舞伎町の廃ビルで4階から見下ろせる縦穴を作り、1階にそれぞれのフロアでその階にあった家具などを挟み込んだ《ビルバーガー》という(ビルの)彫刻作品を作っていた。その時も落下防止に神経を尖らせていて、しかし逆説的だけど、だからこそ、何もアクシデントは起きなかったのである。その少し後に、神宮外苑で開催された「東京デザインウィーク」というイヴェントで火災が発生し、5歳児が死亡したというニュースを聞いたとき、リスクマネージメントに過敏になっていた僕らは、それをとても他人事には思えなかった。が、当時その報道にショックを覚えながらも「なぜ……」と思ったのは、その木で組んだジャングルジムのような構造体で子どもを遊ばせていたにもかかわらず、高熱が発生する白熱電球のライトがその中に置かれていた、という火災の原因だった。作品というものは、見た目が安心なものほどリスクへの意識が緩む。最初から危ないものに対しては、必要以上に事故の想定と対策を練るものなのだ。それに、機能的なデザインと違ってアート作品は、畏敬の念というものを自らのアウラで観客に与える。そんな経験から、「作品」という概念は何か観客に特殊な関係をもたらすという信頼があったのである。

10月18日、僕らはその縦穴に作品のタイトルと制作年、素材、ステイトメントを書いたキャプションを加え、閉めるどころかむしろ人々にそれを開いた。

《第7トーア（仮題）》2018（図1-5）

「にんげんレストラン」を青空レストランとして内装するために開けた穴。天井も開けることで、空と1階までを空間として繋げ、闇市だった歴史との接続をも時間的にはかる。にんげんレストランオープン時には、この構造は作品というより内装と捉えられていたが、多発する近隣の飛び降り自殺を受けて、それ以上の意味合いを感じるようになった。

昨日（2018年10月17日）もここから100メートルに位置する第6トーアビルで飛び降りが発生。命は助かったとのことだが、今月だけで歌舞伎町ではすでに4件の飛び降り自殺が発生。第6トーアビルだけで、未遂を含め今月に入って約6件。10月2日、歌舞伎町ブックセンター（当ビル）での取材時には目の前の三経20ビルにて発生。下の通行人に衝突するという事件となった。同三経20ビルでは、にんげんレストラン設営時の10月12日にも発生。

歌舞伎町を取材し続けているジャーナリストの知人は、「あまりにおかしい。通常は2〜3年に一件だったように思う。街の安心安全が謳われだしてから、リスク管理の必要を感じない子たちが来るようになったのでは」と、Chim↑Pomとの会話の中で推測を語る。

上・1-4　《ひとかけら》2018／凍らせた遺族の涙、冷凍コンテナ、ガラスケース
撮影＝石原慎一郎／Courtesy of the artist, ANOMALY and MUJIN-TO Production
下・1-5　《第７トーア（仮題）》2018／穴（4フロア分）、空、ビル
撮影＝石原慎一郎／Courtesy of the artist, ANOMALY and MUJIN-TO Production

「人間を購入」するレストラン

「にんげんレストラン」は、2018年に解体された「歌舞伎町ブックセンタービル」の最後のイヴェントとして、2週間のみ開催されたパフォーマンスペースのレストランである。松田修、関優花、[*2]三野新、[*3]Aokid、[*4]エリイらが会期中毎日パフォーマンスを行い、また、森村泰昌、[*5]山川冬樹[*6]などのアーティストや切腹ピストルズなどのミュージシャンが多数招聘され、合計6回のイヴェントが催された。

入り口で入場料を払うと、まずはお通しとしてビタミンCが1錠配られる。錠剤の正体が告げられなかったことを訝(いぶか)しまれて、摂取されずにポイ捨てされていた粒をたまに拾った。フードメニューは、アメリカの死刑囚が最後の晩餐として注文できるラストミールのうち、実際にオーダーされたものがとり揃えられた。メニューにはその食べ物を注文した死刑囚の名前を冠した料理が掲載されている。

「《ジュディー・ベノアノ》・・・・・・1000円・・・・・・蒸しブロッコリー4個、アスパラ2本、トマト4個、いちご4個、紅茶。・・・・・・殺人の罪で電気椅子の刑。多額の保険金殺人によりフロリダ州初の女性死刑囚となった。刑務所収監後は他の囚人相手に聖書の勉強会などを指導・『純白の椅子に座って法の裁きを受ける準備はできました』と言葉を残した」

「《ビクター・フェガー》・・・・・・1000円・・・・・・オリーブ1粒。・・・・・・1963年に誘拐と殺人の罪で絞首刑。アイオワ州最後の死刑囚。オリーブの実一粒を注文したが、死刑執行後、そのオリーブは彼の服のポケットから発見された」

といったように。

パフォーマンスも同様に、演目名ではなくパフォーマー名でメニューに掲載され、会場内に設置された食券機にはそれらの個人名がずらりと並ぶ。観客は紙幣を入れ込みそのボタンを押して食事やチケットを買うことで、「人間を購入」することとなる。

先鋭化するアクション

目の前の狂った現実を受けて、途中からプランを修正したのはChim↑Pomだけではない。その際たる例だったのが、三野新による《「息」をし続けている》(図1-6)である。演出家の三野は、当初、サミュエル・ベケットの《息》というただ息を吸って吐くのを指示通りに行う演目を毎日やり続けるということをプランとした。実際、初日からしばらくは、それを繰り返してはその音を録音し、常時会場内に仕掛けたスピーカーから流していた。解体されることが決まり、ある意味「死」まで秒読みを始めていた廃ビルが、息をし始めたのである。こうして建物や都市に身体性をもたらせた三野にとって、目の前で投身自殺が相次いでいた状況は、「より複雑な環境の中で作品を呈することに変化したな」(ステイトメントより)と思わざるを得ない異変であった。三野は、次第

＊2　1997〜。美術作家。筑波大学芸術専門学群特別カリキュラム版画コース卒業、美学校「外道ノススメ」修了。2019年より版画メディアへの関心から集合した作家らとともに「版行動」を主宰。
＊3　1987〜。写真家・舞台作家。舞台芸術作品を制作する「写真家」として活動。2017年より主に舞台芸術を制作するコレクティブ「ニカサン」を主宰。
＊4　1988〜。ダンサー・アーティスト。中学からストリートダンスをはじめる。大学で現代美術に触れ、野外での即興的なパフォーマンス・イベント「どうぶつえん」などを企画。
＊5　1951〜。美術家。ゴッホ、三島由紀夫など、歴史的な人物に扮したセルフポートレイト作品を制作。「ヨコハマトリエンナーレ2014」アーティスティック・ディレクター。
＊6　1973〜。現代美術家・ホーメイ歌手。心臓の鼓動や頭蓋骨の響きによるライブパフォーマンスを行う。近年は、ハンセン病療養所大島青松園に通い創作を続ける。

に息をする場所を動かし始めていくことになる。ステージの上で始まった「息」は、ポータブルスピーカーを手にした三野とともに、2階の松田の住処へと広がり、そのうちに3階の穴の際で寝そべる三野の行為となり、更にはビルを飛び出して、目の前の道路の自殺者が着地した場所に横たわり、「息」をするアクションへと加速的に変化していったのだ。三野のアクションが、屋内でただ息をするという「行為」から、状況に介入する「行動」へと先鋭化していったのである。

この変化は、ディレクションを手がけていたChim↑Pomと、「にんげんレストラン」自体にも大きな影響を及ぼした。見切り発車的に始まったこのプロジェクトが最終日に近づくにつれ、果たしてこれを「どう終わらせればいいのか」という課題が浮上してきたのである。というのも、「にんげんレストラン」は、僕らのディレクションとキュレーションで始まったが、その身体的なアドリブ性と、現実のヤバさによって、2週間の間に内容と状況が次々と変化するカオティックなものになっていたのだ。キュレーションの内実もぐちゃぐちゃ。毎日パフォーマンスを繰り広げていたダンサー・Aokidが、やっているうちに突如としてワンナイトのパーティーを思いつく。何人ものダンサーなどをキュレーションしたかと思えば、林とダンス批評家・桜井圭介も新たなイヴェントをひらめく。音響やコキュレーターとしてかかわっていた涌井智仁[*7]も、いきなり轟音ノイズと食の実験イヴェントを企画する。

かくいうChim↑Pomも、ハイレッド・センター[*8]の「ドロッピング・ショー」を引用し、《第7トーア（仮）》の最上階からその場に残っていた物品を縦穴から1階のステージに落とし続けるパフォーマンスを着意。「毎日通うのが面倒だから」とエリイは、《家出》（図1–7）という謎の行為を開始して、松田の横やネズミ臭い客席、サウナなどを渡り歩いて歌舞伎町を寝床にした。結局、パフォーマーが最終的に何人にまで膨れ上がったのか、数えるのも億劫なほどに、当初の予定からは増え続けたのである。

こうして毎日のように予定になかったパーティーやイヴェントが敢行されたわけだが、ただでさえ松田や三野、Aokid、関など「常設パフォーマー」たちが昼夜を通して刻々とパフォーマンスを変化させている最中である。僕の実感では、結果的に多分、誰ひとりとして、主催者のChim↑Pomですら、何が起きているのかその全貌は

上・1-6　三野新《「息」をし続けている》
撮影＝石原慎一郎／Courtesy of the artist
下・1-7　エリイ《家出》
撮影＝コジマユウ／Courtesy of the artist, ANOMALY and MUJIN-TO Production

掴めなくなっていた（出演者に対応していた林のみはその輪郭は掴めていたが）。無秩序に限りなく近づきながらも、なぜか有機性を持って自身の性格を形作ってきていた「にんげんレストラン」は、つまりひとり歩きしてしまったのである。

これをどう終わらせれば良いか。それは、コントロールが利かない中での大きな課題となっていた。普通のイヴェントのようにラスト大盛り上がりで終わればいいじゃんとは1ミリもならず、しかし何を目指そうにもその思惑を他所目に内部のあちこちから、いくつものイレギュラーな行動が生まれて飛び出て散らかっていた。最終日前日、いよいよと僕らは話し合い、最後の瞬間に、館内に流れていた三野の息の音、その再生を止めてレストランを閉店することとした。ビルの「息の根を止める」ことで、建物自体に身体を認め、そのパフォーマンスを終わらせる「アクション」としたのである。

ミシガン大学のジョージ・マシュールやジモ・ボルジギンによると、哺乳類は「死」のほんの間際に尋常ではない脳波の動きを見せるそうで、心臓が止まった「死後」30秒間に脳活動を引き起こす化学物質――「脳内ドラック」が脳全体に大量に放出されるという。記憶と意識の高まりが起きて、4〜5分にわたって激しい幻覚が引き起こされるのだという。[*9] これを僕はいつか迎える死にあたっての利点のひとつとして信じているのだが、そのことを、出演者たちによるアフタートーク「にんげんレストランは何だったのか」を聞いているときに思い出した。それはまさに建物の走馬灯のようだった。

協働者 Smappa!Group

「にんげんレストラン」というタイトルは、会場となるビルの借主であったSmappa!Groupが、2018年にロボットレストラン（巨大な女性を模したロボットが名物）の目の前に開店したバー「人間レストラン」から採用されている。その後開催したこの「にんげんレストラン」では、Smappa!が飲食や経費を担当し、告知は両者、企画と制作全般をChim↑Pomが担うという連携をとった。歌舞伎町で数件のホストクラブやバー、ギャラリーや介護施設、美容室などを展開するSmappa!の会長は、エリイの夫・手塚マキ[*10]である。歌舞伎町唯一の本屋である「歌舞伎町ブックセンター」を経営していて、そのビルの解体がこの「にんげんレストラン」へと繋がったのだ。LINEのグループにChim↑Pomメンバーとスタジオマネージャー2人、手塚はじめSmappa!の料理人や経理、広報などが入り、その都度出来事や疑問点などを共有し、リアルタイムに議論していった。

結果、4000人ほどが訪れ、若干の赤字（その分を「人間レストラン」の宣伝費として考えてくれと手塚に言い訳をした）で幕を閉じたのだが、お手製のイヴェントとしては大盛況だった。

そもそもは、Smappa!がテナントとして一棟借りていたビルが賃貸主であるロボットレストランを経営する会社の決定によって取り壊されることが決まり、一帯がインバウンドを期待した「エンターテインメントシティ」として整備されるかどうかという予定だったのだ。Smappa!はその1階を本屋兼カフェ兼イヴェントスペースにしており、思い入れがあった。彼らのプレスリリースにはこう書かれた。

「OPEN以来、週末は弊社のホストが書店員として接客をしたり、夜な夜な朝まで、オープンスペースでカラオケを歌いまくるなど乱痴気騒ぎをし、時にはランプを入れたスケボーイベントや、新宿らしからぬサブカルチャーやトークイベント、歌人をお招きして短歌のイベントなど、本屋という枠を超えたさまざまな催しを行なってきた、ビルの取り壊し最後の祭りです」

不思議なもので、これまで協働してきたさまざまな組織の中でもSmappa!には破格のやりやすさがあった。

＊7　1990〜。美術家・音楽家。ジャンクパーツやプログラミングを用いたコンセプチュアルな作品を制作。イベントのオーガナイズ、キュレーションも手がける。WHITEHOUSEの共同運営者の一人。

＊8　1963年に結成された前衛美術家集団。高松次郎、赤瀬川原平、中西夏之の三名からなる。ビルの屋上から衣類やかばんを落とす「ドロッピング・ショー」などを敢行。64年に銀座の路上を全身白衣で清掃する「首都圏清掃整備促進運動」を行い活動を終了。

＊9　https://forbesjapan.com/articles/detail/16852（2022年5月31日閲覧）。

＊10　1977〜。Smappa!Group会長。歌舞伎町商店街振興組合常任理事。ホストクラブや飲食店の経営、介護施設運営、街頭清掃のボランティア、ホストによる歌会の主宰など類を見ない活動を行う。2014年にChim↑Pomメンバーのエリイと結婚。

もちろん、美術館やシアターなど、その筋の機関もプロジェクトの度に全力を費やしてくれるし、それはそれで有難いのだが、なにぶんアートとしての「落ち着きどころ」を踏まえ過ぎているが故にゴールへの展望に既視感が強い。「Chim↑Pom として」かつ「歌舞伎町として」なんてまだ見ぬ特異なものを目指すには、未知のプロセスを行く獣道を切り拓かねば意味すらない。会社の論理や資本主義、または民主主義や美術館の論理など、社会に一般論こそあれ、いまだ定着していない論理や工程を独自に立ち上げて実験し、社会に実装してみようとあの手この手を試していくのが「アートプロジェクト」と呼ばれるものなのだ。それを調整するために既存の論理を優先して落ち着きどころを目指すとしたら、本末転倒なのである。

コラボレーターの良し悪しを一言で言うと、「餅は餅屋」ということかもしれない。「にんげんレストラン」の場合、餅は美術ではなく「歌舞伎町」である必要があった。騒音で警察も来るし、近隣への対応も独特である。食品の仕入れなど筋もあるだろうし、何よりも他の組織だったら、こんな近隣に事故が相次いだ特異な状況や環境にどう対応できただろう。会期途中の中止以外に選択肢はなかったのではないか。

それにこういう場所性に特化したプロジェクトにとって、その場の「ヴァイブス」は一朝一夕に「得てはならない」モノであるように思う。もちろん、ワンナイトイヴェントやパーティーをインポートして盛り上がることは可能だ。が、歌舞伎町のように、染み付いた色や匂いやヤニや記憶のコントラストがド派手で強烈な「現場」では、それをテンポラリーに作れたとしても、その盛り上がりはいっとき「ポップアップ」される光のようなものだ。画面に突然浮き出る出会い系や商品の広告、空港の一部を間借りしてクーポンを配る店舗のPRなど、資本に「許可された介入」は、「キュレーション」や「レンタル」として泡沫のように外部からペーストされる。多くはその場に脈絡なく突然現れ、無かったかのように消える設定となっていて、存在した前後に何も残さない。空港や、画面上のページにも影響を及ぼさず、つまりその「プラットフォーム自体の歴史」にはかかわらないという契約である。そのまるで地に足がついていないような軽さは、だからこそむしろ軽やかな表現としては効果的になることもありながら、そのイヴェントが認められるのはあえなく消えることが約束されたエゴイズムだからだ。

近年、ジェントリフィケーション（地域に住む人々の階層が上がると同時に地域全体の質が向上すること）や公園の民営化などで、独自に生まれ育っていたその土地の文化が一掃されて、均一化したレギュレーション（規則）のもとで、「エクスキューズ」のようにデベロッピングされるカルチャーイヴェントやパブリックアートなどが相次いでいる。それらはやはり過去や周辺に強くかかわらないように、破格の軽さで不意に現れる。トースターから飛び出るパンのように。その場の歴史には全く影響を及ぼしません、といった罪の無さで、「だから」とポップアップな現れ方に反してその地に残る。歴史への無関心。愛らしさ。市民サービス。笑顔をたやさずに、快適を約束した契約に基づきその場に染み付いていた「ヴァイブス」をスルーする。が、それでこそ「そこにあった歴史」を破壊／リニューアルする事業の「象徴性」を担えるのだ。その事業自体が、やはり突然その地の歴史やストーリーに何の脈略もなく現れる、映画の最中をぶった斬るように挿入されるYouTube広告のような、けれどもそこから本編を乗っ取る市場主義的エゴイズムだから。

アーティストとジェントリフィケーション

少し脱線するが、「にんげんレストラン」の根底には再開発の目撃者としての当事者意識があった。プロジェクトはその延長線上にあり、理解のためにも都市・公共と芸術の現在的関係の前提を説明しておきたい。

東京オリンピック・パラリンピックが決まってから、東京の街は一斉に「スクラップアンドビルド」を標榜し、街は空前の建築ラッシュに沸いた。僕は東京出身者であり、コロコロと景色が変わる世界的にも珍しいこの街で育った身として、街の変化自体には耐性がある。それを楽しむような地元民としての適正も持っている。そんな僕にも鬼気迫るほどにアピールしてきたこの度の再開発は、戦後最大級とも呼ばれる東京の大改造だった。自分的には規模よりも、何より、あちこちのイノベーションやコンテンツで「クリエイター」が採用され、パブリックアートが増え、東京が「クリエイティブ」な都市に生まれ変わるという大宣伝が気にかかった。「アート」がSDGsや多様性とともに開発のプレスリリースに多用される、これは文化の大改革だったのである。

東京だけが特別な訳ではない。五輪招致を決めた街のどこでも起きるグローバルな現象であり、更には世界中で勃発するジェントリフィケーションも、その手法はバルセロナ五輪に始まり、世界中に輸出された都市論「バルセロナモデル」に深い繋がりがある。これはアートとジェントリフィケーションの関係において頻繁に参照されるもので、つまりは治安が悪く暗い場所を、クリエイティブ産業でもってお洒落な街に変えるための再開発の手法「クリエイティブシティ論」のハシリである。バルセロナが発端となって、ロンドンが採用したことでロールモデルとなった。目的ははっきりと観光であり、人々が気軽に入ってこれるというのは開発の大前提である。よってホームレスは排除され、お洒落になり得る素材以外は一切合切クリーンナップされる。「バルセロナモデル」自体は当初は本当に「綺麗にする」ための方式として導入されたらしいが、しかしそれがいつしか新自由主義的アーバニズムに繋がっていく。その理論書となり、ジェントリフィケーションを誘導したのが、今や古典にもなったリチャード・フロリダの『クリエイティブ都市論――創造性は居心地のよい場所を求める』（井口典夫訳、ダイヤモンド社、２００９）である。

その中でフロリダは、LGBTフレンドリーな考え方を示し、その根拠をその人たちが住むほど場がクリエイティブになることにあるとした。これはシカゴや渋谷などの再開発と結びつき、LGBTQ+の境遇が社会的に見直される一大契機ともなる。一見してリベラルな動きとして、その後のSDGsとスマートシティへと引き継がれるが、しかしその一方で、どのモデル下でもどの都市でも、やはりホームレスは排除されるという現実に変わりはなかった。

渋谷のベンチのほとんどは中心部分を区切る手すりが接着されていて、人は横たわることさえもう許されていない。街の隙間だったあちこちにもパブリックアートが配備され、「排除アート」が、人の侵入を未然に防ぐ。そもそもLGBTフレンドリーという考え方を推し進めると、それはその当事者だけに絞らない、すべての人間のライフスタイルや属性を認めていく方向になると思うのだが、ここではむしろ、サスティナビリティといえば例えば港区のマンションを緑化したような、富裕層のグリーンツーリズムを誘導し、自己責任論に基づく格差社会を反映するよう変容している。

上・1-8、下・1-9　「Chim↑Pom 展：ハッピースプリング」展示風景（森美術館、東京、2022）
撮影＝森田兼次／画像提供＝森美術館

ちなみに、2022年に森美術館で開催されたChim↑Pomの回顧展「ハッピースプリング」(図1-8、1-9)では、Smappa!を巡ってジェントリフィケーションが露骨な例として浮き彫りになった。作家側が集めることになった協賛金約1000万円のうち、Smappa!の申し込みだけが美術館側から断られたのだ。理由としては、「六本木ヒルズという『まちづくり』における『ブランディング』」だそうで、「美術館はヒルズという『文化都心』の顔である」と接客をともなう水商売の会社のロゴは掲載できないと見送られたのである。それでもChim↑Pomの個展は主催する、ということの矛盾を企業の「アートによる多様性の搾取」と取るか「多様性」と取るか。議論は分かれるところだが、それ以前に、(法的な見解はさておき)ここには職業差別や「公共性」とは何たるかという多様性についての議論が横たわっていた。

詳しくは後述することになるが、手塚はこのように水商売が排除される風潮に真っ向から向き合い続けてきた人物である。朝日新聞のインタビュー(2022年3月5日)では、「結局、同業の多くが隠れるために、別会社をつくる。私はそれをしません。堂々と胸を張れる企業でいたいと思うからです」と語り、業界の悪習と、自らの意思で来る女性客を受動的な被害者のように見なす世間の目の両方に異を呈す。

数ヶ月にわたって話し合われたが、森ビルは自身のポリシーを頑として動かすことはなかった。手ごわさたるや天晴れだが、納得するのが難しかった僕らにはその対応が必要となった。ブランディングは何も企業だけのものではない。一介のアーティストにだって「頑としたポリシー」は必要なのだ……と相談した結果、僕らは自分の名前を(当面の間)Chim↑PomからChim↑Pom from Smappa!Groupへと改名することを決めたのだった。

強制的に展覧会の広報物や媒体に排除された名を介入させることが目的のひとつであったが、とはいえ、このような問題は別に森に限ったことではない。「改名のお知らせ」としたプレスリリースでは、晴れて公にこう宣言した。

「今後、Chim↑Pomとのお付き合いを望まれる全ての団体におかれましては、私どもが際どい社会人であることを改めてお見知りおき頂き、間違ってもただの『健全』なグループだと勘違いなさいませんよう、深くお願い申し上げます」

ジェントリフィケーションを巡る二面性は、「アーティスト」と都市を巡るパラドクスであり、アートを巡る皮肉な現実なのだ。2003年に発表された地理学者のデイヴィッド・レイによる論文「アーティスト、美学化、そしてジェントリフィケーションという現場」（原題「Artists, Aestheticisation and the Field of Gentrification」）は、「主体としてのアーティストの役割」と「プロセスとしての美学化」が、いかにジェントリフィケーションに貢献しているかを分析した。

かつてのニューヨークのブルックリンなどが顕著だが、安価なアトリエ代とワイルドな環境を求めてアーティストが住み着くエリアがある。言ってしまえば安く、汚い場所である。治安も良くはないが、だからこそ独自の文化が生まれてくる。そこに行政と大規模都市開発観光業者が目をつけて、街を「クリエイティブ」にブランディングする。その開発に巻き込まれるアーティストは2種類あって、「①もともと住んでいたやつ」と「②そこをクリエイティブに彩ることを受注したやつ」となる。①はともかく、②の行動は別にアーティストによる自発的なものではない。が、②はアーリーマジョリティのような性格でもって、その仕事を貫徹できる。結果、素敵になった街の家賃は上がり、①はコミュニティごと街を追われる。アーティストがアーティストを追い出す。レイは、その美学化のプロセスに応じるアーティスト②のマインドを、「主体としてのアーティストの役割」として問うたのだ。ようは、「描きたくて描いてる」みたいなピーターパン的な言い訳はもういいから、自分がやっていることが何に奉仕し、社会や世界をどう変えているのか……そのことを理解する「主体性」をもてよということだ。

①vs②が貧困層と中流・富裕層の代理戦争だとしたら、そこに第三者として、しかし最も無関心に、そして最大勢力として参戦するのが「市民」である。ニューヨークのタイムズスクエアの再開発は、治安回復を成し遂げた90年代の市長ジュリアーニによる「ゼロトレランス方式」とセットであった。窓割れを些細なこととして見過ごすと、そのうち凶悪犯罪につながるという「割れ窓理論」をベースにし、些細な悪行も取り締まるというもので、大成功を収めた。一方で、それと表裏として立ち上がった運動が、かの有名な「I♡NY」のキャンペーンである。市民レベルのコミュニケーションをデザインすることで、街への誇りや愛情、共感を生み出し、市民

の「街に貢献しよう」という主体性を育むこと――「シビックプライド」と呼ばれるその感情を、ジュリアーニはデザインによって政策化したのである。これが今は代理店が地域で「クリエイティブ」を手法に儲けるロールモデルとなっている。

行政、代理店、不動産屋、アーティスト、デザイナー、そして市民がともにパトリオット（愛国的）な動きを都市レベルで推進し、汚い世界を「より良く」「クリエイティブ」にブランディングする。

『公の時代』（卯城竜太、松田修著、朝日出版社、２０１９）では対談相手の松田と「アーティスト」とは何か？を大いに論じたが、そのきっかけとなった出来事は、まさしく公園で弁当を食べていた小汚い松田が通報されて園内を追われた、というその筋の話だった。そのときに比べても「アーティスト」や「現代アート」の分断は加速している。それは市場に舞台を移しながら、アートの文脈とは全く関係なく投機的作品の価格競争の加熱となって、「現代アートの今」としてテレビのドキュメンタリーに「ポップアップ」されるのだ。「バブル」そのもの。泡沫の盛り上がりである。

「何の問題もない」アートの増殖

２つのアートの分裂を巡る最も有名な具体例をあげよう。かつて渋谷はギャル文化やストリートカルチャーなどを生み出し、宮下公園にはホームレスやストリートアート、それと足並みを揃えるような現代アートが、ボトムアップにその場にユニークなD.I.Y.文化を立ちあげていた。

公園のネーミングライツを再開発と引き換えに獲得したナイキが、２０１０年にそこを「ナイキパーク」として整理しようと試みる。その計画に、一帯にできていたホームレス村の強制排除があり、反対運動が激化。ホームレスというライフスタイルを続けるアーティスト、小川てつオをはじめとした作家たちが名乗りを上げて、そこを「宮下公園アーティスト・イン・レジデンス」と銘打ち、折れた傘や壊れた自転車などを「オブジェ」としてゲリラ展示した。海外の一部反グローバリゼーション運動団体もそれを支持し、各国の日本大使館前やナイキ店舗前のデモへと運動は拡大。あまりに「メッセージ」が先行するそのプロジェクトに、当時の僕は共感は持てなかったが、その出来事は脳裏に焼きついた。

ナイキは命名権を途中解約し、反対運動は一時的に勝利した形だったが、公園は結局2020年に「MIYASHITA PARK」として商業施設兼公園に生まれ変わることとなる。その是非は今でも都市開発の文脈で問われているが、文化の問題としてもこれは顕著な展開となった。そもそも根付いていた文化が再開発で採用されるか、されたらされたで「搾取」として問題になる。が、記憶喪失のように以前の文化を消し去ることもこのデジタルアーカイブ時代にあって不可能だ。

開発するにしても、昭和のオリンピック時とは時代設定が違うのである。本来ならば、その際に当事者たちや専門家らがこのことについて重々に話し合って難問に応えることが大事であった。それを抜きにして、パブリックアートでいえばどんなものを置けば良いかという「選別」の基準はあり得ない。つまり「作品をセレクト」するという「キュレーションの問題」が発生したのだが、結果的にはそれらかつての文化はリアルなものほどやっぱり排除された。折れた傘や壊れた自転車はパブリックアートとして（漠然と）求められる「普遍性」には至らなかったというわけである。と言っても文化が必要ない、とは親方も領主も口が裂けても言えないわけで、代わりにと言ったら何だけど……と縁もゆかりもない文化がキュレーションされて「連れてこられた」。現代アートの中でも商品価値が高く、その場を素敵にする、「フォルム上デザイン的」で「具体的な社会問題に触れない」抽象性を持った作品たちである。

そのひとつである鈴木康広の《渋谷の方位磁針――ハチの宇宙》は、パブリックアートの普及を推進するDESIGNARTが、一般財団法人渋谷区観光協会、一般社団法人渋谷未来デザインと協業し、プロデュースを手がけたものである。DESIGNARTは主にデザイン的なアプローチで青山や銀座などを中心にフェスを開催する団体であり、それと観光協会、産学官民連携組織として渋谷のクリエイティブ・イノベーションを行う団体「渋谷未来デザイン」の「協業」である。現代アートというよりもデザインや観光、都市開発の観点から進められた事業であることがよくわかる。

デザインの存在領域というものは、そのものの「フォルム」と「機能」に特化しているが、この場合しかしパブリックアートとなると、デザインの根幹である「機能性」はもたらされていない。それが故にその作品は「アート」として成立されて、宣伝されているのだが、じゃあ果たして「フォルム」に特化して機能性さえ奪えばそれは「アート」である証左になるのだろうか。

あらかじめ断っておくと、鈴木の作品の優越を作品単体のものとして評するつもりはない。彼の他の作品を僕は好んで鑑賞してきたし、なんならこの作品もベンチという機能を謳っている限り、よりデザイン的に選択されたものだと深読みできる。が、現状、このモヤモヤを凌駕するように「一般的という意味でのデザインのようなアート」の領域は、「新興」アートマーケットの成長とともに、「スタートアップ」的に市場を爆発させているのである。クリエイティブ・シティが起こした文化の大改革は、新自由主義的なアートマーケットと同期し、その投機性を先鋭化させながら拡大し始めた。その大きな流れの一端として、「MIYASHITA PARK」にまつわる諸々の違和感は、避けては通れない象徴性を持ってしまっている。

鈴木のステイトメントを見てみよう。

空が見渡せるミヤシタパークに、渋谷区の方位を身体で感じられるベンチをデザインしました。そこにいち早くやってきたのは忠犬ハチ公像。星になった上野教授を見上げています。今やハチは世界中の人々に語り継がれる果てしない「宇宙」のような存在。動物と人間との間に芽生えた他者への想像力が、国境を越えて人々の心に何かを呼びかけているのではないでしょうか。明治通りに沿って南北に広がるミヤシタパークは、道行く人たちにさりげなく方角を知らせるコンパスの「針」のような場所。近所から地球まで、さまざまな場所からやってきた人たちとの出会いによって、ミヤシタパークが未来に向かう「渋谷の方位磁針」となることを願っています。 ——「渋谷・ミヤシタパークに鈴木康広によるパブリック・アート《渋谷の方位磁針——ハチの宇宙》が登場」ウェブ版『美術手帖』2020年7月21日ツッコミどころがないというか、否定するような箇所も気持ちも隙もないし、とはいえ何か目を開かせる啓示もない、何を言っているのかいまいち謎だが、それでも「害が無い」と感じるのは僕だけだろうか。言うなれば「フラット」に、未来や磁石、宇宙や地球という言葉を使った普遍的な語り口なわけだが、何かがアブストラクトにケムに巻かれているような気がしてならない。それ相当のアーティな言い方としては成立しているし、何の問題もない。しかし問題なのは、彼の立場が『「何の問題もない」』からこそ公共空間に実装されることが認められた」ということなのだ。そしてそれを「アート」と呼ぶ際に、これは必ず「抽象性」とか「普遍性」というまるでアートの専売特許のようなキーワードに置き換えられて納得させられる。それがまるで、デザインという一般社会に実装されている文化との区別であり、崇高なものとして一般人に説明できるマジックワードであるかのように。

とはいえ、アートにとっても「普遍性」は確かに命綱であり、この語り口は王道的なアートの文法である。だから一部のデザイン寄りのアートと都市開発は、ウィンウィンな関係でその依存度を近年どんどん高めつつある。街には、次々と抽象的で、害が無くて、「何の問題もない」、普遍的なアートが増殖しているのである。

この「普遍性」という「罠」について、哲学者のジル・ドゥルーズはインタビュー映像集『アベセデール』(國分功一郎監修、KADOKAWA、２０１５）のなかで、「哲学や芸術は普遍性に関係しているという意見があるが、それは全くの勘違いだ。哲学や芸術は普遍性に関係しているのではなく、ただの特異点なのだ」という意味のことを語っている。

アートに携わる誰もが一度は口にするだろう、「普遍性」という言い分は、ドゥルーズが何と言おうと、アートにとっては日本国憲法レベルで変わらないものである。だからこそ、僕自身も例えばトークなどでそのようなことを話したこともあったが、この言葉は、個人的には一気にそのトークを「アートぶったもの」として黒歴史にし、自分を恥ずかしめる力があった。と言うのも、自分の活動の節々に、思い当たることがあり過ぎるのだ。

思い出してみると、自分たちがプランを練る際にはまず延々と、普遍性よりも単純にどう「時代の特異点」を作れるかを考えあぐねてきた。普遍性は予感として設計するが、夢中になって作品を予想するときに、普遍性から出発するなんてことは一度たりともなかった。まずは特異点……シンギュラリティが世の中に生まれ、発表されると、我々の価値観がガラリと変化する。その影響の先にいつからかそれが普遍的と読まれるようになる……その順番とリアリティにこそ、芸術の真実があるというのが僕の実感だった。

「普遍性」は頭を空にしてしまう印籠のようなものであるが故に、誰もに通じてしまうような錯覚が働き、扱いやすく、コンセプトを特に一般人に語る際の概念にも成り下がってしまう。芸術を抽象的に変異させていったかつてのパイオニアたちはむしろ普遍性を一般に「受け止められない」難解さとして攻撃性も持ったが、それが現在のパブリックアートとなると真逆に働く。都市開発や一般に開かれていく美術の動向としては、まるでアートが誰にとっても「中立的」であるように、多様な解釈があることが救いかのごとく、「普遍性」や「抽象性」は都合よく多用され、美術の尖りを漂白するよう置き換えられるのだ。

「多様性」に特化したアート

「開かれた芸術」……芸術祭やパブリックアートの主催者も、あまりに多様な一般の人々を前に、「誰かにとっては問題」となる事柄を恐れる。そのため「中立性」というものや「多様な解釈」を採用する欲望に駆られるのだが、アートである以上、あり得ないのは実はまずはこの「中立的」という立場であるが故に悩ましい。どういうことかというと、例えば「あいちトリエンナーレ２０１９」における「表現の不自由展・その後」に保守派や右翼団体が抗議した騒動でも、公金を使うイヴェントは「中立的」であるべきだ、と「教育の中立性」を例に話す人々が多くいた。が、公金というものは国を構成する全く異なる性格の人々の端から端までから徴収されているというのが特徴なわけで、「金の出どころ」としては、本来はそれをどう反映するかという多様な性質をもつべきものである。

更にはその一人一人が実は特異であると考えると、ようは何をもって中立と判断するか、その基準を誰がどう司るのかという問題自体が疑わしい。だからこそアートは、一人一人の作家や、ひとつひとつの作品がどれだけ偏っていてもOKという立場が優先される。キュレーターはいろんなものをセレクトし、一つの空間やフェスというパッケージのもとにレイアウトする意義がある。「グループ展」や「フェスティバル」というアートのプラットフォームには、そもそもからしてこの「偏り」を全肯定し、しかしそれを一つにまとめることで一つの社会のあり方を「パラレルワールド」のように示す役割がある。「中立」という概念はあり得なくて、逆に「多様性」に特化しているのがアートなのである。

だいぶ話が逸れてしまったが、つまり「にんげんレストラン」では、その「にんげん」の多様に異なっていて、それぞれがエクストリームな「個」として存在するという事実を明らかにする意味から、パフォーマンスという身体表現が選択された。多様性において、誰にとっても「害がない」「快適」ということは嘘であり、異なりを前提にする多様性こそは、逆に誰もが少しずつ「害を受け」、「不快」を感じる概念である。だからこそ共生の方法が「何とか」模索されるのだ。それほどに一人一人や各々の属性は異なっている。それは身体と身体を間近に感じる空間で、しかし満員電車のように全ての人間が「中立的」没個性を演じるのではない、その過激さと距離感でこそ肌で感じられるものである。歌舞伎町は、そのように誰にとっても快適であろうとしたにんげんたちの場ではない。手塚は『新宿・歌舞伎町　人はなぜ〈夜の街〉を求めるのか』（幻冬舎、２０２０）の「はじめに」のまさに序盤で、その歌舞伎町の住人の性質について、大前提としてこう書いている。

歌舞伎町は目指す街ではなく、漂流した末に辿り着く街だ。どれだけ大きな失敗や挫折があったとしても、この街では関係ない。誰にとっても敗者復活戦の街なんだ。

漂流という孤独な響きからも明らかなように、その人々は「一般」と呼ばれるカテゴリーに属しきれなかった過去を持つ。そこから弾き飛ばされたのか、逃げたのか、何にしろ、そこで「敗けた」。そしてそのアウトサイドを彷徨うことになった人々がたどり着くのが歌舞伎町であるという。Chim↑Pomにとっては、この、敗者の街であり、しかしそれを全肯定する姿勢こそが、強くこの街に共感でき、自分らの姿を重ね得る「リアリティ」

だった。

「にんげんレストラン」のステイトメントにはこう記された。

そもそも今の歌舞伎町の再開発の歴史は、戦後の焼け野原と闇市の整理からスタートしている。露店や人々がひしめき合い、独自のルールや再開発とともに街が形成され、性風俗や肉体、欲望といったフィジカルを、武器や消費として使うことで人々はさまざまにサバイブしてきた。
歌舞伎町にかかわらず、いまや都市はどこでも「テーマがセレクトされた公共」空間としてデザインされている。公園は民営化が進み、かつてそこにいたテキ屋などいかがわしい人々やホームレスたちは姿を消しつつある。「公共」の名の下に、しかしそこにいる人々は選抜されている。
「まずは人間がさまざまにいて、だから公共が必要なのか」それとも「公共がまずあって、そこに人々が必要とされるのか」。戦後から続く東京の都市論は、日本の社会論としても大きなタームに差し掛かっている。
インフラも何も無かった焼け野原に身体だけがあった時代、そして延々と続く人間の消費——その始まりの瞬間や歴史を再開発の狭間である2018年から再考する青空レストラン。

歌舞伎町にそのように特殊な事情があり、それを隠すでも諭すでもない、全部受け止めて表現すること自体が、イヴェントの特性になる……そうである以上、街の住人であるSmappa!との共同運営は、必須だったのである。「にんげんレストラン」は、そういった意味で、行われているパフォーマンスや展示されている作品を注視するだけでは見えてこない。それが輝きを放ち、生命力を持つための、舞台の設定と運営自体にこそ、大きな意味があった。

MIYASHITA PARKの鈴木の作品がいかに優れていようとも、それがデザインと観光による「協業」によってプロデュースされたという「目的」と、その「成り立ち」に関する疑問符は、作品の鑑賞にあたって大きな比率を占めてしまう。それがサイト（場所性）なのかタイム（時間性）なのかポリティカル（政治性）なのかは問わず、スペシフィック（それに特有の）な作品やプロジェクトである以上、どう設置され、運営されたかについてなどを省いて語ることはもう出来ない。絵が額込みで鑑賞されるのと同じことである。作品は自らを取り囲む「フレーム」や、それがかかる壁や配置される空間、時代という「環境」込みで鑑賞される。

まさしく環境を育てていたSmappa!が思い入れを持ったビルの最後は、そうして「にんげんレストラン」になり、その年の末、予告通りにビルは僕らを最後のテナントとして、破壊された。

それから3年半、実はこの再開発の話には続きがあった。２０２１年10月現在、その敷地は今もまだ空き地のままになっているのだ。コロナ禍になって、観光業が成長への見切りをつけざるを得なくなったのである。ロボットレストラン自体も閉店し、「にんげんレストラン」跡地には、今、建築用の白い仮囲いの上に赤と黄色の巨大なバナーが設置されている。「売土地　大幅値下げしました　40億円↓35億円　お気軽にご相談・お問い合わせください」。マクドナルドやケンタッキーなどアメリカ由来のファストフード店、または共産主義国家の旗と同じ配色で誇張して、歌舞伎町で最も目立つ広告のひとつとなっている。

パフォーマーの安全性

「にんげんレストラン」の運営において、最大の反省点は、関優花へのフォロー体制だった。観客と関の距離感のケアがうまくいかず、問題を生んでしまったのだ。関のパフォーマンスは常設であり、会期前半は、自身の身長（１７１㎝）と同じ高さ・重さ１００㎏のチョコレートを、自分の体重と同じになるまで舐め続ける《≒》（図1-10）を、会期後半には、おにぎりを解体して米粒が全部でいくつあるかを数えた《おにぎりを解体する》（図1-11）を生体展示したものである。

《≒》の最中、1階のレストランフロアの中心でパフォーマンスを行っていたのだが、酔った観客に絡まれたり、身体や作品が触られたりという迷惑行為が起きたのだ。美術館やギャラリーだったらともかく、歌舞伎町の騒がしいレストランという特殊な場である。チョコが倒れたら大ごとだし、何よりそれ自体が痴漢行為である。が、

上・1-10　関優花《≒》
撮影＝井手康郎／Courtesy of the artist
下・1-11　関優花《おにぎりを解体する》
撮影＝石原慎一郎／Courtesy of the artist

それを嫌とも良しとも出来ない微妙なノリが会場にはあり、関を追い詰めた。「その微妙な感情をスタッフに伝えられる体制があればよかった」と関は後ほど回想するが、それはその通りである。

Smappa! のスタッフとも、水商売のキャリアや美術館の作品同様、接触はNGであることを共有したが、スタッフもその空気の中でどう判断をして良いか悩む。状況を込みとした作品として見ると、注意して良いのか、作家の意図を邪魔する介入にならないか、何が「面白い」ことになっているのか、わからなくなるのだ。あらかじめこのことを言葉で共有さえしていれば、注意する判断がスタッフにもできた。関は、Chim↑Pom の林がそういう観客を見つけるたびに、「ここ、そういうところじゃないんですよ〜」と空気を壊さず優しく諫めてくれたことが有難かったと振り返るが、この経験は「運営」を語る以上、僕にとっても反省点となった。同様に、身体表現をする関にしてみても、これは、パフォーマンスをするにあたり、何を重視すべきかなど新たな問題点が生まれた契機となったという。

2021年のパフォーマンスイヴェント「Stillive」(ゲーテ・インスティトゥート東京)で、総勢27名のパフォーマーの中、関はただ一人会場内に姿を表さずに、ハンドアウトに自らの「指示書」を追加するというラディカルな形での参加をした。それは《安全のために(お願い)》と題され、

「上演中、パフォーマー、観客、その他スタッフなどすべての人は、耐え難い状況に置かれたとき、自身の役割を放棄してよい」

「パフォーマーは作品であると同時に具体性をもった個人である」

「上演中に止むを得ずパフォーマンスを中断することは作品の瑕疵とはならない。パフォーマーは判断の際、他者に芸術的に優れているか否か評価を下されることを気にしなくてよい。芸術的評価は身の安全よりも優先されない」

など、9項目の宣言を箇条書きとした。これは僕が今までに鑑賞した身体表現の中でも突出して独創的で、「パフォーマンスイヴェント」という枠組み自体への軽やかな行動……「アクション」であった。

激論の幕開け

「にんげんレストラン」に至るまでには長い議論があった。

「歌舞伎町ブックセンター、10末でロボットレストランが建て替えるから何かやりますか」

「🍔」

エリイが手塚から聞きつけた情報を、Chim↑PomのＬＩＮＥグループにアップしたのは、２０１８年3月10日の深夜のことだった。歌舞伎町ブックセンターはハンバーガーを名物とするカフェを併設していて、Chim↑Pomにとっては会議にうってつけの場であり、過去に書籍の出版記念パーティーなども開いている。早速話そうということになり、翌3・11の福島に関する森美術館でのトークの後、12日13日と連日このことについて会議をした。

振り返ると、その辺りの会議はアジェンダが多かった。5月にオープンするロンドンでの個展、6月にはイタリアとベルリンでのイヴェント、3月から2ヶ月間のシドニーの美術機関主催のオンラインプロジェクト、7月にナディッフで個展、国内外のグループ展にも多数旧作で参加しながら、千葉でのグループ展では新作制作、年末に東京に新しくできるギャラリーANOMALYではこけら落としとなる個展の企画と、翌年のニューヨークでの個展やマンチェスターの大きなプロジェクトの準備など、Chim↑Pomとしては仕事に追われる充実した日々だったのだ。個人的には病気を患い、手術に至るまでの経過観察の時期であり、外国に行くのも一苦労。しんどい時期ではあったが、やり甲斐はあり、まさかその時点では、「にんげんレストラン」に至る会議が半年にわたってこじれ、ついには解散話が持ち上がることになろうなんてことは予想だにしていなかった。

実際、「にんげんレストラン」としてプランが合意されたのは開催間近、なんと1ヶ月前の9月2日のことである。それほどに切羽詰まった状況に自分たちを追い込んでいった僕らは、その半年の間に、擦り切れるように会議をし、時には声を荒らげて相手の意見に耳を塞ぎ、限界を迎えていた自分やメンバーにうんざりしながら疲弊し続けていた。その中心にあったのが、「歌舞伎町ブックセンター」だったのである。

議論のトリガーとなったのは、ロンドンでの個展のカタログに寄せられた、サーペンタイン・ギャラリーのキュレーター、ジョセフ・コンスタブルによる、Chim↑Pom論である。これは僕にとってはその後の活動を考える上でのターニングポイントにもなった。

ハッとした論点をざっくり言うと、「Chim↑Pomは身体を使った『個』的な作品と『公』を扱ったプロジェクトによって、個と公のギクシャクした関係を表現しているように見える」というものである。この洞察に気付きが多かったのは、何よりその「ギクシャク」を感じていたのが自分自身であったからだ。が、それは公共というよりも、ズバリ言えば「Chim↑Pomの運営」に関する違和感だった。

当時Chim↑Pomの活動の約8割は海外となっていて、そのヴィジョンや展開は僕が中心に担っていた。日本社会やChim↑Pomへのリテラシーが無い場所で自らをフィットさせていくためには、自身の多様な側面から、その場に理解されやすい活動の「パッケージング」が戦略として必須だったのだ。だから、例えばプレゼンテーションにおいては無数のChim↑Pom作品の中からトークの時間に合わせて過去作をいくつかに絞って語る。それらをパッケージしたナラティブ……「Chim↑Pomストーリー」のようなものに即して話すのだが、当時でいえばそれは、原子力や国境問題など過酷な現実に体当たりで介入する「アートアクティヴィズム」的な活動か、「公共性」を問う廃ビルや美術館での大規模プロジェクトであった。

言うまでもなくChim↑Pomは6人の個性からなるアーティスト・コレクティブである。ただでさえバラバラな思想や人生を6通り持つという多面的な「作家」だ。しかし30分や1時間という限られた時間での紹介となると、9割以上の作品は省かれることとなる。

それはそれで重要な一面ではあるのだが、その単純化は、Chim↑Pomへの理解をダイジェストとして進めて世界に活動の場を広げる一方で、メンバー個々人の性格や美術観、趣味や思想の違いを、業界が需要するChim↑Pom像に包摂させることになる。そしていつしか紹介の機会が減った、例えば活動初期に展開されたメンバー各々による過激な身体パフォーマンスなどは、サブ的に扱われるようになってくる。僕によってプレゼンされる「Chim↑Pomストーリー」という「大きな物語」は、全作品を、脇役と主役に分けることへと繋がったのだ。

その構図は引いてみてみると、例えば都市論なら「個人と公共圏」、グループ展としたら「出品作とキュレーション」、国民国家ならば「市民と政治体制」、経済で言えば「消費者と資本主義」など、さまざまに置き換えられる「全体性」を巡る図式だった。

身体性と公共性……この一見両極端な作品が、Chim↑Pomの中に違和感なく存在してきた事実……自分でも説明し得なかったこと、しかしモヤモヤとわだかまっていた違和感が、コンスタブルの論考でポンと簡潔に解説された気がしたのである。

さらにそのインスピレーションは、かつてパフォーマンス作品として自分の左腕を銃撃させたクリス・バーデン[*11]や、ギャラリーの床下に隠れて展覧会期中オナニーをし続けたヴィト・アコンチ[*12]など、1970年代に究極的な身体表現を行ったアーティストが、なぜか晩年は建築を扱ったり、街灯やジオラマといった都市的な素材を採用して作品にした不思議への合点ともなった。個はエクストリームになればなるほど、「公」を問うものになる。その個を活かすのか、排除するのか、個を突き詰める延長線上には、「公の運営」への当事者意識が待ち伏せていたのである。それがイメージできた瞬間に、自分たちの初期と今が、彼らの人生に突然重なるように視界が広がった。そして言わずもがな、では公の運営を事務的に行えれば良いのかというと論点はそうでなく、深めるべき一言は、「ギクシャク」という感覚であった。

貧しさを増すアートシーン

再開発によって東京がひとつのコンセプトからデザインされる均一化へと向かう状況は説明した。同様に、国際展やグループ展など現在のキュレトリアルなアートシーンは、今、「ワールドアートヒストリー」や「多様性」を標榜し、しかしキュレーターが描く展覧会のテーマ……「大きな物語」のもとに各国のアーティストや作品をレイアウトしていく手法が常套手段となっている。配置された個別の作品は、作品単体の爆発力によって存在感を発揮するわけではなく、ある種物語の「挿絵」的に機能することによって存在感を増すことになっている。「キュレーションの時代」と呼ばれるようになってから随分と経つが、その「収まりの良さ」は年々価値を高め続けるようだ。

しかしここでキュレーターの筋書きを批判するのは、それこそ筋違いであるように思われる。それはキュレーターによる表現であるし、世界やアートシーンへの挑戦でもある。問題なのは、そのストーリーがありきとなって展覧会に立ち現れるときの、発現にあたってのプロセスなのだ。

キュレーターのリサーチには限界がある。どんなに優秀なチームでも、世界をくまなく調べることなどは出来ないわけで、しかし「筋書き」さえあれば、それに当てはまる作家や作品の選抜は手の届く範囲でも集められることになる。筋書きありきで、作品を後から配置するという順番だ。この経緯のトップダウンさとともに問題になってくるのは、「手の届く範囲」といういかに開かれようが業界化する、美術の村の存在である。一見グローバルな枠組みでも、リサーチが村の中で行われていることを証明するように、欧米で行われる多くの大型国際展のラインナップは、毎度同じようなアーティストたちを布陣とする。「多様性のご時世」のなかで、日本の、台湾の、アジア・アフリカのアーティストたちも揃えなければいけない。そうなると、欧米に留学したり、スタジオを持っていたり、つまりは積極的に「欧米のアートにコミットしようとプレゼンしてきた」アーティストたち

＊11　1946〜2015。アメリカの芸術家。71年にカリフォルニア州サンタアナのギャラリーで行われた、約5メートルの距離から22口径のライフル銃で腕を撃たれるパフォーマンス作品《シュート》で一躍有名になる。

＊12　1940〜2017。アメリカのアーティスト。展覧会場の床下で頭上を歩く観客を想像しながら自慰行為を行った《シードベッド》、モニターに映る自分自身を指差し続ける《センターズ》などで、パフォーマンス、ビデオアーティストとして後世に影響を与えた。

がその対象となるのだ。結果、「ワールドアートヒストリー」や「多様性」はテーマやコンセプトとしてインストールはされているが、実態としては、アーティスト側の傾向と対策も相まって作品のフォームは逆に似通ってくる。映像ならば「ナレーション」、難解な作品のコンセプト文も、言わば「英語を共通言語とした」説明や字幕として作られるのだ。

それを「新植民地主義」だと指摘するアメリカ人キュレーターの友だちがいる。なにぶん言語というものは、ものを考える上で大きな影響を与えるものである。僕も英語で何かを考えるときには、モチーフはともかく、考え方そのものが「英語化」する。プレゼンで英語を解する観客に最も理解しやすい語り口で作品を説明し、物語を作り上げるのと同じことだ。が、現実には英語を聞き取れない人はまだまだ多くいる。簡単な作品解説くらいなら翻訳アプリでこと足りるが、排他的にどんどん難解になる最新のアートに「英語脳」がないものたちが疎外される現状をみると、ようは、都市も展覧会も、多様性を標榜しながらも実の所、コンセプトや言語は一本化されて、「貧しさは増す」一方に見えるのだ。

その極端な例こそがアートフェアだろう。ホワイトキューブのブースが定型でいくつも立ち並び、ショーケースとして手頃なサイズの平面作品と立体作品が並ぶ。客は投機も念頭に価値をはかるから、高額になり得るもの、つまり市場での評価という「人気」が作品のユニークさよりも作品の価格に換算される。結果、やはりその需要に供給されるよう作品は似通ってきて、それらが蟻の行列のように規則的に並置されている。

『公の時代』において、この問題意識から都市論やアート業界について話し、けれども「真のテーマ」はその枠組みよりも、「アーティスト論」だったことには訳がある。レイが論じた「アーティストの主体性」が、この流れの中で限りなく埋没し、しかしそれを矛盾なく受け入れるアーティストの態度の方にこそ、当事者として自分のアンテナが向いたのだ。

ジェントリフィケーションを受注するクリエイター、国際展やフェアに出品するアーティスト。求められるように自らを整理するプレゼン的態度。「自分たち」も、その「大きな物語」で語られることをどこかで強く望んでないか。個と公の関係にギクシャクしたものを感じながらも、しかしキャリアの向上を目指すべく、そこに包摂されるように自ら語る。

横井弘三「理想展」

「歌舞伎町ブックセンター」でのイヴェントを考えるには大前提があった。個展にするか、グループ展やパーティーのようなプラットフォームにするか、という選択である。実は個展はその2年前に同様のケースとして歌舞伎町で行っていたし、それを自己模倣するようなことにはメンバー誰も興味はない。ではグループ展……となったときに、以上のような問題意識を強めていた僕は、「キュレーション」自体への違和をかなり強く唱えたのだ。そのトップダウンで枠組みを強固に作ってしまう常套手段こそ見直されるべきだと。

その意見はメンバーたちにも歓迎された。が、修羅場はそこからだったのである。キュレーションではないフレーム作りを、なんとかボトムアップに出来ないか……。歌舞伎町が闇市というボトムアップな公をルーツにしていたことなど都市論と重ね合わせ、それが議論のファーストステップとなった。

この時、僕の頭の中にはその半年前くらいに美術批評家の福住廉[*13]から飲みの場で教えてもらった、大正時代に存在したひとつの展覧会のイメージがあった。いまもなお、ほとんど語られることはない、伝説と呼ぶには程遠い、歴史に埋もれた1926年の「理想大展覧会」(理想展)である。

これは画家の横井弘三[*14]が、関東大震災の復興事業として作られた東京府美術館(現・東京都美術館)のこけら落とし展「聖徳太子奉賛記念展」へのカウンターとして、近所の公民館で開催したアンデパンダン展であった。そもそも横井には「理想郷建設事業」という夢のプロジェクトがあった。理想郷の入り口として位置づけられ

*13 1975〜。美術評論家。哲学者・鶴見俊輔が提唱した「限界芸術」論に注目し、メインストリームに乗らない作家や表現を精力的に紹介。著書に『今日の限界芸術』。

*14 1889〜1965。画家。1929年に日本初のアンデパンダン展を開催。既成の画壇と決別して制作を続ける。2016年に練馬区立美術館で「没後50年〝日本のルソー〟横井弘三の世界展」開催。

た展覧会だったが、その破天荒さから、大正デモクラシーや大正期新興美術の最後の打ち上げ花火となって消えたようだ。

福住によるartscapeでの論説にはこうある。

> 理想展にはじつに106名が参加したが、その内訳は村山知義や岡田龍夫らマヴォの面々をはじめ、会社員、看板屋、画学生、百姓、高等遊民、労働者、小学生、コック、官吏、青物問屋、職工、写真業、乞食、僧侶、煙草屋、デットアラメ宗宗主(実はmavoの上坂清一)など、怪しげな者も含む、文字どおり多種多様な人々だった。決して大きくはない空間のいたるところに展示された333点の出品作も、絵画をはじめ、詩、看板、小学生の自由画、漫画、はたまた手相による運命鑑定、バケツを叩きながらの美術の革命歌の合唱、吃又の芝居、さまざまなダダ的パフォーマンス、さらには『リングパイプ』と名づけた金属製の新案指輪煙草ハサミだのこれ亦新案特許を得てゐる室内遊戯具『コロコロ』を大型な野外運動具に拵え直したもの」、「中には『犬小屋』藝術をほこる男もあればアメリカ帰りの富山直子夫人が創作的な『お料理』を出さうと言う騒ぎ」(『読売新聞』1926年3月23日朝刊3頁)。つまり現在はもちろん、当時の基準からしても、到底「美術」とは考えられないような、文字どおりあらゆる造型や行為が披露されたのである。初日の5月1日はメーデーであったことから、日比谷公園から上野公園に流れてきたおびただしい労働者たちが会場に押し寄せたことも、理想展の混沌とした魅力を倍増させたようだ。
>
> ——福住廉「没後50年〝日本のルソー〟横井弘三の世界展」artscapeレビュー、2016年7月1日号

会場には「横井のバカヤロー」の張り紙もあり、当時画壇に落選続きだった若き日の棟方志功も出品している。唯一やまと新聞に残った展示風景を見ると、まさにドン・キホーテの内装のように混沌としていて、展覧会目録の表紙にある「世界的珍奇」という謎の文句を引っ張るように、新聞にも「日本始まって以来の珍奇展」とレビューされている。

これがこの時僕の頭にふって湧いた理由は、大きくいって二つある。

それまで語られていた日本の前衛美術史のメインストリームは「戦後美術」であり、ネオダダはじめさまざまな過激な前衛的な運動が、世界にも数多く紹介されていた。ネオダダらが活躍した現場は「読売アンデパンダン」展[*15]といって、やはり誰もが参加できるアンデパンダン展である。審査もなくルールもない。だから読売アンデパンダンは過激さのエスカレーションを招き、自爆するように伝説となって消滅した。「はじめに」で挙げた『いまやアクションあるのみ！』はそのことを伝える書籍であり、その影響下にあった僕もその時点まではこの文脈の一派であった。だから大正時代をルーツとして考えたことなどなかったし、気になって情報を得ようにも、それは素人にとっては全く限られたものだった。

歴史に霞んだ理想展は、伝説の読売アンデパンダンよりもずっと前に存在し、しかし読売同様に芸術の究極を突き詰めていた超絶偉大な大先輩だったのである。何故これが現在にほぼ全くと言って良いほどに伝わっていないのか、その不思議が僕に「日本前衛美術」の再定義を迫ったのだ。

もう一つの理由は、アンデパンダンという展覧会の形式である。無審査・無償・自由出品を原則とする美術展のスタイルであり、1884年に、スーラやシニャックらによりフランスに設立された、「アンデパンダン美術協会」という美術運動に端を発している。それまでの官設・政府主催の公募展、いわゆる「サロン」へのカウンターとして設立され、その誰にでも門を開いた革命的な展覧会の形式は、その後世界各地に影響を与え、輸出されていく。読売アンデパンダン展もその文脈にあり、導入されたばかりの民主主義の実践として、戦後4年目に「美術の民主化」を謳ってスタートしたものだ。アンデパンダンは英語でいうところのインディペンデントである。権威からの「独立」と全ての人間による「民主主義」こそがモットーであった。

キュレーションでもなく個展でもない、第三項としてのアンデパンダンを、現代に過激なものとして召喚でき

---

*15　1949～1963年に東京都美術館で開催された公募展。主催は読売新聞社。「無審査、無償、自由出品」を謳い前衛作家を多数輩出したが、その過激さゆえに64年の第16回展直前に中止が決定した。

ないか。そこに「個」として作家が集うことができたとしたら、各々のアーティストたちの考え方がボトムアップに展覧会という「公」を作る。それが僕のラフプランだった。

「公の時代」のアンデパンダン

ここからは建設的な議論が続く。

アンデパンダンの意義はわかる。でもじゃあ普通にそれを主催したって何も起きなくない？　昔と違ってみんな発表の場に飢えているわけではないし、そもそも場を破壊するようなエネルギーなんて絶対誰も発揮しない……。

『公の時代』での議論も交えて整理していうと、こういうことになる。

読売アンデパンダンが最も狂った頃、つまり60年前後は戦後民主主義が最も議論された最中であった。戦争を知って戦後に育ったネオダダたちは、自らの世代に前世代とは異なる「平和」や「民主主義」を見出して、その限界の境界線を「表現の自由」で試していた。

そんな戦後民主主義の「個性尊重」社会は、70年の大阪万博で、岡本太郎[*16]という個が万博という公を乗っ取ることすら許容するまでに至る。「エクストリームな個」の文化的な台頭を「公」が認めることは、戦前の全体主義への反省をもとにした、「平和」を体現するような民主主義の態度であり、原則だったのだ。その土壌の上で、音楽家も芸能人も芸術家も、方々に過激な個性をアピールした。ネオダダ、勝新、横山やすし、三島由紀夫、会田誠[*17]、園子温、電気グルーヴなど、世間へのカウンターを表象する彼らはこぞって、逆説的に「戦後民主主義を体現する表現者」として喝采を浴びてきたのである。

時が経ち、今はそんなヒールなスターに人々が社会性やモラルを求める時代である。LGBTQ＋や人種問題など、個でも公でもない属性の問題は時代の目覚めとしては喜ばしい。しかしその副作用として、ポリティカル・コレクトネスも激化している。公権力や資本主義の力学も含めると、社会自体が、個を尊重した「個の時代」よりも、「属性の時代」、そして民主主義自体が問われる「公の時代」へとその設定が変わったのだ。

だから、アンパンというアーティスト……「個」に焦点を絞り、そのバラバラな動きから展覧会という枠組み……「公」を作るというボトムアップな構造を育むには、よほどの「もう一手」が必要だったのである。

さらに、2018年当時は、アンデパンダンのモットーとなっている民主主義というものが圧倒的にオワコン化し始めていた時期であった。

安倍政権下に「忖度」は流行語となり、美術の世界では検閲が、報道へは政府介入が大手を振って行われた。それよりも前にあって更に強化された自主規制によって「表現の自由」は、もうあってないような建前としてお飾りになったのだ。

かたや、アンデパンダンという形式を使った展覧会も、まださまざまに各地に残って継続されている。「これが民主主義だ」と意義を押し出しているが、印象で言えば意義それ自体がゴールとなっていて、開催することに意味がある、と言わんばかりに無審査が目的化している様相である。対して、その副作用として歴史にもたらされてきた過激さや「個のエクストリーム」は、その場において身を潜め続けている。枠組みばかりが意味をもち、そこに動員される個が包摂されるとしたら、その「民主主義」の姿はキュレーションされた国際展よりも悲惨ではないか。検閲がまかり通る状況において、100%の自由を得られる発表の場なんてワンチャン賭けられるより良きステージだろう。それなのに何故……という現在のアンデパンダン展の「面白くなさ」を考えたときに、僕らは、「『民主主義のつまらなさ』を見せられているからではないか」という仮説に至った。まるで「花屋の店先に並んだ」オンリーワンのように。

＊16　1911～1996。芸術家。漫画家・岡本一平と作家・かの子の長男として生まれる。29年に渡仏し、抽象芸術やシュルレアリスム運動に参加。40年帰国。70年に大阪万博で太陽の塔を制作し、国民的作家となる。
＊17　1965～。美術家。絵画、映像、立体、パフォーマンス、小説など多岐にわたる表現メディアを用いて、現代社会に対する鋭い批評性を有した作品を発表。主な個展に「GROUND NO PLAN」「天才でごめんなさい」など。著書に『げいさい』ほか多数。

「みんなのため」のリーダー卯城

議論の進行としてはこんな感じ、意外と分析的な内容だった。ようは現状、民主主義のクオリティは、官民あげて左も右も、その名を騙るものたちによって右肩下がりとなっている。そのクソダサい勢力と同じ穴のムジナになるなんて御免だし、やるならやるで「もう一手」、というアイデア会議が輪転していたのだ。が、これが長引いた。仕事が多く、同時進行していたプロジェクトの数々についても話していたのだが、それら全ての議題を話し進めていくうちに、さまざまな意見が絡みながら、そのうちに全部があるひとつの問題……言うなれば「Chim↑Pomにとっての民主制とリーダー卯城の独裁性」のような話に、ことあるごとに帰結していったのだ。

僕は僕の立場からしか語れないから、これはある程度主観的な反省として述べることになる。ようは、何をするにしても、どんなアイデアでも、僕にとっては、それが自身が都度都度世界で語ってきた「Chim↑Pom ストーリー」の今後に沿うものかどうか、それが判断材料となっていたのである。番外編ではダメで、ストーリーにとっては「次回」でなくてはいけない。僕自身が内在化してしまった「Chim↑Pom像」こそが軋轢を生んだのだ。それは、13年間の積み重ねの上に、僕らメンバー間にしか理解できない感情として爆発した。いつ爆発してもおかしくないマグマ。それを沸々とChim↑Pomが抱えていたからこそ、僕にとってはコンスタブルの論考は目から鱗だったのだ。個と公の「ギクシャク」こそは、何を隠そう僕がリーダーとしてChim↑Pomを運営するときに感じ続けていた「マグマ」だった。

多様性が持つ真の可能性と、それが宣伝されるソーシャリスティックな嘘臭さに、必要以上に自分の嗅覚が動き、そしてアンデパンダンという個の差異によるフレームを全体性として固執したのは、「メンバーの誰よりも独裁者の気質があった」からだった。みんなのために成長戦略を描き、みんなにヴィジョンやテーマを示し……いつの間にか「みんなのため」を謳う再開発者と同じようなマインドをChim↑Pomに発揮してしまっていた僕の、その「良きリーダー」であることを望む独裁者が説く民主主義論なんてもののすべてを、それがいくら頭で理解できたとしても、何人かのメンバーはイラついて捉えたのだ。

そこからは個性のぶつかり合いだった。

エリイはいつもニュートラルに議論を聞いて、その上でぶっ飛んだ発言を繰り返して場を引っ掻き回す。この問題には是々非々で、自分にそれが向いたら反抗期のように口汚くリーダーを罵って拒絶するが、しかしキャリアとしての成功もやぶさかではないから僕の話に納得も示す。アンデパンダンにも乗ろうとし、「平成最後の大忖度アンデパンダン展」という、民主主義の終わりを消費するようなパンチ力で仮のタイトルをつけて、メンバー全員を震わせていた。

もっちゃんも比較的ニュートラルではあり、寡黙な性格だが、しかし一度激情したら理解できないような行動をとる。ある時など、サイゼリヤでフロアプランについて話し合っているときに、納得がいかない作品の出品に際してキレた。手元に描かれた展示会場の図面上の作品の点を、ボールペンで何度も突き刺して、穴が開くまで真っ黒にしながら、「こいつが、こいつが」と涙を溜めていた。

「Chim↑Pom ストーリー」への反感を激情とともに示したのは、おかやんと林だった。

シラフに弱く会議に缶の酒を欠かさないおかやんは、毎回議論が深まる時間になると、プルタブを噛みしめながら泥酔一歩手前となって饒舌になる。結成当初から、「カスみたいなもんだ」と自分とChim↑Pomを定義しているおかやんは、議論で社会的・アートの現状的な正論が説得力を持つ雰囲気を嫌う。呂律が回らなくなりながら、「民主す義らんて難しいことわかんだいし……」と元も子もないことを言って議論をゼロに戻し、「ケんえつとか言ってもテレビもまだおもじろいし、別にいまだっていい時代だから」、「うぢらみたいなカスみたいなもんが偉そうに言えらいでしょ」と次々に怒鳴って発言を遮る。おかやんが当時ことあるごとに言っていて、僕がどうしても認められなかった発言がある。

「Chim↑Pom は卯城竜太の作品だ」……それを聞くたびに僕は、取り合いきれないと否定しながらも、「成長」してきたはずのChim↑Pom が上る階段を、結成当初の一段目にまで突き落とされるような想いがし、胸が痛んだ。

林は高校の同級生として、かつて共にしたバンドのメンバーとして、僕のその性に一層うんざりと拒否感を示していた。基本的なコミュニケーションすら取れなくなるような時期も訪れ、互いに酔って高円寺の駅で、何だったか内容はもう覚えてもいないような小さな仕事をめぐり喧嘩をした。僕の「LINEしてたのになんでやってねーんだよ！」という一言にはじまり、「なら電話かけたらいいだろ」という林の返し言葉、「電話できるような感じねーだろいま」「知らんわそんなん」と言った、もはや高校のときにも交わさなかったような中学生レベルの大喧嘩である。二人とも高円寺に住んでいたが、僕はしばらく帰り道を共にする勇気もなくなって、時間やルートをずらして帰宅するようになった。

多分、言葉にすればするほどに、本当にくだらない、何なら民主主義史に残るくらいにしょうもない、民主主義を巡る議論であった。それが連日連夜勃発し、まるで終わりを見出せない。泥沼を全員が感じあっていて、しばらくダンマリが続いた。そんな中で、誰かが酔ってぽつんと「解散……」という最後の禁句を呟いたのだ。8月下旬の夜、阿波踊りのループ音源がパル商店街のスピーカーから流れ、ちらちらと商店の光が窓際に曇る、高円寺のサイゼリヤでのことである。「歌舞伎町ブックセンター」で何かをやるために想定していたオープニング日までは、もう2ヶ月を切っていた。

結果から言うと、この一言をきっかけに、何か少し落ち着きらしいものが、ようやく取り戻されたのだ。たしかその次の会議で「にんげんレストラン」のアイデアは生まれ、産みの苦しみを引きずる間もなく、僕らは、制作とディテール案の詰めに追われるようになった。

その後、この「個と公」の新しい姿を模索する旅は、僕個人にとってのメインテーマのようになっている。Chim↑Pomの運営にはじまり、展覧会のあり方や、スペースの運営、美術史や都市、社会や政治、世界というさまざまな枠組みに「公」性を見出し、その元に個を包摂する論理は何なのか。その問いからオルタナティブを実践することが、心からのモチベーションとなった。

それは身体表現で個を表現し、社会への介入でそのステージを試した……その共に「アクション」と呼ばれた表現を行ってきたChim↑Pomに、当の僕自身が影響を受けた活動である。言うなれば、「アクションとしての運営」。そのアナーキーな在り方の模索として、『公の時代』（2019）、「ダークアンデパンダン」展（2020）、WHITEHOUSE（2021〜）が実践されることとなる。

僕の一連の「個と公」を巡る議論の根底は、Chim↑Pomにこそある。毎度の話のまとまらなさ、個性の違い、分裂したり、融合したり、何が一致点になるのか、結成17年を経た今も誰にもわからない。

しかしそもそもは、そんなバラバラな構成を望んだのは僕と林だったのだ。バンドをやるようにアートを始めた僕らは、まずはエリイが面白い、と国分寺のカフェで盛り上がり、新しい「バンド」の姿を夢想した。それは、エリイと真逆なパーソナリティである、おかやんとみずのり（もっちゃんはまた後ほど声をかけることになる）が加わることで起きるだろう、予期できない化学反応への期待だったのだ。その流れで僕はリーダーとなった。

結成当時の日本のアートシーンを思い出すと、アートは音楽と違って一人でやることを美学とした表現と考えられていたように思う。実際、2005年当時はあまりコレクティブはいなくて、であったからChim↑Pomは、相当に浮いた存在としてみなされていた。現在、「アート・コレクティブ」は『美術手帖』でも特集されるまでに増え、もうその形態自体に珍しさは無くなった。2021年のターナー賞は、ノミネーター全てがコレクティブだったことが話題を呼んだ。2022年に予定されているドクメンタ[*18]は、インドネシアの「ルアンルパ」が芸術監督として招聘され、初のコレクティブ、初のアジア人ディレクターとして期待されている。「コレクティブの時代」とも言われるが、きっと全てのコレクティブに、そこならではの運営の思想があるのだろうと想像する。その「作品第一主義」であった旧来のアーティストと根本的に異なるような活動姿勢や内容は、宇川直宏[*19]がヒッピーやパンクによるD.I.Y.の「活動」の歴史をたどりながら言ったように、「現代のコレクティブは『活動』が中心にある」からに他ならない。「工房」として作品に特化する集団制作のための集まりではない、コミュニ

＊18 中央ドイツの都市カッセルで4年または5年に一度開催される国際美術展。当初は、ナチス政権で「退廃芸術」とされたモダンアートと、自国の美術の復活を目的に開催された。鋭いテーマ性を掲げる国際展として知られる。

＊19 1968〜。グラフィックデザイナー、映像作家、文筆家、現代美術家など肩書多数。2010年日本初のライブストリーミングスタジオ兼チャンネル「DOMMUNE」を開設。

ティとして、いまだ世界のメインストリームやビジネス界などには実装されていない運営の形態……言うなればコミュニケーションの亜流を実験し、そのアウトプットとして、スペースの運営や教育機関の設立など、「活動」そのものをアートとする。

個を生きながらChim↑Pomを続ける

日本においては、アート・コレクティブはオタクやインターネット、ストリートアートなど、趣味の一致や、デジタル・アート集団としてのスタートアップ会社などが称される。『美術手帖』の「ART COLLECTIVE」特集（2018年4月号）で、黒瀬陽平[*20]は「日本でコレクティブって最初に言い始めたのはおそらくChim↑Pomの卯城竜太さんです」と語っているが、それは多分そうである。僕がChim↑Pomをグループ（集団）として考えずに、コレクティブ（協働）と呼びたかったのは、そのメンバーの激しいキャラの違いにChim↑Pomのアイデンティティを見出していたからだ。この6通りを個性として散らばすと、「ひとつのクラス」を構成する大体のキャラを持ったグループが見出せる……そうエリイはChim↑Pomのこの性質を例えるが、これを会田さんは「ひとつの壷の中に異なる生物が共生し、互いの循環によって生態系を成り立たせて、たまに飛んでくる他の要員（手塚マキはその好例である）の到来によって、また生態系の姿を変えていく」……「ビオトープ」だと言った。

渋谷の個室居酒屋でエリイと3人で飲んでいたときのことだった。熾烈を極めていた「平成最後の大忖度アンデパンダン展」のだるい会議の後だったから、僕とエリイは、その会田さんの一言にガツンと酔った。

居酒屋の帰り道、道玄坂を下りながらその一言を咀嚼していた僕は、「生態系」というあまりに明快な見立てに、霧が晴れるような予感を感じていた。

そして自分にでも「まず」できるひとつの行動が頭をよぎり、それが正解かどうかを反芻していた。

その帰路のうちに、僕は誰にも相談をせずに、リーダーを辞めることを勝手に決めたのだ。

僕の所感では、Chim↑Pomはその時に一度死んだように思う。実際にその数ヶ月後、喧嘩もすっかり落ち着いた2019年の1月の年初の会議で、解散するか続けるかということが議題となっている。が、思いもよらずにその会議は、思い出す限り、Chim↑Pom史上最も穏やかで、ハッキリとメンバーたちが自分の意思を示した家族的な雰囲気となったのだ。僕らは続けていくことを確認しあい、しかしそれぞれも自分の個を生きていくことを話し合った。

「どこか新しく、身の丈にあった、集えるような場所があったらいいね」と、会議をいつも転々としてきた落ち着きのない僕らは相談した。その帰り、僕はエリイと帰路をともにした。彼女は「とても良い会議だった」と振り返り、僕はそれに同意した。1時間後、自宅にいた僕に、エリイからの着信があった。

「新宿ホワイトハウスって知ってる?」

「もちろん。どうしたの?」

「カフェになってたんだけど、セイちゃん（手塚）がカフェやめるなら物件を引き継ぎたいから電話くださいって番号残してたのね。そしたらいま電話来た（笑）。会議の流れでタイミングやばくない?」

二人はその伝説の建物に運命的なものを感じ、「マジかよ」と（僕の方は鳥肌を立てながら）笑い合った。それから数日後、僕はもっちゃんとおかやんと3人で、蔦が外構を覆う新宿ホワイトハウスの外観を、初めて眺めに行った。

いわゆる現代アート界の「双六」を戦略的に追うことと引き換えに、僕が望んだものは友だちだった。そして、彼ら彼女らとしか作り得ない、新しいChim↑Pomの姿だった。ドゥルーズは例のインタビューの中で、完璧に脳内で構成された小説や絵でも、作りながらそれは大きく変わっていくという趣旨で、「文体と構想は最後に出来上がる」と言った。どんなに決め込んだ未来や性格という設計があっても、「Chim↑Pomストーリー」はそれをボロクソに解体しながら変異してしまう。Chim↑Pomがメンバー全員による「作品」なのだとしたら、その

＊20 1983～。美術家、美術批評家。ネットを中心に活動するアーティストたちによる集団「カオス*ラウンジ」にキュレーターとして参加。後に法人化し代表を務めるが、社内でのハラスメント問題を受けて2020年に退社。

構想が出来上がるのは、まさに最期ということになるのだろうか。それが解散なのか、死滅なのか、僕にとっては全く予期できない、なんなら社会の行く末よりも想像しづらい未来である。それがどのような形になるにしても、しかしそのストーリーの文体や構想は最期に決まる。

第2章　Chim↑Pomとは誰か？

「新宿ホワイトハウス」＝「ネオ・ダダイズム・オルガナイザーズ」

東京、新宿、百人町、1ノ1ノ8。アートは「アクション」だと1960年に騒ぎ立てて、この場所から日本の芸術を過熱状態へと掻き立てた連中がいた。ガラクタを集め、破茶滅茶な身動きの痕跡を残し、道徳を挑発した彼ら彼女ら「ネオ・ダダイズム・オルガナイザーズ」（ネオダダ）[*1]は、そこで毎週末に乱痴気騒ぎを繰り広げ、悪夢のように美術史に過激さ」を残した。

「新宿ホワイトハウス」はネオダダの拠点として、建築家・磯崎新がデビュー前に設計した、ある意味処女作と言われる建物である。結成したのも束の間、盛大な打ち上げ花火のようにどかんと散ったネオダダは、日本美術史上、最も前衛をアピールしたアーティスト・コレクティブのひとつだった。

とにかくよく酒を飲んだようで、ウィスキーの匂いは建物の外にまでダダ漏れていたらしい。酒を求めて間違えて、リトグラフの画材の硝酸だか希硫酸だかを飲んだという珍事もあったほど。その対処法を他のメンバーが知っていて、牛乳を飲ませて助かった、というからあまりに時代が違いすぎる。

「前衛」や「アクション」という言葉を、ネオダダによる床の痕跡や、隠された壁画を眺めて懐かしむ。僕がここに住んでいたのは2020年初夏から1年ほどのことだった。

この場がまだカフェだった頃にエリイが散歩の途中で見つけて通い、手塚も別に通っていたことからその後を

＊1　吉村益信、篠原有司男、赤瀬川原平、荒川修作らによって1960年に結成された前衛芸術グループ。磯崎新が設計した吉村の自邸兼アトリエ「新宿ホワイトハウス」を拠点に半年間活動した。

借り受けた。しばらくはChim↑Pomのスタジオと海外の友だちのレジデンスとして使っていたが、コロナ禍となり、海外からの来訪者がなくなった。同じ頃、四六時中顔を合わせる「ステイホーム」で同居人に見切りをつけられた僕が引っ越してきた。飲み屋がほとんど閉店していた第3波からは、若手アーティストたちが夜な夜な押しかける溜まり場となった。

そもそも新宿ホワイトハウスはネオダダのリーダー・吉村益信[*2]の住居兼アトリエとして設計されたもので、住むには充分な物件である。とはいえ古く、あちこちが傷んでいた。壁は剥がれ、屋根は凹み、よくぞ東日本大震災や近年のメガ台風を耐えてきたなあ、と感心していたが、それが過大評価だと気づくのは時間の問題だった。風が吹くと、ガタガタと窓を鳴らして建物は揺れ、甲子園と見間違うほどに外壁を覆う蔦は、夏になると内部にまで触手を伸ばしてくる。それがナメクジだのハナバチだの蜘蛛だのの虫を、縦横無尽に呼び込んでくる。外には蛙、中にはネズミ、ケモノ臭さがどこからともなく漂ってくるが、かくいう僕らの素行だって良くはない。連日のパーティーで引き戸のガラスが粉砕し、古い型がゆえに補修が馬鹿高いからと、直るまではサランラップと透明テープで冬の1週間を凌いでいた。

そんなこんなで、コロナ期に活動を続けるアーティストとして助成金が支払われたこともあり、これを元手にこの場をプロジェクトスペースに改装することにした。もちろん、借主である手塚の以前からの「何か面白いスペースにしてほしい」というオファーや、家主からの「現状復帰可能」という条件も加味して。内装は磯崎のオリジナルに戻し、外装は取り外し可能なリノベーションを、若手建築家コレクティブ・GROUP[*3]が手がけてくれた。

かつての「新宿ホワイトハウス」は、現在「WHITEHOUSE」というアートスペースに生まれ変わっている。僕はその運営者のひとりとして、過去と現在を両立させることを試みている。その話は後ほどじっくり語ることとする。

パンクからネオダダへ

ネオダダの回顧が活発に行われるようになったのは1980年代からである。メンバーであった赤瀬川自らの回想が何よりの一次資料だが、僕がそれらの本を読んだのはそのだいぶ後、高校中退後にブラブラとしていた20代前半か、半ばのことだった。その破茶滅茶な破壊衝動や暗躍感に、僕は当時追求していた「パンク」という概念の延長線上にそれを解釈していたように思う。

「パンク」とは破壊と創造を同時に起こすような考え方だから、それを必要以上に考え出すと、「パンクバンドをやるなんてパンクじゃない」と底無し沼に向かうような破滅的衝動に駆られていく。結果、足を取られて帰って来れなくなるわけだから、もはや最初に「パンクを始めた」形態が音楽だったとしても、今度は「音楽としてパンクをやるなんてパンクじゃない」という次なるステージの「極論」に行き着いてしまう。そうなるとあとは次から次へと極論を求めることが目的となり、しかも音楽を奏でること自体が疑問となるとすれば、その時点で詰み、音楽家としてはもう自滅の一途を辿ることとなる。御多分に洩れず、僕も、会田誠だったりボアダムスだったりと、形態に縛られない自由な表現こそがまずは「最低限のパンクスピリッツ」だろうと、ジャンルの荒野にたどり着いた。

「なんでもいいのだ」という直感が、僕にとっての現代アートというフィールドの初感であり、出会いだった。

僕の絵がいま売れないのはしかたのないことだ。だが、きっと、僕の絵に絵の具の値段以上の価値があることが理解される日が来るだろう。

——「マネー・トーク展」で展示されたフィンセント・ファン・ゴッホの言葉

「マネー・トーク」展(広島市現代美術館、2007)という美術館の収蔵品を使った一風変わったコレクション展

＊2 1932～2011。美術家。60年にネオダダを結成。62年渡米、66年帰国。ネオン・アート、ライト・アート、発注芸術の第一人者として活躍。生涯を通して多彩な活動を続けた。

＊3 井上岳、大村高広、齋藤直紀、棗田久美子、赤塚健をコアメンバーとする建築家コレクティブ。2021年結成。研究、書籍制作、設計・施工を行う。主な作品に「海老名のスタジオハウス」「浜町のはなれ」など。

があった。通常、展示の動線は時系列やテーマごとに分けられるが、それを寄贈（0円）からはじめ、最高値である5000万円あたりまでへと、同館が買い上げた値段の順に並べたもので、その名の通りにアートと貨幣の関係を「展示」した挑発的な展覧会だった。作品と作品の間には、アーティストや批評家、哲学者らによる貨幣や美についてのいくつもの言葉がカッティングシートで貼られ、複層的な構成となっている。キュレーターはのちにともに「Don't Follow the Wind」を立ち上げることになる窪田研二[*4]。同館の外部からかかわったゲストキュレーションである。それらの言葉のほとんどが、社会的、観念的なものとして経済や美の本質について俯瞰していた中で、このゴッホの一節だけが異彩を放って僕をどきりとさせた。

心を突いたのは、その些細な希望が、僕が20代前半から半ばにかけて囚われていた不安に直結していたからである。

「にんげんレストラン」後も続いたアンデパンダンへの興味を、僕個人が他の作家とともに「ダークアンデパンダン」という展覧会として形にした際に、その頃を想起した文章を文芸誌『新潮』に寄稿したことがある。「他人に見せられない／見せない」作品を無審査で公募したプロジェクトの前提として、自分が観客と全く縁を持たずにものづくりをしていた時代の感情が蘇ったのだ。

音楽をやるのでと言い訳を決めて、その実、朝が弱くて高校を辞めた。以来、水商売だ放浪だ政治活動だ、と手当たり次第に現場に入るも、どこの馴染みにもなる事はない。アラサーに差し掛かり、尚も猿知恵と人生哲学の区別がつかぬまま、いよいよ何者でもない、実家のシンショウを食い潰しながら、ノイズ、サンプリング、盗聴を基に、三人でバンドと称して自宅録音を続けていた。約十年間、音源が部屋の外に出る事はほぼほぼ無かった。社会は知る由も無かったが、あの営みの童貞臭い清潔感と共に、その音のことが好きだった。その間、何の実績も無かった僕は、会う人会う人に、センスと才能を印象づける事で承認欲求を満たしていた。いつだか画面越しに観た佐村河内守からふっと感じたノスタルジー、あの虚栄感に、在りし日がフラッシュバックした事を打ち明けておく。オーディエンスというものの事が、本当に、全然、解らなかったのである。何処にいるのか、果たしているのか、戦略以前に、イメージそのものがノーアイデアだった。SNSはまだ無くて、共有するとしても2ちゃんねる（が、何の解決にもならなかったのは言うまでもない）。だから今も、美大出身者による孤立話には、虫唾が走る。学内のマイノリティであっても、同世代の作家の卵たちと、作品や美術を喧々囂々と、共有できる環境を自覚せよ。（略）職を転々とする内に本格的にニートになっていた僕は、朝が更に弱くなり、午前中のToDoも、朝の日差しと、それを浴びる人々の眼差しに耐える心持ちも、なくなっていた。（略）

肝心の音楽はと言えば、宅録→メンバー三人で部屋に集合→発表・編集して完結→宅録…、と最低の循環を毎週、数年間も繰り返しているうちに、日和った。このままでは自立は疎か、この子ども部屋で白骨化するわ、はははなんて軽口に言霊を感じた瞬間から、焦った僕らは、尻に火がついて、ポップな調べを増していき、レコード会社にデモを送って神社で祈願、打ち上げを先取りして祝杯に酔う、なんてわかりやすい末路に迷い込んで、フェイドアウトした。あの時の夢の塩っぱさたるや。思えば、色気を出したあのときが限界だった。自問自答の世界を消費する代わりに、僕は、涎が出るほど観客を欲したのだ。

——卯城竜太「ダークアンデパンダン」『新潮』2020年8月号

今もたまにその重苦しさを思い出すことがある。「空白」の約10年間の、その長さは世界と自分のどうしても埋まらないギャップの深度に比例していた。バンドメンバーのひとりは子どもが出来たからと疎遠になって、スリーピースだった僕らはついには林と僕の二人きり。ようやるわ、と時空の狭間から過去の自室を覗けるならば、サンプラーをいじる若い自分を嘲笑って情けを送ってやりたくなる。こういうことに関しては楽観的だったし、なんだかんだ根拠不明の自信に突き動かされていたから継続出来たが、とはいえ芸術で金を稼ぐなんて未来には

＊4　1965〜。インディペンデント・キュレーター、KENJI KUBOTA ART OFFICE代表。上野の森美術館、水戸芸術館現代美術センター学芸員を経て現職。「Don't Follow the Wind」キュレーターのひとり。

全く現実味が持てず、価値あることをやっているのだという自負も、他人を前にすると誤魔化すことが癖となる。肩身が狭くなり、デジタルMTRに八つ当たりしても、結局「誰にも鑑賞されない」わけだから、マネートークはおろか、表現を語りあう相手からして見当たらない。周囲に林くらいしか見受けなかった狭い世界、私的な時代、戻りたくない。

その後、アートの世界に来た僕は、多くのプロジェクトを独自のイニシアチブで立ち上げて、人々との協働において制作と発表、運営を包括的に展開するようになる。作るだけでは飽き足らず、資金の作り方から、発表の仕方（時にはそれはマスコミとTwitterの餌食として現れる）、アーカイブなどにも手を加えたくなるという、とっ散らかったプロデュースが多動的にスパークしたのである。「狭い世界」では潔癖なくらいに完全に切り離されていた鑑賞と制作の関係は、ここにきて、朝と夜くらいには連続的なものになった。が、だからこそ逆に、時には作り手に比して無責任なスタンスを保てる鑑賞者を念頭にすると、それは「問うべき」対象としても再考される。

「青空同棲」と「ふつう研究所」

Chim↑Pomには前身があった。30人ほどからなる大所帯「ふつう研究所」（ふっ研）がそれだが、ふっ研にも更に前身があり、それこそは僕にとってのアートでのデビューであった「青空同棲」というデュオだった。現在、アートフェアやライブペインティングなどを表現の場として横断し、さまざまなグッズやでんぱ組.incとのコラボなどでも知られる絵師、愛☆まどんな（加藤愛）が僕の相方であった。

きっかけは、会田さんの美学校[*5]での講座である。生徒である彼女が新聞の片隅に女の子の顔を落書きしていたのを「発見」した。カギ括弧で括ったのは、それまで彼女はその「アート」を習う講座において、女の子の萌え描写を現代アート的な表現としては封じていたからである。しかし人生を賭してずっと描いてきたであろう、そのキャリアが為せる迷いのない筆跡には、極まった「何か」があった。それを偶然見つけて表現として絶賛したことを機に、会田さん（と）の展示「駄作の中にだけ俺がいるオーケストラ」（群馬県立近代美術館「日常の変貌」展内の展示）で、卒制として二人のコラボに一室があてがわれたのである。

こうして生まれたアートデュオ「青空同棲」が翌年、ミヅマアートギャラリーでのグループ展「こたつ派２」（２００４）で、会田さんにキュレーションされたことで、僕と愛☆まどんなは世に出ることになった。

それまでは、現代アートの制作はほぼほぼ未経験。会田さんが所属しているミヅマアートギャラリーのボランティアとして会田家の引っ越しなどを手伝う中でこの講座を知り、さらに美学校にサウンドアートクラス（美術家・伊東篤宏の講座）が出来るとのことで、半年間だけそのいかにも時代遅れの匂いが染み付いた神保町の極小塾に通ってみよう、と思い立ったのだ。今思えば、あの思いつきも僕にとっては現場主義的な興味で変わったところに足を踏み入れた、「自分探しのインド旅行」みたいに経験重視のノリだった。

そういえば、弟子の中で一番長く立川談志と時間を共にしたという立川キウイによる回想録『談志のはなし』（新潮新書、２０２１）によると、一般的には12〜13年で真打となる落語界において、前座を16年やったというキウイに、「いいか、下積みのときにな、いろんなホコリみたいなものが付くんだ。ホコリはホコリだ。だがな、そのホコリは上に行ったとき、ものを言うんだ」と言ったらしいが、僕にしてみればその説教は身に染みてわかる。

現代アートを始めるまでに26年かかり、高校を中退してからそれまでに、『新潮』の「ダークアンデパンダン」の冒頭にあるように僕は実にさまざまな現場を点々としてきた。スカウトを生業にしていた時期も長く、見た目は完全なギャル男だったし、バックパッカーとしてアジア各地を訪ね歩いた。政治活動に触れたこともある。音楽の宅録活動もずっと続けていたし、たまにライブやパフォーマンスなんかもやっていた。よく言えばバイタリティがあり、悪く言えば飽き性としての分裂した経験が「ものを言い」、いずれの業界にも居つけなくて、アートという何でもありの空き地にたどり着き、そしていまがあるのは明白である。そのこだわりの無さは、当時、美学校時代でも、とにかく毎週、なんでもいいから作ってきては披露して、講評されて、周りの生徒の反応を楽

＊５　東京神田・神保町にある美術、音楽、その他さまざまな表現の私塾。１９６９年に出版社・現代思潮社によって設立され、その後独立。会田誠が講師を務めた「バラバラアートクラス」は２００１年〜04年に開講。

しんで、という多メディア・多テーマ・多作なスタイルとして発揮されていた。

適当な落書きの数々、盗聴した会話の音源、どうでも良い宣言文、無数の「チン拓」、「負」の字を「勝」の10倍ほどの大きさで褌に書いた「勝負」の書、四つ葉のクローバーが生えた掃除機のゴミが溜まった紙パックとか、指をかける白い輪が付いた醤油の内蓋に赤い破片を舌として付け足して見立てた白蛇とか、雑なアッサンブラージュなどなど……と、思い立ったら速攻で手を動かして、半年間でゆうに70〜80作を制作した。いま振り返ってもゴミであり、作品の意味やクオリティ、理由など、何もかもがお粗末だったけど、「これでいい」という妙な確信だけが育っていて、作品群としては勢いがあった。素人による遠慮とも、「お芸術」へのリアリティとも言えるだろうが、いかにもシリアスに芸術的なことを突然やり出すことは……言うなれば、入学して急にアートっぽくなる美大生みたいな「パフォーマティブ」な振る舞いは出来なかったのだ。にもかかわらず、駄作であっても見せることに躊躇がなかったのは、ただただそのフィードバックが約束された環境が嬉しかったからである。

会田さんの講座で言えば座学は一度も（と言って良いほど）行われずに、つまり何を学んだわけではないけれど、僕にしてみれば、ついに「観客」が出来たのだ。作品制作は、発表を伴ったことで、「狭い世界」で鬱積したストレスを開放する手段となったのである。

「こたつ派2」でもそのスピードと適当さは維持された。ギャラリーにあったオーナーの三潴末雄*6さんの本棚から、何十冊かを持ち出してコンビニに行き、背表紙を白黒コピーをして並べたものや、父親のものと同じ装丁の『資本論』の中古書何巻かの背表紙に、「成リ上ガレ　万国ノ労働者」と雑に落書きしたモノや……。

この《資本論》が僕にとって初めて購入された作品となったのだが、素材やテーマ、そして購入した三潴さんが全共闘の勇士であったことを考えると、僕の「マネー・トーク」は始まりからして、まるで需要と供給が平行線を辿る中途半端な市場経済のようでもあり、いかにも自己批判が癖になった社会主義のようでもあり、そんな曖昧な思想的スタンスによるズレが働いていたように思う。

展覧会の最終日、「青空同棲」はクロージングイヴェントとして、僕の裸体をキャンバスにした愛☆まどんなのライブペインティングを行った。筆が肌に触れるたびに電子音が鳴り、その筆圧によって音程が変化するノイズパフォーマンスである。当時中目黒のおんぼろ雑居ビルに構えていたミヅマの最上階、屋上に隣接した木造倉庫のその会場に、僕はのちのChim↑Pomやふつ研に参加することになる面々を呼んでいた。

「ふつう研究所」は総勢30人ほどの集団である。まだ何者でもなかった若者たちを中心に、会田さんの他にアーティストの岡田裕子[*7]や宇治野宗輝[*8]といったプロの面々と、当時会田さんを担当していた（のちにChim↑Pomのギャラリストとなる）藤城里香[*9]など近しい関係者を誘い合って、日光の民宿を貸り切った大宴会がそのはじまりだった。各自が観客と演者の二役を努め、ライブや余興、趣味で集めたペナントのお披露目など、思い思いに数寄や道楽を持ち寄る。翌日にはちゃんと江戸村を観光し、1泊2日のバスツアーとした。Chim↑Pomのメンバーや愛☆まどんな、今や狂った俳人として知る人ぞ知る北大路翼[*10]や、現代美術家となった臼井良平、無人島や青木ヶ原の樹海に詳しい通称ダライ君など、謎に癖が強い人々が集っていた。そのほとんどはフリーターやニートである。絵を描く人も何人かいたが、未完の大作を並べたもっちゃん以外は絵画と呼ばれる表現ではない、基本的にはキャラなどを描く絵師たちで、つまりは殆どがアカデミーと別のところで何かしらの「表現」をしていた若者たちであった。

その所長としてカリスマ的存在だったのが、現在、未来美術家として活動を続ける遠藤一郎である。ほふく前

＊6　1946〜。ミヅマアートギャラリー東京、シンガポールディレクター。94年にミヅマアートギャラリーを開廊。会田誠、岡田裕子、宮永愛子をはじめ、日本、アジアの作家の育成、発掘、紹介を続ける。

＊7　1970〜。美術家。絵画、ビデオ、パフォーマンスなど多岐にわたる表現で、恋愛、結婚、妊娠出産、育児など、実体験に基づく作品を制作。2001年に会田誠と結婚。息子はアーティストの会田寅次郎。

＊8　1964〜。現代美術家。90年代より電気製品を用いたサウンド・スカルプチャーやライブ・パフォーマンスを発表。主な展示に「ヨコハマトリエンナーレ 2017島と星座とガラパゴス」など。

＊9　無人島プロダクションオーナー。ミヅマアートギャラリーを経て2006年に無人島プロダクションを設立。独自性の高い活動を展開し、八谷和彦、風間サチコ、Chim↑Pom、加藤翼らの伴走を続ける。

＊10　1978〜。新宿歌舞伎町俳句一家「屍派」家元。2012年、会田誠が新宿歌舞伎町で始めた「芸術公民館」を引き継ぎ、「砂の城」として営業を続ける。著書に『生き抜くための俳句塾』など。

進を毎日続けたり、かっぱのコスプレで在廊したり、車体に「未来へ」と書かれたバス「未来へ号」で全国を巡ったりとそのユニークな活動は他に例をみない。そもそもは僕と林がノイズをやっていたときに出会った友だちで、音楽家であり……という肩書きを言うと何か語弊を生むような、ライブハウスやクラブをステージにしながらも、全くどこの何のジャンルにも当てはまらない独特なライブを行っていた男だったのだ。最初に知ったときはたしか段ボール箱の中にすっぽりと隠れていて、箱越しの内と外とで人とコミュニケーションを取っていたように思う。

「駄作の中にだけ俺がいるオーケストラ」の準備を進めている中で、絶対に出品した方が良いと勝手ながら会田さんに推薦した物品があった。現在、一郎くんは「未来へ号」で車中泊を何年もし続けているが、その時はまだ小さな部屋を借りていた。そこに遊びにいったときに、収集され続けていた大量の大人のおもちゃや楽器、廃棄物、録画され続けていた大量の「真剣10代しゃべり場」のビデオテープなどに混じり、「ふつう研究所」と下手くそな字で落書きされた、木製のちゃぶ台があったのである。

これにいたく感銘を受けたわけだけど、それは僕が知る限り、服装も言動も表現も、当時も今も最もエキセントリックな人物である一郎くんが、ひとり「ふつう」について研究しよう、とその思い立ちをアイデアとして自分のプライベート空間の片隅に刻印していたからだ。当時は会田誠と相田みつをの区別も付いていなくて、聞くと、「あえて変わったことをしようとする」ことは表現者として違うのではないかとか、未来に向かうとか、頑張るとか、「ふつう」なことが最もすごいのではないかとか、そのような事を話していたように思う。

かく言う僕もアートとは何ぞやみたいなことはリテラシー的には知らなかったが、しかし自分が信じている芸術観のようなものは持っていた。今も昔も、基本的にはそういうアーティストに惹かれるのだけど、一郎くんはその中でもぶっちぎりでそっち系というか、そしてその強度が強いのだ。ちゃぶ台の落書きを前に、しかしこれはアートの場でこそ興るべきものではないかと感じた僕は、会田さん周りで出会っていた若者たちと一緒に「ふつう研究所」をやろう、と一郎くんに提案をしたのである。

その後、ふつ研は二度の展覧会と、メンバー全員が吹奏楽の楽器を練習してユニゾンで「ドラクエ」を演奏するライブなどを行い、強烈な違和感をアート界のある界隈に与えたが、その中からChim↑Pomが生まれ、活動が活発になった頃にはフェイドアウトした。

西荻ビエンナーレ

ふつ研がその界隈に知られることになったのは、会田さんが自宅を3日間開放し、美学校の生徒たちの展示の場として、会田家のホームパーティーとして、会田さんと岡田さんのスタジオヴィジットとして、そしてふつう研究所のお披露目の場として開催された、「西荻ビエンナーレ」（2005年4月1〜3日）（図2-1）である。キッチンも、玄関も、ベッドルームも居間もごっちゃごちゃに作品が展示されていて、どれが私物かわからないほどの混沌だった。トイレからは巨大なうんこの造形が突出していて、それが壁を突き破って目の前の部屋に伸びている。

完全招待制ということで、連日関係者が訪れビールを片手に屋内を巡り、そのままコタツやテーブルに居座り長居する。僕はふつ研のキュレーターを務めながら、仮性包茎だった皮を手術してホルマリン漬けにした、《脱卯城竜太》と題した自分の成長の宣言を出品した（何かを思い立ってすぐに取り下げたが）。先輩作家である松蔭浩之[*11]とは、花見の代わりにとベッドルームでライブをしたのを覚えている。

一郎くんはそこで初めて自身のトレードマークとなる「未来へ」という横断幕を制作し、それを家の外観にくくりつけていた。

当時の様子を伝える記事が少ない中で、「教師が（それも会田のように有名なアーティストが）三日間の無茶苦茶な展示のために自分の家を学生に提供するという考え方は前例がない」、と言及したロジャー・マクドナルド[*12]のブ

＊11　1965〜。現代美術家、写真家。90年、アートユニット「コンプレッソ・プラスティコ」でヴェネチア・ビエンナーレに世界最年少で選出される。アートグループ「昭和40年会」会長。

2-1　「西荻ビエンナーレ」集合記念写真
2005
撮影＝池田晶紀
Courtesy of Mizuma Art Gallery

ログが残っている。[*13]興味深いのは、「西荻ビエンナーレ」を、村上隆[*14]が主催していたGEISAIと比較している点である。アートフェアとコミケをモデルにし、東京ビッグサイトなどで開催されていたレンタルブース制の若手発掘の場であったそれを、ブース代や審査員制度、参加アーティストの疲弊などを挙げながら、「高度に秩序化された制限的な設定」と論じ、それに対照的なものとして、「西荻ビエンナーレ」を、「あなたが遭遇する可能性が高い無料のマイクロスペースである」と評している。

僕は個人的にはGEISAIは多くの才能を世に出した、そして日本と欧米の接続点を生み出そうと試みた実験であったと高く評価している。何よりもマーケット（の無さも含めて）を日本に示した先例であり、しかもそれをアーティスト個人が全リスクを背負って開催した、というのは歴史的なことだと考えている。が、ロジャーが言わんとしていることもよくわかる。ビッグサイトなどで資本主義的にアートを育てようとした起爆剤に対し、西荻のボロい一軒家で行われたその3日間のホームパーティーは、血の通ったアナキズムとして、顔が見える観客一人一人の耳元に「芸術とは何か」を呟く本質性に到達していたのだ。そのプラットフォームの有り様こそは、「にんげんレストラン」へと繋がる原初的なインスピレーションとなった。

作品を創り、発表の場を創る。この一連のパッケージングは、演者と観客が完全に一致していた日光での宴会や、「西荻ビエンナーレ」の頃から考え始められたものなのだろうと思う。それはその後のChim↑Pomにとっては、独自のマネタイズやアーカイブなども含んでプロジェクトのあり方を決定づける、「態度」にもなった。カンボジアでは、消費者金融からの借金を元手に地雷で私物を爆破して、自前のチャリティオークションで観客に販売、売り上げから僕らの取り分全額をセレブの証明として現地に持ち帰って寄付とした「サンキューセレ

＊12　1971〜。インディペンデント・キュレーター、個人美術館フェンバーガー・ハウス・ディレクター。2001年、NPO法人アーツイニシアティヴトウキョウをキュレーターらとともに設立。
＊13　https://rogermc.blogs.com/tactical/2005/04/the_nishiogikub.html（2022年5月31日閲覧）。
＊14　1962〜。美術家。96年にヒロポンファクトリー（現カイカイキキ）を設立。2000年に「SUPER FLAT」展のキュレーションを通じて、スーパーフラット理論を提唱。ヴェルサイユ宮殿、カタール・ドーハなどで大規模な個展を開催。著書に『芸術起業論』など。

ブプロジェクト アイムボカン」を実施。広島で大炎上した騒動を検証する本『なぜ広島の空をピカッとさせてはいけないのか』(無人島プロダクション、2009)を出版した頃からは、アーカイブにも作品的な活動性を見出すようになる。

実行委員会を結成し、地元の協力によって帰還困難区域内に長期にわたる国際展を作り上げた「Don't Follow the Wind」はその極点だろうし、キュレーションの場やChim↑Pom独自のショップとなったキタコレビルでのアーティスト・ラン(アーティストによる運営)・スペースも、その意味では象徴的なプロジェクトであった。

個人の活動も御多分に洩れない。

あいちトリエンナーレ2019では、表現の自由の回復を訴える40名のアーティストによる運動「ReFreedom_Aichi」の立ち上げと運動に参加。「ダークアンデパンダン」の主催や、「WHITEHOUSE」をはじめたことも僕の中ではこれに連なっている。

各プロジェクトごとに「独自の小さな美術業界」や「鑑賞の制度」を備えるようなこのやり口を、現代美術的な戦略や権威への反骨精神などと評する向きもある。が、それよりも、再三再四、あの手この手で試すこの「政治手段」は、個人的には、無観客のもとに制作だけを続け、どこにいるかわからない「観客」への期待や関心、または不信を勝手に膨らませていたあの頃の腹の内から来ているのでは、と最近ようやく気付くようになった。つまりは背水の陣からスタートしたっていうだけのことなのだけど、しかしそうとも知らずに活動に専念しているうちに、僕にとってはどのプロジェクトも制作の先に発表されて、さらに「アーティスト・ラン」に運営されることよって、はじめてその実態を持つようになったのだ。

「アクション」を起こし続けてきた僕らの「運営」は、しかしやはりその文脈に基づいて、ほとんどアナキズムとしか言えないようなスタイルを特徴としてきた。「無政府」という「管理を放棄する統治」を訴えるはずのアナキズムは、いったいどのように場所や催しを「運営」できるのか。それが各々のプロジェクトによって個別に実験されるようになったのだ。

とはいえ、それがアナーキーなものであり、素人によるお手製の実験だったから、これは例えばMBAだ学問だで「経営」を修得したりという類いの「運営」とは全然違うものとなる。「学び」もその延長線上にしかなくて、全ては手探りと体当たりでやってきた。ようは「現場主義」として四苦八苦してきた身体的なものであり、理論や机上の展開よりも、瞬発的に行われてきた。

例として近いのは、20代前半に旅していたバックパッカーとしてのスタイルだろうか。とにかく行ってみる。お金はない。コミュニケーションする。なんとかなる！といったような、行き当たりばったり、「学習」は気の向くままに、必要に迫られたり興味が湧いた場合に限り、その地やアートを掘ってみたり、英会話を学んでみたり。学費をかけないスポンティニアス（自発的）な学び方である。

とはいえ、このアマチュアリズムは当時は僕だけに当てはまったことではなかったように思う。ふつ研はその寄り合いだったし、Chim↑Pomの面々もその色合いが濃い。思い出すと、しかしその現象は突発的なものというよりも、ひとつの流れの中の「ムーブメント」としての側面があったように思う。

2005年当時、藝大や私立美大による作家の輩出がどこか頭でっかちなものとして「停滞」し、嘆かれた風潮があった。売れない作家が教授となって、学内でヒエラルキーを再生産していたのだ。そんな権威構造に呼応して、アカデミーからは、政治や社会がテーマとして表出してくることが少なくなっていた。その後にアートアクティヴィズムやストリートアートなど、言うなれば美術の「野良」たちが美術教育とは無縁に路上から台頭し、大きな芸術運動としてゼロ年代〜2010年代に現代アートを掻き乱すムーブメントを興すことになるのだが、僕らのアマチュアリズムはこのことと無縁ではない。

デモが素人による群れとしてパワーを得るように、ストリートは歴史的にも常にアマチュアリズムとカウンターの舞台として設定されてきた。ここに同時代のサブカルや若者文化、ストリートなどの文化を語ることから社会の諸問題に切り込む「カルチュラル・スタディーズ」の隆盛が相まって、Chim↑Pomもその批評の中で「野良」の代表格の一つとして日本に位置付けられることになったのである。とはいえ、芸術は実践の場であるとともに学問の場でもある。アカデミックにコトを進めてきたラディカルなアート界という大海原に、僕らは美術教育の全くの外側から領海侵犯してしまったのだ。

Chim↑Pomの素敵な面々

エリイは武蔵美の視覚伝達デザイン学科卒。Chim↑Pom唯一のアカデミー出身者とはいえ、ファインアートの学科との距離は遠く、当のエリイは実地でアート界に紛れ込んでいたギャルだった。当時ギャル男だった僕とエリイとの出会いも今になれば馬鹿っぽい。ミヅマアートギャラリーのオープニングで初めてのインターンをした二次会。中目黒の安居酒屋の座敷で飲んでいたら、展覧会そっちのけに飲み会にだけ遅れてやって来た彼女がドカドカと近寄ってきた。横に勢いよくあぐらをかいて僕の顔を覗き込んで、「誰の紹介?」と聞いてきたのだ。「なんだこのギャルは」と思った僕自身、別に誰の紹介でもなく実地でその場に上がり込んでいた。気になる場所にはどこにでも反射的に飛び込む性格だったから、あちこちを興味本位で廻っているうちに、バラバラと友だちができては、すぐに話が合わなくなる。連絡を絶って、携帯を変えて……を繰り返しているうちに、かつての友だちは高校の同級生だった林だけになった。

林との初対面は高1の頃だったが、その頃からいかにもカルチャーっ子としてサブカルやニューメディアに詳しく、お洒落だった。ボアダムスなど高校生にはキモいくらいにディープな世界を二人でよく覗き見しているうちに、いつしかそれは大竹伸朗、宇川直宏、会田誠と流れて現代アートへの興味になった。Chim↑Pomのデザインや映像の編集、写真のプリントや額装などを手がける林は、デザインの専門学校を卒業している。在学中から更にオシャレ度は増し増しで、当時日本の現代アートで最もオシャレだった「スタジオ食堂」[*15]なども訪ねていたらしい。とはいえ僕らはロスト・ジェネレーションの最後の世代である。特にそういう生活を余裕があって送っていたわけではなく、卒業後の林も僕とともにフリーターを生業にし、リボ払いやキャッシングと親のスネに生かされていた。

おかやんとみずのり、もっちゃんとは会田誠を通じて知り合った。

おかやんは会田さんの美学校の講座の1期生だった。最初から才能が輝いていて、ミスター・ナンセンスとでも言えよう訳のわからない作品を、しかし独特な手グセでもって作り出していて、アウトサイダーアートの人々が描く線にハマっていた僕は、おかやんにそれに近しいリアルさと、コンセプチュアルなアイデアの融合を感じていた。Chim↑Pomのドローイングで癖の強い絵は、全部おかやん作のものである。美学校以前には、福岡の大学に数週間だけ通い、その後は奨学金を生活の糧に引きこもっていたらしい。一人暮らし用の小さな部屋ですら広く感じ、押し入れの中にテレビを持ち込んでいたというから僕より世界が狭すぎる。会田さんのことは知っていて、上京する言い訳としてその講座に来たわけである。

もっちゃんもその講座の3期生である。藝大に3浪した末に桜散り、会田誠のことも知らずに流れ着いてきた。滑り止めも受けずに何年か藝大を目指していた画家志望者の進路としては、これは最悪の末路である。初めて顔を合わせたときから寡黙だったが、舌にはピアスの穴の跡が残っていて、聞けば高校のときは走り屋として、グネグネと曲がる山道を攻めていたらしい。一応、初対面の挨拶として年齢を聞いたところ、22だか24歳だか忘れたがどちらかの数字を言った。年下だと認知したが、次に会ったときに謝られた。「お母さんに聞いたらハタチだった」とのこと。その後もエピソードを連発することになる天然キャラを発見した瞬間だった。藝大に落ち続けた経験を作品化したもっちゃんの渾身のパフォーマンスは2つある。ひとつは石膏デッサン用のブルータスの像を自らが走り屋だったときのフルフェイスを被って頭突きし続け、頭を落とした首から上にメットを被せて木炭で模写する《BRUTUS》。もうひとつは予備校の同期で、当時好きだったコが行った藝大のクラスの授業に乱入し、告白して振られてしまうというハプニングだった。

みずのりはまた別のカルチャースクールのような場所で講義に来ていた会田さんに出会っていた。これも大学を中退し、「ビッグになることを夢見て」という、いかにもこれから挫折しそうな理由で上京してきていたお調子者だった。コーネリアスや小沢健二などお洒落な渋谷系に影響を受けたというカルチャー感があったが、アー

＊15　東京都立川市にあったミシン工場の食堂跡地を利用した共同アトリエ。１９９４年に笠原出、須田悦弘、中村哲也、中山ダイスケ、藤原隆洋が利用を開始。98年に活動を休止し、２０００年に解散。

ティストというよりもアングラお笑い芸人のように空気を読んだリアクションをする。みんなで飲んでいるうちにイジられることが定着し、汚れ役のパフォーマーとしてエリイの良き「真逆」として存在感を放った。

こんな僕らだったから、アートをやろうにもスキルがない、知識がない、自信はあるけど「何をやればいいか」がわからない。そんな最初から深刻なピンチに陥った僕らが出した答えは、自分たちの「生き様」を演じようという思い切りだった。当時、ビデオカメラが安価になっていて、誰にでも持てるようになっていた。だから同期としては何よりもYouTubeがある。その区別化をするために、僕らは必死になって「自分にとってのアート観」というものを、自分たちの人生に見出す必要があったのだ。

かつてこのアマチュアリズムの感覚をなんと言うかと定義しようとした動きがあった。哲学者の鶴見俊輔が芸術と生活の領域から非専門的芸術家が作り出す「限界芸術」の概念を発案した際に、鶴見が丸山眞男らとともに同人として創刊した思想誌『思想の科学』の「特集・アマチュアの発想」（1963年9月号）において、編集長の森秀人が定義した「パーフェクト・アマチュア」がそれである。これを50〜70年代の反芸術パフォーマンスをまとめた『肉体のアナーキズム1960年代・日本美術におけるパフォーマンスの地下水脈』（黒ダライ児著、grambooks、2010）で知った際に、なんて馬鹿っぽいネーミングなんだと一目惚れしたが、何しろその定義もラディカルである。一方ではプロに対立し、一方では素人に対立するという、諸刃の刃として、「素朴で単純な、被害者としての阻害者としての、大衆一般を拒否しないといけない、味方は大衆であるという発想を拒否しないといけない。プロと戦うアマチュア、下手な歌、下劣な品性、時代遅れ、無知、無秩序、反文学、犯罪的、そして革命的なもの」が「パーフェクト・アマチュア」であるという。

いまも会議で自分たち自身を「Chim↑Pomのプロ」と自称することがあるChim↑Pomメンバーだが、そういう背景には、アマチュアでは決してないし、しかしプロのアーティストとしての自覚も他の人とは少しズレている、という感覚が働いているからだろうと思う。僕にとってはその独自の「パーフェクト・アマチュア気質」こそは、（時代遅れでこそなかったものの）「野良」の自覚によって結成当初に持ち得た極めて身体的な、Chim↑Pomの初期衝動そのものだった。

E R I G E R O

1作目である《ERIGERO》(図2-2)は、エリイが一気コールに乗ってピンクの液体を飲み、ピンクのゲロを吐き、その後自らコールを煽り、飲んだり吐いたりを繰り返すものだ。シナリオもなく始めたが、一度目に吐いた直後のエリイが馬鹿笑いをし始めて、僕らを逆コールで煽ったところから急に空間にビリビリとした儀式めいたトランス感が憑依した。と言ってもそれは別に崇高なトリップではなく、吐くときの苦しげな表情と、その直後にゲラゲラと笑うエリイの姿が何というか清々しいほどに「空っぽ」で、芸術論だとか哲学だとか社会の諸問題だとか、頭を悩ませるものたちが一気に吹き飛んだようなものだった。馬鹿馬鹿し過ぎて頭が完全に持っていかれた、そんな感じのゾーンへの入り込み方だったのである。

のちにマーティン・クリードというターナー賞作家がコンセプチュアルアートとして女性が吐くだけのミニマルな映像作品を制作したが、《ERIGERO》はその冷静なコンセプトや「何かありげ」な雰囲気とはまるで違う。何度深読みしてみても、それはやはり単に「異常に」「馬鹿げている」のだ。だから、「何も無い」。何かあるのを演出として「無い」と言っているわけではなく、本当に、どう深読みしても、空っぽのプールやマネキンの脳みそのようにカラッカラなのである。そこまで吹っ切れたエリイの行為に僕は感動を覚えたわけだけど、かくいう僕らコール陣も意味不明。言わんや、「えりちゃんイッキ! 極妻イッキ」「そ〜れそれそれ」「そ〜れそれそれ」「カンカンカン」「カンカンカン」「カンカンカン」「カンカンカン」「根性みせらんかい!」「ほい!」「根性みせらんかい!」「ほい!」「筋通さんかい!」「はい!」「筋通さんかい!」「はい!」……と、ウェーイなノリも究極的にダサいし、何度言っても足りないくらいに空っぽだ。

エリイが吐いた後に「ウィ〜」と息を吐き出し腕で口元も拭う仕草も品がないし、総じて体育会系のノリだけど、本人たちは体育など全く無縁なタイプである。が、しかしエリイは毎晩六本木でこんなふうに飲み歩いていたから、そこに演技じみたものは全く無い。コレオグラフィーなどがあればまだ「アート然」としていたのかもしれないけど、残念ながら一から十までが「ノリ」である。アドリブの中でリードするはずのコール陣は煽られて、煽るエリイもそれに乗る。何が何だか訳のわからないノリに全員が巻き込まれる。僕自身、これまで無数のアートを鑑賞してきて、ここまで無知性なものは正直言って見た事が無い。アートとしては存在し得ない程の「空っぽさ」が、何とすれば今になってもぎりぎりアートではないような雰囲気すら漂わせている。であるから、ふつ研までは仲良くしてくれていた先輩アーティストやギャラリストでさえも、何人かはドン引きしていたし、何故か悲しいと泣かれたり怒られたりもした。

が、僕らが欲しかったのは、まさにこの「アートじゃない」ようなアートだったのだ。アートを踏み躙るような、しかしアートじゃなかったら、一体何なのかも全くわからないような。くだらないものが溢れるこのくだらない世界にあっても、特にくだらないと誰もが断言する程の「真のくだらなさ」。意味ありげなことに満ちているアートワールドを前に、先ずは自分たちには本当に「意味がない」という真実を明らかにすること。アート畑で育った野菜ではない僕らにしてみたら、そんなアートとの独自の距離感と、コントロールされた畑のルールを徹底的に破壊し、野性化へとアクティベイトするような野蛮な力が必要だったのである。

これをこっ酷く否定したキュレーターがいた。東京藝術大学大学美術館で開催されたピンクをテーマにした展覧会のドイツのキュレーターで、彼女に参加作家であった会田さんが《ERIGERO》をプレゼンしたのだ。冒頭から少し映像を観た彼女は、男性チームが女性ひとりを吐かせている、とフェミニズムの観点で激怒した。その先を観ればエリイのリードを確認出来たはずだが、彼女は観ることを拒んだ。

キュレーターのリアクションに逆ギレしたのは推薦者であった会田さんである。「卯城、英語を話せるか？」「話せません」と僕は早々に会田さんにつくことを辞退したが、僕らはその日本語オンリーの会田さんとバウハウスのキュレーターの噛み合わない喧嘩を遠巻きに眺め、しかし何か議論好きの現代アート特有の現場をはじめて間近にしたようで観察をした。

処女作にしてChim↑Pomのマスターピースのひとつである《ERIGERO》。これがアートかどうかは実はまだよくわからないが、Chim↑Pomはこの制作を通してはじめて自分たちの存在意義を確信出来たように思う。そ

2-2 《ERIGERO》2005
ビデオ（5分59秒）
Courtesy of the artist, ANOMALY and MUJIN-TO Production

れから暫くして、Chim↑Pom の作家性についてああだこうだとメンバー間で言っていた中で、「コンセプトはノリだ」とよくわからない持論をみずのりが展開した。このアホな確信は、しかしその後にさまざまな現場に乗り込んでいくときの「行動力」となって、アートを解さない人々と、コンセプトを超えたところで作品を生み出す「ノリ」となった。

《ERIGERO》に手応えというものをはじめて感じた Chim↑Pom は、その後、一本のニードルを全員で持ってみずのりの背中にこっくりさんを呼び出すタトゥー作品《狐狗狸刺青（こっくりさんタトゥー）》（図2-3）や、食品サンプルで精巧に作られた乱痴気パーティーの痕跡のインスタレーション《くるくるパーティー》を前に、もっちゃんが断食し続け自らの身体を彫刻する（激痩せする）《Making of the 即身仏》（図2-4）など、理性やコントロールが外れた先に生まれる身体のリアルを「行為」で追い求めるようになる。

そんな活動を続けているうちに、そのエクストリームな個が一番威力を発揮する舞台こそが、公共空間だということに気がついた。街中でカラスを呼び集めたり、道でネズミを追いかけたり、火を焚いたり。異物がそこに登場するだけでアクションは周りのリアクションを生む。人々の「大衆性」や公共の限界を強制的に引き出すそのパンチ力こそが、一人の行為として Chim↑Pom 内で完結していたジェスチャーとしての「アクション」を、社会的な行動――「アクション」へと広げたのだ。

これは、改めて「アクション」を、「行為」と「行動」のその先……「活動」へと解釈を拡大するための回想である。

「にんげんレストラン」というプラットフォームから、三野やエリイや関、Aokid や松田らによるラディカルな行為や行動がリアクションとして生まれたのには、その「エクストリームな個」によって育つ枠組みである「公」のエクストリームな運営が前提だった。ひとりの「にんげん」がそのポテンシャルをリミッターを外して高め、表現を発露するためには、排除はおろか、許容するだけにも留まらない、その影響によって「自力で変異」して「勝手に育つ」、「容れ物」のキャパシティとその運営が条件となる。その関係にあってこそ個と公は、複雑な掛け算のように相関し、トップダウンともボトムアップともとれる統治のあり方を乱発し、リフレインし

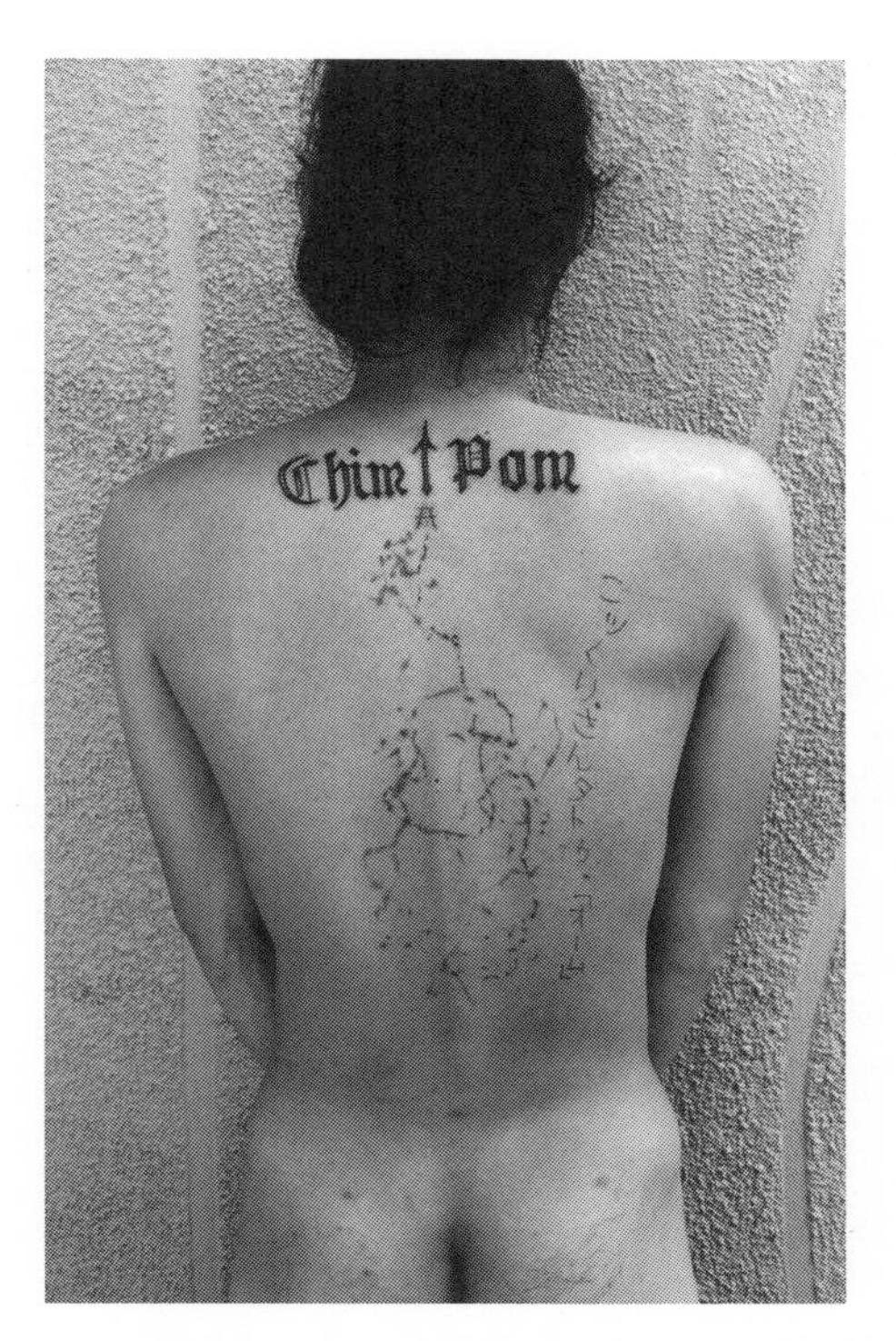

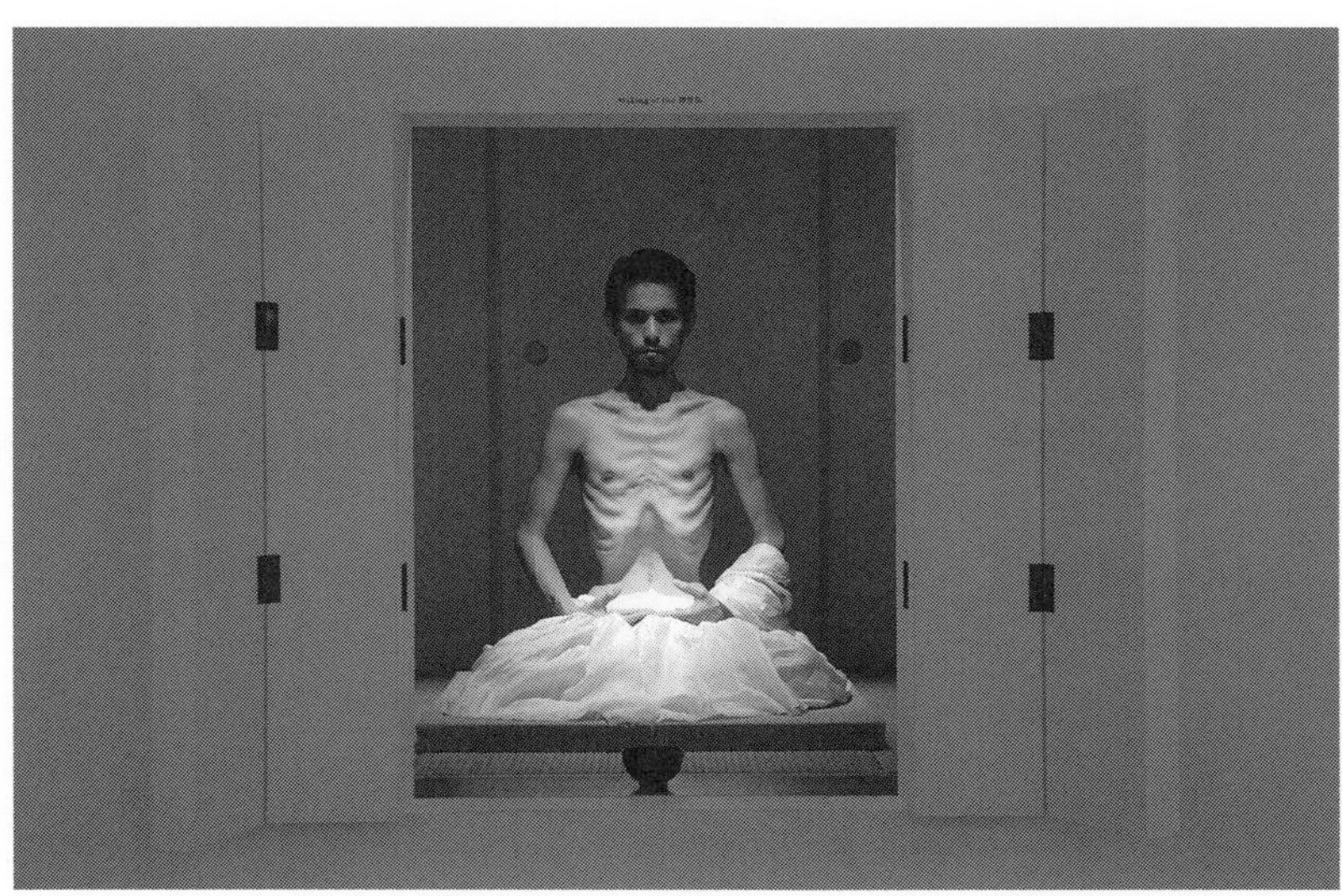

上・2-3　《狐狗狸刺青（こっくりさんタトゥー）》2008／ビデオ（3分43秒）、ラムダプリント／84.1×54.9cm
Courtesy of the artist, ANOMALY and MUJIN-TO Production

下・2-4　《Making of the 即身仏》2009
撮影＝梅川良満／Courtesy of the artist and ANOMALY

合うような関係となる。岡本太郎という個を受け入れた大阪万博の公共性に近しい発想であるように聞こえるが、しかし戦後民主主義の可能性と不可能性から「にんげんレストラン」のマネージメントの美学が生まれたことは1章で記述した通りである。何が違うのかと言えば、この運営は民主主義よりもアナキズム（無政府主義）に限りなく近い、原生林のような個と公の絡み方なのだ。

アナキズムは運営をいかに考え得るか

2012年に福岡の山の中で思想家の中沢新一と内田樹のトークセッションを聞いた。原発事故後の社会と未来を語るなかで、資本主義とも社会主義とも違う政体のあり方として、アナキズムの話題が持ち上がっていた。何だかヤバそうで興味をそそられたが、無政府という統治を国家で想定した当時の僕には、さて誰がいったいどのような形でこれを行うのかと謎が深まった。生きているうちに実現されるかは謎だけど、いつかはあり得る社会だなと思い、そこに生きる自分の身の上を考えた。終わった後にフロアに残っていた内田を捕まえて、「貨幣はどうなるのですか」「起業するときはどうすればいいんですか？」などと、素人であることを良いことに聞いてみた。「領地的国民国家」にそんな政治体制が確立された成功体験はまだないわけで、国家ありきの答えを求めて困らせたかな、と今になって思う。

アナ・ボル論争という議論があった。大正期から昭和初期の前衛アートに影響を与えた議論で、「アナキスト」なのか「ボルシェビキ（共産主義）」なのか、自身の政治的スタンスを明確にせよ、とアーティストたちに迫った論争である。何故そんな選択が必要になったかと言えば、そもそも反資本主義がまずは目下の現実問題であった中で、両主義は革命を狙うチームとして、共闘する相手だったのである。というか、人によってはどちらも支持するか、または違いがよくわからない程に近しかった。

両者が袂を分けのは、1872年にまで遡る。2つの勢力が同居していた世界初の国際的な労働者組織「第一インターナショナル」の主導権争いにおいて、労働者による政治体制として共産主義を掲げたマルクスが、権力自体を疑問視するアナキストの代表格バクーニンらを追放したのである。マルクスが、「政党結成、政治権力奪取、権威と規律」を主張したのに対し、バクーニンは、「自由な政治組織による緩い連合、政治不参加主義」をモットーにした。これを機にマルクスら共産主義勢力は勢いづくことになるのだが、そもそも両者はともに搾取に苦しむ労働者の解放を謳い、自由と平等を標榜するための思想である。その先に、いつか中央集権的な政治体制を乗り越えて、強制力のない社会への展望は共有されていたはずだ。ようは、その夢物語をどう実現するかという違いであり、マルクスらにしてみれば、いきなり無政府なんて非現実的だ、労働者による独裁へと段階を踏んで権力の譲渡を行うべきだ、という感じだろう。一方のバクーニンらも、それでは労働者による専制になるだけで、権力構造そのものは残るではないか、とそれはそれで正論を展開。両者譲らずにエスカレートして、仲が割れた。

統治者のいない体制、というのはつまるところ、「個人個人がコントロールを外れて動きまわる」ことで形成される社会や群れのあり方である。

アナキストの大杉栄[*16]の場合、それは米騒動において目の当たりとなった。誰かに配置された動きではない無秩序な大衆の暴動に、理念からよりも行動の結果として真理を判断しようとする「プラグマティズム」……日本語でいうところの行動主義の有様を見たのである。この立場から、そもそも自然界だって最初から全体性が示されているわけではなく、ただ無数の極微物質の運動があるだけだという生物学的な見地とともに、それらは塊として大きな一つとしての運動体にもなるし、個別の動きの変化が全体の形をも変化させるという、「群体」のあり方を確信した。

大杉は、議会を通した変化よりも、直接行動としての労働組合運動による社会変革を目指した「アナルコ・サンディカリスム」の理論家として知られている。だからやはり運動が指導者によって組織され過ぎることには反

＊16　1885〜1925。社会運動家。第一次大戦後、無政府主義運動を進める。関東大震災直後、妻の伊藤野枝、甥とともに憲兵大尉甘粕正彦に虐殺された。著書に『獄中記』『自叙伝』。

発をする。「群体」の秩序としては、生物学者であり革命家として知られるアナキスト、クロポトキンが動物界の群れに見られる連携の必然を人間界に転嫁した「相互扶助論」をベースにし、関東大震災で街やシステムが破壊されたときに、助け合って生き延びようとした人々の共存のあり方にそれを見てとった。

もちろん、これは古い話だから、解釈が多様になった現在のアナキズムにどれだけ当てはまるのかは謎である。が、例えばアナキストを自称する台湾の閣僚オードリー・タンも、政府にポストを持ちながら、自分にとってのアナキズムの大原則を「強制のない社会」だと言う。人流を統制することに大成功した、台湾のコロナ対策を担う人物の思想としては何とも皮肉だが、つまりは統治の問題としてアナキズムは、原初的に個人の自由を絶対的なものとして考えている。だから誰かの力が権力として個人に介在すること自体に懐疑的なのである。

資本家であれ政治家であれ労働者であれ、それが束縛や洗脳となって社会を「マネージメント」しようとするならば、そのギクシャクは個と公のギャップとして表出するしかない。

「運営」と「制作」

これに似た矛盾を「社会と個人」という図式ではなく、一人の人間の中で抱え込むような立場もある。経営者だったり、リーダーのような存在である。

思想家の東浩紀[*17]は自社の経営に疲弊した際の論考「運営と制作の一致、あるいは等価交換の外部について　観光客の哲学の余白に・番外編」(『ゲンロンβ32』、２０１８)で、経営と物書きという、いち表現者としての二つの立場の両立の難しさを、黒瀬陽平の『情報社会の情念　クリエイティブの条件を問う』(ＮＨＫブックス、２０１３)という著作に登場する「『運営の思想』と『制作の思想』の対立」という観点から嘆いたことがある。つまりはゲンロンという自社にとって、経営者でありながら、同時に、書籍やトークイヴェントといった主力商品の制作者でもある東の難しい立場を説明したものである。

表現で言えば、「運営」というのは作品のマネージメントのことであり、「制作」は作品を生み出すプロセスである。両者ともに人間の行為のひとつの形態だが、立場が異なる。SNSや動画投稿サイトなどプラットフォームがコンテンツを包摂する現状を念頭に、東は「運営の思想とは、プラットフォームのほうがコンテンツよりも優位だと考える立場のことで、制作の思想とは、コンテンツのほうがプラットフォームよりも優位だと捉える立場のことである」とまとめている。現状はどうかと言えば、少数しかないプラットフォームに多数のクリエイターが集まる文化一般の仕組みのもとで、両者の力関係はおのずと上下関係のように成立してしまう。プラットフォームにとってコンテンツが代替可能な「商品」である限り、「運営の思想とは、ようは商品開発の思想であり、資本主義の思想」になるという、経済の論理が表現と別のややこしさをさらに増す。

これが資本主義ではなくアナキズムだったらどうなるのだろうか、というのが僕の興味だ。「群体」としてのプラットフォームがあるとして、個別の動きによるプラグマティズムがその姿を変化させていく。一体そんなことが可能なのか、社会的動物である人間は、結局、国家や法、経済システムなどの法則によって個人が動くように整えられている……。

個と社会の問題にあってアナキズムは何度となくその壁にぶち当たってきた。ただでさえ理想論としての印象が強いのに、そのたびに政治体制としては実現不可能なものと思われてきたのだ。

そうとなれば、現実的にはアナキズムは社会的統治の形態、つまり運営の思想よりも、それに対抗する制作者側の思想……プラットフォームである「公」を概念的に破壊するコンテンツ……、「表現」そのものの中にこそ存在意義があるのではないか、という論理が浮上する。

現在、気候変動や格差の拡大、グローバリズムによるパンデミックなどを経験し、資本主義への懐疑が頻繁に議論されるようになっているが、歴史上、これは第三波とも四波とも呼べそうなアンチ資本主義の動向である。第一～二波だったアナ・ボル論争の頃は、アナキズムも「政体」として議論された「運営」や統治の問題だった。

＊17　1971～。批評家・作家。株式会社ゲンロン創業者。2010年、新たな知的空間の構築を目指して、ゲンロンを立ち上げ、出版、カフェイベント、スクール、展覧会、ツアー、配信などの事業を行う。著書に『ゲンロン戦記』『弱いつながり』など。

それが政治の季節であった60～70年代には、「肉体のアナーキズム」や「アナーキー・イン・ザ・UK」など、カルチャーとして、コンテンツとしての表出が目立つようになる。後述する「アウトノミア運動」など「運営」の思想としてもアナキズムは発揮されることになるが、国家の政体としては現実味を失って、パンクや反芸術パフォーマンスといった「制作」にも一般化されたのである。

アートにおける「活動」

ここに、「作品」のプライオリティが高いアート界においては、アナーキーな神秘性が作品至上主義的に語られてきた、という風潮が重なってくる。絵画であり、彫刻であり、映像であり、パフォーマンスであり、曲であり……と、そういう概念を表象する「メディア」においては、作家は、真に自由と破壊を謳歌するアナーキーな結晶として、作品を生み出せるのだ。ダダイズムがそうであり、リズムやメロディを破壊した現代音楽がそうであり、20世紀の現代アートの歴史の大筋は、実質的な社会自体の変革ではなく、そのメタファーとなるメディアや概念における破壊と創造の文脈だった。

作品至上主義的にロマンを発露し続け、社会自体とのかかわりをある種邪道のように見做してきた美術史は、その上で、作品ではないもの……作家の「活動」という実質的な社会での営みを、「アクティィヴィティ」として常に作品の背景に追いやってきた。作品よりも作家そのものが重要となった近代から現代への流れにあっても、そのプライオリティは、作家性→作品→作品→社会的実践→活動と低いままだったのである。

例えば政治団体や環境保護団体、NPOなどを見ると、「活動」はそのように優先順位で測られるものではない。むしろ、ビラまきであろうが勉強会であろうがデモであろうが、全ての行為は「活動」と呼ばれ、しかし行動主義的に政治的なニュアンスを併せ持つ。

同じ「活動」でも、それはリゾートでの「アクティヴィティ」などとは違う響きを持つものである。その本業の余暇のようなサブ的な「活動」というニュアンスよりも、より積極的に、能動的に、社会に変化を作り出そうという当事者としての行為こそが、「政治活動」だったり「芸術活動」なのだ。

その意味合いは、哲学者のハンナ・アーレントが[*18]『人間の条件』（志水速雄訳、ちくま学芸文庫、２００９）で言うところの、他者同士が意見を交換したり、対立したり、協力する行為「アクション（活動）」を発展的に捉えるようなものだろうと思う。

アーレントは人間の「活動力」を、私的な領域で行われる「労働（レイバー）」と、作品や詩作などの制作「仕事（ワーク）」と、「活動（アクション）」の３つに区分した。家庭内などの私的な領域に対し、この「活動（アクション）」が行われる場は、異なるタイプの思考や属性、価値観が出会う場……「公的領域」である。後に公共の概念として整理されていくこの考え方は、その場を構成する個々がまるで違う性質の存在であるという前提にたっている。意見を交換する際に協力したり、ぶつかり合う、そういう「複数性」の中からこそ、物事の見方は変化するのだと考えられた。アーレントは、それこそが「政治」に他ならない、とその契機を強調した。

東の「『制作』が対立するもの」を巡る悩みは、この『人間の条件』を引用するところから、政治と作品のギャップという少し形を変えたものとしても現れてくる（東浩紀「アクションとポイエーシス」『新潮』２０２０年１月号）。「あいちトリエンナーレ２０１９」の騒動において、極度に政治化しつつあるアートの現状を、「仕事（ワーク）」と「活動（アクション）」の区分けを用いて問い直したのだ。

「アクションとワークの対立には、政治と芸術の対立が重なっている。古いギリシアの言葉をつかえば、プラクシス（行為）とポイエーシス（制作／詩作）の対立である」とするその論考は、現状を、「制作の活動化。ポイエーシスのアクション化。つまり芸術の政治化」であると考え、一定の理解を示しつつも、「ぼくは、アクションとポイエーシスのどちらかを選ばねばならないのだとすれば、ポイエーシスを選ぶ人間である。多少おおげさにいえば、そうでしかぼくは生きることができない」と、自身の制作者としての立場を明確にしている。

＊18　１９０６〜１９７５。ドイツ出身の政治哲学者。41年アメリカに亡命。全体主義を生み出す大衆社会を分析した。『全体主義の起源』『エルサレムのアイヒマン』など著書多数。

ここで語られている重要なことは、「芸術の政治化」が、アーレントの生きた時代から、SNSという「いいね」や「返信」や「シェア」によって関心が獲得され、その数を競争する時代に移ることによって、大きく意味を変えている、という指摘である。

アーレントの時代、アクションこそが人間を人間たらしめ、他者と公共性に開くものだと信じられたのは、そこではアクションが、いわば「見えないもの」だと考えられていたからである。

制作＝作品（ワーク）は見える。触ることもできる。つまりその成果を知覚によって確認できる。けれどもアクションは見えない。触ることもできない。自分の活動＝行動がほんとうに他者を動かしたのか、他者とのコミュニケーションでなにが生まれたのか、その成果は知覚によって確認できるようなものではない。アーレントはこの性格について、アクションはつねに「過程」であり、アクティヴィスト自身はその本質を掴むことができないというかたちで表現している。だからこそ活動は、ひとを、作品の制作よりも困難で、おそろしく、本質的な人間の謎に直面させるものだと考えられていたのである。

しかし現在はどうだろうか。ぼくたちはSNSの時代に生きている。SNSとは、その本質においてアクションを計量するメディアである。（略）アクションの効果はいまや、見えないどころか、リツイートや「いいね」の数によって残酷に瞬時に計測されてしまうのだ。

――東浩紀「アクションとポイエーシス」『新潮』２０２０年１月号

アクションがSNSによって計量できる時代にあって、大衆の関心を引く言葉は画一化し、政治的アクションは均一化しつつある、という指摘である。こうなると、右翼であれ左翼であれ、思想信条の立場が何であっても、政治は計量できる「数」となる。大衆を動員するポピュリズムとしてのアクティヴィズムの台頭は、その極地としてトランプ大統領を誕生させた。東は、そういう社会にあっていま「アクションを起こす」ということは、「本人がそれを望むと望まないとにかかわらず、その不毛な数取りゲームに参加することしか意味しない」と断言する。

ここで言うアクションとは、言わずもがな政治的な運動である。SEALDsのデモやネトウヨの電凸など、立場の違いがあれど数を動員する直接行動などが対象となる。僕にとってもこの指摘は、「はじめに」で述べた通り、「アクション（行動）」の不可能性をまさしくついた意見として参照できるものであった。

美術評論家のクレア・ビショップ[*19]は、2021年の藝大での講義において、「美術館内への介入ほど非破壊的なことはない」と、「ゲリラアートやアーティヴィズム（アート+アクティヴィズム）など、公共空間への直接行動が求められている」とした。この影響は大きく、「東京ビエンナーレ」の関係者など、実際に野外をオフィシャルに使った事業などもこれに乗じてその意義を語ったりしていた。公的な野外活動とビショップの言っていることは真逆なのでは、と、芸術実行犯としてゲリラで直接的なアクションをパブリックに展開してきた僕などは思ったが、かくいうビショップの言い分の方にも、何か少し違和感があった。

いわゆるアーティヴィズムがパブリックを騒がせたのは、もう10年も前のことであり、日本でその筆頭と言われたChim↑Pom自体、直接行動から「にんげんレストラン」などのプラットフォームの運営など、間接的な行動にもその活動を広げてきたのだ。

直接行動単体の難しさを理解する上で、東の言い分を擁護するようなエピソードがある。先日、ネオダダなど美術館から外へ飛び出した戦後の前衛芸術や、社会的行動を芸術的美学よりも優先する「ソーシャリー・エンゲイジド・アート」を紹介する講義が某所で行われた。講義を担ったのは若手文化研究者の山本浩貴[*20]である。その質疑応答で、「Qアノンのアメリカ連邦議会襲撃[*21]はアートですか？」という質問があったのである。「アートかどうか」は常に歴史が検証してきた価値観であり、早急にジャッジ出来るようなものではないわけで、戸惑っただろうなあと思う。が、まあ、これはなかなか良い質問ではないかと考えさせられる契機になった。詳しくは後ほ

＊19　1971～。イギリス出身の美術史家、批評家。近現代美術史における参加型アート、キュレーティング理論を専門とする。著書に『人工地獄――現代アートと観客の政治学』『ラディカル・ミュゼオロジー』など。

ど考察することになるが、ここでまずは重要なのは、東の指摘通りに、ビショップの言葉をそのまま受け取って、「いまやアクションあるのみ！」とアナーキーに宣言することがどういう意味を持つか、ということである。その先に、Qアノンや迷惑系YouTuberと同等になることへの自覚を持ちうるか。

アートの歴史は決して不変的な一本の道ではなかった。時代が変化するたびに、芸術の捉え方は何度も変わってきた。

アナキズムが政治や統治という公的な問題から、表現という私的なものとして一般化された50~70年代の「肉体のアナーキズム」的アクションへと拡張されてきたなかで、これとQアノンの差異を説明しろと言われるご時世にあって、政治活動もまた「不毛な数取りゲームに参加すること」と同等になり得る状況なのである。「アクション」の解釈は、この流れの中でどう変化できるだろう。

東の論考は、そこまでは流石に切り込んでいない。秀逸な状況分析ではあるが、新たなアートの形を見出す、という未来志向のものとは少し性質が違う。だからであろう、結果的に「アクション（政治）」よりも「ポイエーシス（制作／詩作）を選ぶ」という、極めてオールドスクールな表明で締められている。これもまた、一周回って、新たな時代における「新たな作品至上主義」のようなものかもしれないな、と思う。作品が社会の「運営」の在り方を訴える政治活動に乗ると全てが「いいね化」し、「商品化」するという資本主義下にあって、表現というものの価値は、自由でアナーキーな独立性にこそ由来する。

これは聞こえは良いが、しかしそんな芸術観こそが、実は近代的に真っ当なアートの解釈のように聞こえてしまうのは僕だけだろうか。もちろん東のいう「政治」と「運営」は同一視して語れるものではないだろう（むしろ経営におけるオルタナティブ性や重要性は『ゲンロン戦記』で強調されている）。しかし「制作」という観点からこれらの関係を再考すれば、僕の実感においては、むしろこの時代の変化の中で最も変わってきた芸術観は、作品や行動から「活動」へと批評のフィールドが広がってきた、そのパラダイムシフトの方だと言えるのである。そのフィールドでは作品よりも、むしろ運営そのものや活動全般が、芸術自体の本丸として政治性を帯びている。

ルアンルパ

象徴的な事例をあげよう。２０２２年に開催される世界で最大規模の国際展ドクメンタの芸術監督を務める、ジャカルタベースのアート・コレクティブ、ルアンルパである。ドクメンタの歴史にあって初のコレクティブ、初のアジア人ディレクターとなる。これを受けてアート界内の影響力をランキングする『ArtReview』誌の「Power100」の２０２０年版は、ルアンルパを2位に位置付けた。[*22]

草の根団体から大企業、メディアカンパニー、さまざまなビエンナーレやアート機関などとコラボレーションを行ってきたルアンルパは、アーティスト、社会学者、建築家など、10人程度からなる流動性を持つコレクティブである。

土地柄もあって、活動方針は基本的に相当に緩い。ウェブメディア『Artnet News』の記事[*23]によると、「私たちをオフィス環境に当てはめたら、全く何も機能しなくなるでしょう」と言うほどに、仕事の仕方はカジュアルだという。メンバー間にヒエラルキーはほとんど無く、全ての意思決定はコアメンバーのコンセンサスによって決定される。コラボレーターも多く、コロナ禍になってからは週に三度のZoomミーティングでその15～20人程が議論するという。

コレクティブ自体を共同で管理するコモンズ（共有）であると捉え、であるから逆説的に、自分らの中のヒエ

＊20　１９８６～。文化研究者、アーティスト。金沢美術工芸大学美術工芸学部美術科芸術学専攻講師。著書に『現代美術史 欧米、日本、トランスナショナル』『ポスト人新世の芸術』。

＊21　２０２1年1月6日にアメリカ・ワシントンで起きた事件。前年の大統領選に不満を持つトランプ前大統領の支持者らが連邦議会敷地に乱入し、議事堂などを一時占拠。警官１人を含む5人が死亡した。支持者の中には陰謀論「Qアノン」の信奉者が多数いたと見られる。

＊22　https://artreview.com/power-100/?year=2020（２０２２年5月31日閲覧）。

＊23　https://news.artnet.com/opinion/ruangrupa-the-collective-in-charge-of-the-next-documenta-reflect-on-what-it-means-to-curate-in-times-of-crisis-1878111（２０２２年5月31日閲覧）。

ラルキーを揺らすことに常に焦点を当ててきた。メンタルヘルスなどにも意識が高く、無理して働きすぎたりはしない。活動の成功は生産性や効率性では測れない、とその哲学を語っている。

そのはじまりは2000年、南ジャカルタでのアートスペースの運営だった。

1998年に31年間続いたスハルト大統領が退陣。独裁政権下では、アートスペースにオルタナティブというレッテルを貼ること自体が政治的反発の側面があったという。旧時代へのカウンターとして、その後の変革の時代に、草の根やD.I.Y.、ローカル文化、オルタナティブメディアの黄金時代が到来する。抑圧され続けてきたカウンターカルチャーやユースカルチャーの、プラットフォームが新たに必要になったのである。ルアンルパはそのパイオニアとして登場した。

活動は多岐にわたる。NPO団体として登録されており、都市の文脈においての文化生産に焦点をあてて、アートラボ、アーカイブ、ラジオ局、雑誌などの制作や出版、展覧会の企画、パーティー、批評を教えるワークショップなどを開催。「OKビデオ・インドネシア・メディア・アート祭」(OK. Video-Indonesia Media Arts Festival)というメディアアートのビエンナーレや、「グッドスペース」というパブリックラーニングスペースも主催する。自前のスペースだけに留まらず、ネットワークを形成するよう行ってきたインドネシア各地のコレクティブやスペースとのコラボを通し、ハブのような存在になった。パンデミック中には自身のスタジオを「緊急キッチン」として開放し、地元のひとたちのために防護服やマスクなどを作り出した。

シンガポール国立大学の准教授で批評家のデビッド・テーは、

> ルアンルパを紹介することは、ある出来事を説明するようなものです。タイムベースでもあり、即時性もあり、緩やかに構成されていて、目的意識もあって、闘争的というよりも祝賀的な存在。グループをメディアで例えるとしたら、カラオケ。
>
> ——David Teh "Who Cares a Lot? Ruangrupa as Curatorship" Afterall (7th June 2021)

と例える。

ずらずらと書き連ねても、20年を通して驚くほどに「何をやったのか」ということが作品としては見えてこない。全ては「活動」として展開されていて、それ自体がアートとして考えられているのである。現代アートの制作の仕方や労働のあり方にも批判的で、作家単体の欲望や生産性がものを言うアート界の、その構造的な問題や、家父長制や資本主義、植民地主義といった社会のあり方をアートで再考する必要を説いている。その、ヒエラルキーを無効化するような活動は、各地のビエンナーレでのコミュニティ制作や、「RURU Radio」と称したラジオ局をパートナーシップとして開設するなど、さまざまな国際プロジェクトとしても実践されてきた。

そんなルアンルパによるドクメンタ2022のキュレトリアルコンセプトは、「lumbung」(ルンブン)と呼ばれるインドネシア郊外で作物をコミュニティとして保管するためのシステムである。コミュニティで決めた条件で保管し、分配されるというルンブンをモデルとし、ドクメンタ自体をさまざまな資源の保管庫、つまり「容れ物」として捉える。それをやはりコモンズの論理で運営する、というのが方針である。

現在、ネットには膨大な量の知識などが蓄積されているが、それらをどうリソースとして使うか?という実践はあまり無い。世界各地にもさまざまなアイデアやストーリー、ウーマンパワーなどの「資源」がある、それを蓄える「容れ物」として芸術祭があり、そこに集ったアーティストやコレクティブ、建築家や思想家たちが、分野横断的に各自持ち寄った資源をリソースとして使っていく方法をコラボレーションで交換しあう、その絡み合いによって芸術祭が「運営」される、という一連を共有していくシステムがルンブンなのである。

面白いのは、ここでは国際展というものは、世界各地のエッジな営みを紹介し、機会や製作費、空間を提供する「投資」の場として考えられている。作品やプロジェクトも世に成果を実装する「ツール」として捉えられる。だから、招聘されるアーティストやコレクティブも、メタファーとして作品を制作している人だけではない、実際に世に機能させるような営み……「活動」を行う作家たちもその対象となる。

ルンブンのプロセスの主な原則としては、

・アイデアを集めて探究するための空間を提供する
・集団的意思決定
・中心を作らない、非中央集権
・フォーマルなものとインフォーマルなものをうまく使っていく
・アセンブリー（集会）やミーティングポイント（みんなで集まる場所）の実践を行う
・建築的意識を持つこと
・対話を促すために空間を能動的にすること
・みんなの考えやエネルギーやアイデアの坩堝になること
の、8つが掲示されている。[*24]

会場の地となるドイツのカッセルには、現在（2021年11月）「ruruHaus」というスペースが準備されているという。そこもこれまで通り、展覧会場とかレジデンシースペースとか、そういうラベルを貼るようなことはしない。目的を絞らず、その場がまさに「活動」の現場となるよう運営していくのだという。

ルアンルパによるドクメンタがどれほどのインパクトを持つかは今の時点では定かではない。が、アート誌『frieze』が「次のドクメンタはメガアートイヴェントのパラダイムシフトになるのでは」と期待を寄せるように、この非西洋的な構造やコラボのあり方は、これまで続いてきた欧米主導のアート界に、脱中心的なシステムの可能性を突きつけることが予想される。さらにこれはグローバルサウスの逆襲としても、直接行動以上の「アクション性」を持ち得るだろう。その先に更に予想できる未来のメガ国際展の風景はこうだ。世界各地のローカルで何か面白く独創的な活動を実践している個人やグループやコレクティブ……それはもうアーティストである必要はない……が紹介されて、「投資」されていく場。キュレーターによるリサーチはそのフィールドへと広がり、アートは、そのキュラトリアルな展覧会と、現在の作品至上主義的アートマーケットへと二分する。

アーレントが強調した政治、公的領域、そこで行われる「活動（アクション）」は、つまりここにきてまさに芸術の大きな本流としてのパラダイムを作り出そうとしているのである。

議論をし、発案し、それを形にするためにマネタイズし、喧伝し、制作し、キュレーションし、発表し、管理し……という複合的な「活動」は、それが「アクション」と呼ぶに相応しいラディカルさを持つことで、さらには直接行動としてのアクションもリアクションの延長で生み出していく。「にんげんレストラン」はまさにその現場だったし、後述することになる「ダークアンデパンダン」や「WHITEHOUSE」もそのダイナミズムを持った。場の運営は個と公のリフレインを全体性として作り出し、アナキズムに近い統治のあり方の実験となる。

この動向の背景には、言わずもがな、現在のコレクティブの隆盛という状況がある。コレクティブにとってアートは「作品」だけではない、「活動」そのものなのである。

「アクション」は、もはや何か突発的な行動や一部の過激派によるものではない。キュレーションであり、運営であり、雑務であり、学習であり、議論である。対話から始まる「活動」という、全ての人間が行っている些細な行為にその矢を向ける。しかし、だからと言って「全ての人間の活動がアクションであり、アートだ」とは、やはり誰も宣言はしない。その行為ひとつひとつ、一人一人の動きが、結局資本の論理に従って行われているだけならこれまでと何も変わらない。「プラグマティズム」(行動主義)として会社や社会や美術界など、「容れ物」自体をも揺さぶるものなのか、その「アクション性」を矢をつがえる弓が一人一人に問うているのである。

「その『活動』は『アクション』と呼べるものか?」

この問いかけは、身体行為から社会的な直接行動へと紡がれてきた「アクション」という表現の歴史、その本質的な性質を、全ての人間の「活動」に対して意識することを促すのだ。

＊24 https://documenta-fifteen.de/en/lumbung/（2022年5月31日閲覧）。

第3章　アクションの歴史

それは証言である。疑いもなく恐怖のそれだが、それでも、生存への希望とともに、肉体——非物質的であるが——の不死のための証言でもある。

——Yves Klein, "Le vrai devient realite", Zero, No.3, 1961

アクションのはじまり

戦後前衛美術の大きな動向であったフランスのヌーヴォー・レアリスム（新しいリアリズム）の筆頭格、イヴ・クライン[*1]は、1953年に広島で、原爆の閃光で石に焼き付けられた影を見た。その経験はその後、青い絵の具を塗りたくった裸体のモデルにキャンバス上に横たわらせたり、モデルの身体をステンシルにして絵の具を周りに吹き付けた、《人体測定》という傑作シリーズのインスピレーションとなる。

1999年に東京都現代美術館で開催された「アクション　行為がアートになるとき　1949-1979」という1949年から79年における行為芸術をまとめた展覧会のキュレーター、ポール・シンメルによると、「アクション」の隆盛は第二次世界大戦の影響を大きく受けている。ロサンゼルス、東京、ウィーンを巡回し、まさに芸術の素材として人体はどこまで可能なのか?を突きつけた、相当にぶっ飛んだ内容だった。実際、僕にとっても「アクション」をアートとして鑑賞するはじめての機会であり、その薄暗い展示室内に光る映像や写真に映し出された無数の身体の過激な有様は、それまで美術館で観てきた絵や彫刻を忘れさせるほどに生々しく、眩しかった。

この章では戦後の「アクション」の歴史を振り返りながら、結果「アクションの氾濫」にぶち当たった現代の問題を、「実践」ではなく「本棚」から紐解いて論じてみようと思う。それはChim↑Pomや僕の実践をいま紹介するにあたり、必ずと言って良いほどトークなどで質問される「アートとアクティヴィズムの違い」や、「善悪の判断」、「過激さ」にまつわる倫理観……ひいては例の「Qアノンの行動はアートですか?」という山本浩貴に向けられた質問への取り持ちとなる。初対面同士のためのコンパの幹事のようなものである。ふつうはやってきたことを紹介し、その後に質問されるわけだけど、毎回トークではそれをストレスに思うから、聞かれそうなことをあらかじめ、しかしそうであるならば、いっそもっとディープに考えてみたい。

質問になるくらいだからモヤモヤが残ってのことなんだろうし、そのシコリにこそ「アートの本質」みたいなものが隠されているのだからシコリのままで、という粋な美学もある。が、僕にとってはそういう意味深さを忍ばす「意味ありげ」はどうでもいいし、なんなら一般論ならネットで調べて質問しないでほしい。別に何かを隠すつもりでやってきた「アクション」なんてないわけで、当人だって必要な知識は知っててやっている。そもそも空っぽなのは2章で述べた通りだが、これが毎回プロジェクトの後には、更に深く底を下げながら空っぽになるのである。それくらいには全力でやっているのに、結局それでも謎が深まっていくのがアートなのだ。だから、飽きない。いろんな現場に飽きてきた僕にとって「アートとは何か」、と考えてみると、まさにこれが答えだろうと思う。

つまり知識を前提に作品を語るくらいは何でもないわけで、それにだいたい所詮僕の本棚という乏しいソースである。それをリソースにしてみたところでそれほど語り尽くせるわけではない。この章の最後にも更なる謎が残るだけである。

＊1　1928〜1962。画家。日本滞在時に魚拓や広島の原爆に影響を受け、後に《人体測定》シリーズを制作。物質、情報社会における「新しい現実主義」を追求したヌーヴォー・レアリスムの代表的作家。

アクションとは何か

そもそも「アクション」とは、『精選版 日本国語大辞典』（コトバンク）[*2] によると「（思索や観念などに対して）はっきりと形に現われた行為。直接的な行動」とある。「行動」と広く日本語で言うと、動物の動きをカテゴライズする生物学的な意味も併せ持つ。「求愛行動」や「繁殖行動」、「威嚇行動」や「縄張り行動」などがその範囲に含まれるが、そっちの行動は英語では「Behavior」と訳される。「Action」よりも客観的で、観察を前提としたニュアンスを帯びる。

動物行動学で「行動」と使い分けられるのは「反射」である。例えば「あくびは生理的な反射だけど、講演者に横槍を入れるためにわざと大きくあくびをするのは行動である」（Wikipedia）という。そう言われてみると、途端にこれはと事例が浮かびやすくなり、理解が進む。笑うのは反射。嘲（あざけ）るのは行動。おしっこは反射。立ちションは行動。学術的な見解はさておいて、思い当たるケースがポンポンと浮かぶ。

「動く」ことに意識が向いたときに、人は「行動的」になるのだろう。例えば絵画はある時点から、「何を描くか」よりも「どう描くか」が命題となった。絵の具を垂らしてみたり、ぶちまけてみたり、「アクション・ペインティング」と呼ばれる1940年代から始まった絵画の様式だが、そんな感じで「名前」が付くと、人はそれが実は謎な現象だったとしても途端に理解した気になれるものである。良くも悪くも、「わかった気になる」と歴史はその時点を「トピック」として確定させるから、例えばアクションとアートの関係がまるでそこから始まったかのような印象で、年表にフラグが立ってしまう。しかし、実際はその関係はずっと以前、芸術の起源にまで遡るのだが、そのことはあまり議論されてはこなかった。「何を描くか」以前から、「人間は描いていた」のだ。

そのことを一番知っていたのは、「描く」という行為をしていた当の画家たちである。その面白さを知っていたからこそ、「描く」こと自体を見直してみて、描く対象物よりもその行いを強調する必然性が芽生えた。フロイトが無意識を概念化したり、量子力学が始まったり、19世紀から20世紀前半の「世界や自己の認識の変化」は、

「作品とはなんであるか」という設定を、革命的なほどに根底から覆したのだ。「何を作る」という「結果」よりも、「プロセスとしての芸術」が誕生した瞬間である。なんならむしろそっちの方が本質的なんじゃないか、という議論をリードして、ハロルド・ローゼンバーグ[*3]という批評家が最初にまずはそれらを「アクション・ペインティング」と呼んでみた。

歴史上、全てのアートは「アクション」であり、それを「パロディ」としたところから現代の芸術は始まっている。「アクション・ペインティング」よりも20年ほど遡った「ダダイズム」は、詩を「意味から無意味な音へと解体」し、音の延長にパフォーマンスという身体性をアートに呼び込んだ。近代アートが現代アートになる過程には、例えばマネが絵を描くにあたってベトッと筆跡を残したように、「描く」とか「読む」とか「書く」とか「動く」とか、アクションというものが、前面化してきたグラデーションがあった。つまり、生物学的行動から自らに動物を認めた人間が、詩を歪め、パフォーマンスを始め、絵から「描く」というアクションそのものを抜き出して、芸術の主題としたのである。「何を作るか」という目的を無くしていったアーティストは、次いで「何をするか」を仕事にした。詩は情感よりも音になり、美は色や形から「態度」になった。

身体と行為

シンメルの視点は「その後」、戦後に始まるアクションの隆盛についてにある。原爆やホロコーストといった空前の破壊は、人類に拭いきれないトラウマを植え付けた。街やひと、文明や文化など、どんなに物質を作り上げようと、核兵器何発かで世界が消滅する可能性だってあるのである。モノの儚

＊2　https://kotobank.jp/word/%E3%82%A2%E3%82%AF%E3%82%B7%E3%83%A7%E3%83%B3-298（２０２２年5月31日閲覧）。

＊3　１９０６〜１９７８。アメリカの美術批評家。前衛芸術誌『ポシビリティーズ』などの編集に携わる。52年『アートニューズ』誌上に発表した論文で「アクション・ペインティング」の概念を提唱。

さを身をもって知った戦後のアーティストたちは、同時代の実存主義とも相まって、モノを生み出すために行う行為にこそ、価値をよりはっきりと見出すようになった。物質としてのアートを創りながらも、物質という目的を否定する。

その両極性を備える行為の数々には、「時として屈託のない不遜さと、笑いがともなう」。が、同時に「人類が持っている残忍な自己破壊を知らしめる暗さが横たわっている」という。なんというか、まるで戦中にはあり得なかった自由を獲得したアーティストたちが、これでもかというくらいに身体をあらゆる方法で駆使し、生の実感を「死にそうになるまで」謳歌しているように見えるのである。一方で、自分の身体の限界を知るために常に死のギリギリへと向かうその行為は、太平洋戦争で大義名分の下に滅した８０００万とも当時の人口の２・５%とも言われる巨大な犠牲という喪失感に、ひとつの身体で霊的に応答しているような狂気がある。

「アクション　行為がアートになるとき」展は、その皮切りとして、床に置いたキャンバスに絵の具を重層的にドリッピング（垂らし）したジャクソン・ポロック[*4]や、ついにはキャンバスを切り裂いたルーチョ・フォンタナ[*5]、演奏のたびに異なるよう「偶然」をスコアに組み込んだ「チャンス・オペレーション」を考案したジョン・ケージ[*6]、そしてそれら西洋の動向と同時代的に活動し、身体を使い倒して絵画やパフォーマンスを制作していた日本の具体美術協会[*7]などを挙げる。戦後10年以内に起きたこれらのアクションに、身体のリアルを見てとって、戦後というタイミングから「アクション」を考察する意味はよくわかる。それが、果たして正史として今後も通用するかは検証が必要だとは思うが、シンメルのそこからの文脈のまとめ方は今も西洋美術・現代美術史のメインストリームとして受け継がれている。

今となれば年代ごとに仕分ける文脈作りも古いっちゃ古いが、とりあえずは踏襲してざっと言うと、次いで、クラインらヌーヴォー・レアリスムや、自身の排泄物を缶詰にしたピエロ・マンゾーニ[*8]、ギャラリーの内外問わず作品を設置し、人々を不意に巻き込む「環境芸術」や、パフォーマンスをゲリラ的に実施し、「ハプニング」の提唱者となったアラン・カプロー[*9]らが登場。それらが60年代からのネオダダや美術史上最も過激化したウィーン・アクショニズム、国際的なネットワークとして組織されたフルクサス[*10]といったコレクティブなどを準備して、その動向を牽引したヨーゼフ・ボイスと、ヴィト・アコンチら[11]、ついに「パフォーマンス・アート」と呼ばれるアーティストたちを登場させる。絵画を行為で制作するアクション・ペインティングどころか、パフォーマンス自体がアートとしてはっきりと宣言されるのだ。

60年代のアクションの動向は、70年代をエスカレートさせることになる。ギャラリーで自分の左腕を実弾で撃たせたクリス・バーデン、女性性のアイコンとして、自らの身体に抑圧や消費の対象として暴力を向けたマリーナ・アブラモヴィッチ[12]など、「行き着くとこまで行ったな」という感想を誰もが持つような、いわゆる極論にまでたどり着いた時代である。戦後の焼け野原から立ち上がった身体の生命力とはまた違い、その頃の、特にアメ

＊4　1912〜1956。アメリカの画家。床に置いたキャンバスに塗料を撒き散らす「アクション・ペインティング」で、抽象表現主義運動を牽引した。

＊5　1899〜1968。アルゼンチン生まれのイタリアの画家、彫刻家。35年にパリの抽象美術グループ「アブストラクシオン・クレアシオン」に参加。キャンバスに切れ目を入れた《空間概念・期待》シリーズなどで、前衛芸術運動に影響を与える。

＊6　1912〜1992。アメリカの作曲家、思想家。弦に仕掛けを施した「プリペアード・ピアノ」の考案や、東洋思想への関心から、偶然性を取り入れた音楽で現代芸術に広く影響を与える。代表作に「4分33秒」。

＊7　1954年に吉原治良を中心に結成された前衛美術集団。白髪一雄、田中敦子、村上三郎らが参加。新たな表現を志向し、フランスの評論家ミシェル・タピエに見いだされ海外進出を果たす。72年吉原の死とともに解散。

＊8　1933〜1963。イタリアの美術家。白一色に塗り込めた絵画や、コンセプチュアルな作品を制作。自身の排泄物を「30グラム、自然保存」とラベルが貼られた缶詰に詰め、当時の金相場で売った《芸術家の糞》は代名詞的作品。

＊9　1927〜2006。アメリカの美術家。ハプニングの創始者。日常生活と芸術の統合を目指し、1950年代から60年代に、ギャラリーや市街地でハプニングを行い、後のパフォーマンス・アートに多大な影響を与えた。

＊10　1960年代、ニューヨークを中心に世界的に展開された前衛芸術運動。美術家ジョージ・マチューナスを中心に、日本では、オノ・ヨーコ、小杉武久、久保田成子らが参加。ハプニングやイベントなど一回性の高い活動を重視し、美術、音楽、出版などさまざまな表現を行った。

＊11　1912〜1986。ドイツの現代美術家、社会活動家。フェルトや脂肪を用いた作品、パフォーマンスを発表。人間は誰もが創造性を持って主体的に社会にかかわれるとし「拡張された芸術概念」「社会彫刻」といった言葉を残した。

＊12　1946〜。旧ユーゴスラビア出身のパフォーマンス・アーティスト。自身の肉体を用いた過激なパフォーマンスで知られる。97年、第47回ヴェネチア・ビエンナーレで金獅子賞を受賞。

リカのアーティストは、ベトナム戦争によって隣人が殺し／殺される現実に直面し、段々と度を越して発展してきたアクションと呼応しながら、身体をそれまでよりももっと直接的な素材として見直していたのである。もう、撃たれたり、隠れてオナニーしたり、恋人同士で1セットの弓と矢をお互いに持って向け合ったり……と「行き着くところまで行った」わけだから、これにて終了。あとは死ぬか殺すより他に先には何もありません。カラッポです、といった満足感と絶望感が滲み出ているわけだけど、西洋美術史としての「行為芸術」はまだ続く。

パフォーマンス・アートは、そこから爆発的に発展し続けてきた消費主義と対峙することになる。戦時へのリアリティとは逆に、むしろ痛みやリアリティを感じづらくなったという「現代病」的歪んだ自傷行為をアートに呼び込んだとも言えようか。偽の体液や精液やケチャップなどにまみれたキャラクターや男が生の挽肉を取り込んだり吐き出したりするポール・マッカーシー[*13]の常軌を逸した振る舞いや、1年間、1時間ごとにタイムカードに刻時するという、マシーンと化した謝徳慶（シェ・ダアチン）[*14]のワンイヤーパフォーマンスなど、80年代から始まる後期資本主義を照射したような行為が、アメリカなどを舞台に次から次へと飛び出てくることになる。そんな明らかに「くだらない」行為を妙に崇高な顔つきで行う理解不能なアーティストたちのインテリジェンスは、思春期の僕の頭を木槌で殴ったような衝撃でリセットした。世紀末だった1999年のまだうら若かった東京都現代美術館は、馬鹿な男子をさらに救いようのない馬鹿へと教育してしまったのである。

ちなみに1962年から活動を始めていたウィーン・アクショニズムの代表的なアーティスト、ヘルマン・ニッチュをChim↑Pom は訪ねたことがある。2019年にウィーンに2ヶ月ほど滞在し、関係者を介して会うことになったのだ。僕はちょうどウィーンを離れ、会うことは叶わなかったが、スタジオ・ヴィジットしたおかやんとエリイに聞くところによると、そこは古城であり、庭には鶏や山羊が放牧されていて、鐘があった。葡萄の木などもあり、牧歌的な雰囲気だが、その庭こそが「にんげんレストラン」で展示したかつての血まみれ大饗宴の舞台になっていたとのこと。そう考えると、家畜や葡萄も意味合いが変わってくるようだ。だけど当のニッチュはというと、もはやおじいちゃん、過激さどころか、いいひとを通りこして、仙人のような挙動とフォルムで暮らしていたという。というか、過激なアーティストほど会うと「いいひと」というのが、誰の経験においても実感だろう。

「身体自体」の見直し

現在、身体は「アクション　行為がアートになるとき」展の文脈とはまた別の素材として、時代の一つの主題になっている。多様性や情報化社会、そして惑星規模で人間と他の生命体の関係を再考するような時代に入り、行為以前にそのメディアである「身体自体」が見直されたのだ。人種であるとか、性別であるとか、性自認であるとか、クィアであるとか、それ以前に有機物であるとか生命体であるとか、行為をしようがしまいが身体はそれ自体で、「物質」として「問題」が立ち上がる現場そのものではないか。それに気づいた身体は、例えばマルセル・デュシャン[*15]が便器という「商品として特徴付けられた」ものを、一旦物質としてその見方を変えることで《泉》に異化したように、いまいちどニュートラルな存在としての「物質」としての自由を得ることを主張したのである。

ドイツのアーティスト、アンネ・イムホフは2017年のヴェネチア・ビエンナーレで、ガラス張りの床の下や白い壁から飛び出した天板などがあるギャラリー内で、数人のパフォーマーが言葉を発さず、そして最小限の動きで演技をし続けている空間《ファウスト》を発表。アクションと違ったその演劇的な身体表現によって、複数の身体がいかに一つの空間に同居するかを示して金獅子賞を与えられた。日本生まれでドイツベースで活動す

＊13　1945〜。アメリカの現代美術家。70年代以降、絵の具、ケチャップ、体液などを頭や身体になすりつけ、性交や排泄、暴力といったタブーに取り組んだ過激なパフォーマンスや映像作品を発表。

＊14　1950〜。パフォーマンス・アーティスト。台湾に生まれ、74年に渡米。70年代後半から、5つの《One Year Performances》と《Thirteen Year Plan》を制作。

＊15　1887〜1968。フランス出身の画家。既成品を用いたレディ・メイド作品を発表。便器にサインをした《泉》はアンデパンダン展で出品拒否にあう。現代美術の父とも呼ばれ、20世紀美術に多大な影響を与えた。

る作家、ナイル・ケティングは、《保持冷静》というインスタレーションの中で、モノや映像や音、光と同列に身体を置き、その物質性を強調することで人間を中心にした世界のあり方を一旦フラットにした。「オブジェクト指向存在論」と呼ばれる、モノが他のものと並列してそれ自体で存在する、というものや世界の「あり方」を可視化するようなナイルのドライなアプローチは、身体はモノに比べて特別なものだ、といつの間にか人間中心に思い込んでいるという歪んだ事実をあらわにする。

セックスやジェンダーがあたかも普遍的なものかのように「作り出され」てしまうその構造的な問題について、思想家のジュディス・バトラーは、「社会的・歴史的に構築された規範」を繰り返し繰り返し行い続けることで、それが不変だと「実体化」させてしまう作用のことを「パフォーマティヴィティ（行為遂行性）」と呼んだ。無意識のうちに社会が規範づける習慣から、自分のジェンダーや性質などを思い込んでしまうこと。「行為」に基づいた身体が、身体そのものを「行為化」させてしまう。そうしたなか「パフォーマンス」というものへの批判的な視点と、「パフォーマティヴィティ」やアクションとは違う身体の動かし方への探究心は、かつてないほどに高まっている。

その構造から身体をいかに一旦自由にし、独立させ得るか。ジェンダーであれ何であれ、自分が何であるかとか、あなたが何であるかとかいう「主体」が、そういう既存の社会規律を経由しているうちに構築されてしまう限り、自由になるにはその規範を撹乱し、その構造から独立しなければいけない。男の、女の、人間の、社会人の身体はこうだ、という先入観を取っ払い、身体能力自体を誇張するような表現も増えている。タイのコラクリット・アルナーノンチャイ[*16]によるニューヨークのクィア・スター「boychild」とのコラボや、上海のコレクティブ、アジアン・ドープ・ボーイズ[*17]による「変態」したパフォーマーたちの不可思議な動きなどは、アジアのアニミズム観やノリノリなクラブ文化、テクノロジーや広大な自然と歴史の中にある神秘主義（オカルティズム）などと映像の中で融合し、「全ての存在はクィアなものだ」ということをスクリーンの中のパラレルワールドで気づかせている。多神教的世界観を明確にし、ネクスト・ジェネレーションとしての注目を浴びている。

つまり、身体とアートの関係は、わかりやすく動作や行為が主題となる「アクション」から、むしろ距離をとるようになっているのである。「アクション　行為がアートになるとき」展において、戦争の体験からモノの儚さを痛感し、物質という目的を否定するよう行為に覚醒した身体は、今度は自身に物質性を見出そうとしているのだ。

その分、「アクション」は、しかし逆説的に身体というその束縛を離れることで、「行為芸術」である必要も無くなった。アートにおいて「活動」へと領域を広げる現在の「アクション」は、そのルーツであった身体を、ついに絶対的な条件としなくなったのである。

身体芸術をすべて「アクション」というカテゴリーに投げ込む西洋美術史的な乱暴さへの是非は、別に今に始まった事ではない。日本ではそもそも60年代から暗黒舞踏などの前衛芸術がいま模索される未分類な身体のあり方を示していたし、それはハイレッド・センターや前衛音楽、映画など同時代のアートとのコラボによって総合芸術を作り上げていた。その創始者であるカリスマ土方巽[*18]は当時新宿ホワイトハウスに出入りしていて、舞踏の前史にはエクストリーム化する時代のネオダダの影響をあげる説も多い。つまり、今や「お家芸」のように保守化してしまった舞踏のはじまりは、現代アートという場の「アクション」と全く無関係におこったジャンル違いではなく、そのパフォーマティブな動向を間近に見ながら、その先に「アクション」と括るには何か違うような、今でなら「アクション後の身体」とも言えそうな、クィア的なダイアログにたどり着いていたのである。

＊16　1987～。タイ、バンコク出身のアーティスト。コロンビア大学でアーティストのリクリット・ティラヴァーニャの下で美術を学ぶ。日本では「横浜トリエンナーレ2020」「サンシャワー：東南アジアの現代美術展1980年代から現在まで」（森美術館）に参加。

＊17　2015年、北京出身のアーティスト、チェン・ティエンジュオを中心に結成したコレクティブ。

＊18　1928～1986。舞踏家。暗黒舞踏の創始者。1970年からスタジオ「アスベスト館」を舞台に活動。芦川羊子、麿赤児らを輩出した。

イケイケアクション

実は、当のChim↑Pomですら、結成当初から身体を「アクション」と評する生真面目さをストレートに受け入れることには抵抗があった。僕らの公式的なデビューは2006年12月の個展「スーパー☆ラット」(無人島プロダクション)とされているが、個人的には2006年4月に初めて自主開催したイヴェントがそれに当たると考えている。

ふつ研のメンバーや会田家(会田誠、岡田裕子、会田寅次郎)、大和絵的現代絵師として知られる山口晃[19]などをキュレーションし、恵比寿の2階建ての真っ白なギャラリー内で、一晩だけ、過激な行為芸術を同時多発的に展示するイヴェントを主催したのである。聞こえ的にはいかにもアートな「アヴァンギャルド」感があるが、タイトルは「いまやアクションあるのみ!」を引用し、当時のギャル用語を交えた「イケイケアクション」。ギャルカルチャーのニュアンスによってネオダダの時代の「アクション」の暑苦しさを茶化したものだった。

これは美学校のイヴェントの関連企画としても告知され、出会ったばかりの謎の外国人アート関係者(今でも何者なのか謎だが、アート界隈で有名である)ジョニー・ウォーカーのスペースを無料で借りて行われた。入場も無料で、出演者は基本的には身内、会田家と山口にもフィーは払えなかったが、僕と林がミヅマでボランティア仕事をしていた見返りとして出演してくれた。ジョニーはフレンドリーなゲイのおじさんで、東京の外国人コミュニティではアートパーティーの主催者として影響力をもつ。いつも大きな犬を連れて国内外の大型展覧会のオープニングに現れて、会うと大阪弁で「モウカリマッカ」と挨拶をくれる、いかにも儲かってそうな人である。

ちなみに2021年には彼が主催するアートアワード「ベーコン・プライズ」をChim↑Pomが受賞。「オメデトウゴザイマス、ショウをトリマシタ」と突然林の携帯に直電があって知らされたのだが、それは林が「イケイケアクション」を機に、ジョニーに何ヶ月か携帯代を支払ってもらっていて番号を知られていたからだった。

会場内ではこんなことが起きていた。

ガラス張りのエントランス前の道でもっちゃんが火だるまになって開会宣言をしているその間に、1階の奥ではみずのりが真性包茎の皮にストローを差し込んで、陰茎に描いた腹踊りのような顔を息で膨らませて沖縄民謡を歌わせている。地下のホワイトキューブはスポットライトで薄暗く、アメリカ国歌がループされる中、当時復活の芽生えがあった「ゼロ次元」（60年代に公共空間で全裸のパフォーマンスなどを儀式として繰り返した過激な前衛グループ）の最若手として過激なナンセンス行為を行っていた北大路翼が、女王様に有刺鉄線の鞭で打たれるSMパフォーマンスを裸で決行。

確かタイムスケジュールのその前後くらいに、会田家3人によるサウンドアートのライブと、山口が「ふぐり」をテーマにしたライブ・ペインティングを披露。1階に戻ると、道路沿いのエントランスの外側で、遠藤一郎くんがギターをハウらせ「未来へ」を連呼していて、観客として来場していた三潴さんが、「こんなのアートじゃねえ！」とふつ研やChim↑Pomにブチ切れて、帰ったように思う。数年後に三潴さんと話したときに、その時の呆れを「俺はChim↑Pomが解散するまでギャラリストを続けるからな」と妙な覚悟として語られた。僕も三潴さんには現役で頑張ってもらいたいと、解散はしませんと握手を求めたように思う。

トリはSMの残像が残るような地下スペースで、林のトランスDJと僕の「イケイケ」なMCとコールに合わせ、エリイがシャンパンタワーにブラックライトで光るリキッドの《ERIGERO》を嘔吐。その夜が初対面だった現場を目撃していた松田修によると、「吐き終わって、シーンとして、一瞬やばいくらいにドン引きの間があって、卯城君がマイクで『これがアートだ！』とコールした。『これが現代美術か！』と魂が震えたが、周りで引いてた人はもっと引いた」という。

松田はこのイヴェントにめちゃめちゃ影響を受けたというが、始まった当初は意味がわからなかったらしい。自らが通う藝大などアカデミーの周りはおろか、当時アートと呼ばれた現場のどこにもこんな表現は無かったのだ。「ビックリした」という松田にしてその前代未聞ぶりが画期的だと感じたのは、「モラトリアムのようなもの

＊19　1969〜。日本画家。日本の伝統的絵画の様式を用い、現代の風俗を精緻に描く。2013年『ヘンな日本美術史』で第12回小林秀雄賞受賞。

はみんな抱えているのに、それは直接的にアートでは発露され得ない。叫んでみようとか、動いてみようとか、何でもいいからとにかくそういうことから始めよう、という意思を感じた」ことだと振り返る。エリイには特に衝撃を受けたとのことで、ゲロが入ったシャンパンタワーのグラスを客に配るその姿を観て、「ウェーって吐きながら乾杯！って客に向かう姿が、不思議にとっても綺麗だった」という。

とはいえ、そのグラスを受け取った会田さんや北大路たちが乾杯して終わり、という最低最悪のフィナーレである。振り返るともう、これ以上にアンダーグラウンドはないだろうなというくらいの、胃酸の酸っぱい匂いと血と汗の蒸気が漂う地下室だった。

「行為」は、当時「アクション」というファインアートの知性とはまた別の文脈でもって、さまざまなシーンへと変異していたのである。２０００〜02年にはＭＴＶで、スケボーカルチャーとプランクをアクションのツールにし、ミュージックビデオの巨匠だったスパイク・ジョーンズによってストリートを舞台とした『JACKASS』が放映された。「素人がエクストリームな行為者になれる」ことをアイデンティティとしたようなそのユースな手法は、その後、２００５年にYouTubeという素人の舞台がローンチされると、瞬く間に世界中で真似されて、現在にまで迷惑系ユーチューバーたちを量産することになる。「イケイケアクション」は、まさにその空気を日本のアートに持ち込んだ初夜だったのだ。

アクションの氾濫

素人の過激化や迷惑行為を、アート的な解釈で「アクション」かどうかを論じるのには、意外と難しい線引きがある。先述した「Ｑアノンのアメリカ議事堂襲撃はアートですか？」という質問が頭に残った理由は、そのことにあると思う。

確かにネオダダはじめ反芸術パフォーマンスの多くには、「Ｑアノンのパフォーマンス」との類似性が表面的に認められるのだ。

例えばネオダダのカリスマだった篠原有司男（ギュウちゃん）[*20]の社会的なデビューは、1958年に「日本初のモヒカン」として週刊誌に出ることで話題を集めたことだった。メディアを通して大衆にアピールするというポピュリズム的／見せ物的なセンセーションを、知的なゲームが繰り広げられている芸術の世界に反（アンチ）するよう行ったのである。だから当時はそれはめちゃくちゃ新しい動きだった。更にいうと、彼らにとってメディアを使うのは、PRとしての戦略だけでなく、表現手段としての戦術でもあった。「メディア」というのは当時にしてみれば大衆がいる公共圏であり、狭い美術村と正反対の力学で動いていた業界である。だからこそ、メディアジャックは屋外に奇抜な出立ちで出ていくことと同じ意味を持っていたのだ。

ギュウちゃんから後に、前衛アーティストたちは、積極的に野外や生放送のテレビ、雑誌などでハプニングを起こすようになる。そこには下世話なもの、卑俗で日常的なものへの共感というその後のポップアート的感性もあったろう。が、同時に彼らは大衆性への批評も併せ持っていた。アートというものが「大衆に理解されない」という永遠の課題は真理として、アートの大衆化を進めた彼らにも受け継がれていたのである。それ以前の世代はだからこそ美術村を閉鎖的に運営したが、彼ら彼女らの戦略は違っていた。むしろ大衆の中でアクションをして、呆れたり怯えたりのリアクションを生み出すことで、「大衆に理解されない」図式を可視化したのである。

彼らの介入のアンテナは、くそ真面目な大衆が蠢く（うごめく）「公共圏」に向いており、政治の季節であった当時のストリートを占拠していたデモにも自ずと向いた。赤瀬川原平が書名にも使った例の「いまやアクションあるのみ！」は、工藤哲巳[*21]というアーティストが、とあるデモの演説でかました声明が出典元である。これが、いかにノリでしかない政治的具体性に欠けるアジテーションだったかを、赤瀬川によるエピソードの一節は脱力しながら物語っている。

＊20　1932〜。東京藝術大学在学中より、読売アンデパンダン展に出品。69年に渡米し、以降ニューヨークを活動拠点とする。ボクシングの要領で画面をパンチして描く「ボクシング・ペインティング」は篠原の代名詞的作品。

＊21　1935〜1990。美術家。東京藝術大学在学中より、読売アンデパンダン展を中心に作品を発表。「反芸術」の旗手として注目される。62年、渡仏。西欧の人間中心主義に対して批評的なハプニングを行う。

世の中は安保闘争の波が渦巻ながら騒然としていて、(略) いまや実力による行動を、という機運が日本中に高まりを見せていた。しかし行動は冒険である。やれば簡単ではあってもやるまでが困難である。しかしじっとはしていられないわけで、知識人を中心にして「新しい日本の会」という反安保の会が生れて、大江健三郎から石原慎太郎までもが名を連ねていた。その集会があり、若い芸術家たちにも呼びかけが来た。みんな政治的な組織行動は苦手なやつばかりだけど、ネオダダ的なものたちを代表する形で工藤哲巳が行った。その番がきて壇上に立ったものの、しかし美術批評家たちにも失望される言語能力で、気のきいたことなどしゃべれるわけがない。だいいち画家なんてものは、いつも自分の作品のことで頭がいっぱいで、他人のジャンルのことまで考えているヒマはないのだ。だから工藤はその壇上で、知識人たちを前にして一言叫んだ。

「いまやアクションあるのみです!」

私は工藤のこのエピソードを思い出すと、いまでもニヤリとせずにはいられない。

——赤瀬川原平『いまやアクションあるのみ!』

美術批評家のボリス・グロイス[*22]は自著『流れの中で　インターネット時代のアート』(河村彩訳、人文書院、2021)においてアート・アクティヴィズムの根本的な問題を、「伝統的な芸術的視点を持った人々と、伝統的な活動家の視点を持った人々から攻撃を受けている」ことにあると前提づけた。この中で、アート側の批判は、20世紀のアヴァンギャルド以降に芸術的質は判断基準として撤廃されたので問題なしとして、深刻なのは、活動家側からの批判であると書いている。政治的抵抗を含む政治の美学化は、結局それが実用性を持たないことを自らの性質にし続けてきた「アート」である限り、問題解決の手段にはなり得ないからだ。

いくらそのテーマをアートに持ち込んだとしても、それは多くのアクティヴィズムを招聘してアートを問い直した2012年のベルリン・ビエンナーレが「アート・アクティヴィズムの動物園」と批判されたように、真に実用的な抵抗であるとは捉えられない。

グロイスはその「実用性のなさ」を、近現代の西洋美術史のターニングポイントとなったフランス革命に見出している。革命勢力は、貴族を追い出したあとの宮殿や、そこに残った財宝を、破壊する代わりに鑑賞物として残すことにした。その際に必要だったのが、絵画や彫刻、財宝や建物が備えていた、「旧体制のためのデザインを使用するという実用性を無効化」することだった。つまりそれらを鑑賞対象にするために、機能を剥ぎ取り美学化したのだ。グロイスの言葉を借りれば、フランス革命後、「芸術はデザインの死として現れた」。ピラミッドが真の目的であった墓として参られるよりも、現在、鑑賞される観光地として美学化されていることと同じことである。

アートの本質がそこにあるとすると、つまりは物事を美学化することでそれが機能的に「終わっている」ことをアートは示す。むしろ、美学化によって「終わらせる」。言うまでもなく、デザインは物事を「終わらせる」ものではない。デモ自体もそうであるが、その逆であり、現状をより良くしようとか、改善したい、より魅力的に使いやすくしたいという欲望を形にするためのクリエイションである。かたやアートはと言えば、美学化によって「近現代美術はものをより良くするのではなくむしろ悪くすることを望み、相対的により悪くするのではなく根本的に悪くなることを望む。機能的なものから不機能的なものを作り、期待を裏切り、われわれがしばしば生しか見ないところに不可視の死の存在を示す」とグロイスは定義して、「これが、近現代美術の不人気な理由である」とまとめる。

グロイスはその真理の先に、しかしアート・アクティヴィズムのポジティブな展望を見出すのだが、それは別の機会に譲ろう。というのも、ネオダダたちアート・アクティヴィズムのいくつかの前史たちには、アートとアクティヴィズムの関係に良好さを見出すいわれは全くなかったのである。グロイスの書いたこの辺りまで……アートの持つ本質的なダークサイドこそが、彼らにとってのリアリティであり、価値だったのだ。アクティヴィズ

＊22　１９４７〜。東ドイツ生まれの美術批評家。冷戦時代のソ連で学び、70年代後半にモスクワ・コンセプチュアリズムに関する論考で批評家としての活動を開始。81年に西ドイツに亡命。著書に『全体芸術様式スターリン』『アート・パワー』など。

ムとの斜に構えた距離感でもってデモに参加している自分を俯瞰して、それが盛り上がれば盛り上がるほどに、その暑苦しい情熱がいつか終わる（これは現在から見ればまさに予見的である）ことをニヒルに示して「ニヤリとする」。

「いまやアクションあるのみ！」は、社会よりもアートの本質とだけ向き合っていた。彼らが「政治的主張」と無縁にデモを表現のステージにしたのは、「政治運動」のためではない。それは現状のアートを破壊する「芸術運動」だった。

『肉体のアナーキズム』はそのことを更にもっとはっきりと強調している。

「アナーキーな反芸術ということこそが求められていた」彼らは、「50年代末から70年代前後にいたるまで、美術家の行動は広範な大衆に向けて、政治や都市の問題を訴えたり、あるいは女性の解放、在日コリアン、部落差別のような直接の社会問題に直接かかわるような社会運動、アジテーションとして機能することはほとんどなかった」

芸術に向けた文化の変革こそが主な争点であり、政治や世の中を変えることをテーマにしなかった「反芸術パフォーマンス」は、だからこそ、当時となれば政治体制の選択肢としてよりも表現の思想となっていた「アナキズム」であり、純粋にナンセンスな「パフォーマンス」であった。モヒカンで世を騒がせる「パフォーマティブな振る舞い」こそが、メディアや公共圏の「美学化」に他ならなかったのである。

例のQアノンに僕が感じたものも、実はこれに近い印象……「パフォーマンス」だった。もちろん彼らには政治的な主張がある。その時点で反芸術のみが目的となるパフォーマンスとは違うものである。が、その仮装などしてユーモラスに反知性を爆発させているサブカルチャー然、ニヒリズムとフェスティバル感からは、BLMや「#MeToo」のような「本気で政治を覆そうとするガチ感」は感じづらい。それよりもむしろ、メディアの話題をハイジャックする、プロレス的な「パフォーマンス」に見えたのだ。それはプロレスを興業し、自らも出演することで自身をポピュリストとして完成させた、トランプ元大統領自身の「政治パフォーマンス」にも言えることである。

三島由紀夫の行動

このことを「アクション」の文脈で端的に解析している一節が、三島由紀夫の『行動学入門』（文春文庫、1974）にある。

1969年10月21日。まさに政治の季節の真っ只中に、三島は新宿西口のガード上から「ゲリラ」隊と機動隊のガチンコを眺めていた。俯瞰していたこともあって、三島は双方の動きを客観的に分析し続けていた。統率の取れないゲリラ隊を「ゲリラごっこ」と捉え、機動隊に対して決定的な効果を作れないそのバトルを「一〇・二一の『いわゆるゲリラ戦』」と揶揄する。が、その「いわゆる」という一言が気になった。まるで勝てるわけがないことを最初から自覚しているようなそのゲリラ隊の、真の目的は何か？　その負け戦で狙われている効果とは何なのか？ということを考え出すのである。見ていてそれは、「初めから決定的な効果は諦められており、ある不安な状態をつくること、そしてその不安な状態を世間一般に宣伝すること、簡単にいえばテレビに映ること、新聞に出ること」ではないかと思いつく。

「ごっこ」である以上、真に有効な政治的効果は求められてはいない。が、そこには逆説が働き、その政治的無効性に徹することによって、初めて生じる有効性があるのだという。原理主義的な政治闘争という「政治」との断絶が、政治的効果を生むというわけだ。もちろん、三島はこれを行動学として分析しているだけであり、信念とはしていなかった。「ゲリラごっこ」だとわかればマスコミも取り上げなくなる以上、「真に有効な行動とは、自分の一身を犠牲にして、最も極端な効果を狙ったテロリズム以外にはない」「政治的効果というものは初めから超個人的なところに求められなければならない」と考えている。その語り口には、三島が「ガチで」腹を切った背景に、こんな「ゲリラごっこ」の「パフォーマンス」では駄目なのだ、俺は。という美学があったのではと思わせる何かがあるが、それにしても、「行動学」までを記した三島のフィナーレが究極のアクションで終わったことには皮肉な後味が残る。

実用性のないアートにとって、特にアート・アクティヴィズムという社会との実用的なかかわりをもったカテゴリーが生まれる40年も前のネオダダたちにとって、「パフォーマンス」というのは重要なエッセンスであった。無闇にメッセージを放っても何の魅力もないわけで、それよりもチャーミングであるべき、ナンセンスなままのアナキストであれ。その行為に何か目的すら見出せなかった黒ダライ児*23は、だからその「反芸術パフォーマンス」を「肉体のアナーキズム」と呼んだ。

が、「Qアノンがアートか?」という問いは、そこで答えが詰まってしまう。僕自身、ニュース画像で彼らのどこまで本気でどこまでジョークかわからないような民主主義の乗っ取りをみて、笑った。過激で、反社会的で、行動主義的。仮装などしてユーモアもあって、カウンターカルチャーのような軽やかな反知性を特徴とし、世をナメている。「かつての前衛アートのようだな」とさえ思った。

マリーナ・アブラモヴィッチ

「パフォーマンス・アート」の巨匠、マリーナ・アブラモヴィッチはTEDのステージで自らの活動を振り返り、会場をレクチャー・パフォーマンスの現場へと変えた。プロローグでは観客全員に目隠しを当てがい、エピソードに耳をすまさせる。エピローグでは隣同士の観客を向かい合わせ、2分間見つめ合うことを促したのである。「現代の私たちには変化が必要だと私は考えています。そして個人のレベルでしか変化は齎(もたら)せないと思います。自分自身を変えなければならないのです。なぜなら意識や我々を取り巻く世界を、変化させる唯一の方法は、まず自分を変えることだからです」

これはその導入として語られた言葉だが、もちろん、世界には戦争があって、飢餓があって、政治は腐敗していて……と大きな問題を前に「世の中全部が間違っている」ということは前提である。それでもアブラモヴィッチは一人一人に問う。

「あなたは見知らぬ隣の人間と2分間目を合わせられますか？」

彼女がなぜ世界を変える方法として、「自分自身を変える」ことに拘（こだわ）ったのか。アブラモヴィッチが個人を問うのには理由があった。

代表作のひとつ《リズム0》での体験、というかもはやトラウマとなった「事件」がそれである。1974年、ナポリのとあるギャラリーに、28歳のアブラモヴィッチと観客たち、そしてテーブルの上に置かれた快楽や苦痛を生み出す道具——薔薇、水、コート、ナイフ、剃刀、そして一発の銃弾がこめられた銃など——があった。指示書には「テーブルの上に72個の物体があります、人は望むままに私の体の上でそれを使うことができます。私は物体です。この上演中、私はすべての責任を負います」とあり、その猶予は6時間とされた。当初、観客は理性的に彼女の身体に介入していたが、一人がハサミで服を切ったところから様子が変わる。過激化し始めたのだ。ある人は剃刀で首に傷をつけて血を飲み、集団化した男たちはアブラモヴィッチをテーブルに運び、脚と脚の間にナイフを置いた。終いにはある客が銃を手に取って、彼女のこめかみに押し当てたのである。6時間後、アブラモヴィッチの髪が部分的に白髪になっていたというから余程のことである。物質的にも自分自身を変えてしまったアブラモヴィッチにとって、パフォーマンスとは演劇的なフィクションではなく、観客の前でリアルに苦しむことや痛むこと、そして死を恐れるアクションとなった。

彼女自身が行為芸術を通して自身を変化させてきたことは絶対的な確信だろう。が、彼女は、そして多くのアーティストたちは、アクションを通して常に自分自身を身体的／精神的に傷つけるというリスクをテイクしてきたのである。その後彼女は確信を持って、「人は自己の快楽のためだけに人を殺すことができるとわかった」と語る。

＊23　1961〜。戦後日本前衛美術研究家。黒田雷児名での著書に『終わりなき近代 アジア美術を歩く 2009—2014』。第1〜5回福岡アジア美術トリエンナーレ共同企画。

《リズム0》の中において、アクションは2つ存在している。

ひとつはこのパフォーマンスを企て受動態と化したアブラモヴィッチというアーティストによるもの。そして一方は、その作品に乗るように彼女を恐怖に陥れた、観客のリアクションである。彼らの暴力を見ることは、すなわち普段は優しい（だろう）人間が、いつでも集団狂気にかられる「大衆意識」を秘めているという真実を観ることと同義である。常に暴力や究極的な身体行為を作品に取り入れてきたアブラモヴィッチにとって、その大衆によるアクションこそは、Qアノンによる議事堂襲撃ではなかったか。

「自問自答」から「他問自答」の時代へ

「大衆意識」とアートを相対化させたのは、公共圏に自らを異物として放り込み、大衆のリアクションを引き出していたネオダダらアーティストたちのパフォーマンスもそうだった。アートは、常にその大衆とのギクシャクした関係から、大衆性という「人を殺すことができる」ような人間の狂気を暴いてきた。公共圏やギャラリーにあって、一見狂っているのはアーティストである。しかし本当にそうなのだろうか？　アクションが可視化してきた問いこそは、「狂っているのは自分か？　世界か？」という根源的なものだったはずだ。

この「自問自答」の姿にこそ、僕はアートがアートたる所以を見出せると信じている。かつては、人生がうまくいかない人々は、それを共有できずに孤独のうちに、「自問自答」を繰り返していた。悪いのは自分かもしれない、自分はどうすれば良いのだろうか、と、答えは堂々巡りするからこそ「問い」になる。その流れでは、ニートやフリーターなどは社会的な階級だから、「自分のせいにせず世の中に怒ったほうがいい」と信じられてきた。僕も他者にはそう思ったし、社会にもそのことを気づいてほしかった。うつ病などの行動療法としては、これは今も必要だが、ソーシャルメディアの登場は、その「悩み」を巡る心の旅の風景を一変させたように思う。短い言葉が「いいね」を増やし、共感が可視化されることで、他者や自分を説得できてしまうような状況において、人々の悩み方は、自分で自分を問い直すようなものではなく、それをソーシャルに発露し、「うまくいかない」自分の状況に他者という敵を設定するように変異したのだ。それが仮想敵であれ、本当の敵であれ。他者を問い詰め、しかし欲しい答えではないから結局その他者から答えは導き出さない。それは自分で答えるという、言うなれば「他問自答」の時代に僕らは生きている。

自問自答を失って、他者を敵と味方とポジショニングして便利に使うことが出来るようになったことで、人々は、うじうじと悩まずに答えを出して、「行動」へと突き進めるようになったのだ。

他問自答による行動……ここに、Qアノンやトランプ元大統領のアクションの本質がある。完全なる敵を想定した行動。他者否定は、自問自答どころか自己肯定感を促している。

これは彼らに限ったことではない。気候変動、ジェンダー問題、ナショナリズム、と「行動の時代」に入った現在において、アートとアクティヴィズムはかつてなく接近し、その境界線は問われ続けている。そこに答えを出す必要も、もうないのかもしれない。が、アーティストが行ってきたアクションは、それでも対象が権威であれ大衆であれ、それを通じて自分自身を問うてきた。自らの社会や世代、階級や時代。その自問自答が自身にあったからこそ、「狂っているのは誰なのか?」という大いなる問いを世界に投げかけられるのだ。そうでなければ、三島由紀夫は腹を切ることなど、絶対にしなかった。他者を問うことで自分を問うた。だから他者を殺さずに自分を殺したのだ。

悪魔による「アクション」

「Qアノンの議事堂襲撃」に関連して、最後にもうひとつアクションの例を挙げよう。

ニューヨークで世界貿易センタービルが攻撃されて崩壊した、いわゆる9・11のテロリズムを受けて、サウンドアートの巨匠であったカールハインツ・シュトックハウゼン[*24]が、このテロを「アートの最大の作品」「ルシファーの行う戦争のアート」だと評して大バッシングを受けた（のちに誤報と判明[*25]）。彼の全作品を上映する予定だったハンブルク音楽祭は中止に追い込まれ、シュトックハウゼンもその日のうちにハンブルク市を追い出される。

各地での演奏会も相次いでキャンセルされてしまう。
この一件について、批評家の浅田彰による「RealTokyo」の2008年の日記を参照したい。ルシファーとはサタンと同一視される、キリスト教の伝統においての悪の大天使、悪魔である。

ルシファーの芸術作品なのだから、それは悪の発露であり、非難すべきものであることは言うまでもない。しかし、それは、愚かな悪者どもが思いつきでしでかした下らない悪事として切り捨てられるものでもない。むしろ、その巨大な闇に拮抗し、それを圧倒するほどの作品を、芸術家は光の側で生み出さなければならず、そのためには、テロリストの献身――悪への献身ではあるにせよ驚くべきものであるには違いない献身――に拮抗し、それを圧倒するほどの献身が、芸術家にも求められる。シュトックハウゼンはおおむねそのように考えていたというのが、私の解釈です。あえて単純化すれば、テロリストはもちろん芸術家の敵だが、どうでもいい雑魚ではなく、端倪すべからざるライヴァルだ、といった感じでしょうか。

――「浅田彰のドタバタ日記　第2回」Realtokyo、2008年6月26日

ルシファーは闇に生きる悪魔であるが、それが世界の一部であるならば、アーティストはひとつの真実としてそれと対面せねばならない。無かったことにはできないのである。何故ならば、悪魔に憑かれることが苦しみの代償としてある限り、苦しみは世界に「存在しない」ものとしてわれわれの想像力の外側に置かれることで増幅する。彼ら彼女らが世界の闇に生き、姿が見えなくなることは、闇でルシファーに導かれ、苦しみを光の側への憎しみへと増長させることを意味するのだ。9・11はその発露として当時最も輝いていた光の街を襲って闇に消えた、多くの命を道連れにした自爆テロ……悪魔による「アクション」だった。
闇から発露される狂気は、その狂気が人間や自然にとって「完全なるふつうさ」の上に生まれてくる。光は、闇に対面できる唯一のものであり、向き合うことで闇を照らし、苦しみを暗闇から解放するものである。だからと言ってそれで苦しみが消えるわけではないが、苦しみは光が存在することを認知する。闇と住み分けたり対立

するような光の世界ほど、残酷な正義はない。が、われわれの社会が一見そのように構成された不平等なものに見えたとしても、闇は光に住むはずのもののはらわたにも存在し、光は闇にこそさすものである。自己の闇を無かったことにしようがしまいが、われわれは光と闇とともに生きている。

テロがライヴァルなのだとしたらそれと対面し、暴力と見合い、そうしてこそ認知できるこの狂った世界を事実として受け入れる。狂っているのは自分なのか、世界なのか。光と闇の自問自答をアートは繰り返している。

＊24　1928～2007。ドイツの作曲家、音楽理論家。音楽に偶然性、空間性の概念を導入し、電子音楽において前衛的な作品を発表した。代表作に7作からなる連作オペラ『光』。

＊25　松平敬『シュトックハウゼンのすべて』（アルテスパブリッシング、2019）。

第2部

第4章《スーパーラット》「サンキューセレブプロジェクト アイムボカン」

無人島プロダクション

高円寺の高架下は、いまも昼間からビールケースをひっくり返した椅子とテーブルが外まで溢れ、酔っ払いでごった返す。焼き鳥の煙が濛々（もうもう）と立ち込めて、暗くなると街灯や電車の光にそれが白く光って流れていく。並びにはアンダーグラウンドカルチャーの老舗レコードショップの「円盤（改め現在は黒猫）」や、レアな玩具とコレクターグッズを扱う「ゴジラや」、かつて遠藤一郎くんやWHITEHOUSEのパートナーとなるわっくん（涌井智仁）が出入りした、世界一怪しいノイズと実験音楽のライブスペース「無力無善寺」などが店を連ね、どれも10人もいたら混み合うような超小規模キャパシティであらんかぎりの個性を発揮する。

無人島プロダクションは、その並びに佇むスナックとワインバー、焼き鳥屋が1階に入る雑居ビルの3階、小路を入った小さな入り口から狭い階段を上った最上階に、2006年にオープンした。ミヅマアートギャラリーを独立した藤城里香さんがアートと音楽のプロダクションを作るということで、どんなものになるのかと思いきや、ギャラリースペースは2坪もなかったろうか、壁を隔てたオフィスも同様の手狭さである。仕事机越しにガラガラガラッと軋んだスライド音を立てて窓を開けると、焼き鳥の香ばしい匂いがオフィスに入り込み、目の前の高架を走る中央線の走行音と、高円寺に住み着いたバンドマンや芸人、属性を計り知れないさまざまな人々の声が店員のどら声に入り混じって天国かのように聞こえてくる。

ほとんどの栄養を酒で補っていたような当時の藤城さんは、引っ越してすぐ、はじめてここを訪れた僕らにそのロケーションを自慢して、狭さなどは全く気にかけていない調子で新生活の夢を語っていた。ミヅマでボランティアをしていたときに、毎晩ギャラリーに朝帰りをしていた藤城さんの寝袋を干す、という謎の献身を自主的な仕事としていた僕からしてみたら、無人島を立ち上げる彼女が選んだこの街と、ゲラゲラと笑いながら語るその希望には、何か期待が込み上げるものがあった。「イケイケアクション」を終え、初のDVDの制作に励んでいたChim↑Pomがこの場を訪問したのは、簡素なその雑居部屋に内壁を立てて、ホワイトキューブを作るための下見であった。が、無人島もオープン前で財布がキツい。こけら落としの展覧会のためにも施工は急いだほうが良かったが、いくらボランティアに慣れていると言っても僕らも見返りが欲しい。ならば、DVDのリリースイヴェントでもやらせてもらおうかな、ということが転じてそれならと初個展を提案された。

彼女も僕らもどれくらい本気で協働しようと考えていたのか、正直いうとよくわからない。藤城さんにしてみれば「Chim↑Pomがこんなことになるなんて思ってもみなかった」と後述しているし、僕らも僕らで「アートかアートじゃないかなんてどうでもいい」という態度だった。普通のギャラリーとアーティストなら、「オファー」のようなものがあって、今後について話し合いを重ね、契約などについて考えて、アーティストならばこのギャラリーで正解なのかと周りの作家仲間に相談したりする。そう考えると、あの決断は双方ともに真に無計画だった。壁たての報酬としての個展開催を焼き鳥を片手に「いいねいいね」と決めただけなのだ。

が、Chim↑Pomと無人島プロダクションは、そこから日本美術史においてきっと何度も参照されるだろう、壮絶で濃厚なパートナーシップを作り上げていくことになる。作品の炎上対策やその展開、ゼロから逆境を切り開いていくキャリアなどを考える上で、僕らの協働は他に比類なき重要な経験値となった。その一蓮托生は、Chim↑Pomが2014年に自らのスタジオを設立し、自主運営に乗り出すまで続くことになる。

作品紹介ではなく「活動」の解明

ゆうに数百点の作品を作ってきたChim↑Pomの実践を紹介するにあたり、限られた点数から一つの「Chim↑Pomストーリー」を語ってしまうことをやはり危惧している。そのもどかしさは先述した通りだが、まあ、でも、筆を止めることもまた出来ない。だから読者にはここで書き記すことが一つの「側面」であり、全てのように受け止めないことをあらかじめ了承してもらいたい。しかし、「この側面」をテーマに書こうと思いあたったことにもそれなりの理由がある。僕は自身の活動やアクションの歴史を、あたかも「行為」に始まり「行動」へと至り、「活動」に拡張されているように書いた。事実ではあるが、それもまた美術史という一つのストーリー作りに貢献してしまっているのだ。実態は、その三者は常に入り混じってぐちゃぐちゃにことを進めてきたのである。

シンメルの言うところの「行為」のパイオニア、具体美術協会に所属していた田中敦子[*1]の《電気服》は、身体の循環器や血管の道筋をたどるように配線された幾重もの原色に塗られた電球による「服」である。伝統的な結婚式の衣装などを考えて設計されたもので、具体の主流であった破壊的なアクション・ペインティングとはかけ離れた作品だ。が、これがフェミニズム・アートの先駆的アクションであったことは、現在においてようやく誰にとっても明らかになった。「パフォーマンス・アート」が隆盛した時代のオノ・ヨーコは、ジョン・レノンとのコラボレーションにおいて、人類史に残るアート・アクティヴィズムの実践をいくつも残した。二人が横たわるベッドで記者会見や「平和を我等に」の公開録音を行った「ベッド・イン」や、ビルボードに掲げた「WAR IS OVER! IF YOU WANT IT」など、今となってはあまりに有名な直接行動的なアクションである。

整理整頓された美術史という「文脈」が枠組みとして学ばれてきた一方で、その実コンテンツはイレギュラーな行為たちで溢れており、年代ごとに区切ったり、「行為」→「行動」→「活動」のようなスムーズな展開としてのシナリオなどハナから無い。当の具体が世界的に有名なのも、郵便でZINEを世界中に送りつけていたその活動の賜物であり、具体は日本に独特な状況としてあった「団体展」の運営方法を踏襲している。まさにプラグマティズム……特異点たちによる行動や活動、行為の数々が、ウニョウニョとアメーバ状に絡み合って結果的に事柄の真理を決めてきた。それが文脈であり、現在の普遍性の姿なのである。

Chim↑Pomもそうで、行動だアクションだ介入だと、展覧会やカタログでは作品やプロジェクトというアウトプットされた対象が盛んに解説されてきた。が、その実現や展開には、独自の動きによるさまざまな活動が背景にある。その全てにおいて、交渉や会議、行為や行動、作品や発表、制作や運営とアーカイブ、とさまざまな活動が絡まっていないと、一つの作品すら成立はしなかったのである。

キャプションされるものは作品であり、それらのレイアウトにより全体像を掴もうとする。その作品至上主義こそが、これまでの展覧会のあり方であり、作品集などカタログの作り方であった。

この本で紹介するのはそういう性質のものではない。作品紹介ではなく、「活動」としての側面が豊富なプロジェクトの解体、その背景にあるさまざまな実践を具体的に明かしていくことで、作品を解剖することを目的にする。Chim↑Pomと僕の「アクションとしての活動」を読者と共有するわけだけど、それらはかなり偏った独特なやり方で行われてきた。アイデアが独特な限り、実現のための進め方もそうならざるを得なかったのだ。だから読者には、これは「社会で使えるノウハウ」のようにはならないことを念を押しておきたい。が、それでもこの特異なプロセスを公開し、社会に還元できるものが残るとしたら、それは「実現不可能なものなど無い。あるとしたらそこに可能なつもりが無いからだ」という実感くらいだろう。

スーパーラット

《スーパーラット》2006
アートとかロックとかパンクとか
ドブネズミみたいに美しくありたいカルチャーと
ジャパニメーションとかギャルだとかの

＊1　1932〜2005。美術家。《電気服》を展開させた平面作品や、20個のベルが順に鳴り響く《作品（ベル）》などを発表。93年、具体美術協会の一員として第45回ヴェネチア・ビエンナーレに参加。

ジャパンポップというか
「スーパーフラット」の交差点は
渋谷のスクランブル交差点なのではと
思い立って
思い込んで
思い詰めた僕たちは
終電に乗ってセンター街にやってきた
やはり最近の若者であろう僕たちは
眉を顰められながらも
現代の人間の都市生活によって作り出された
「スーパーラット」が
人間との歪んだ共生を送ることに
大変な共感をしながらも1匹1匹と
ドンキで買った虫取り網でその同志を捕獲する
駆除するためではない
毎日喰う肉の原型に触れることすらできないような
我が恐ろしく強い動物愛護の精神に誓ってもいい
目的はただ
本物のピカチュウを作るとの一点なのである
その一心で
ゴミ袋の山を蹴り
壁づたいに逃げ出したネズミを追いかける

「待て スーパーラット
僕たちは敵ではない
Chim↑Pomだ！」
すべてが言い訳がましく響く夜の日本のセンターで
僕たちは作品を作るべく
夢とネズミを追いかけた

Chim↑Pom ２００６年11月

実践

無人島での初個展で発表した《スーパーラット》（図4-1、4-2）は、まだジェントリファイズされていなかった渋谷センター街で野良ネズミを追いかける映像とその剥製である。都市のある種のネズミは駆除業者から「スーパーラット」の愛称で呼ばれている。１９６４年の東京オリンピック開催の際に街を「浄化」しようと殺鼠剤をめちゃめちゃに撒いたことに端を発し、毒への耐性を持った突然変異が登場、これが鼠算式に増えたのである。知性も「進化」したことから仕掛けた罠は見破られて、水平の動きだけだったものが垂直行動もするようになった。駆除という死の対象となった次元でこそ、活性化する肉体の可能性が変異を選んだといえようか。そんな駆除業者も捕獲が難しいとされる野良ネズミを夜の街で追いかけたのだ。好景気などを経験せずに育った僕らは、もとよりアトリエなど余裕を持った制作環境にリアリティがなく、クラブなどには通っていたが、それも別にバブリーな遊びということでもない。自身に相応しい現場として、誰もが使えるストリートを必然的に選んでいたのだが、と言ってもグラフィティのようにスキルは必要としない。やはり誰もが出来ることだけをやろうとした。

それは、まずは何よりも街の裏の裏までの観察と、その生態系のマッピングや独自の捕獲方法を編み出すリサーチに基づいた。渋谷駅前の花壇の中を見てみると、巣穴がボコボコと開いていて、細い枝をたどって小さなネ

上・4-1　《スーパーラット》2006
ビデオ（2分53秒）／ Courtesy: Chim↑Pom Studio
下・4-2　《スーパーラット》2008／渋谷センター街で捕獲したネズミの剥製
撮影＝梅川良満／ Courtesy: Chim↑Pom Studio

ズミが花の蜜をちゅうちゅうと吸っている。ビルとビルの隙間を好み、終電後にキョロキョロと警戒しながら這い出てきては、側溝や店先にかけられた鉄のスロープの下に駆け込んで潜む。近くのゴミ袋、具体的には寿司屋や焼肉屋やファストフード店のゴミに群がってきて、ゴミ収集車が来るまでには完全に食事を終えて帰る。このゴミ袋を深夜1時頃に足で蹴ると、中からネズミが飛び出て壁づたいに走る。それを待ち伏せて魚釣り用の網で掬い上げるというのが僕らが開発した捕獲方法だった。正直怖いし、可愛いとも思う。が、とにかく見ているうちに、敵を自称するヒトの廃棄物を栄養にして、その一方的な環境や毒に適応しながら街を共にする都市の野生のあり方に、僕らは自分自身のステイトメントを自画像的に見出したのである。

ちなみにこのコンセプトは、翌年に制作した《BLACK OF DEATH》（図4-3）にも引き継がれている。ネズミ同様に日本の都市部に生息するハシブトカラスは他国のそれと比べて明らかにでかい。深夜のネズミと交代するような時間の棲み分けで、早朝にゴミ袋を目掛けて飛んでくる。東京の繁華街は必ず公園を隣接し、カラスが寝ぐらにしているのだが、実は人知れずにそれらの公園には立ち入り禁止とされたエリアの中に、大規模なカラスのトラップが仕掛けられている。4畳半程度の大きさのネット製の小屋がそれであり、中にはゴロンと巨大な哺乳類の足のような肉が転がっている。それに食いつこうと屋根の隙間から侵入するが、入ると天井には下に向けて突起した針金のような棒が無数に垂れ下がっていて、出ることが出来ない構造である。外壁のネットには東京都知事のサインによる書類が掲示されており、「駆除方法・焼却」などと事務的にえぐいことが記されている。このようなさまざまな状況が重なって、カラスは「スーパーラット」同様の変異を遂げた。その賢さを利用したのが《BLACK OF DEATH》である。

まずは早朝の代々木公園周辺でカラスの剥製を掲げると、「仲間が捕まっている」と思い込んだ一羽が他のカラスを呼び集める。その鳴き声を録音したものをメガフォンで流すと、大量のカラスが集まってきて、またその鳴き声で数は膨れ上がる。剥製だと気づいて解散される前に、剥製とメガフォンを手にバイクや車で疾走すると、街に食事に来ていたものたちも巻き込まれるようについて来るのである。

ネズミを追いかけて以来、「スーパーラット」は僕らChim↑Pomの全活動を支えるコンセプトとなった。

4-3　《BLACK OF DEATH》(109の上空、渋谷、東京) 2007
ビデオ(9分13秒)、ラムダプリント
117.5×78.5cm
Courtesy of the artist, ANOMALY and MUJIN-TO Production

動物だけに飽き足らず、さまざまに逆境を生きながらそこに適応するよう自らの生を輝かしている人間と、あらゆる現場で出会っては、その「スーパーラット」性を突破口にしてプロジェクトを制作するのが常套手段となったのである。突破口、というが、その意味は僕にしてみたら「変異」と同義語のように近い。例えば今はコロナウイルスの変異が連日ニュースを騒がせるが、このスーパーラットを生んだ「変異」という状態こそが、ウイルスにとっても人間にとってもパンデミック禍の状況を突破する一つの契機となっている。劣勢となるとウイルスは変異するし、人間もワクチンを盛ってある意味身体を「変異」させる。均一化した遺伝子では新たな時代に適応できない「進化」の過程において、現在は異端かもしれない突然変異は、環境が変化した先の突破口となるのである。僕にとって、その関係は社会の中におけるアーティスト像そのものであり、だから今の時点で作品や活動は理解されなくても全然問題はないと考えている。突然変異でさえあれば、いつかどこかでアーティストがやってきた実践や価値観は次の社会のキーになる。

そういう人間は一定数いて、次を待たずとも今もあらゆる現場に異端としての独自の活動を展開しているのだ。異端であればこそ、社会一般のルールや価値観に自分を拘束したりしない。プロジェクトにおいて何か面白そうなことが提案されれば、それが一般が求める活動内容やレギュレーションと一線を画していたとしても、その本質を瞬間的にキャッチする。そして自らをキーとして解錠不可能に見えたロックを外してドアを開けるのだ。

ちなみに僕らはそういう人たちにプロジェクトを提案するときに、いわゆる「アートとしての意義」というものを語ったことはあまりない。アートの場であればそれはプレゼンテーションとして機能するが、現場での交渉に当たってはなんの意味も持ち得ないからだ。あーだこーだと深読みを述べれば述べるほどに、それは良いヴァイブスを失わせてしまう危険なものである。皆、一目でスーパーラットの匂いのようなものを放っている独特な雰囲気を身に纏っていて、ドローイング一枚や完結なアイデアだけでも一瞬でその価値を察する。アートとしてどうかは交渉材料にならないが、彼ら彼女らのコミュニティを通した人類に広がる価値こそがその案にあれば、状況はそこから開かれる。

これから語るカンボジアの地雷原にも、広島の被爆者団体にも、福島の被災地にも、歌舞伎町の夜の街にも、

「スーパーラット」はいた。「都市の野生」と言ったが、これは一つの例えでもある。「都市」的に「均された」環境はどの現場にもある。アート界もそうと言えるし、歌舞伎町も独自の整備の仕方をされている。管理を内在化した人々の環境下で、どれだけ根源的な野生を取り戻せるか。トップダウンな意図をずらして世界に豊かな生態系を作り出す彼らがスーパーラットという突然変異ならば、業界は違えど僕らも同族としての匂いのみが信用となる。スーパーラットというものに自画像を見出していなければ、僕らは彼らに出会えずプロジェクトを突破できてこなかっただろう。

スーパーラット展の最中に、僕は藤城さんに「1年間で3つの個展をやるのはどうか」と提案をした。《スーパーラット》がChim↑Pomにとってのステイトメントであるならば、それはChim↑Pomとは何かというバンド的なイメージをもたらすだろう。が、僕が思っていたChim↑Pomの特性はそれに尽きなかった。例えばグループ展的な多様さでChim↑Pomの個展ができるというメンバー個々人のバラバラな作家性や、エリイという既存の作家性に回収されないキャラクターがChim↑Pomの輪郭を拡張させていたのである。これらが1年の間に開帳できれば、Chim↑Pomは過去の誰とも違うユニークな作家性を持ち得るだろう。そう考えてのことだったが、それには僕自身が20代のうちにという計算もあった。メンバーの誰かが三十路を迎えるまでに革命の狼煙を確かなものにしたい。

当時はコレクティブも少なかったし、オタクに狂気を見出すというゴッホ・シンドロームのような定型的純粋さや暗さが日本のアートの門を閉めていた。グループの歴史を振り返っても、ネオダダやハイレッド・センターなどみんな短命に終わっている。徒党を組む、というのは衝動を発露する集団行動の仕組みそのものであり、それがつまりは「……派」だとかをコレクティブのルーツにしがちな西洋美術においての運動体だったのだ。が、僕は《ERIGERO》や《スーパーラット》を通してChim↑Pomにはもっと別系統の魅力を感じていた。6人の集団狂気ではあるし初期衝動的ではあるが、これはもしかしたら、あたかも一人の作家という人格がいるような幻想を作り得るのではないか。多方面に向いた作家性のオリジンを3つの個展で芽吹かせられれば、Chim↑Pomはこの先10年は続くだろう（普通の作家もそれだけやれたら充分だ）。10年できれば、全く知らない地平にたどり着く。

結果、藤城さんはそのことを了承してくれて、2007年1月に「スーパーラット」が終わり、7月にはグループ展的個展「オーマイゴッド」、11月にはエリイを主題とした「サンキューセレブプロジェクトアイムボカン」を開催することとなる。これはデビューしたてのアーティストとしては超異例のハイスピードだった。メンバーも藤城さんも僕自身も不安だったが、これをこなしたChim↑Pomはそのスピードを自分のスタンダードにし、結局その後2019年までの12年間を、そのペースで疾走することになる。

サンキューセレブプロジェクト アイムボカン

計画

藤城さんに提案した「エリイのキャラクター」というのは、案で言えばファミレス会議でラフプランが出ていた「地雷撤去」のことだった。藤城さんもポカンとしていたが、当然である。僕にしたってトリッキーだったのは、それがセレブの動向をチェックしていたエリイによる、「やっぱりセレブとしては地雷原でチャリティをした方がいい」という、倒錯した提案だったからである。今も昔も何故かエリイはセレブやその界隈のニュースに異様に詳しい。それも全て文字情報でゲットして頭の中でマッピングをし、世界を眺めているのだ。ゴシップ誌の常連読者であるが、それにしたって目眩(めまい)がしたのは、そこが安さを売りにしていたファミレスであり、僕らはわずかなバイトと消費者金融に頼ってそのドリンクバー代を払っていた。そんな現実がチャリティと脳内で無限にすれ違う、まるで格差のスクランブル交差点のようなギャップを生んだからである。

セレブやIT長者がブームだった当時のご時世にあっても、巷の若者たちはせいぜいパリス・ヒルトンなどをリアリティ番組のように消費して、チャリティは当時の日本社会の価値観に、あってないようなものだった。エリイが熱心に話す地雷撤去はダイアナ妃の活動のことであり、そんな昔のこと、しかも王族を持ち出して今の世俗的なセレブ・ブームを語られても……という誰にとってもイリュージョンな提案だったのである。が、その時は逆に、というかだからこそ盛り上がった。僕は東南アジアに安く渡航する方法を早口で語り、みずのりに至っては、自分の足が吹き飛ぶ想定で人体改造の話をするような始末である。ひとまずは、何も知らないのでは仕方がないとカンボジアについて学び始めたが、同時に以前みずのりが話していた「コンセプトはノリ」という一言が浮上していた。当時、危ない地域に赴くというノリへの批判が席巻していたのだ。

Chim↑Pom を結成した前年、イラクで自衛隊の撤退を要求する日本人人質事件[*2]が多発した。NGOの活動はもとより、それはバックパッカーの若者も対象となり、人質となった被害者らには、ネット上やマスメディア、政治家の側から「自己責任」が叫ばれた。結果、バックパッカーの若者は首を落とされて、その処刑動画がネット上で流布。アルカイダが「見せしめ」としてリリースしたにもかかわらず、それは「テロに屈しない」はずのネットユーザーらによって興味津々に拡散されたのである。被害者にもかかわらず、自己責任論の批判はその遺族にまで向けられる。それを受けた遺族は、「息子は自己責任でイラクに入国しました。危険は覚悟の上での行動です」と、声明を出すに至る。

今となれば、僕はこの事件がもたらしたその後の日本社会の衰退への影響を、致命的な度合いであったと解釈している。もちろん、自己責任論やテロに屈してはいけないというのも正論の一つだろう。が、果たして過大で猛烈なバッシングは、その後の若者の行動をどう変えたか。検証すらされない「事故」として事件は風化したが、無意識のうちにこれが「ブレーキ」や「壁」として果たした役割は大きかったと同世代としては言える。若者は理性よりも行動が先んじて動くからこそ「若い」のだ。好奇心や、突き動かすものや、正義感や、行動主義。自己責任と称してそれら個人の勇気を総出で叩き潰すのが社会の秩序なら、その結果ビビった人間を増やして萎えた社会を作った「責任」は、いったい誰が取るのだろうか?

若者はトライ&エラーを繰り返す。勝手に繰り返す。しかしそれがいつかは成長を生むように、国家にしろ社会にしろ、同様に成長はトライ&エラーという「若さ」からしか得られないはずである。であるならば、大人は、その若者がエラーをしたときにこそ責任を取る……それを役割としてこそ「大人」としての存在意義が果たされるのだ。大人が「若さ」を潰した社会には、あとはトライを望まない現状維持の、精神的な「老い」しか残りえない。国境を越える好奇心すら失った老いた日本社会は、経済的になんだろうが文化的にどうだろうが、イノベーションがどうとか朝まで生で議論したところで何の意味もない。衰退の一途をたどるしかないのが現状なのである。

そのような社会において、僕は「ノリ」という言葉に何か批評的な響きを感じたのである。エリイやみずのりが語っていたセレブ・ブームへの批評性や、ノリというバカっぽさ。これへの自覚的な没入には、プロジェクトを「自己責任」として遂行するための態度の火の粉がキラキラと飛び交っていた。

僕らはステイトメントにそのことを記し、そうである限り全てのリスクを「責任」としてテイクするために、マネタイズから発案、発表からその先に至るまで、自分たちでプランニングする意義を捉えたのである。

「サンキューセレブプロジェクト アイムボカン」2007

ヘップバーンからアンジェリーナ・ジョリー
マドンナへと続くダイアナ・スピリッツ溢れる文脈を
ボランティア精神にのっとって
ギャル・カルチャーにのっとって
格差社会を誤魔化す偽善だとの痛烈な批判の声は
まあひとまずおいといて
僕たちもなぜか積極的に紡いでいく

＊2　2003年にイラク戦争が勃発したイラクで、日本人のNGO職員やジャーナリスト、バックパッカーらが武装勢力に誘拐された事件。武装勢力は人質の解放と引き換えに日本の自衛隊のイラク撤退を求めた。2004年だけで6名が人質となり、うち1名は殺害された。

なぜか
「ロード・トゥ・カンボジア」
そこに地雷があるからだ
吹っ飛ばすべき物は実のところ
僕たちが持っている気がして仕方がない
「地雷撤去」
超セレブっぽい夢を叶えるべく僕たちは
アコム発エ.I.S.経由カンボジア行き
格安航空券を手に入れる
いざ
遺言すら書かずに飛んで行こう
ただ
誤解のないように一つだけ言い残しておくとすれば
「遊びじゃないんだよ!」と
母親に一叱された一言を使い回しておくとしよう
だからもし何かあったとしても
これは完全な自己責任である
しかし何だというのだろう
僕たちは世界に責任を負わない個人になんてなりきれない
さあChim↑Pom
今こそボランティア精神を発揮しよう
これこそセレブのたしなみだ

Chim↑Pom　2007年4月

そうと決まれば旅費を稼ぐ。と言っても親や消費者金融からの借金である。それを元手にチャリティ活動をというわけだから、わけがわからない。実利的に言えば、実際に現地に行くという「経験」さえ挟まなければ、いわばATMの前で借金を口座に預け入れし、その瞬間にNGO団体に転送するのと同じことである。そこにアートであるべき理由など何もないわけで、だからとなればこれを元手に作品を作らなければいけない。その上で渡航までに決めたのは、爆破処理に立ち会って地雷でエリイの私物を爆破したい、ということであった。その内訳は、エリイを象った等身大の石膏像、バッグ、財布、iPod、プリクラ帳、ベルト。

完全にラフプランのままで実現出来るか全くの謎だったが、それでもそれらを発表するための場所として、広島市現代美術館が公募していた若手作家向けアワード「Re-Act 新・公募展2007」に応募した。プランが一次審査を通り、やばい、マジでやらなきゃいけなくなった。資金調達を終わらせて、渡航。

現地にはみずのりが1週間前に前のりしていた。テレビのドキュメンタリーで見たことがあったシェムリアップの「地雷博物館」を目指したのである。どうもここはモグリの地雷撤去活動家アキ・ラーが、取った地雷を信管を抜いて観光客に見せているらしい。そこは地雷被害者の子どもたちを学校へと行かせる施設も兼ねていて、ボランティアとして手伝いにも行ける。そこで暮らしながら僕らが到着するまでに、現地をリサーチできないか。

他のメンバーが遅れた理由は、東京で作ってパーツ分けして持ち運ぶ予定だった石膏像が未完成だったからである。というより、メンバーは誰も石膏などいじったことがなかったのだ。もっちゃんが試行錯誤をしていたが、結局終わらずじまい。フライトには間に合わず、もっちゃん、僕、エリイは格安航空券を購入し直して、最安のタイのバンコクを経由することに。東南アジア特有の熱気とクラブの重低音が街に響く、バックパッカーの聖地・カオサン通りに到着し、スコールに打たれながら「ワラビューリフォーワールド!!!」と叫ぶキマりまくっていた旅行者を見かけた一泊500円ほどの安宿に宿泊。近所に美大を見つける。そのショップに行って、石膏が英語で「プラスター」だということを学ぶ。早速注文したのち、未完成のフィギュアを宿で仕上げるというもっちゃんを残し、僕とエリイは数日後の早朝、カオサン発のバスでボッコボコの陸路を11時間ほど進み、1000円くらいのコストでシェムリアップにたどり着いた。バス停に群がるリキシャワーラーの中から、瞳が澄んだ人の良さそうな若者、ディーくんを選ぶ。適当な安宿につけてもらい、翌朝から帰国までの1ヶ月間、ずっと行動を共にすることになる。

みずのりと再会したのちに、僕ら二人もボランティアとして「地雷博物館」に住み込むことを決める。チャリティをしにきたにもかかわらず、無料で泊まって、しかも食事付きとはどういう立場だろうか。寝具の選択肢は、コンクリートの上かハンモックである。数日過ごしているうちにすっかりと馴染み、手足を失った子たちとキャッキャキャッキャと遊び回るエリイを見ながら、これはいったい何をしに来たのかと再び会議をして、最終プランを完成することとした。爆破するグッズたちを東京に持ち帰り、チャリティオークションを自主開催しよう、その売り上げからChim↑Pomの取り分全額を持ち帰ってきて、寄付することで完結とする。やっとプランが固まった。

実践

アキ・ラーは5歳のときに内戦で両親を失い、10歳から20歳までに少年兵としてクメール・ルージュとベトナム軍を渡り歩き、地雷を埋め続けてきた人物である。終戦後に自分の進路を考えたときに、地雷原に戻ることを決意。今度は独自の方法で撤去することを活動とした。僕らが行った時点では、その数は3万個を超えていると言われていた。森に入って猟をするのが趣味なようで、みずのりはそれに同行したりしていた。普段は東南アジアのおじさんといったグダグダに緩い性格で、温厚そのものなのだが、いざ銃を手にしたり森に入ると性格が変わる。「10分で準備してください！　遅れることは戦場では死を意味します！」と目つきが変わるのである。

地雷博物館とアキ・ラーは、たびたびカンボジア政府の妨害に遭っている。現政権の正当性を戦争の記録から正当化するための「戦争美術館」への協力を拒否したためである。近年も2018年に、約1ヶ月間拘束されている。地雷博物館でのボランティアは……することと言えば掃除くらい。あとは裏の小川というかみんなのトイレとなっていた溝川というか、そこで蛙を捕って脇でペットボトルを燃やして唐揚げにしている炊事係を手伝ったり、ショップのオーナーの家族と和んだり、学校から帰ってきた子どもたちとマンゴーを取ってダラダラしたり、という生活である。中田英寿をリスペクトする「ナカタ」や、一番ギャグセンが高かった「ポイ」らと僕らは仲良しだった。彼らはいわゆる素行の悪めなヤンチャたちで、歳は高校生か中学生か。思春期だったから性的なジョークをよく飛ばし、ナカタはよく自らの足の切断面の脂肪をぷにぷにとさせて、女性器に見立てて笑いをとっていた。

作品の一環として、ある日みんなで集まってカメラに向かい、エリイによる《SPEECH》（図4-4）を録画した。「ハイ、ワールド！　エリイです。私はいまカンボジアにいるわ。空が綺麗で……」などとチャリティへの参加の呼びかけを撮影中に、エリイの右横にいたポイが、突然、地雷で失った右腕の肘あたりの切断面をエリイの口元へと持ち上げた。「マイクロフォン」と笑ったポイにみんな笑ったが、僕はドキリとして複雑な想いを残した。カンとにかくこんな感じで彼らはいつも被害をジョークに変えて過ごしていたのだが、その中でも制作は進む。カンボジアに到着しても完成していなかった石膏像を完成させるべく、まずは彼らに石膏の写真を見せて調達しようと試みた。「知ってる知ってる！」と二人別々に言われて連れていかれた場所が2ヶ所ある。一件目は米屋。「これだろ？」と言われたのは米粉だった。仕方なしに米を買い、次に向かったのは義足センター。ここで義足を合わせるために足の切断面を象る石膏と出会う。ようやく石膏像も完成し、あとはそれらを爆破するだけであったが、ここで一度悩む。爆破処理とはいえ、身体を吹き飛ばしてきた地雷で人体模型を吹き飛ばすのはいかがなものか、それを周囲の日本人に問われて考えたのである。が、何度みんなで考えても埒があかない。当事者ではない僕らにその判断はできるはずもなく、時間だけが過ぎていっていた。帰りのチケットを捨て、親に電話して追加融資を頼む。借金もどんどん膨らんでいく。道徳についても爆破についても、相談したかった相手はアキ・ラーであったが、いったいどういう顔でどう相談すれば良いかわからなかった。

4-4　《SPEECH》2007
ビデオ（1分53秒）
「サンキューセレブプロジェクト アイムボカン」より
Courtesy of the artist, ANOMALY and MUJIN-TO Production

諦めるかどうかの瀬戸際だった頃、アキ・ラーと街に買い出しに出かけた帰りにカフェ（というか外にベンチがあるだけの売店である）でお茶をした。なんの段取りも決めていなかったが、突然、エリイがもっちゃんのスケッチブックを手にとって、アキ・ラーに見せた。「どう思う？　私はこれがやりたい！」とはっきりとした口調で目を見て言ったのである。そこには美術館での展示プランがデッサンされており、確か爆発の映像のワンシーンがプロジェクションされたものだった。いつも暑さでうだり、適当に笑って会話を誤魔化しているアキ・ラーの目に光が灯ったのを覚えている。「爆発を大きなビデオにしたいんですね？」とドローイングに食いつき、表情が変わった。人体模型云々のことはひとまず置いといて、私物についてはそこで語ったと思う。そこから先は、これまでの平穏な日常はなんだったのかという猛スピードで進んでいった。

こういうときのエリイの交渉能力は天才的だと思わされる。そう言えば、バリ島にある広大なゴミ山で作品を制作したとき、その時もエリイの一言が突破口となった。みずのりが1週間ゴミ収集車をヒッチハイクしてゴミ山に通い、ビニール袋を拾って生活をする人たちを手伝っていると、観光ヘリをチャーターしたエリイが空からそこにたどり着く。天と地で再会し、エリイがひらひらと落とした一枚のビニール袋を、みずのりが拾うというものである。映画『コイサンマン』で飛行機から白人がコーラの瓶をボツワナの大地にポイ捨てするワンシーンのようなアクションだが、ヘリの会社は拒んだ。どうも制空権的な問題があるらしく、難しいのだという。先に進まず、社長が何気に「そもそもなんでそんなことをしたいんですか？」と聞いてきた。普通ならここでアートとしての意義などを語るところである。が、エリイが言ったのは、「んー、夢だから」という一言だった。「え！　夢？……夢かあー……」と意外な答えに戸惑った社長が、「夢ならまあ、しょうがないなあ」と急に前向きになってコトを進めてくれたのだ。膠着した状況や不可能を突破してきた言葉は、考えてみるといつもそんな意外なくだりだったように思う。

数日のうちにエリイの5つの私物とともに、地雷ひとつを3回爆破処理してくれたアキ・ラーは、明らかにその協働行為を通して僕らにそれまでとは違う接し方をするようになっていた。僕らもアキ・ラーの明らかに爆破が好きなことがわかる無邪気な一面を垣間見て、以前よりも身近に感じていた。が、人体模型の件だけは言い出せずにいた。僕らはそれを子どもらへの寄贈品として地雷博物館に置いておき、そこを引き上げてゲストハウスに戻っていたのだ。帰国の段取りもつき、まあ最低でも私物の爆破は終わっていたし、これでOKとしても良いかもしれないと、帰国日までの日にちを数え出していたのである。そんな日の朝早く、みずのりが現地で借りていた携帯の着信音が鳴った。アキ・ラーである。「いまどこにいますか？」という質問に住所で答えると、「いまから行きます。10分で用意してください」とだけ言われて切れた。「やばいやばい、戦場では死を意味するぞ！」とみずのりは僕らを速攻で起こしに来たが、眠いし突然だし、いったいなんのことやら皆目検討がつかない。

僕らをピックしたアキ・ラーは、車中で辿々しい日本語で「あの、人形作っていましたね？　あれ、爆破ですよね？」と聞いてきた。ずっと心に引っかかっていた案件であり、それを彼から言われる想定がなかった僕らは、一瞬言葉に詰まったあとに、しかしすぐに「ハイ！」とほぼ同時に返事をした。「どこにありますか？」とアキ・ラー。地雷博物館に立ち寄り石膏像を再度ゲットした僕らは、そのまま空港の近くまで走り、街から完全に離れた森にたどり着いた。車が止まると、そこで待ち合わせていたらしいカンボジア兵がアキ・ラーと挨拶を交わし、奥から大勢の兵士を連れてきた。なんだなんだと何が起こったのかわからなかった僕らにしてみたら、緊張感というか危機感がよぎる。「待ち合わせていた」からよかったものの、一歩間違えたら状況的には「待ち伏せていた」である。当然、カンボジア軍なんてお目にかかったことなどなかったし、国から公的な爆破許可など得てはいない。軍と関係ができる謂れなどなかったのである。が、兵士はみんなフレンドリーに挨拶してくる。「やあ」と僕らも返すと、アキ・ラーに何かを聞き、ニコニコとした調子で車のバックドアを開ける。せーの、と数人がかりで石膏像を持ち上げると、道路から土手を下るように総勢20名ほどの兵士がそれを森の奥へと運んでいく。僕らは誘導されるままにビュースポットへと歩く。到着し、そこから森を眺めると、向こうには軍が撤去してきた何十発もの黒や深緑色の地雷が赤土に並び、その真ん中に白いエリイ像が立っているではないか。

アキ・ラーは軍に地雷の撤去を教えていたのであり、石膏像を見ていた彼は、これは数十発の爆破を使ったメインだろうと考えて機会を窺っていたのだと思う。僕らとしても、カンボジア軍全面協力のもとにプロジェクトが出来るなんて夢にも思っていなかったし、むしろそんなゴールド・プランを想定して国に掛け合ってみたところで、交渉以前に門前払いだろう。思わぬ展開となり、しかし心が昂ったのは僕らだけではなかった。日常の仕事ではあり得ない何か非日常なイヴェント性を感じた兵士たちも、次から次へと親指を立てて話しかけてくる。ビデオカメラを設置すると、画角を察して何人かがカメラに映る木の枝を「邪魔だ」と切り捨てた。

諸々のセッティングが終わり、シーンとした無言の緊張感が数分続いた。鳥だけがチュンチュンと鳴き、緑の木々が風にざわめいている。と、一人の兵士が静寂を揺らすような大声で、「ムォーイ!」「ピー!」「バーイッ!」とクメール語で数字を数えた。ちょうど4つ目の数字の1秒が間となって、5つ目のタイミングで凄まじい爆発音が地鳴りとともにけたたましい音を立てた。真っ赤な閃光の中に石膏像は一瞬にして消えて、その地点からどす黒い巨大な噴煙が、青空を侵襲するように上空高くまで轟々と膨れ上がって僕らを圧倒した。

オーガナイズ

今や難しい関係となった広島市現代美術館であるが、Chim↑Pomにとっては初めて展示を行った美術館という思い出の地でもある。

薄暗くスポットの角度を変えながら慣れないライティングに苦労する。それを照らす備品のガラスケース付き展示台の上に、正面の向きなどを変えながら、煤くさいボロボロのカバンなどを置いてみる。もともとパーツごとに作られていた石膏像は、だからその接着面でバラバラに解体されるよう爆発で吹き飛ばされて散らばったが、塊として残ったことで合体が可能になっていた。カンボジアの赤い土がべっとりと付着し、古い義足とともに全身が再構成されたエリイ像も、展示台の上に立つ。たった1ヶ月前の出来事であったシェムリアップの森での大爆発が、売店のベンチでアキ・ラーに見せた通りの様子で大きくスクリーンに映し出されている。あの生々しい体験や赤土の湿った匂い、ハンモックを揺らす風などが、急に何か過去になったように美術館に陳列されていた。粗野だったが、僕はその火薬の匂いが取れなくなった物品たちの展示に、平和資料館の焦げた日用品や溶けた鉄の塊などが想起され、好感を持った。

例のアワードの大賞を決めるグループ展の設置には、5日くらいを要したろうか。東南アジアのラフな流儀で生活が埃っぽくなっていた僕らは、金も全く無くなっていて、比治山の公園の砂場にブルーシートと大量の段ボール、美術館から持ち出した梱包材などを資材に小屋を作り、そこを宿泊場所としていたのである。毎晩、砂の上に出来たふかふかの寝床に、僕ともっちゃんとエリイとみずのりの4人が川の字になって横になり、夜遅くまでカンボジアや広島について語り明かしていた。

審議は参加作家たちへの公開の元に行われた。議論の細かいことは覚えていないが、全作家が遠巻きにそれをショーのように眺める中で、エリイだけはひとり審査員らのすぐ後ろを歩き回り、手元のメモをじっと眺めては、何かぶつぶつと独り言を喋っていたように思う。結果、Chim↑Pom は大賞を受賞することとなる。若手ペインターと僕らのどちらにするかで最後の議論が割れていたが、審査員の一人が決め手となる意見を言ったのだ。ステイトメントに書かれた「自己責任」についてであった。

「明らかに人質事件をベースにしている。私たちはそのことに応えるべきではないか」

と、そのような内容だったと記憶している。

受賞は嬉しかった。が、一生忘れられないような感動ではなかったように思う。というのも、プロジェクトはまだ前半、これからが本当のチャリティであり、その意味では販売物を創っただけだったのである。評価されたことは喜ばしいが、ここから先に無人島での個展、オークション、そしてまたシェムリアップへの再訪が待ち受けていた。

その1ヶ月後、Chim↑Pom は藤城さんとの約束通り、2発目の個展「オーマイゴッド」を開催した。ここで、僕が思うに Chim↑Pom の全活動の中でも最も高次元だと思われる「作品」が展示されたのだが、そのことについてはまたの機会に譲る。これが観客のリアクションを一層二極化させ、例えば「イケイケアクション」でブチ切れた三潴さんの怒りなどは頂点に達する。「お前ら現実に負けてんだ！　俺は絶対に認めないからな！」と吐き捨てギャラリーを後にした三潴さんを、藤城さんは駅までなだめながら歩いたという。

何はともあれ、その5ヶ月後には「アイムボカン」展がスタート。過去2回の個展を観に来てくれた人々の評判や口コミ、広島での受賞によって、Chim↑Pomは桁外れの注目を浴びることになる。美術誌や新聞（堅めのものからスポーツ紙まで）、週刊誌、ファッション誌まで、数々の小特集が組まれ、インタビューが一気に掲載されることになった。これが都合がよかったのは、僕らはこの個展をその先に自主開催するオークションのためのビューイング展として位置付けていたからである。メディアを見て個展に来場する人は、誰もがオークションの出品作品として作品を「物色」することが役割づけられる。2007年当時、日本にアートマーケットと呼べるようなシーンはあるにはあったが、今にしてみれば無いと言い切れるほどにミクロなものだった。しかし欧米でアートバブルは始まっていて、今後は中国が来るとかなんとか騒がれていた。現代アートとお金の関係は、このプロジェクトで柱になるくらいにはトピックが立っていたのである。だから数少ないコレクターに頼るよりも、来場者は多い方がいい。

ちなみに、すっかり敵対勢力のようにプンプンしていた三潴さんは、「アイムボカン」には最大限の賛辞を送ってくれた。負けん気が強く、ミヅマではボスに反抗期の娘のような態度で接していた藤城さんが、「必ず観るように」と営業をかけたのだ。1年に3回も対面することになるとは思ってもいなかった大嫌いなChim↑Pom展に、足が重かったろうことは想像がつく。が、エリイによる《SPEECH》の中で「マイクロフォン」を掲げたポイのジョークに深い感動があった。結果、三潴さんはオークションで作品を競り落としてくれる、コレクターの一人になってくれたのだ。「アートが社会に貢献することは可能なのか？」という無言の声が、ポイのマイクを伝って彼の感性に聞こえたのだと思う。

個展にあわせて僕らが制作したのは作品だけではない。ZINEとしてオークション・カタログもリリースしたのである。出版費用はさまざまな企業に直営業し、広告収入で賄うこととした。アート系の映画やギャラリー、ブランドなどに電話をかけるたびに「もしもし、チンポムの卯城と申します……」と肩書きを名乗るのが恥ずかしかったが、この営業はチャリティやアートの実用性、そして可能性を問いながら、先方にはその共犯関係になれるかどうかを突きつける、ひとつのアクションでもあったのだ。現在、書籍は僕らにとっては一つの柱であり、これまでZINEなどを抜いて一般流通があったものは、Chim↑Pomの単著としては8冊、共著や雑誌の監修、個人の活動も含めると、相当な量を作ってきたように思う。その始まりは2回目の個展「オーマイゴッド」の展覧会カタログであった。とある人の実際の遺書を白黒コピーしたもので、そこにまた新たに展示作品の解説や画像、コラージュなどを追加し、再度コピーしてホチキス止めしたZINEであった。現在、東京都現代美術館がそれをアーカイブしているが、僕らにとって作品がさまざまな美術機関に購入されていく中で、アーカイブ資料としてのパブリック・コレクションはそれ一つである。収蔵庫のなかを想像すると、なんだかすごみを感じて気持ちが良い。

展開

個展は大盛況のうちに終わり、さて次はいよいよ実際のオークション（図4-5）である。六本木にあった「P-House」というスペースでの開催となったが、オーナーも共犯関係に喜んで乗ってくれた。無料での貸し出しとしてくれただけでなく、客席にさまざまな観客も呼んでくれたのだ。エリイと共同でオークショニアを務めてくれたいとうせいこうも、その口だった。「オーマイゴッド」展に来てくれた際に、広島市現代美術館での展示の様子を写真で見ていて乗り気だったのだ。

このオークションでは有名なアート作品と同じ価格からスタートし、買い手がつくまで値を下げていく、という通常のオークションとは逆の方式を採用した。スクリーンには随時、その時点での価格がUSドル、日本円、カンボジアリエルで表示され、その価格で買える義足の本数がリアルタイムで掲出された。例えば当時アートマーケットを賑わせたダミアン・ハースト[*3]のダイアモンド・スカル《For the Love of God》のプライマリー価格は126億円。表示される凄まじい数の義足の本数は、もしやこの髑髏（どくろ）ひとつで世界中で必要とされている全て

4-5　オークション風景（P-HOUSE、東京、2007）
「サンキューセレブプロジェクト アイムボカン」より
撮影＝森田兼次／Courtesy of the artist, ANOMALY and MUJIN-TO Production

の義足が賄えるのでは、と気が遠くなるほどである。これを次々と削減しながら価格は下降していき、現実的な値段になる頃には義足も数十本へと減っている。いとうの「いませんか」という煽りを受けて、カンボジアへの謎の当事者意識が共有された観客席から、気まずさを破るように何人かが手を挙げ始める。と、ここからは逆に値段が上がり、通常通りの競りが始まるという算段だった。

売上総額は210万円。僕らの手元には一銭も残らなかったが、デビュー時の作家の値段としては上々である。Chim↑Pom は、ギャラリーの取り分を引いた50％、105万円を手に再びカンボジアを訪れて、渡航費と寄付が必要だと思われた人々にその全額を充てたのだった。

この一連の様子はその後、ドキュメンタリー映画となって「ガンダーラ映画祭」に出品された。展覧会、映画、DVD、カタログ、オークション、と期せずしてメディアミックスとなった展開である。が、カンボジア再訪で大変になったのはエリイだった。彼女の単著『はい、こんにちは―Chim↑Pom エリイの生活と意見―』（新潮社、2022）にその様子は詳しいが、とにかくディーくんの親戚の結婚式に参加した際に振る舞われた何かを食して、やられた。成田空港に帰国したときには車椅子で、髄膜炎ということで即入院。肩に触れるだけでハンマーで頭を殴られたような痛みが脳内に響いたらしく、一命は取り留めたものの、回復後には元々天然だった発言がより意味不明になった。

それでもドキュメンタリーをみると、安宿のベッドに横たわるエリイの横で彼女を案じる地雷被害者の子どもたちに、笑顔を投げかけている。大量の汗でシーツもびしょびしょになっていたらしいが、「みんなと同じ時代に生まれて本当によかった」と、ラストシーンにはその時思っていたという言葉を残している。

＊3　1965～。現代美術家。90年代イギリスで活躍した「ヤング・ブリティッシュ・アーティスト（YBAs）」の代表的作家。牛やサメをホルマリン漬けにした作品で知られる。2021年カルティエ現代美術財団で開催した「ダミアン・ハースト 桜」展が22年、日本に巡回。

第5章《ヒロシマの空をピカッとさせる》

ヒロシマの空をピカッとさせる

「お前ら、原爆ネタだけはやるなよ」

広島市現代美術館で大賞を受賞したその日の夜、館主催の二次会が市内の居酒屋で行われた。作家や審査員たちと飲んでいた席で、広島に長らくかかわってきたキュレーターが僕らにヤイヤイと肩を叩きながら釘をさしたのだ。「大賞おめでとう」の延長で、副賞として翌年に美術館のプロジェクトスペースでの個展が決まり、「どうすんの」「どうしましょうか」みたいな流れだったと思う。宴の席だったこともあり、その一言を僕らは笑ってやり過ごした。

違和感が残った言葉ではあった。違和の中身がなんだったかはメンバーそれぞれだろうが、僕のは個人的な理由に基づいていた。それまで戦争や原爆などお堅い話題は避けるように生きてきたのだ……と言ってみると聞こえ的にはまあみんなそんなもんじゃない？という感じだが、我ながら面倒くさいのは、左寄りの家庭で育った僕の場合は、みんなそんなもん「だから避けてきた」話題をつい反射的に持ち出してしまうことで、ことあるごとに「避けられてきた」という実感があって、それと重なったのである。だから「原爆ネタをしない」なんて自分にとってはむしろ慣れたものというか、集団生活を安全運転するために子どもの頃から気を付けてきた、性根に染み付いたブレーキみたいなものだ。

幼少期は、休日となると両親に平和集会やデモやバザーなどに連れ出されていた記憶がある。被爆者の体験談や写真展示にも連れ回された。特殊だとも思わずに、割と熱気が楽しかったことを覚えている。「いわさきちひろTシャツ」を着た「No!トマホーク」とか「ノーモアヒロシマ」と大声を出す大人たちに可愛がられ、その姿をニコニコしながら眺めていたように思う。だからか小学生も上級生ともなれば、馬鹿げた漫画ばかり読んでいては駄目だと手塚治虫を愛読し、日本に溢れる漫画の数々を、作品の面白さよりも作者の立派さで優劣を付けるようになっていた。『スラムダンク』よりも『はだしのゲン』を立派だと思い、鳥山明よりも白土三平[*1]を尊敬した。サンタクロースが届けにきた『カムイ伝』がバイブルとなり、将来の夢は「画家」か「一揆の首謀者」となった。ガンジーのポスターは私物とともに実家の僕の空き部屋を今も飾っている。

クラスで絶対的なシェアを誇っていたファミコンも無くて、テレビも一日30分と決めていたことから流行に疎く、だからクラスの友だちといつも大事なところで話題がすれ違う。と言ってもこちらの話題の方が一般的でないことは火を見るよりも明らかで、そのうちに色々と禁句が増えた。「原爆」もその自主規制の対象だったが、例外的に『はだしのゲン』だけは違っていたように思う。

漫画でなら共有出来る「原爆」や「戦争」の深刻さは、しかし僕にとってはその「軽さ」からしか語り得ない。それが東京で育った自分の世代のマナーだったのである。

計画

「ヒロシマの空をピカッとさせる」。

二〇〇八年一月、高円寺の中華料理屋で林が不意に発した一言に、僕の好奇心はこれ以上ないくらいにくすぐられた。

2009年に出版した、この一言の顛末とその騒動を検証する書籍『なぜ広島の空をピカッとさせてはいけないのか』(阿部謙一との共編著、無人島プロダクション。以下、『なぜピカッ』)に寄稿した、「Chim↑Pom のピカッ騒動記」はこうはじまっている。広島での個展にあたり、僕らはことあるごとにプランを考えていた。キュレーターがさした釘が一体いつ抜けてしまったのか定かではないが、この時点ではすっかり「ヒロシマ」を題材に出来ないかと議論していたということだろう。

『なぜピカッ』に収録された座談会「『ピカッ』は誰に向けた表現だったのか」では、広島をベースにするアーティストの柳幸典[*2]がそのことを「広島に来ると作家は、何かがインプットされて、それを表現しちゃうんだ」と語っている。それをうっかり気軽にやった先に失敗作を作ることを示唆し、大騒動を起こしたChim↑Pomを「安易」「失敗が露呈してる」「美術の文脈に取り込まれてる」と、猛烈に批判している。座談会には柳の他に、60年代より日本の前衛アートを論じる美術批評家の御三家のひとり針生一郎[*3]と、会田さん、僕が参加。柳はその騒動のきっかけになったChim↑Pomのアクションには「CGで作っちゃうような架空のプロジェクトじゃなくて、実際にやったってことは評価できる。たとえ結果としてピントがずれてても、その行動力はいいと思うよ」と一定の評価を示しながらも、しかし全体的にはこれ以上ないくらいボロクソに批判し、騒動が謝罪会見に発展したことを「悪ガキは、謝るような大人なことはしない」と断罪している。

それに対して会田さんは、僕らに近い自分を「客観的な立場になれない」と断りつつ、

「いまの柳さんの発言にちょっと反論するみたいだけど、卯城くんは、広島で制作する機会があったから急に原爆に手を出したというわけではないと思う。僕が言っちゃうのはどうかとも思うけど、卯城くんは、ご家庭がハードな左翼で、そのどら息子。捻じ曲がって街でチーマーみたいな青春を送って、高校中退したりしてるんですよ。だけど根っこには、間近でずっと見てきたご両親の平和運動があって、原爆については子どもの頃から『は

＊1 1932～2021。漫画家。父はプロレタリア画家・岡本唐貴。57年、貸本漫画『こがらし剣士』で漫画家デビュー。64年、「カムイ伝」連載のため『ガロ』を創刊。量産体制を確立するため「赤目プロダクション」を設立した。
＊2 1959～。美術家。93年、第45回ヴェネチア・ビエンナーレ、アペルト部門受賞。岡山県犬島の精錬所跡を活用した「犬島精錬所美術館」、尾道市百島の廃校を活用した「ART BASE MOMOSHIMA」などのプロジェクトを展開。
＊3 1925～2010。評論家。53年『美術批評』誌で美術批評を始める。「社会と芸術」の視点を持ち、基地闘争や三井三池炭鉱闘争に参加。東野芳明、中原佑介と並ぶ戦後日本の代表的な美術評論家。

だしのゲン』の熱心な読者ってレベルでは考え続けてきた。謝罪したことについては、お二人の意見と共通するところもあるんですね。卯城くんがまさにこれから謝罪しようというときに電話をくれて、僕は『謝罪しないほうがいいんじゃないか』とアドバイスしたし、いまでもそう思う」

と語っている。

《ヒロシマの空をピカッとさせる》（図5−1）……この作品はその後来たる東日本大震災の原発事故と、その後10年をかけて6つの会場に巡回した展覧会「広島」展を通じたChim↑Pomの長期にわたる実践のはじまりであり、およそ日本の美術史上前例のなかった規模の炎上案件である。これに匹敵するのは赤瀬川原平が千円札を模した作品を作り逮捕・立件され裁判にまで発展した「千円札裁判」くらいではないかと思う。その後はこれまたChim↑Pomの「明日の神話事件」や「あいちトリエンナーレ2019」など、10年の間にアートはいくつも炎上案件を抱えることとなる。俯瞰した文脈で見ると、つまりはネット時代のアクションの幕開けであった。

これは、明らかに失敗と挫折、行動と模索の記録である。そして今は亡き多くの恩人たちに捧げる継承の裏書きである。

騒動の幕開け

何があったのか……アクションが起こした騒動を、その検証本となった『なぜピカッ』を手引きに改めて追っていく。

「騒動記」には、2008年1月の高円寺の中華料理屋でのアイデア会議に端を発し、しかし林の発した一言がややもすればジョークとして会議のスパイスに終わっていたかもしれないことが記されている。「最初これはアイディアとはいえない提案だった。ただシャレにならない一言だった。さすがにおいおいとつっこみを入れてはみたけれど」、しかしすぐに「でもいいねえ」とそれが僕に本気で受け止められて、考えるまもなく「やってみようか」と進んだことを思い出している。

5-1　《ヒロシマの空をピカッとさせる》2009
ビデオ(5分35秒)、ラムダプリント
66.7×100cm
撮影＝ボンドナカオ／Courtesy of the artist, ANOMALY and MUJIN-TO Production

縁あってこの二年の間に何度も広島を訪れていた僕達は、そのフィードバックに忠実な作品を作りたいと思っていた。要点は三つ。世界と原爆とChim↑Pomだ。ここに全て忠実であろうとメンバーは皆思い悩み、その日の会議では全員アイディアを出しあぐねていた。何しろ難しいのは原爆とChim↑Pomだ。人類史上最狂の大惨事と、一見チャラい現代人。この二つを結びつけるにはよっぽどの必然性が必要だろう。

——Chim↑Pom、阿部謙一編『なぜ広島の空をピカッとさせてはいけないのか』

それがアイデア会議において広島を考える難しさであり、煮詰まった議論の前提だった。「ピカッとさせる」との一言は、その突破口として妙に軽やかな響きで僕らを重い主題の束縛からジャンプさせたのだ。その結果、僕らは2008年10月に原爆ドーム上空にチャーターした航空機を上空10万フィートにまで飛ばし、その飛行機雲で「ピカッ」という文字をスカイ・ライティングするゲリラ・アクションに至るのであるが、林のジョークがアイデアとして昇華された背景を、僕はその言葉の響きから受けた印象としてこう述べている。

——同

多分アイディアというよりは、この一言が言葉として良かったのだ。似たような言い回しを並べてみるとあながち間違っていないことがよくわかる。

「広島市上空を光らせる」

「広島の空を輝かせる」

「ヒロシマの空をピカッと光らせる」

たしかにアイディアとしてはスペクタクルだしアートっぽい。しかしもし林の言葉がこんな感じだったら、ノーアイディアな状況を棚に上げた僕達に、あっさりスルーされていたに違いない。

何にしてもこの提案は、「ピカッとさせる」、この一言に尽きていたのである。何せこれは「一、ヤバそう」だし「二、バカっぽそう」だ。それでいて凄く「三、意義深そう」。深読みよりも勘に忠実な僕達は、そんな漠然とした手応えに胸を膨らませたのだった。

しかしてその日、これは「照明弾で空を光らせる」といったそれっぽい案として僕達に消化されて、後日、当然のように美術館に却下された。

「Chim↑Pomらしくない」と、実に真っ当な理由だった。

初心に帰った僕達は、改めて、どう「ヒロシマの空をピカッとさせる」のか、それを模索し始めて、ここで飛行機雲に行き着いたのである。

――同

一、ヤバそう。これは原爆爆発のまさにその瞬間の再現だ。要するに原爆投下がなければ生まれてこなかったこの作品は、原爆のムスコである。原爆が生んだ作品を、被爆者はじめ原爆を憎む人類がどう見るか……。
二、バカっぽそう。「ピカッ」と描くのは「光らす」ことのフィクション化だ。これはただの擬態語だから、「光る」という科学的目的は達成されない。しかもそんな文字で状況が説明される風景は、ほとんど漫画の一コマだ。こんなバカっぽい原爆の光を現実に作り出すなんて、今が平和であればこそ出来ることだ。きっと戒厳令下でこんなことは許されはしない。逆に言うと空を「光らせる」ということは、戦時中にも可能だった。六十三年前の原爆がそれだ。その光で「遊ぶ」こと、これは戦争への挑発であるのと同時に、今謳歌している平和のバーチャル性を、的確に物語ることになるのではないだろうか……。
以上、一と二を整理してみるとこの案は――「原爆がなければ生まれなかった。平和がなければ出来なかった」

こういう条件を兼ね備えることになる。まさにこれが何度も言っていた、Chim↑Pomと原爆の関係だった。

――同

　実はこの文章を記しているときに、このことに思い当たったのには理由がある。『なぜピカッ』はChim↑Pomと編集者の阿部謙一[*4]による編集だが、寄稿者の一人である美術評論家・椹木野衣[*5]に寄稿依頼をしたときに、椹木がやたらと「ピカではなくピカッであったこと」にこだわって、それを何度も聞いてきたのである。しつこいくらいだな、と思ったが、であったからこそ僕もなんだかそのことにひっかかった。自分たちで行動を起こしておいて、騒動になり、さらに後の話であるから、今思うと柳がいう通り、僕らは全く慎重さにかけていた。「安易」だったのだと思う。が、これが作品の本質であったことは今となれば明白で、それを分析して本の中で批評を展開したのは当の椹木である。僕にしても騒動記を書くにあたって色々と振り返ったときに、椹木の妙なこだわりと全ての始まりの中華料理屋のシーンが重なって、この本質に思い当たった。「ピカ」という被爆者が命名した原爆のあだ名・名称ではなく、「ピカッ」という光の擬態語として原爆投下の「状況」を説明すること。それが実際に照明弾やフラッシュなどで「光らせる」ことではなく、「ピカッとさせる」という呑気な言葉をそのまま「実現」することを追い求めてきたこと……その総合的なアウトプットとして採用された「文字」は、つまり擬態語で状況を説明するという漫画の一コマを現在の現実の風景に作り出すための一手だったのである。

　このことを『はだしのゲン』を持ち出して、『なぜピカッ』において示唆したのは僕だけではない。椹木は、

「Chim↑Pomの『ピカッ』は日本の高度成長期に平和の到来とともに頭角をあらわしたマンガのふきだし、一種の擬態語といってよい。実際、Chim↑Pomのリーダーである卯城竜太自身がヒロシマの惨劇を刷り込まれたのはマンガ『はだしのゲン』を幼少期に読んだことが大きく、今回も騒動のあとで読み返した同作品のなかで原爆の炸裂が『ピカーッ』と空に描かれた文字であったことを確認して、『ぼくらがやったことはマンガだったんですね』と言っている」と指摘し、会田さんも同様のことを語っている。

『なぜピカッ』はこれに飽き足らず、『ゲン』の作者である中沢啓治までを引っ張り出して、コメントを掲載。いただいた言葉は、

「僕のいいたいことは『はだしのゲン』にぜんぶ描いてある。だから、『はだしのゲン』を読んでくれ」

　という簡潔なものであった。さすがというか、しかし自分の作品がこのように解釈されて騒動となって一人歩

きしていることに一体何が言えよう。
僕の騒動記では更に『ゲン』のそのシーンを細かくルポしていて、その先にXデーの様子を伝えている。

一枚の絵が本書にある。「ヒロシマの空をピカッとさせる」と並べておきたい劇中の一コマだ。まさに上空で原爆が爆発したその際に、光が炸裂した情景を描いたものである。画面下に配置されたゲンとおばさんがほぼ光と影だけになりながら、眩しさから目を手で遮っている。画面上からコマ全体に光が放射状に放たれていて、その白くなった部分を背景に光について次のように記述されている。

四十三秒後
広島上空
千八百フィートで
なん万個の
写真のフラッシュを
爆発させたような
高熱の白い光を
はっして
『ノッポ』と
なづけられた

＊4　1969〜。編集者。フリーランスとして、現代美術関連の書籍や作品集の編集、執筆を手がける。寄稿書に『We Don't Know God: Chim↑Pom 2005–2019』。
＊5　1962〜。美術批評家。92年、レントゲン藝術研究所で「アノーマリー」展を企画し、村上隆、ヤノベケンジらを紹介。98年『日本・現代・美術』で、戦後日本を蓄積なしに悪しき反復を繰り返す「悪い場所」と論じた。著書に『震美術論』『反アート入門』など。

原子爆弾は
爆発した……

そしてその文章とゲンたちを挟むように、画面の中央には「ピカーッ」という光の擬態語が手描きで描かれている。「ー」の部分が雷のように鋭角に真ん中で折れていて、その強烈さを物語っている。

二〇〇八年十月二十一日、朝、広島市上空に飛行機雲で描かれた「ピカッ」という文字は、まさにこの原爆の光を指した擬態語である。原爆ドームには幼稚園児達が遠足に訪れていて、赤い帽子と青い制服の子ども達が整列して歩いていた。飛行機雲が白く美しく出るようにと、一ヶ月をかけて待ち望んだ青空は完璧な晴天で、ドームの前を流れる元安川はそれを青く映していた。六十三年前もこうだったのかもしれない。戦時中ながらも人々は明るく暮らし、空は抜ける様な青さだっただろう。そこに一機の飛行機が飛んできて、雲を引いて人々の注目を引いたという。

『はだしのゲン』では学校の前でおばさんに呼び止められたゲンが、「むっ」と空に気づき、「B29じゃ いつのまにきたんじゃ？」と、その飛行機雲を目で追っている。「ほんと おかしいねえ 空襲警報も ならんものね」と、おばさんも空を見上げている。次のコマではどちらの台詞か「機体が 太陽に てらされて キラキラひかっとる」との吹き出しがあり、悪魔による悲劇が始まる数秒前の、のどかな会話を描いている。

二〇〇八年に登場した僕達の飛行機は、そんなのどかさをたたえたままゆっくりと空を旋回し、まず「ピ」の「〇」の部分から描き始めるために、円を描いて飛んでいた。それを皮切りに「ピ」「カ」と描き続けた飛行機は、既に「ピ」が消えかかっているのを横目にしながら「ッ」を書き上げて、何もなかったかのように去って行った。そして最後の「ッ」も、何分もしない内に空に吸収されて消えていった。「ピカッ」が「風化」していくその間、のどかな風景はずっと続いていた。

——同

2008年10月21日、午前中の出来事であった。

実践

たった3文字であれ、空に平面的な文字を三次元で描くためには難しい飛行航路と技術が必要となる。パイロットは超一流を雇ったが、それでも文字はウニョウニョっと脱力してヘタウマな印象となった。僕らはバラバラに市内に分かれて街の様子を映像で記録していたが、僕だけでなくみんな、意外なほどに街ゆく人々にこれが気づかれていないことを報告しあった。街中では人は空をあまり見ない。原爆ドーム前の元安川を渡ったところの「正面」から空を見ていたのは、撮影のために陣取っていた林である。『なぜピカッ』の冒頭を飾る「はじめに」において、彼はその風景のことを、「なぜ広島の空をピカッとさせてはいけないのか。なぜ僕たちは広島の空をピカッとさせたのか。あの日、広島の空をピカッとさせるため、僕たちはかつてないほど空を眺めた。空は綺麗で、目の前には原爆ドームがあった。あんまりだと思った」と回想している。

数ヶ月にわたり飛行機の会社やパイロットとやり取りをし、プロジェクトに労力を注いできただけあって、今読んでも血が通った文章だと僕は思う。

「はじめに」は短い文章の中で、翌日、地元紙が「不快」と市民の言葉などを報じ、1週間あまり報道が相次いだこと、24日には僕が被爆者団体の代表を前に謝罪会見を行ったこと、予定されていた広島市現代美術館での展示が「自粛」という形で中止が決定されたこと、そして僕らが発表の機会を失ったことを簡潔に述べている。

この本の企画段階はもちろんの事、準備段階においても最初のうちは《ヒロシマの空をピカッとさせる》の発表の場は得られていなかった。僕らは編集と同時に展示場所を探し、これが出版される日となった翌年の3月20日に、出版記念パーティーを兼ねた個展として東京・原宿のVACANTで「広島!」展と題した個展にこぎつけたのである。それはシリーズとなって、のちに福島第一原発事故にまつわる作品群も含め、「!」を増やしながら各地を巡回し続けている。現在までに、東京(原宿)、東京(恵比寿)、ソウルのソマ美術館(アジア・アート・アワード内)、埼玉の原爆の図丸木美術館、そして念願だった広島の旧日本銀行広島支店と、ニューヨークのアート・イン・ジェネラルと、10年越しのライフワークとなっている。

「広島!」展へのきっかけというか、『なぜピカッ』はつまり活動再開の狼煙(のろし)のような存在となった。美術評論家やアーティストといったアート関係者を超えて、参加者には被爆者団体の代表3人と、社会批評、漫画家なども含む。展示の前に編み上げたことから、位置づけとしては、「ピカッ」という作品ではなく、「騒動」について特化して制作された本である。だから26名にも及ぶ寄稿者は誰も作品を見ていない。作品評にならないように騒動の記録や顛末から考えてもらい、それぞれの観点から書いてもらったというわけだ。

これは中国新聞の第一報が炎上のトリガーとなって燃え上がり、謝罪会見に発展した炎上であった。個展にはもう一つ作品の出品を予定していたが、その《リアル千羽鶴》も展示は叶わなかった。素材としてはFRPと羽根でリアルに制作された鶴であるが、セットで膨大な量の千羽鶴を使うもので、それらを折ってくれていたのが市内の小学生たちだったことから、新聞沙汰になった作品への協力が難しくなったのだ。展示物が無くなったことで、「今は引いて出直すべき」との美術館長の提案にも賛同せざるを得なくなり、予定されていた美術館での個展も中止となったのである。

第一報の大見出しは、「広島上空『ピカッ』の文字」。それに「現代美術館立ち会う　市民『不気味だ』」と、飛行機を飛ばしたその日の夕方に受けた取材を引用したかのような「芸術家『平和訴え』飛行機で描く」の小見出しが続く。のちに中国新聞の記者に聞いたところ、問い合わせは実のところ苦情ではなく、「あれはなんですか?」という市民からの質問3件だったという。まだTwitterがなかった時代である。今ならそこからすぐに火がつくところだが、当時は新聞からであり、その後は他紙が続々と続いたことで、ブログや2ちゃんねるなどネットが燃え上がり、ギャラリーへの電話など直接的な抗議も増えていった。

以下、騒動記より。

翌日の朝刊の社会面には「平和訴え」という見出しに変わってしまっていた。そんな馬鹿な。平和を「訴え」てあんなことをしたらただの馬鹿だ。

ここに林と岡田が当時綴っていた日記がある。ここからはこれを参照しながら、渦中の僕達が過ごした怒涛の日々を追っていこうと思う。

「十月二十二日
・中国新聞の朝刊において『ピカッ』についての報道が写真付きで、デカデカと掲載される。
・午後から、報道を受けての今後の対応を協議するため広島現美に行く。
・卯城君と学芸員の間で一部白熱した議論が繰り広げられる。このままでは埒があかないと判断したのか、学芸員より、自身も被爆者である館長と会って話すことを勧められる。
・館長室にて、被爆者である館長と、被爆二世である副館長と面会する。原爆を体験した人々のトラウマの話や、原爆を作品として扱う時の広島の人々の反応がどういったものかという説明を受ける。
・この時、館長の方から、このプロジェクトは一旦引く事が良いとの意見と、まずは謝罪することが大事だということを言われる」(岡田の日記より)

怒涛とは、荒れ狂う大波のことを言う。まずは謝罪を促す大波が、早朝から僕達に寄せられたのだ。始まりは中国新聞に載った市民局長のコメントだった。次いで中国新聞の記者からの「局長の言葉をどう思うか。謝罪の意思はないのか」との電話、そして学芸員、館長、副館長と、その声はまさに怒涛となって押し寄せてきた。 ——同

四面楚歌

四面楚歌というか、このときの「切羽詰まった」状況に陥ってしまうプロセスは、皮肉なことに僕にとっては後々を支える実体験というか、社会勉強にもなった。ドラマなどで見聞きはしていたが、実際に人間の表と裏を

あそこまで経験できることはそうそうにない。メディアがどのように追いかけてくるのか、それまで取材を受けてきた文化部のおおらかさと違い、社会部は詰め寄るように対応を迫る。やっぱそうなんだ、と思ったが、彼らは待ち伏せして意表をつくことで準備をさせない。すぐに電話番号なども知られることとなり、大した遠慮もなく連絡をよこす。藤城さんの携帯にも新聞社から着信があり、「ピカッ」の画像を「読者にそちらの想いを伝えたいので」とサポーター的なノリで所望されたと思えば、「作品として完成されているものではないので」と断ると、「責任を感じていないのか!」と一変される。

前日まで一緒に行動をしてきたはずの美術館の面々も、一夜にしてChim↑Pomと距離をとる立場へと態度を一転させていた。館は関与していないかのような含みを持たせながら、謝罪を強く促してくる。いまも「組織の論理」で語りかけられると、それがいかに自分に良いコミュニケーションだとしても、人は組織の論理で一転出来るとどこかで考えてしまう。のちも度々世間を騒がせることになるChim↑Pomだが、その中で立場によって人々がどう動くのかというサンプルを全部見たような一日だった。

この体験で培われたノウハウは多い。例えば僕らはこの騒動を機に、取材やインタビューを受ける際の条件として、「ファクトチェック」と、新聞なら「自分の発言であるカギ括弧内は必ずチェックする」ということにこだわるようになった。ネットや雑誌媒体は記事丸ごとの事前のチェックが通例となっているから問題ないが、文字数が限られ、報道の自由が絶対的なポリシーである新聞は、事前に記事をチェックさせることをしない。それを尊重した上での、最低限の条件付けである。

謝罪については微妙なところであった。僕らも謝る意思がないわけではなかったのだ。「被爆者団体が怒っている」というのは僕らにとって本意ではなく、彼らには作品の説明と、事前に通知すべきだったことを謝るのは必要だと思っていた。そもそもゲリラで、という提案は事前の交渉が現実的ではないと考えた学芸員からのものだったが、それはもはや両者で責任をなすりつけあうだけの話であり、被爆者団体にはなんの関係もない。また、「アーティストは謝らない方が良い」という意見にも賛同はできなかった。団体の人たちを突っぱねることになんの意味もなかったし、謝るポイントは作品についてではない。

「市として」にしろ、「芸術家とは」にしろ、結局立場で行動を決める時点で同じことなのだ。そこに僕達の気持ちはない。だから僕達は「直接団体の人に会いたいのだ」と主張して、美術館と「一部白熱した議論」が展開されたのだ。そもそも僕達が謝りたいのは、分かって欲しいと言う気持ちからで、それは会う以外に達成される筈がないことだった。しかし残念ながらそれは叶わなかった。ストップが掛かっていた、と後から誰かが言っていた。

この日の夕方には騒動は広島からあちこちに飛び火していった。

「新聞読者、他メディアから美術館に問い合わせ殺到」（林の日記より）

それは東京の事務所も同じだった。併設されているギャラリーではちょうど僕達の新作展が行われていた。しかし常駐していたスタッフは女性ひとり。感情的なお客さんを相手にするのは危険だった。リスクを考えた僕達は、展示を中止するよう東京に電話をした。

「藤城さん（マネージャー）は帰京。卯城、林、岡田は宿舎へ。ネットを見ると、すでに、『ピカッ』について炎上していた。エリイのブログも炎上していた。ブログについては、二ヵ月前よりエリイの方から辞める旨を伝えていたが、そのまま放置していたらしく、今回の件にあたってエリイ自身の安全が危ぶまれるため、改めてブログの閉鎖を主催者側に申し入れる。宿舎では、謝罪文の草稿を練る。この夜、お好み焼きを食べにでかけるが会話もほとんどなく、まったく暗い食事であった」（岡田の日記より）

たしかに普段全く喋らない根暗な岡田さえ「暗い」と感じるほどの、暗然たる空気だった。それに息苦しくなりながらも、ひとりではないということに僕は励まされていた。　——同

その日の夜、3人はとりあえず親に報告をと電話をかけた。マスコミが実家を直撃するようなイメージまで膨

らんでいたのである。渦中にいると状況は拡大解釈される。その後になって、東京などでは一部では騒がれていたものの、冷静に色々と判断できる落ち着きや余裕も持てるくらいだったことを聞く。僕は苗字が珍しいこともあって、行き着くならすぐだろうと親に電話を急ぎ、「記者来なかった？」と第一声、親だけならともかく、二人がやっている活動にも迷惑をかけるかもという懸念を説いた。それと僕との板挟みに両親がなることを想像すると、いたたまれずに、「戸籍上、縁を切った方が」と自分との無関係さを現実化することを提案したのである。もちろん、落ち着けとなだめられたが、この時点では、僕はそれほどには冷静さをかいていたのだろう。

「十月二十三日

・午前中から広島現美へ。東京より稲岡君が戻る。
・Chim↑Pom が作ってきた謝罪文の草稿を元に学芸員を交えて検討し、一旦は Chim↑Pom サイドと美術館サイドで完成の合意に至る。
・謝罪文の完成をみて、学芸員はそれを携え関係各所へ事情を説明するため美術館を離れる。Chim↑Pom も昼食をとるため美術館を出る。
・昼食の時に、やはり謝罪する対象をより明確にすることと、被爆者の方々と事前に話し合いすることにこだわるべきだったということを謝罪文に盛り込むべきということに話がまとまる。謝罪する対象はあくまで被爆者やそのご遺族ご家族であるというのを強調しつつ、作品については、謝罪しないということの確認をここで改めて行う。
・その後美術館に戻り、謝罪文の中身を変更する旨を学芸員に伝える。しかし、謝罪文より、『広島市民』を削除するにあたって、では今回一体だれに対して謝るのかという議論が再燃し、収拾がつかなくなる。
・この時 Chim↑Pom サイドが要求したこと
〜謝罪文を美術館のホームページにも載せるということ。被爆者団体の方には直接会って事情を説明したうえで謝罪するということ。この時マスコミが入れば謝罪がただのポーズになるので、入れないようにす

ること。〜

・午後からの美術館との話し合いの中で謝罪文は、美術館のホームページにアップすることを確認する。この話し合いのなかで突然、謝罪会見をセッティングした、ということを学芸員より伝えられる。

・Chim↑Pomとしては、マスコミ抜きで、被爆者団体と会って謝罪したかったため、その謝罪会見に出席するかは態度を保留し、この日は美術館を後にする。

・その夜、卯城君の携帯に読売新聞より『明日の謝罪会見に出席となっているけど本当か?』という確認の電話が入る」（岡田の日記より）

「・会見出席を決める。出席者に名がある以上欠席は余計な批判につながる。

・被爆者団体に敵対の気持ちはないのに欠席するとそう受け取られかねない」（林の日記より）

「十月二十四日

新聞の朝刊にてこの日、『東京の芸術家集団』が被爆者団体に会って謝罪するという記事が掲載される。

・なし崩し的に卯城君は謝罪会見に出席することに。

・夕方のテレビにおいて、広島地方のニュースとしてほぼ全局で会見の一部始終が報道される」（岡田の日記より）

会見での報道陣は十三社。被爆者七団体の内の五団体が出席。全体は三時間にも及んだろうか。とにかくその派手さとは裏腹に、僕が団体と面会出来る時間はたったの五分くらいだった。

——同

状況的に謝罪会見なわけだから、誰に何を言っても届かないのは想像がついていた。いったいこれからどうなるのか、とにかく飛び込んでみるしかないという状況ではあったが、僕はそうである限りはその場に主役として参加し、事態のターニングポイントを作るつもりではいた。今となれば、だから、あの全員が役割づけられた壮大な演劇かのような市役所の一室に飛び込んだことは、「良かった」と自分では結論づけられている。あれを欠席して美術館にすべてを委ねていたら、きっと今の自分はなかったろうと思う。何より、僕にとっての恩人ともなった被爆者団体の坪井直さんとの初対面は、まさにあの場だったのである。

謝罪会見に出る

謝罪会見を前にせめて美術メディアを、と言うことで、僕らは前日に『美術手帖』と、当時『ART iT』の編集長であったジャーナリストの小崎哲哉に会見への参加を打診していた。僕と美術館の事実や意見が食い違うシーンなど、会見の様子は小崎が『なぜピカッ』に寄稿した「Chim↑Pom展中止の顛末」に詳しい。

＊展覧会開催内定後の今年1月、Chim↑Pomは現代美術館に「広島上空を何らかの方法で光らせる」という案を提示。学芸課長は「被爆都市である広島の市民の心情からして刺激的すぎる。経費的にも美術館が負担するのは不可能」として、別案の提示を求めた。

＊Chim↑Pomは5月に「(光ではなく)『ピカッ』の3文字を空に描く」という修正案を別の2案とともに提示(企画意図は後述)。学芸課長は「再び拒否した。私たちのスタンスはおわかりいただいたはず」と言うが、作家側は「プランを却下されたことは一度もなかった。ただし、出来上がった上で展示するしないを決めるのは美術館だと認識していた」。

＊その後、経費の目途が立ったので、実行を決意。担当学芸員は「ゲリラでやるしかない」と言った。報告を受けた学芸課長は「作家がそこまで主張するなら、それを越えて作家の行為を止めることはできない」と判断して説得を断念。ただし、「それを越えて説得すべきだったと反省している」。また、「担当学芸員は『やるとしたらゲリラ以外に方法はない』と話したのであって、勧めたのではない」。

＊美術館内では「作品を完成し、市民に観てもらった上で討論すべきでは?」という意見も出たが、「いまは冷静に観てもらうことを望むのは無理」との結論に至り、副館長と、自身被爆者でもある原田康夫館長自らが作家を「諭し」、展覧会の中止と謝罪を決めた。

——同

この学芸課長はそれこそ「ピカッ」の直後にも会っていて、「どうだった?」と声を交わしただけでなく、夜には会食も行っている。初期報道では、「どんな議論を生むか、そこが面白いところ」(『中国新聞』2008年10月22日朝刊)、「出来上がった作品を見て判断してほしい」(『デイリースポーツ』2008年10月23日ほか)とさえ語り、当事者であることを隠していない。もちろん、僕が経験したように新聞の切り取り方はストーリーありきのものであるから事実としては盲信できないが、彼女はニューヨーク在住となった今となっては、「Chim↑Pom は広島に来たことがなかった」かのような論旨で語り、リサーチ不足を責めるまでになっている。お互いにまるで真実が異なるように記憶されていることを痛感するが、とはいえ美術館はもうこの頃からすでに僕らを切り離そうと努めていたのだ。後日、『なぜピカッ』のためのファクトチェックすらも断られていて、共同編集をした阿部は、このことを「残念だ」として「あとがき」に記述している。

同館学芸課長には座談会参加や執筆などいくつかの提案をしたがすべて叶わなかったし、担当学芸員もほぼ同様であった。美術館内部の人間として、あるいは展覧会企画を主たる仕事とする個人として、どちらの立場を取ることもありえたはずだと思うが、いまでは「ピカッ」を作品化することにも、それを素材とした書籍刊行にも否定的だということだけはわかった。「ピカッ」を展示する気満々だった Chim↑Pom と「そもそも出品作として認めていない」とする美術館との間のことが本書からつかむことができないのは、そうした理由によるところも大きい。掲載した「ピカッ」にまつわる経緯に関しても、担当学芸員に相談しながら正確を期して制作したが、美術館側と認識の一致が得られなかったため、あえて明記を避けた部分も少なからずある。本書はこの騒動の犯人探しが目的ではない。認識の不一致も当然あるだろう。そのうえでなお、報道からは見えてこない当事者にとっての事実、騒動の前後で「美術館」の何がどう変わったのかを知りたいという企図は、ついに果たせなかった。
——同

学芸課長がChim↑Pomの問題を早く片付けなければいけなかったことには理由がある（と思っている）。同時期に美術館では国際的なアーティスト蔡國強（ツァイグオチャン）[*6]が回顧展を開催し、それを彼女が担当していたのだ。蔡は、原爆ドーム上空に「黒い花火」を打ち上げるというアクションを準備していて、それが謝罪会見の翌日に予定されていた。学芸課内では、「Chim↑Pomがピカで蔡がドンだね」というふうに両者を位置付けていたと聞くが、今となればそれはなんだったのかと遠きに思う。

小崎はこの現場についても取材していて、実にジャーナリストらしいトーンでこれを記録している。

Chim↑Pomが謝罪した翌日、蔡國強の第7回ヒロシマ賞受賞記念展が、ほかならぬ広島市現代美術館で始まり、関連して火薬パフォーマンスが行われた。「原爆犠牲者への鎮魂の思いを込め」た「黒い花火」をまさしく原爆ドーム上空に打ち上げ、「核兵器保有への警鐘、平和への願いを表現する」というもので、北京五輪開会式の花火を担当した世界的作家による作品のニュースは、映像とともに全国レベルで報じられた。行為の実施に当たってChim↑Pomは事前に告知をせず、蔡は市政広報誌、市内2地区の自治体、「周辺施設等」への広報を行った（プレスリリースより）。被爆者団体へは、謝罪会見の際に初めて知らせたようだ。

蔡は好戦主義者ではないし、被爆者の神経を逆なでするつもりもないだろう。だが「黒い花火」を見ていた公衆の中には「とんでもないよ。こんなことは許されないよ！」と叫んで回る男性がいた。はたして「こんなこと」は許されるのか許されないのか。蔡が許され、Chim↑Pomが許されないのはなぜか……。
——同

この「ピカッ」と「黒い花火」の対比は、騒動を制度と表現の双方から検証するものとして、頻繁にメディアや論考で参照される出来事となった。アジア全域をカバーする美術誌『ArtAsiaPacific』などのレビューの他、椹木の論考「かつてエノラ・ゲイから見えた『空』――Chim↑Pom の『ピカッ』と、回帰する原爆投下者たちの窓」においても、これは話の展開の軸として採用されている。

椹木はその対比の前提として、ヒロシマの表象不可能性をあげる。まずはテオドール・アドルノの有名な「アウシュヴィッツのあとで詩は謡えない」という意味の一節を引き、アウシュヴィッツの惨禍は既存の戦争や暴力の作品化という主題を遥かに上回り、個人の表現のモチーフにはなり得ないという一般認識を前提とする。その上で、ヒロシマはそんなヒューマニズムとは全く別のもっと根源的・物質的なところで、表象が全くあり得ない現象であることを解き明かす。丸木位里[*7]・俊[*8]の原爆絵本『ピカドン』の一節、「爆心地の話をつたえてくれる人は、いません。There is no one who can tell what it was like at the center of the blast.」を引用し、あまりの熱で人間が一瞬にして蒸発した「爆心地」は、それを語り継ぐソース自体が無いのだと強調する。生き延びたものが誰一人としていない……「NO ONE」な場所、「つまり永遠の無人地帯」。そこで何が起こったかを伝えてくれる人は、誰もいない。

「かつても、そしていまもバーチャルなまま、そこだけ空白で凍結されたままだ。この先もずっと。未来永劫に」

ヒロシマの表象不可能性は、「宇宙の果てにまで届かんとする人間の想像力をもってしても『爆心地の話』が

---

*6　1957〜。中国・福建省生まれ。上海演劇大学卒業後、86年に来日。筑波大学の河口龍夫研究室に在籍し、作家活動を開始。火薬の爆発による絵画で世界的に注目される。95年よりニューヨークに拠点を移し、08年には北京夏季オリンピック開会式のアーティスティックディレクターを務めた。

*7　1901〜1995。水墨画家。広島の農家に生まれ、22年に上京。39年、美術文化協会結成にあたり、唯一の日本画家として参加。41年、赤松俊子（丸木俊）と結婚。45年、広島に原爆が投下された数日後に現地に入る。その後、夫婦で30年の歳月をかけて15部の連作《原爆の図》を完成させる。

*8　1912〜2000。油絵画家。北海道に生まれ、39年に上京、女子美術専門学校に入学。41年、美術文化協会に加入し丸木位里と結婚。絵本作家としても知られ、『ひろしまのピカ』『おきなわ島のこえ』などの作品を残した。

見えない」限り、絶対的なものだ。なぜなら「そこでは目が存在できないからだ。比喩ではない。その灼熱ゆえ、目が、肉や骨と同時に、この世から消えてしまうからだ。そして、それは芸術ではなく、原子物理学の必然的な結果でもある」。

問題は、とはいえ一瞬前まではそこには生活があったという「宇宙的なレベルでの『断絶』」を、「いったいどう想像したらよいというのだろう。いかに描いたらよいのか。そもそも想像することさえできるのか」ということにある。

椹木は、広島市公認かゲリラかと言う制度論を論点とせずに、蔡とChim↑Pomの二つの作品に表現としてのこの「表象不可能性」への差異を見出している。作品然と「鎮魂」としての表現に転化しようとする時点で、蔡の黒い花火はその「表象不可能性」という「最も困難な問い」には直面しない。ならば、それは「ヒロシマ以後に詩を謡うことの暴力性をなんら回避できていない」のではないか。対して、「ピカッ」は、「詩にも絵にもけっしてなり得ない次元を明確に選択している」。蔡の水墨画的芸術性の高さに対し、Chim↑Pomのそれは「落書きの近似でしかない」。既存の芸術表現としての次元に立っていない時点で、偶然にも「詩」を回避していると言うのである。その軽さを、広島に原爆を投下したB29戦闘爆撃機「エノラ・ゲイ」が格納されていた倉庫の内部に描かれたお気楽な落書きに見立て、戦争を描写しようとする蔡に対し、Chim↑Pomはむしろ戦争ではなく、戦禍を想像できない「平和の側」から「平和自体」を表現したのではないか？と論じる。

> Chim↑Pomの「ピカッ」がモチーフとしているのは表象不可能なヒロシマのほうではなく、実はヒロシマ以後に可能となった「平和」のほうではないか。
>
> ——同

そのことを水墨画とマンガを比較して強調するのだが、ここで最終的に難しくなるのは、戦争と平和という定義を念頭に置いたときである。平和というものは「戦禍をイメージしづらくなる社会」それ自体のことを指すのであり、椹木の言葉を借りれば、ヒロシマが着実に忘れられれば忘れられるだけ、いっそう強く平和が押し進められるというパラドクスがそこにはある。

——同

椹木の論考をそのままアクシデントにしたようなエピソードがある。平和の側の「軽い」スタンスで戦争や原爆に触れること。それは別にアートの場でなくたって、学校や家でさえ「ふざけるな」と注意・叱責の対象となる行為である。「騒動記」の、僕らが蔡の黒い花火を見た際の挿話は、まさにそれそのものであった。

多分僕達は名前も含めて「ふざけるな」と、みんなの感情を逆撫でしたのだろう。蔡國強の黒い花火が芸術的で、Chim↑Pomの雲が漫画的だったのが良い例だ。そういえば、翌日、二十五日、広島市現代美術館で個展が開催された蔡のオープニングイベントの会場で、彼の友人だという老人に、「蔡は愛があるけどお前らにはない」と断定された時も、たしかに「ふざけるな」と言われて怒られた。彼は「お前らか」と僕に詰め寄って来てこう言った。

「お前らみたいのは今からガソリンをかぶって全身ケロイドになって原爆ドームに土下座しろ」

「ふざけるな」はこっちの台詞だとは思ったが、周りに報道陣がいたことも考えて、僕達は引き続き品行方正を決め込んでいた。

——同

謝罪会見は無事（?）に終わり、テレビなどでは都合よくカットアップされて放映されたが、一応僕は自分のスタンスをキープしたままこれを乗り切った。小崎によると、

記者会見で卯城は「ちゃんとした表現として発表したい」と語った。「こんな騒ぎになったのに作品を完成

させるのか」と突っ込まれたが、「僕たちは作家ですから」と突っぱねた。事前のコミュニケーション不足についてのみ謝罪し、表現者としての矜持は貫いた形だ。

――同

自分はメモや写真を取るわけでなく、その場で次々と辛辣な質問に答えていただけだから、会見での思い出はハッキリ言ってあまりない。特に一つだけ思い出を挙げるとすると、それはやはり坪井さんの印象に尽きる。顔が見えない中では発言も何も温度というものが伝えられないが、まずは被爆者団体の方々に自分の顔を見てとってもらえた。その後に各団体と独自に対話を進めていくきっかけともなったのであるが、それを決意させたのはまさに坪井さんのジェスチャーだった。被爆者団体として求められる説教をした後、席を立つ前に、彼は僕に「まあ、諦めんでがんばりなさい」と微笑みかけてくれたのである。

驚いたが、表情全てが放映されているかもしれない僕にしてみたら、なんと返せば良いか。リアクションに詰まったことを覚えている。が、僕にとってはChim↑Pomがその後の逆境を突破していった全てのはじまりは、その一言に起因するのだ。団体の方々が僕らや作品について何も知り得ていなかったのは火を見るより明らかだった。市として体裁を整えるために、彼らはその場にきて役割を全うしたのだろう。が、坪井さんの一言は僕に人間としての温度を伝える導きがあった。それは、会見直後に彼の自宅を調べ、「先ほど謝ったものですが……」と私的に電話をかけてみたところから道となった。「ああ、ああ、どうもどうも」と穏和にのんびりとした口調で対応してくれたことに気が抜けた僕が、「なんだかさっきはすみません」と照れながら話し始める。すると、「どこに泊まってるの?」などと意外にも雑談が始まったのである。その延長で会いたい旨を伝えると、電話越しにスケジュール帳をめくり、日時をすり合わせてくれた。「まあ3日後に会おうよ」と約束してくれたことが、進むべき道を照らす光明となった。

被団協・坪井直

彼とはその後に何度か会った。祖父のように、友人のように、その優しさのうちに僕らと接した「被爆者」である。老人とか男とかいう一般的な身元や肩書きよりも、「被爆者」だということにこだわり続けてきたアクティヴィストの巨星であった。

坪井さんは国連やオバマ大統領の広島訪問などの際に、被爆者を代表して先頭に立ってきた「カリスマ被爆者」である。20歳のときに爆心地から1・2キロの地点で直接被爆。40日もの間意識不明の重体で生死を彷徨ったときのことを振り返り、『なぜピカッ』で「あのとき生きとったのが不思議じゃのうと、あとで思うわけ。誰かが食べさせてくれたんじゃろうが、それが誰かはわからん」と振り返っている。座談会では何度も「モンゴルの馬賊の大将」になりたかったと冗談まじりで語っているが、いかに豪快な人だったか、80歳を過ぎて出会った僕らにも伝わるエネルギーがあった。

戦後は、造血機能が破壊されたことでの重い貧血や、度重なる癌に苦しんでいた。被爆者であることから結婚にも反対され、二人で心中を図って睡眠薬を服用したこともあったという。元職は学校の先生で、生徒たちからは「ピカドン先生」と呼ばれていた。人によっては不謹慎となるだろうその響きに「むしろ快ささえ感じていた」と言い、それどころか「俺は世界で初めての原爆受けたんぞ」とまるで人類で初めてエヴェレストを登頂したかのような言い方でそれを誇示していたからすごい。

「有史以来の出来事に出くわしたいうんでね。そういう喜び方しよった。ちょっとおもしろいじゃろ」

坪井さんには、原宿で開催した一発目の「広島！」展で、被爆体験談を語るレクチャーパフォーマンスをお願いした。僕の介助を振り解き、年老いてもスタンダップで語るそのトークスタイルには、観客に一人の人間として向き合うという肉体的なガチさがあった。そのQ＆Aで、Chim↑Pomの「ピカッ」を知ったときどう思ったかと尋ねられて、会場に若干の緊張が走った。空気を察した坪井さんは、アドリブ的に横にいた僕を笑って小突き、「この阿呆がな」と笑いをとってくれたのだった。

エッセイや講演では必ず自身のモットーである「ネバーギブアップ」を使った。それは自身の病気や、広島の復興、核兵器廃絶への強靭な「態度」である。東日本大震災が発生し、Chim↑Pomが最初に制作した作品こそは、坪井さんが送ってくれたＦＡＸ「不撓不屈（Never Give Up）」のカリグラフィーを、津波でボロボロになって廃棄されていた額に額装したものである。当時、津波の巨大さや被害の甚大さ、原発事故など手に負えない状況下に、食うことも施すことも寒さを凌ぐことも出来ない、さらにその現実のスペクタクルが完全にフィクションベースだったアーティストの想像力を超越してしまっていたこともあり、「アートは無力」だと絶望感に覆われていた。本当にほぼ全員がフリーズし、業界自体の活動が止まってしまったのである。

もちろん、Chim↑Pomもそんなことはわかっていた。が、それでもどう一歩を踏み出すかということも考えていた。《Never Give Up》は、まさにChim↑Pomが福島に入っていく最初のドアとなり、東日本大震災で最初期のリアクションが僕らだったことを考えると、これはつまり日本のアートを再生させる重要な一里塚であったと言える。同じように坪井さんとの出会いこそは、僕らが広島で状況を突破していく鍵だったのだ。

この原稿を書いているのは２０２１年11月の下旬であるが、ちょうど１ヶ月前に、彼の訃報が日本全国を駆け巡った。その半月前に広島を訪れた僕は、彼が理事長であった「被団協」に挨拶に伺った際に、病を押しての抗議活動を機にまた闘病生活に入り、輸血で命を繋いでいるとの容態を聞いた。あのスタンダップ・スタイルを思い出すと、無理をしたことは容易に想像がつく。だから覚悟はしていたのだが、やはり、言葉を失った。とある島の港で林からのＬＩＮＥで知ったのだが、その瞬間、目の前の海が冷たく残酷に広がったように感じた。船に乗り込んでからもずっと、彼の冗談をいう軽快な話し声と笑顔が頭をよぎり、初対面であった謝罪会見の場が懐かしく思い出された。

あの時の一言をなぜあの場でかけられたのか。氏の性格を想像すると、目の前でカメラに囲まれながらカバチをタレてる「阿呆」に少し同情でもされたのか、何にせよ、先生として若者には無条件に優しかった彼にとって、それはきっと、気にも留めずに口をついた言葉だった。が、僕にとっては一生の出来事として胸に刻まれている。船上でもその一瞬は何度も思いだされ、ケロイドが残る太陽のような丸い笑顔に、何度も何度も語りかけた。これまで色々な話を聞き、僕もしたように思うが、しかし胸に思い浮かぶ言葉は、やはり「ありがとうございました」。「ありがとうございました」の一言に尽きていた。彼がいなかったらどうなっていたろうか。「ありがとうございました」。何度言っても、どのように言っても、全く足りないその一言を、僕は隣の席に気づかれないように黙って心で復唱し続けた。

《ヒロシマの空をピカッとさせる》から13年がたって、この騒動を思い出すことは僕にとって、彼ら彼女ら、戦争世代の人たちを思い出すことと同じことである。謝罪会見の日から2013年に広島で個展が開催されるまで、その差し伸べてくれた手の数々が、リアルに手助けとして機能し続けてきたのだ。実際のところ、味方がほとんどいなくなったパニックにも似た広島での日々で僕らを支えたのは、彼ら団体の人たちとの交流だった。

矢野美耶古と吉岡幸雄は、坪井さんとはまた別の被団協の重鎮である。被団協は全国組織としては統一されているが、広島には分裂した経緯がある。僕には関与できない過去であるが、しかし両者ともに協働しているパートナーである。矢野さんは可愛らしい女性で、僕らに「芸術は理解されづらい」と笑い、「やり続けることですよ」とアクティヴィストである自身の長い活動の文脈を語る。そもそも平和運動は、GHQの占領下にあってしょっぴかれる対象であった。その数々の実践を紹介しながら、被団協ができた経緯などを教えてくれた。吉岡さんも冗談を飛ばしながら色々と語り、最後にケロイドが焼きついたスネを僕らに見せてくれた。先月この団体を訪ねた際には矢野さんがいたが、挨拶をしてももう記憶が無く、「すみません」と謝られた。彼女は座談会の中で、被団協の当時の目標であった「2020年までに核兵器廃絶」を語る。その理由が「2020年というのは、被爆者が生きて語れる最後の時代」であることを説明している。

2021年になり、当時僕らが会った被爆者たちはすでに第一線を退いていた。現在のリーダーのほとんどは被爆2世だが、彼らにしてみれば、リアルな記憶が無くなるこのまさに過渡期をどう次に繋げていくか、その難しい運営の胸中を先月悩ましげに語ってくれた。

「騒動記」にも、これに関連したことが懸念されている。

漠然とした平和、手応えのない被爆の記憶。そんな僕達にとっては抽象的な現実を、広島は実感をもってずっと世界に語ってきた。しかし世代交代が進み、もうその実感も、想像や教育に引き継がれているようだ。ヒロシマが体験から情報に移り変わっていく一方で、僕達の想像力は今後ますます意味を持つ。勿論その期待に応えるべく心ある若者達は未来へのミッションを担っていくことに使命感さえ覚えているのだが、かといって、知ったような顔も出来ない。そんな絶望感も同時に抱えているのが現状なのである。何せ実感は日一日と鈍化する。これは仕方がないことだ。でもこれが風化の正体だとは言い切れない。何しろ被爆二世の活動家たちでさえ同じ悩みを持っていた、が、それでも行動する、と彼らは強く語っていた。彼らは当事者だから、と結論を急ぐのは簡単だ。でも僕は、あえて、「被爆」は別として、「原爆」の当事者は全人類だ、と声を大にして言いたいのだ。というのも、アウシュビッツ等と違って原爆は、現在進行中の問題だ。今も僕達に死を突き付けて、全滅の可能性を人類に与えている「核兵器」そのものなのである。過去の遺物でも、広島のご当地モノでもない、僕達自身の脅威なのだ。だから本来風化ということ自体が不自然で、むしろもっと皆が「僕達の原爆」感を持っていて然るべき、多様な「僕達の原爆」芸術に道が開かれているべきだと思うのだ。が、実際はどうかというと、僕達はそれを「配慮」の前に圧し殺して、「被爆者の原爆」のみを正当とみなし続けてきた。「僕達の原爆」は邪道だという常識の下、僕達は原爆を他人の問題にすり替えてきたのだ。これは被爆者への配慮を死守してきた代わりに、原爆をシラケさせる一因を担ってきた。核兵器にリアリティを持てない僕達を、正当化し続けてきたのである。そして、当然、核の脅威を感じなくなった僕達は、いつからか、原爆との関係を自然に断てるようになったのだ。若者は「過去」だと言って、東京は「広島」と言って、芸術は「被爆者の心情に配慮」して、あっさりと縁を切ってきた。そしてその一方で、当の広島も、当事者として開発の可能性を剥奪し続けてきた。人類の現状とは裏腹に、原爆は風化したのである。

——同

当時、なんだかよく思い当たっていた格言がある。マザー・テレサの「愛の反対語は憎しみではなく無関心である」がそれであるが、僕にとってこの問題が来たる福島第一原発の事故に繋がっていたことは言うまでもない。

日本で初めて原発が核の平和利用としてキャンペーンされた「原子力平和利用博覧会」は、１９５５年から当の広島の平和資料館も交えた日本全国を巡回したもので、アメリカ情報局が読売などの新聞社と共催して行った大規模な展覧会だった。55年といえば被団協の前身となった「原水爆禁止世界大会」が始まった年であり、その前段階としての54年は「第五福竜丸事件」[*9]が起きた年である。

にもかかわらず、56年の広島では当の平和資料館でこれが企画され、開催にあたっては、もともとの原爆の展示資料を一時的に近くの公民館に移してまで大規模にやったというから大ごとである。これを当時の広島の人々がどう観たのかは知らないが、平和資料館が選ばれた背景には、当然、「平和利用」される「核のエネルギー」が、いかに凄まじいかを身をもって知っている地、という背景があった。原爆や水爆への反対運動が盛り上がっていく中で、同じ核であるところの原発は日本人の興味の対象から一層離れ、その無関心を背景に全国に整備されていったのである。核の当事者は誰なのか……僕らが投げかけたその問いは、たった3年後に福島の浜通りに転送されてしまう。

「Hurry, G」

美術評論家御三家の針生がChim↑Pomの展覧会を準備してくれていたことは、その死後に知った。座談会の収録当時、彼は《原爆の図》で知られる丸木美術館の館長を無償で務めていて、アヴァンギャルドや現代アートから一線を退いたところで、しかし芸術にかかわり続けていたのである。

《原爆の図》は、丸木夫妻が被爆当時の広島を実際に見て周り、その現実を生々しい水墨画とリアリズムによって描写した絵画シリーズの大傑作である。教科書にも載るような絵なので知っている人も多いと思うが、その成

＊9　1954年3月1日、マーシャル諸島ビキニ環礁において、静岡・焼津のマグロ漁船「第五福竜丸」が、アメリカの水爆実験による「死の灰」をかぶり、被曝した事件。

り立ちはまさに「オルタナティブ」といった過激さに満ちていた。制作当時、日本はまだＧＨＱのプレスコード下にあり、原爆の被害を伝えることは、雑誌であれ、絵であれ、何にしても禁止されていたのである。丸木夫妻は、その中で隠れて絵を描き、完成品を掛け軸のように丸めてポータブルに箱に収め、さまざまな場所へと持ち運んで催事やゲリラで発表していたのである。絵を速攻で観せて、捕まる前に撤収する。ＧＨＱの網の目を掻い潜るようなその社会的な行動と、グロテスクな描写は庶民に人気のコンテンツとなり、公民館や寺院、学校の体育館など、実に全国１７０ヶ所もの会場を巡回、１ヶ所平均１万人、つまり１７０万人とも言われる観客を動員したのである。このようにまさに発表と制作、運営のオルタナティブをアート・アクティヴィズム的に展開した丸木夫妻にあって、《原爆の図》を観せる最終的な場所は、公立ではなく自らが運営する私立美術館となった。その意志をついでいまも後世が運営を担っており、「ピカッ」当時、針生はまさにそのトップだったのだ。

戦争と革命をテーマに日本の前衛芸術をリードした針生と出会ったのは、『なぜピカッ』の座談会、彼が亡くなる2年ほど前のことである。晩年にしてもまだ政治的であり、目つきがぎらりとしてゴリゴリな印象だった彼を、僕らは陰でHurry, Gと呼んだ。硬派でギャングスタな響きだが、その意味は「針生爺」である。彼が２０１０年に亡くなった際に、その関係から僕は『美術手帖』に「Hurry, G」という追悼文を寄稿している。例の座談会で、「何百万円もかけて飛行機借りたんでしょ？　それでなんで詫びちゃったのか、実害がないのに。戦争の記憶を忘れさせないためにやってるのであれば、謝る必要はないんだよ。僕の周りにも、『Chim↑Pomには期待していたのに、どうして謝ったんだ』ってガッカリしてる声が多い」と語っていたこともあり、収録が終わった後もしばらく話し込んだ。

「これからどうするの」という話の流れで、発表の場を追われていたことを吐露した僕に、Ｇはすさかず「うちでもいいよ」と言いだしたのだ。原爆芸術の代名詞たる《原爆の図》の美術館である。それは超絶リスキーな作家となって、無人島という極小スペース以外に発表の場がもう無いという僕らにとって、まさに救いのような一言だった。が、それは老人の不意の一言という印象が強く、Ｇが明日覚えているかどうかも怪しいものだった。追悼文では、しかしとにかくこの一言が有り難かったと締めているが、実はこれには続きがあったのである。

彼の葬儀から半年ほど経ったある日、丸木美術館の学芸員・岡村幸宣から、正式にオファーがあったのだ。生前、Gは約束通りに、Chim↑Pomの個展を理事会に提案してくれていたのだった。全く予想だにしない不意打ちであったが、僕にはとても温かい提案に感じられた。その後3・11を挟んで開催されることになったこの展覧会は、おかげで、僕らのヒロシマを巡る次なるフェーズを開けたターニングポイントとして重要なものとなる。感謝を伝えられないままに逝ってしまった針生であるが、60年代よりネオダダやハイレッド・センターをはじめラディカルなアートに批評を展開してきた「前衛」のスターにとって、Chim↑Pomは最後の大きな仕事となったのである。

被爆者団体との面会

「騒動記」に戻ろう。

僕達は完全に理解されないまでも、このいろんな出会いを楽しむことで騒動を受け入れることが出来ていた。何しろ当の被爆者団体が、若者の訪れを首を長くして待ってくれていた。僕達でさえ春の訪れのように歓迎されたのだから、きっと彼らはもっと多くの若者との出会いを望んでいるはずだ。皆も訪れてみたらいいと思う。そしたら彼らのとんでもない許容範囲にビビるはずだ。何せ、カメラを持つことすらスパイだと言われ許されなかった不自由な時代から、今のこの平和を築いたのだ。アメリカの原爆神話も日本の軍国主義も乗り越えてきた、本当に類まれな老人達だ。いくつもの正義と複雑な住み分けからなる世の中を、武器とそれ以外とシンプルにぶった切っている。そのキャパシティは、まさに人類の希望と言っても過言ではないはずだ。勿論彼らはインテリだから、一般の被爆者とは随分違った生き方をしているようだ。彼ら以外のほとんどの人達が原爆なんか思い出したくもないと、今もなお思いながら生きている。だから僕達が本当に会わなくてはいけないのは、彼らだ。声にすることができない、声なき声をどこまで読み取ったとしても、その想像は思い込みに過ぎないのだから。

「十月二十七日　広島県原爆被爆者団体協議会と面会。
十月三十日　広島県原爆被害者団体協議会と面会。
十月三十一日　在日本大韓民国民団広島県地方本部原爆被害者対策特別委員会と面会。
十一月二日　広島市原爆被爆者協議会と面会。
十一月四日　広島県労働組合会議被爆者団体連絡協議会と面会」（林の日記より）

僕達は彼らに直接アポをとって、訪問を重ねていった。そして彼らは「ガチ」で僕達に接してくれた。特に被爆一世のアツさたるやハンパなくて、僕達への叱咤は一周して必死の激励になっていた。面会を拒絶した人でさえも同様で、ある団体代表は電話口で「会って下さい」としつこく迫る僕に、終始大声でこんな説得を続けていた。

「あんたらはまだ若いのにこんな所にとどまって、いちいちこんな老人にとらわれている。こんなことで止まっちゃいかんじゃないか。一刻も早く東京に帰って次に進め。もしあんたらのことを色々と言う人がいたら、わしが代わりにちゃんと話してやる。一度や二度つまづいたからってなんだ！　足を止めちゃいかん！　東京に帰れ！　わしゃ会わん、絶対に会わん！」

こうして交渉はあっさり決裂したのだが、どういうわけか清々しいその別れの一言は、僕の一生の思い出になった。

しかも一ヶ月後、彼はこの激励を行動に移してくれていた。初めて広島市現代美術館に足を運んでくれたのだ。学芸員から伝えられた話によると、「美術館と僕達がケチョンと落ち込んでいないか」と心配になって、さらに蔡國強も見てみようと思い立ったんだそうだ。これには参った。僕は愛情を喉元に突き付けられたような感動を覚えたし、勝手に美術を代表して、「ありがとう」と言いたかった。とにかく団体の人達には救われっぱなしだった。何しろ本音で怒ってくれて、笑いと居場所を提供してくれた。この間、腹を割って話せたのは彼らだけだったというのは残念だけど、おかげで僕達は広島への愛着を持ったまま、この地を後にすることが出来たのだった。

――同

この方ももう亡くなっている。先月、広島でこの団体を受けついだ2世の方と面会したが、彼からこの前代表が僕らのことを、生前「面白い奴ら」と言っていたということを知った。坪井さんの盟友ということもあり、会ってみたかったが、彼とは結局面会を拒絶されたまま、電話越しの声だけが耳に残っている。

展開

本を制作しようという話は、広島のコレクター佐藤辰美から持ち上がったものである。佐藤は《スーパーラット》の頃からの、つまりChim↑Pomにとって初めてのコレクターだった。「アイムボカン」のチャリティオークションでも競り落としてくれたりと理解がある人だったが、その後、現代アートをコレクションすることを辞めた。骨董や音楽などとその趣味は多岐にわたり、しばらく「世界のコレクター100人」みたいなリストにも名前が載っていた数少ない日本人コレクターである。いま何を収集しているのかは知らないが、ワインに多額を注ぎ込んでいたときには、その理由を「自分が酒を飲めないからだ」と自慢してきた奇特な人である。

当時、広島に行く度にご馳走になり、お小遣いをくれようとしていたのを「現金はいらないので作品を買ってください」とお願いしていたが、「ピカッ騒動」の最中には流石に甘えた。長期にわたった滞在費を支えてもらう代わりに、毎週全員ドローイングを描いて渡す、という取り決めである。広島では唯一全面的に僕らの味方をしていた佐藤だったが、だから一部始終を見ていて美術館の対応に激怒した。これを本にしようと提案をしてくれたところから、僕らにもアウトプットの道筋がたった。

ただ、「美術館を問題視」するというテーマは僕らにとっては魅力的なものではなかったのだ。そもそもが美術界のマージナルだったChim↑Pomである。「美術村」のような業界を斜めに見ていたし、アーティストと美術館が喧嘩をしているだけという構図は、その外から観る人にとってどうでもいいというか、もとより僕ら自身がそんな「外」の視点を持ち合わせていた。同じ頃、坪井さんはじめ他の団体の方々とも会っていて、むしろその対話の内容の方が面白かったから本にするならそっちをという想いもあった。何故このような騒動になったのか、手続き論以外にも、「ピカッ」というヘタウマな飛行機雲があぶり出した諸問題はなんなのか、その全貌を知りたいという欲望が湧き上がったのである。

ファンディング

結果、佐藤は手を引くことになり、進行中だった本の発行は無人島が全額出資、流通は河出書房新社が担うこととなる。共同編集を務めてくれたのは阿部謙一である。コトが緊急を極め、ファンドレイジングも右往左往した結果、当分の間ボランティアとしてかかわってくれた（後日完済！）。彼とはこれを機に何冊もともに本を出版することになる。

藤城さんはこれで大分借金を増やしたが、それがどこまで回収できたのかは怖くて聞けない。何しろ、飛行機のチャーターと書籍の刊行にまつわる一連の資金、合計約１０００万円は、藤城さんの調達と、あらかじめ作っていた《リアル千羽鶴》の売り上げ（２００万円）、そして展示が実現できずに違約として半額にまで減った美術館からの支払い（50万円）で賄われたのだ。誕生したばかりの弱小ギャラリーがいかにして、という謎が深まるが、その内訳の大きな3本柱は、まさに因果応報、バタフライ・エフェクトのような噛み合い方である。

まずはアンチChim↑Pomであった藤城さんの元ボス三瀦さんからの借入である。直接の関係は持っていないのに、何だかんだここまで毎回深いかかわりを持つと、もはや背後霊のような優しささえ感じるようである。次にバブル時を少しかじったＯＬ時代の藤城さんの蓄え。これまで全く無関係だったバブル・マネーとのまさかの接点であるが、額を聞くとやはり今にしてみれば信じられない時代であったことがよくわかる。一番お世話になったのは、無人島が金沢21世紀美術館に販売したばかりの、先輩作家である八谷和彦の作品の売り上げであった。八谷はナウシカのメーヴェにインスピレーションを持つ「オープン・スカイ」という航空プロジェクトを展開するメディア・アーティストとも言われる作家である。僕も度々必要となる技術などについて指南を受けたりするが、頼る後輩に面倒見が良い。藤城さんがその売り上げが「ピカッ」に消えたことを申し訳なく報告したところ、「いいじゃないですか」と頷いた。芸術観か経営上の戦略での肯定かと思いきや、「空で稼いで空に消えたんですから」という空ヲタぶりだった。

『なぜピカッ』

『なぜピカッ』は、結局Chim↑Pomを抜いて総勢26名もの寄稿者が参加してくれた、先例も後例もないような画期的な本になったと自負できる。ここに参加してくれた人の名前を挙げさせていただく。

小崎哲哉、会田誠、椹木野衣、東琢磨、宇川直宏、楠見清、矢野美耶古、吉岡幸雄、坪井直、福住廉、渡辺真也、長谷川祐子、松下学、イーデン・コーキル、光田由里、田中功起、針生一郎、インゴ・ギュンター、高橋賢、道面雅量、柳幸典、暮沢剛巳、中沢啓治、いとうせいこう、山下裕二、ガブリエル・リッター。

「作品を見せない」という無茶な条件にもかかわらず、この騒動について考え抜いてくれた寄稿者の方々には、今も足を向けて眠れない。それぞれにユニークな切り口で、騒動の解釈を四方八方へと広げ、斜め上を遥かに行くような深さにまで読み解いてくれた。

特に僕らが知る由もなかった問題について書かれたものなどは、新たな知見にもなった。東琢磨による「『ピカッ』という〈出来事〉――不快に感じたのは『ヒロシマ』の誰なのか」は、本書に芸術論が多い中で、「平和都市ヒロシマ」を真っ向から批判する刺激的な論文である。『ヒロシマ独立論』（青土社、2007）という本の著者として知られる音楽・社会学者だが、その「ヒロシマ」が平和産業の街として思考停止していると鋭い批判を分析的に展開する。のちに会ったときには、坪井さんについても、本人が望もうが望むまいが、「天皇」のように機能してしまうという街が持つ独特な権威構造の上におられると憂いていた。僕らには驚きであり、しかし謝罪会見で坪井さんが「象徴」的に扱われていたことを考えると、これはあながち間違っていないと思い当たる。

そんな、「ヒロシマ」が無数の語りえない「具体」的な体験や記憶を抱えながらも、しかしあたかも「平和」がそれを代弁する「普遍」として、その名のもとにすべてを単純化すること……その「混乱」に気づかないままに、とにかく「ヒロシマ」を正義として掲げて排他的になること……その結果、自分たちのヒロシマを孤立させてしまっているという現象を、東は「ヒロシマ例外主義」と名付けている。

「ヒロシマ」が「平和のシンボル」となっていることを疑う一節は実に興味深い。

パレスチナのガザ攻撃に対しての抗議運動が原爆ドーム前で行われている。「なぜ原爆ドーム前なのか」と聞くと、私流に翻訳すると「絵になるから」、つまり、世界のメディアに発信するためには「原爆ドーム」前の「絵」がいいのだといった答えが即座に返ってきた。政治的手法として、それはそれでいいのかもしれないが、どこか違和感が残る。どこまで行ってもヒロシマはシンボルでしかないのか。 ——同

原爆ドーム前が絵になる、というのはChim↑Pomや蔡のアクションと全く同じ論理だが、「シンボル」は「ヒロシマ」側の都合で使用者を取捨選択する。その閉鎖性・保守性を持った不思議な街であるところの広島が、実は日本で最初に公立の現代美術館を作った。それこそが広島市現代美術館であり、東はその両義性に危ういものを感じ、同時に「平和」同様にアートが「普遍」をすぐに持ち出せることにも疑問符を付す。実質的には、私個人の見解としては、この街には「現代美術館」は重すぎる存在であり、それを支える文化的環境があるかどうかには疑問を持たざるを得ない。

実際のところ、市議会などでの、保守系議員を中心とした美術館への突き上げはそうとう厳しいものがある。一方、グローバルでアートエリート的な就職先あるいはステップアップのひとつとしてやってくる学芸

員の意識は、おそらく「イナカモノにはわからん」というレベルのものであろうし、その乖離は、担当部署である市民局の行政マンを消耗させる。

——同

僕が参加した謝罪会見を、彼は「『被爆者』を正面に立てながらも、実のところはこうした背景から出来てきたものではないか」と冷ややかに見るのである。さらにそのように「平和」を掲げた広島の「暴走族追放条例」の内容にこそ、「ピカッ」騒動の本質があるとする。それは、「国際平和文化都市」の名の下に作られ、暴走族を対象にした「公共の場での集会禁止」など憲法違反的な条文を含みながらも（判例では合憲限定解釈）、例のニューヨークのジュリアーニが採用した「割れ窓理論」に基づいた徹底的な治安対策を実現した（この指揮を取った県警の人物はのちに歌舞伎町浄化作戦を仕切ることになる）。Chim↑Pom の「ピカッ」は、東の言葉を借りれば、「『落書きは犯罪です』とヒステリックに叫ぶ生活安全系警察的、かつマスコミ的な見方をすれば、『広島の空への犯罪的な落書き』のように『不快』なグラフィティとして現れた」。「力には力を」という行動に被爆者団体が動員される図式に、「公共性という名の下で行われる空間の占有のためのアリバイとして、『被爆者の心情』云々が利用されている可能性を強く疑うことができる」というのである。

東の論考でさらに鋭いのは、「ピカッ」という光をさした原爆のニックネーム「ピカ」についてである。原爆投下時にその正式名称である「原子爆弾」を知ったものは、主に科学者や施政者など、限られた人たちであった。当の被爆者はそれが「何か」も知らず、光った、鳴り響いた、という現象自体から、「ピカドン」と独自の呼び名をつけた。

閃光でも爆音でもキノコ雲でもなく、この「ピカッ」という文字に恐怖した被爆者が実際にいたとしたら、それはなぜかということなのだ。なぜ視覚的な効果ではなく、彼ら自身の名づけである「ピカ」という文字に恐怖したのか。

——同

そこには実際広島で頻繁に被爆者や語り部の人たちの口に上る「ピカ」に、僕らには到底想像できない、被爆者ならではのある種の「ノスタルジー」が紛れ込んでいると東は指摘する。それは、「得体の知れない何かを名づけ、恐怖を手なずけようとした記憶」なのかもしれない。

被爆者である彼／彼女たちは、自分たちが頻繁に口にして飼いならそうとする「ピカ」が、自分たちの口からではなく文字として唐突に現れたことに恐怖したのではないか。

——同

一周廻って、広島の空を「ピカッ」とさせてはいけない真の理由が露わになったような一言である。

「広島！」展がその後、「！」を増やしながら巡回してきたことは先述した通りである。一発目の東京・VACANTはもちろんだが、他に思い出深いのはやっぱり針生が仕掛けた「丸木美術館」と、広島の市民たちが草の根的にChim↑Pomの広島での個展を実現してくれた「旧日銀」である。特にこの2つの展覧会は、東日本大震災のあとに開催されたこともあり、《ヒロシマの空をピカッとさせる》自体の意味合いがそれまでと大きく変化したように鑑賞された。作品自体は変わらないが、原発事故を経て、観る方の価値観に大きな変化があったのである。

原爆の図丸木美術館

「実は岡本太郎さんの件で書類送検がありましたので、検察からの連絡を待ってからメールを差し上げようと思っておりました。……一応この決着をつけてからでないと具体的に進められないとの思いでした。しかし、一向に検察から何も来ないので、とりいそぎご連絡差し上げた次第です」

学芸員の岡村と丸木での展示について具体的に話し始めたのは２０１１年の1月のことである。その後3・11を経た僕らはまた新たな炎上案件「明日の神話事件」（後述）を抱え、岡村にも心配を与えてしまっていた。僕からのこのメールに岡村は、大変ですねと労ってくれて、「こちらの方は、どのようなかたちでも企画展実現の方向で調整していきたいと思っています」と返事をくれた。が、理事の中にも不安が再燃している人たちもいると聞く。広島での経験があった僕らは、とにかく顔が見える形で改めて理事たちに挨拶し、炎上と作品について説明する機会をセッティングしたのである。その場で何を話し合ったかあまり記憶がないが、僕は「自分たちの行為に後悔はない」ということ、何ら間違ったことをしたつもりもないことなどを説明したと思う。丸木位里・俊の意志を継ぐ人たちに、改めて理解を求めたかたちである。

丸木美術館で2011年12月に開催された「LEVEL 7 feat. 広島!!!!」展（図5−2）は、Chim↑Pom のヒロシマ関連と原発事故関連の作品が初めて並んだ展覧会となった。「ピカッ」は3年前に投げかけた「核の当事者性」についての問いを深め、それと原発事故にまつわる生々しい作品群を、坪井さんのFAX「不撓不屈（Never Give Up）」が繋いでいた。さらに観客は、その中に岡本太郎が描いた第五福竜丸の事故を扱った壁画《明日の神話》と、常設展示の《原爆の図》をセットで鑑賞する（《明日の神話》は僕らのアクションを通した鑑賞となる）ことで、原爆のリアルタイム→第五福竜丸→原爆の風化→福島第一原発事故、と壮大な日本の核の歴史を直接鑑賞することが可能になったのである。

僕にとっては画期的な展覧会に見えたが、その開催までにはいくつかの問題をクリアする必要があった。

ファンディング

埼玉の山の麓、川のほとりに佇む丸木美術館は、丸木夫妻が選んだロケーションとその硬派な意志を継いだ運営で、ある種限られた平和とアートに熱心な人たちのための場となっている。逆に言えば、観客数が少なかった。つまり貧乏な美術館なのである。チャラいことは良いからブレずに運営、というスタイルには好感があったが、何せ制作費がない。稼ぐ気もない。それを尊重する僕らにしてもそのことを指摘する気もサラサラない。

なのに、この美術館はかつて盛んだった政治運動が支えたカンパ文化により、建物も展示スペースも広いのだ。

5-2　「LEVEL 7 feat. 広島!!!!」展示風景（原爆の図丸木美術館、埼玉、2011）
撮影＝宮島径／Courtesy of the artist, ANOMALY and MUJIN-TO Production

冬ということもあって、天井が高くて底冷えするのに、当時はエアコンが買えずにいまだにストーブで耐え忍ぶ、というスペースの面積と鑑賞環境にギャップがあった。当時のChim↑Pomは、「3・11に日本人はどうリアクションしたか」という観点で国内外問わずメディアの注目を集めるようになっていて、そのバリエーションも、アメリカの公共放送（PBS）、イギリスのエコノミスト誌、フランスの公共放送（France5）、アルジャジーラ、スイスのテレビ局、オーストラリア、台湾、韓国……と幅広かった。まるで「日本を代表する若手アーティスト」のような半ば虚像も入り混じった姿で報道されていた僕らの財布の内実は、それこそ貧しい日本美術界を代表出来るくらいにはスカスカだった。

みずのりは1週間パスタにドレッシングで過ごしていたし、電気もガスも止まっていて、水は公園から仕入れていた。近所であった僕の実家のご飯でみずのりが栄養を摂っていた一方で、おかやんともっちゃんもエリイの実家に住み着いていた。僕と林は相変わらず中流家庭の実家のシンショウを食い潰していたが、何故かエリイにだけはお金が天下の回りものとなってやってきていたから助かった。

それだけではない。頼みの無人島も広島で作った借金がまだまだ全然返せていなかった。Chim↑Pomにとっては、結局広島で叶わなかった美術館での初個展ということになる。これ以上は誰も借金を増やせないという状況にあり、じゃあどうやってそのChim↑Pom最大規模の個展を実現するのか。これが目下の課題だったのである。というか僕らにとってはこれが最大の焦点にもなったのだ。

Chim↑Pom「LEVEL 7 feat. 広島!!!!」

「LEVEL 7 feat. 広島!!!!」2011
協力：原爆の図丸木美術館、OORONG-SHA、山本現代、無人島プロダクション（敬称略・順不同）
協賛：水野俊紀（東京電力）

これは展覧会の広報物やプレスリリースに書かれた情報である。埼玉の「森林公園駅」徒歩1時間弱という小旅行となり得る展覧会に集客をするために、そして展覧会をモノからコトへと膨らませるように、僕らは短い会期の中でさまざまなイヴェントを企画した。遠藤一郎くんのバス「未来へ号」による駅と美術館の送迎や、2本だてのトーク。これらに先駆けたオープニングでは、音楽プロデューサーの小林武史がライブをしてくれた。美術館が食事処から離れているということでキッチンカーも用意してくれたことから、彼の会社OORONG-SHAが展示の協力に入ってくれた。協力の欄には他に、当事者である無人島と丸木、特殊な照明を無料で貸し出してくれたギャラリー山本現代（現・ANOMALY）が続く。

不穏なのは協賛のクレジットである。つまりはみずのりの名前なわけだけど、肩書が東京電力となっている。これはすなわちまとまった現金が欲しかったChim↑Pomが、事故によって高給バイトとなっていた福島第一原発に、みずのりを派遣したということを暗に示したものだった。フクイチ出張となったみずのりは、2ヶ月ほどの住み込みで廃炉作業に従事した。そしてある程度充分と思われる資金を調達したのちに、そのほとんどを展示に寄付という形でChim↑Pomに上納したのである。東電の原発マネーで開催が可能になった本展は、その資金繰りの構造を丸ごと協賛という形でクレジットしたのである。

この短期バイトでみずのりが成し遂げたのは労働だけではない。美術館のファサードには巨大なバナーがサイネージとして展示され、そこには事故で大破した福島原発3号機の建屋と、それに向かってサッカーの審判のように直立した防護服の作業員が右手にレッドカードを掲げている（図5−3、5−4）。作業の合間に密かに高線量だったはずの現場へと赴いたみずのりによる、渾身のアクションである。ステイトメントには労働現場の日常がルポされていて、その延長に思い切って行動に出たみずのりの姿が生々しい。

そして作業員は、目に見えない放射能に高度に汚染されている場所で日々の仕事を淡々とこなしている。僕も撮影のタイミングを計りながら日々の仕事をこなした。そして、ある日の休憩時間にカメラを持ってスポットへ向かった。大爆発した3号機を目の前にして僕は正直ビビっていた。写真にもそのビビリが写ってい

上・5-3、下・5-4　《Red Card》2011／ラムダプリント（2点組）
69×85cm、32×40cm／Courtesy of the artist, ANOMALY and MUJIN-TO Production

るように思う。それは働く人々のビビリである。恐れ悲しみながらも未来に向かっていく、名もなき作業員たちの強さや誇りを感じながら、僕はセルフタイマーをセットした。

この写真は展覧会においては新作として発表されることなく、あえて「協賛」のクレジット同様にサイネージとして扱われた。

旧日銀

広島に戻るのには5年を要した。その間に「広島!」展は4ヶ所を巡回し、丸木からは原発関連の作品も含めて展示内容が膨らんでいた。大型個展やグループ展への参加も多数行われ、作品の幅も、身体、障害、パーティー、消費社会、とさまざまに広がってきた。僕は美学校でクラスを持つようになっていて、会田さんが僕らとそう過ごしたように、後輩たちと濃厚な時間をともにするようになっていた。

声がかかったのは2013年の春のこと。夏に個展をやりませんか?という広島の画廊、「ギャラリーG」からのオファーであった。藤城さんからそれを聞いた第一印象は、「もちろん、キタ!」。広島の展示は進んできた道の先に見えてはいたが、それは蜃気楼のように掴みどころがない、となればまだ道に迷っているような気にもさせられる、そんな実態が見えない目標だったのだ。いちアーティストとしては、例えばMoMA PS1というニューヨークで最重要とされる美術館での個展が小規模ながら2011年に開催されたのだが、その実現よりもそれははるか上に存在しているような現実味のなさで、当てどがなかったのである。

まずは下見に行ってみると、丸木で膨らんでいた展示を収めるにはギャラリーGの広さは足りないことがわかる。オーナーの木村成代と話し合い、広島だしガッツリやるしかないわけで、どこかもう少し広い場所で出来ないだろうかと相談をする。後日、旧日本銀行広島支店が提案され、鳥肌が立つ。1階には天井高10メートル以上はあろうかという合わせて500平方メートル以上のだだっ広いフロアを有し、地下も使えるならばプラス4部屋となる。戦時中に銀行だったことから超頑丈に作られた鉄筋鉄骨コンクリート造で、内部は当時の権威を表すルネサンス様式であるが、家具などが無いからがらんどうである。広さ的には申し分がないどころか理想を上回っていた。何よりも、Chim↑Pom はその場にデビュー当時も「アイムボカン」のときも訪れていて、その広島市の指定重要文化財にもなった被爆建物が放つ凄まじいアウラに魅了されていたのである。

ファンディング

相変わらずのことである。袂を分かった公立現代美術館とは全く異なる「オルタナティブ」で、しかし広さ的にはそれと同等。これが美術館ならば数千万円の規模で予算がつくような展覧会である。これをゼロから10ヶ月程度で仕上げなければいけない。毎回毎回なんでこんなことばかりに頭を使うのかと呆れるほどに、やっぱり今回もファンドレイジングが課題となった。

これをあっという間に突破したのはギャラリーGの木村である。僕はこれまで彼女ほど周りを巻き込みながら独自のプロジェクトを展開していく行動派ギャラリストに出会ったことがない。例えば岡本太郎の《明日の神話》は現在渋谷駅構内に恒久設置されているが、誘致活動が盛んで最後まで粘ったのは広島市だった。その運動を率いたのが木村であり、その方法は、広島球場を借り切って、細かく切られた等身大の《明日の神話》のコピーを大勢で組み合わせるという、大規模かつアイデアが効いた活動である。

現在、彼女は広島の福祉施設「ＨＡＰ」を経営していて、これがまたすごい。ご自身の娘さんが障害者であることから２０１３年に始められたもので、つまりは自閉症や障害者児童のデイケアサービスであるのだが、やはり変わっているのはアイデアである。指導員に、アーティストたちを起用しているのだ。相手がアーティストであればこそ、児童にとってはなんでもありで、一歩部屋に踏み入れるとそこは３６０度落書きだらけ、みんな段ボールやスライム、ＰＣや画用紙などを持って、快活そのものといった感じで創作活動に没頭している。

見ると、ある指導員の全身を児童が灰色に塗っているではないか。ロボットを制作中だということであるが、それを喜んでいた指導員も指導員である。刺激を受け取って、自分のインスピレーションとしているのだ。HAPは利用者へのケアだけでなく、アーティストにも斬新な仕事を生んでいるのである。2013年当初は1ヶ所だったHAPは、現在、4ヶ所にまで増え、それに伴い利用者も約100人、指導員は約40人ほどへと拡大している。時間が経って、大人になった利用者は、HAPに就労して仕事を持つこともできるという。まさに「活動のアクション」といったHAPであるが、「アートとケア」を巡るプロジェクトがこれまでにも色々とあった中で、これほどまでにダイナミックで、実際的で、そして大規模な実践は前代未聞である。

木村はChim↑Pom展の実現のためにも動いた。『『広島!!!!展』準備展!』と称するファンドレイジング展の共催を、市内8ヶ所の店舗やギャラリーに呼びかけネットワークを作ったのだ。これは実質的に実行委員会のようなもので、つまりはChim↑Pom展を広島で実現させようという想いをコミュニティとして可視化したものである。それらのスペースで、原爆の残り火の煤で描いた絵画シリーズ(約300枚)《平和の日》を販売することで、旧日銀の制作費をつくる……その夏に開催された準備展「ホットスポットギャラリーズ」は、結局当初の8ヶ所から市内11ヶ所と東京1ヶ所、全12ヶ所へと拡大し、ボトムアップで大規模な草の根運動へと発展したのである。その内訳は、ギャラリー、花屋、サボテン屋、バー、ライブハウス、お好み焼き屋……など多岐にわたる。このアイデアは木村と両者で作り上げた。が、当の僕らにしてみたら、完全に拒絶されていたと思い込んでいた広島市に、Chim↑Pom展開催を求める人がこんなにいたのかという衝撃があった。さらにその周りで作品を買ってくれた約100人もの人たちが存在し、その後旧日銀で大規模なインスタレーションを作った際に現場を手伝ってくれた学生たちも数十人といた。市役所から、素材やアトリエを提供してくれた公務員も現れ、デザイナーや照明など展示にかかわる人々も儲け度外視である。観客も含めると、相当な数の人たちが突然目の前に現れたのである。それは、全く予想だにしていなかった広島の風景であり、その地をアウェイから第二の故郷へと一瞬で変える仲間の姿であった。いまは友だちとなったギャラリーGのスタッフは、当時のことを「目まぐるしすぎて覚えてない」と言う。それほどに、この年の広島は大きな力でChim↑Pomを振り回したのだ。それは僕にとっては騒動以来の猛威であり、しかし幸せな騒乱だった。

あらゆるリスクマネージメントを想定した

旧日銀の「広島!!!!!」展（図5-5）の話はある程度省略しようと思う。もちろん、これほどの体制で挑んだ展覧会は、言うまでもなく大成功に終わったのだ。たった9日間の間に、広島内外から5000人もの人々が観に来てくれて、スペースにもとから市が備え付けていたアンケートは、気づけば約200枚もの提出があった。全て一般の個人だから掲載の許可を得ることは叶わないが、そのほとんどにコメントがぎっしりと書かれ、驚くほどに、その大半は展示の感動や感想を伝えてくれていたのである。僕らとしてはあらゆるリスクマネージメントを想定して挑んだ展覧会だったが、その観点で報告するようなことは、拍子抜けするほどに何も起こらなかったのである。展示は、新たに全長7メートルにもなる巨大な折り鶴の山や、木村が誘致運動で使った等身大の《明日の神話》の小分けパネルなどを使用したインスタレーションが発表された。資金繰りで販売された全ての《平和の日》も並び、僕らはそれを購入してくれた全ての人の名前を協力者として手書きで壁に書き入れた。なんのクレームもなかったのは、つまりはそうして展覧会が実際に観られたことで、《ピカッ》はじめ全ての作品が、騒動の中で伝えられてきたセンセーショナルなイメージとはまた違う、何か別の印象を観客に与えたからであると思う。藤城さんは、いまもそのアンケートの全てを「重要！」と走り書きされた袋に保管していて、そこには坪井さんからの「一灯」と書かれたご祝儀袋が同封されている。

そういった中で、多分、一番会場に顔を見せてくれた人のうちの一人は、ガイさん（大小田伸二）である。広島のパンクシーンの重鎮であり、反核運動家のコワモテだ。最初に知ったのは騒動のときで、Chim↑Pomの映像作品を上映予定だった「横川シネマ」というミニシアターに、文字通り「殴り込み」をかけた。きっと当初はちゃんとした抗議だったのだろうが、映画館のオーナーもまた芯が強い人で、言い合っているうちに血気盛んにガイさん側の拳がでた。もちろん人への暴力ではないけれど、壁に穴が開いた。僕が知る限り、唯一フィジカルに抗議を表明した人だったのだ。横川シネマはその穴を額装することで歴史化したが、その後1年ほど経って、僕

5-5　「広島!!!!!」展示風景（旧日本銀行広島支店、広島、2013）
撮影＝森田兼次
Courtesy of the artist, ANOMALY and MUJIN-TO Production

を交えたその3人で缶ビールを現場で飲んだ。もちろんボロクソに言われたが、しかし当然話せばわかる人だった。そんな彼が積極的に理解を口にしてくれるようになったのは、旧日銀での展示を観てからである。《リアル千羽鶴》に感動した、これをあの時知っていれば、と作品を実際に観ることの大事さを語ってくれたのだ。

最大の出来事は、みずのりに彼女ができたことである。お相手の久保寛子（美術家）は、当時は旧日銀で制作を手伝ってくれた美大の大学院生であり、現在のみずのりの妻である。二人は子どもを授かって、みずのりには家族ができた。

東京やChim↑Pomの活動に疲れ切ったみずのりは、2016年に移住して、いまはChim↑Pomメンバー唯一の広島市民となっている。

第6章「REAL TIMES」

R E A L T I M E S

リサーチ

浜通りと呼ばれる福島県の6号線をはじめて車で走ったのは、2011年4月はじめのことであった。震災後に何が出来るのか、出来ないのか、現地を見てみるより他に考えようがなかったのである。自衛隊による救出作業が終わるまでは現地入りは邪魔になる。支援物質が足りていないという報道もあって、少量ながら何か色々と積んで行ったように思う。前日からのろのろと北上するも、地震と津波の被害が甚大で上手く進まない。通常なら東京から日帰りできる距離だが、途中での一泊を決める。とはいえホテルなど開いているはずもなく、小名浜あたりで地震の被害に遭ったコテージ型のラブホテルを見つける。全壊しているコテージなどもあるなかで、入り口が破損して中に入れるようになりながらも、比較的持ち堪えていた一棟を選ぶ。宿泊費を払えずに申し訳ないが、それよりも、まだ余震が続いているなかで、もしも僕らが被害に遭ったら本末転倒だ、それこそ邪魔になるよと口頭で避難訓練を交わして就寝。僕はみずのりとベッドをともにして、もっちゃんとおかやんは車中泊だったように思う。

6号線はいわきから少し北上したあたりにバリケードが張られていた。巨大で、工事用照明や電光掲示板などが点滅していて、国が威信を発揮したようなスペクタクルな様相のなか、全国から招聘された無数の警察官が立ち入りを厳しく禁止している。交渉しても入る余地などあるはずがなくて、内陸側へと迂回することにする。

西側に来て、小回りがきく会田さんから借りパクしていたダイハツのミラ……通称「チンポムカー」がやっと通れるくらいの東へ向かう山道を発見。海側へと続いていることを期待して小さな車体を進め、Uターンする形で、警戒区域に紛れ込むように入り込んだ。

6号線のアスファルトはあちこちで崩れ、路肩のマンホールが何故かコンクリート製の真下の円柱の筒ごと道路の上に煙突のように飛び出している。むしろ道の方のレベルが下がったということだろうか。谷のような大きな割れ目が道の途中にいくつも現れ、その度になんとか細い横道にそれては迂回しながら6号線に戻る。行き交う車はほとんど無い。

ふと気づくと、犬が何匹も僕らの車を追いかけてくる。ペットが取り残されているとは聞いていたが、餌を欲しているのか、連れていってほしいのか、とにかく人間を見つけたことが彼らを走らせたことは伝わる必死さで、真っ直ぐにこちらを見ながら追いかけてくる。犬も異変を理解しているのだろう。一夜にして家から家族が消えて、街から人が消えたのだ。科学史家のダナ・ハラウェイが言うように犬がどれだけ「重要な他者」であれ、緊急時のヒトのプライオリティは「他者」を選択せざるを得なくなる。車中で、動物好きのもっちゃんがハンドルを握りながらバックミラー越しにそれを見て嘆く。おかやんも嘆息を漏らしながらも、しかし「振り切ろう」と提案した。

降りてなんとかすることはおろか、ドアを開けることすら出来ないのだ。被曝対策として外部の締め切りを徹底するために、防護服とマスクの隙間を埋めたテープで、さらに窓やドアの隙間も塞いでいたのである。エアコンは換気に繫がるだろう恐れから切っておいた。何も出来ないことがもどかしくも、止まればそれは犬に何かを期待させるメッセージとなってしまう。警戒区域内のものはいかなるものでも持ちだせず、それは生物ですら付着云々ではなく放射性物質そのもののように扱われる。見ると誰がばら撒いたか道にはたまにドッグフードが散らばっていて、無慈悲を自覚しながらもそのことに救いを感じ、スピードを上げて犬を振り切った。

窓から左右に現れたゴーストタウンを改めて見た。あんな、まったくのSFのような、壮大な、あまりにも空虚な街がかつてこの国にあったろうか。たしかに地震の被害の方も甚大で、両側には地震で崩壊した店舗などが点々と続く。「回転寿司アトム」、パチンコ「NEW ATOM」……その地が原発で興されていることを民間から誇るような名前がぶち壊れて建ち並んでいる。パチンコの「ATOM」のファサードが地震の衝撃でワイヤーで下に垂れ下がっていて、原発が約束した安全神話と明るい未来が、文字通り地に落ちたことを示しているようだった。天災の威力は津波による被災で各地でさらにその数十倍に膨れ上がっていた。水に流されて更地になった湿った大地を「焼け野原」というのは正確ではないだろうが、そんな焼失した印象が強い。その壊滅的な破壊は地球のエネルギーそのものであり、「地球に優しく」などと言った人間のモラルを吹き飛ばすような、まるで神話的な風景である。が、その圧倒的な破壊よりも、僕らが6号線で脅威に感じたのは、破壊がまるで見てとれない……そのゴーストタウンの姿であった。なんら物質的には崩壊していない家々が、「まだ」廃墟ではないのに機能を完全に失っている。つい先日までは全国どこにでもあるような街として、なんの違和感ももたせず日常の場として動いていたのだろう。人がいないだけで、それだけで、まるでジオラマのように放置された街が、放射能とともに異常を目に知らせずに告げているようだった。「こええ」と呟いたおかやんの声が車中に残り、街が通りすぎていく。白黒フィルムのように色褪せた風景が、窓越しにギシギシとひび割れていた。

世界はいったいどうなってしまったのだろうか。僕らは、人生を賭して培ってきた常識を、抜本的に見直すことを迫られたのである。それを下見に作品の構想を練る上で、やはり既存のアートの方法論の、そのほとんどが「無力」であったことは記しておきたい。そこには芸術論を挟む余地、というかそんな余裕などは全くなかったのだ。食えるわけでも、寒さを凌げるわけでも、救えるわけでもない、クライシスに「アートをやること」自体が、全くの無意味であり、不謹慎であり、不可能性を証明するだけの愚行であった。だから東京で予定されていたほぼ全ての展覧会は自粛という形で閉鎖されていた。ボリス・グロイスの一文を思い出してほしい。アートは既存の物事を美学化することで機能を剥ぎ取って、その実用性を「終わらせる」ことができる。例えばヒロシマでピカッとさせた意義はまさしくそこにあり、足元の「平和」という土台の「終わり」を意識させたからこその「アート」であった。しかし、警戒区域内の無人の街が僕らに見せたのは、「世界が終わっていた」姿であった。「世界の終わり」に直面し、「実用性のなさ」を改めて嘆いた我々日本のアート関係者たちは、アートがマジで無力であることをついに心の底から悟ったのである。

《Never Give Up》2011（図6-1）

震災後に広島の被爆者団体代表である坪井直氏から送られたＦＡＸ用紙を、福島で被災した額縁で額装した。この言葉は、講演など、折に触れて50年以上使ってきた、彼の座右の銘である。壊滅と放射能を乗り越えてきた広島で被爆者として生き、自らの死後になるかもしれない核廃絶という人類的命題を訴え、そして自らの病魔と闘い続けてきた坪井氏によるこの言葉は、21世紀の日本にとって重い意味を持つ。

坪井さんのＦＡＸを発表したのは4月1日から予定されていた遠藤一郎くんとの二組展であった。震災を前に当初のプランをご破産にした僕らは、その展覧会名自体を「Never Give Up」と改めた。Chim↑Pomは《Never Give Up》と《ヒロシマの空をピカッとさせる》を展示し、そこから自分たちやこの国がリスタートすることを想起したのである。焦土と化したグラウンドゼロに踏み込むには、アートの肩書きや経験ではなく、ひとりの個体であるところの人間としての道しかあり得なかった。今にしてみてもこの姿勢は僕にとってはひとつの究極体として、アートと世界を考える上での返答になり得ている。『芸術実行犯』はChim↑Pomの行動主義を一般に易しく語った本だが、そこにはその実践において常にぶつかってきた諸問題にどう答えるかという難問に対し、「そもそもアートは何かに答えるべきものなのか?」という問いを立てて、こう記されている。

> あの日以来、さまざまな問題が国内で起こっていくなかで、日本のアーティストは「自分にできることは何か」「アートにできることは何か」「自分がここで動くのは正しいのか否か」といったことを、重く深く考えてきました。キュレーターも、ギャラリストも、評論家も、みんなです。もちろんそれらはずっと向き合い続けるべき普遍的な問いですし、そこに「答え」を出そうとする姿勢は誠実だとも思う。しかし、それとは別に、過去のあらゆる芸術の誠意は、むしろ「答え」が見つからなくても、というか間違っていても、「答

6-1　《Never Give Up》2011
坪井直による題字、被災した額
39.7×47.3cm（額）
撮影＝宮島径／Courtesy of the artist, ANOMALY and MUJIN-TO Production

え」に結局絶望しても、自分の無力や愚かさを嘆いても、それでも「応える」という馬鹿な一歩にこそあったのではないでしょうか?

――Chim↑Pom『芸術実行犯』

振り切れてみて、そうとなれば何もかもをさて置きながら、とにかく制作を始めるなら「いま」だろうことを全員で確認した。「アートの無力さ」「政治の機能不全」「街のもろさ」……絶望し出したらキリがないような状況で、だからと諦めることは結局後世に「無力」を証明するだけの話ではないか。いまになってメンバーの子どもたちなどを見てつくづく思うが、子どもは「無力」だとしても絶望なんかしない。その空っぽさこそが彼ら彼女らを動かす「力」ではないか。歴史の只中にあって、その子たちがいつか参照するだろう「いま」……「リアルタイム」にいた僕らは、改めて空っぽになって身体を動かし始めたのである。

《REAL TIMES》2011(図6-2)

3・11から1ヶ月後の4月11日、原発事故によって無人の街となった警戒区域に入り込み、福島第一原子力発電所から約700メートルにある東京電力敷地内展望台に登頂、旗を用いたパフォーマンスをした一連の行動を記録した作品。東京電力発表の放射線量は毎時199マイクロシーベルト。正門付近に車を停めて、片道約20分のトレッキングで向かう。初日の出のスポットとしてPRされていた展望台からは、白煙を上げる4号機建屋と大量の汚染水が流れ出た太平洋が見えた。そして、展望台で広げた白旗に赤いスプレーで日の丸を描き、それを放射能マークへと改変。月面やエベレストなどの「到達困難」な場所での慣例に倣い、その旗を掲げた。タイトルは、「まさに、いま」という意味の「リアルタイム」、映画「モダン・タイムス」よろしく「リアルな時代」、そして「ニューヨーク・タイムズ」などのメディアをもじり、警戒区域内での報道が皆無だった当時の状況に対して、「現実の報道」という3つの意味を併せ持たせた。

6-2　《REAL TIMES》2011
ビデオ（11分11秒）
Courtesy of the artist, ANOMALY and MUJIN-TO Production

《REAL TIMES》は冒頭の下見をベースに制作されたアクションである。警戒区域が法的な拘束力でもって立ち入り禁止となる直前のタイミングで行われた。下見のときに、原発を見に行こうと「誘った」のはおかやんである。「歴史的なものがすぐそばにある」というその提案は僕を心底恐怖させたが、それはたぶん自分が育った環境が、放射能の脅威を植え付けたからだろうと思うも、そんなトラウマはおかやんには無いように思われた。「来るべきではなかった」とその瞬間思ったが、とはいえもちろんその提案には乗る以外に選択肢はない。Chim↑Pomはいつもそういうときに一旦思考停止することで狂気をドライブさせてきたし、その「考えるまえに動いてみる」という方法論こそが、幾つもの事象に切り込むための、空気を読めない僕ら特有のスキルであった。だからおかやんにそう言われてみると、僕の好奇心もその方向を向かざるを得なくなる。

この時点では立ち入り禁止に法的拘束力は無く、それなら本当は多くのジャーナリストたちがここにいて良いはずだった。が、メディアからは満足な情報は得られず、その内側が一体どうなっているのかを伝える報道も皆無だったのだ。皆、東電と政府の発表のみを横並びでそのまま流し、当の原発建屋を映すニュース映像も、「30キロ圏外から撮った映像を鮮明化しています」というあり得ない程に遠目のフッテージしかない。ネットではフェイクニュースのように「ビデオを撮ったら放射能でノイズが入る」などの情報も飛び交っていて、確かなものが何もないような状況であった。アートどころか、報道もその独自性を発揮出来ていない。壊れて点滅した赤信号を前に、無言で行列を為すような、そんな行動も思考もフリーズした沈黙の世界にあって、しかしChim↑Pomには身体とビデオカメラという装備だけはあった。アカデミックな脳みそも絵画や彫刻のスキルもなかった代わりに、結成当初から使い倒してきたその2つのツールに有効性を感じ、それまでの実践が筋トレとなっていた瞬発力も必然となったのである。報道が麻痺する中で、おかやんの「歴史を見る」という提案は、それ自体が「歴史を伝える」ことを示唆していたのだ。そういえば、発表後にとあるメディアから、「貴重な映像だから使わせてほしい」という依頼があり、作品の目的からして需要と供給が噛み合ったような皮肉さを感じたが、「お前こそが行けよ」と思い直してそれは断った。

いま考えると不思議な状況である。社に止められていた、センセーショナルな煽りにならないよう自粛していた、と理由はさまざまにあったが、ジャーナリストすら行かないようなその場所で、同じ人間であるところの作業員たちが、30キロや20キロどころか連日中心で働いていたのである。同じ組織の論理で放射能に自らを晒し、働く人間がいる一方で、「社が」と全く自問自答せずとも時間を稼ぎ、無力を正当化できる人間もいる。どちらにせよ「組織」に殉じる個人の姿が尊ばれた中で、究極的にフリーな「アーティスト」は、その立場にこそ掛け値なしの「実用性」があったのである。

車で展望台まで行き着けることを下見で確認した僕らは、そこまで車で乗り付けサッと行為をして帰る、というプランを思いつく。ストリートアート的なスピーディな手口である。正門をUターンして駐車場あたりに来るまでは、まさか、その数日前の余震でそこから展望台までの道が大きく崩壊しているとは思いもよらなかった。その谷を目前に青ざめ、絶望した僕らは、やはりそこでも一旦思考停止して、徒歩で行こうとスロウな撮影への変更を決めたのだった。

カメラに映るみずのりともっちゃんは、モデルとして防護服と防塵マスク、ゴーグルのセットがマストであった。品不足の中でなんとか2つを揃えたが、撮影部隊となる僕とおかやんの分までは足りていなかった。仕方なく、コンビニで購入した雨ガッパを二重に重ね、百均の水中メガネをそれがピッタリ塞がるからと装着。マスク複数を重ねて全ての隙間をテープでうめる……こんな装いが何の役に立つ、とヒロシマで「核の当事者性」を問題にした自分がついには被曝するのかと、もう笑うしかないような無防備であったが、その軽装はしかし思いの外歩くと暑いし息苦しい。汚染された空間で呼吸をなるべく抑えようと心がけるも、身体は深呼吸を要求し、心体ともに最悪の状態である。早く帰りたいと家路を想ってストレスを軽減するよう努めていた。普段はワイワイとした撮影を好むChim↑Pomにして、その間4人は一言も喋らなかった。

聴こえてくる音は防護服が歩くたびにジャッジャッ……と擦れる摩擦音のみだった。基本的にはその撮影の全てをそのまま映像化した作品であるが、実は僕とおかやんが編集するにあたり、一つだけ音を足した箇所がある。被写体の歩くみずのりが首をあげて何かを見たところに、一瞬、鳥の鳴き声を追加したのだ。その瞬間に、やっと作品に客観的になれたことを覚えている。

展望台に到着し、ようやく身体を止める。見ると目の前には大量の汚染水が流れ出ている太平洋が仄暗く広がっていて、眼下には黒煙をあげる原発があった。警戒区域圏外から撮影されたニュース映像には噴煙が映っていなかったから、「マジか」と呆然とした。ガチで、リアルな、強大な黒歴史の心臓部を目の当たりにしたような僕らは自分たちに頼りなさを感じ、数秒そこに立ち尽くしたのである。言葉もないが、しかしジェスチャーでもいいから撮影を共にするおかやんと何かを会話したいと思ってふと見ると、おかやんは息で曇った水中メガネを迷わず外していた。「撮影したかったから」というもっともな意見だが、なんて馬鹿なやつなんだとその姿が胸に焼き付いた。

行為を終えて、やっと家路を急ぐように車に向かった僕らは、その駐車場から車で1分ほどのところに畑を見つけた。

《without SAY GOODBYE》2011（図6－3）

福島第一原発に最も近い畑に、防護服とガスマスクを着用したカカシを設置。荒廃した無人の街ですれ違う車に乗っているのは、もはや防護服に身を包んだ作業員のみだ。この作品は、過酷極まる環境で命の危険を冒し、現在も作業を続けている彼らに対するオマージュであると共に、言わば原発の生贄となっていく彼らを模したものだ。手つかずになってしまった畑を、いまもたった一人で何かから守り続けているカカシが、その使命を終え、防護服を脱ぐ日は来るのだろうか？

当時、多くの住民たちがいつか帰還できることを願っていた。「さよならは言わない」と名づけられたカカシは、故郷との別れを今生のものだとは思えなかった人々の胸中そのもののように見えた。この時の感覚はその後、警戒区域が再整備された「帰還困難」区域に伴ったプロジェクトとして、区域内という法的に立ち入れないゾーンに国際展をつくり、その制限化において中の風景を想像させるという「Don't Follow the Wind」のインスピレ

6-3　《without SAY GOODBYE》2011
ラムダプリント、葬式用額
29.5×24.5cm（プリント）、43×34.5cm（額）
Courtesy of the artist, ANOMALY and MUJIN-TO Production

ーションとなった。警戒区域のカカシは廃炉作業の最初のステップとしての周辺整備によって消失したが、「Don't Follow the Wind」はいまも帰還困難区域内に潜み続けている。

LEVEL 7 feat.『明日の神話』

《LEVEL 7 feat.『明日の神話』》2011（図6-4）

渋谷駅にある岡本太郎の壁画《明日の神話》右下にある隙間に、福島第一原子力発電所の事故を描いた絵をゲリラ設置したプロジェクト。原子炉建屋からドクロ型の黒い煙が上がる様子を壁画と同じタッチで紙に描き、それを塩ビ板に貼ったものを、壁画の連続した一部として自然に見えるように設置した。通行人が撮影した画像がネット上で拡散され、匿名の行為として議論を巻き起こした。《明日の神話》は、日本の被曝のクロニクルだ。広島・長崎の原爆、第五福竜丸の水爆……、そして2011年、現実によってこのクロニクルは更新された。Chim↑Pomによって《明日の神話》の余白に追加された福島第一原発の爆発の絵は、岡本太郎の「描かれなかった」絵であるとともに、ヒロシマ以降を生きた全日本人の現実である。

《REAL TIMES》でお手上げ状態を示した白旗が、日の丸となり、その赤丸を中心に三つ葉の放射が描きこまれて、放射能のハザードシンボルへと改変されるその過程を撮影しながら、ふと頭をよぎった疑問があった。ヒロシマとナガサキを経験し、さらに第五福竜丸で反核運動が生まれて根付いてきた唯一の被爆国である日本、その地で何故いま新たな核災害が生まれてしまったのか。壮絶な経験から教訓を絞り出してきたはずではなかったのか。一体、この国と核の光と影のような宿命的な関係は何なのか。特に、警戒区域の中のその時、という「いま・ここ」に焦点を絞ったアクションを制作中だったこともあって、その俯瞰した視点が逆にその具体的な行為を客観視させたのである。

6-4　《LEVEL 7 feat.『明日の神話』》2011
ビデオ(6分35秒)、塩化ビニール板、紙、アクリル絵の具、ほか
200×84cm
Courtesy of the artist, ANOMALY and MUJIN-TO Production

一旦帰京した僕らが、そのことをアイデアに結実させようと話し合ったのは、計画停電が続いていた真っ暗な渋谷の駅近く、人けがなくなっていたカフェであった。その時には、もうこの状況にレスポンスする個展を開催しようと話が持ち上がっていて、《REAL TIMES》という緊急を意味した作品と対になるような俯瞰した歴史観を探っていた。

スタディ

ひとつの教訓というかイメージがあった。前年に「パブリック・インターベンション（公共空間への介入）」がテーマに内包された「第29回サンパウロ・ビエンナーレ」に参加したときに、美術館の白壁をくり抜いて街中に持ち出して、さまざまな場でそこにいた人々に出会わすことで、落書きされたり、燃やされたり、背景になったり、とかかわりからその姿を変貌させていった《BRASIL LOVE》（図6-5、6-6）という作品を作ったのだが、その生々しい体験が美術館でダイジェストのように展示されてしまうことへのギャップが、大きな違和感になっていたのである。これまでもギャラリーの中と外を横断するように制作してきたChim↑Pomであるが、いわゆる「ストリート」という思想と現代アート、そして自分の出自との接点にもっと意識的にならなければ、国際展の手のひらで踊らされるだけ、業界のカウンター・アーティストとしてピエロになってしまうような危機感を覚えたのである。

美術評論家の松井みどり[*1]にその手の悩みを凱旋話を交えて話したのを機に、僕らは松井から幾つもの似たようなケースを教えてもらうことになった。ビルを切り抜いたゴードン・マッタ＝クラーク[*2]だったり、ランドアート

＊1　美術評論家。1995年から約10年間に日本のアートシーンに生まれた表現に「マイクロポップ」という概念を見出し、自身が企画した展覧会で田中功起、泉太郎、タカノ綾、杉戸洋らを紹介した。

＊2　1943〜1978。アーティスト。70年代ニューヨークを中心に、解体前の建物を切断する「ビルディング・カット」、アーティストによる食堂「フード」の経営など多面的な活動を行った。

上・6-5　《BRASIL LOVE》2010／ビデオインスタレーション／ビデオ3点、美術館の壁、ウォールペインティング
Courtesy of ANOMALY and MUJIN-TO Production

下・6-6　「第29回サンパウロ・ビエンナーレ」展示風景
（シッシロ・マタラッツォ・パビリオン、サンパウロ、ブラジル、2010）
Courtesy of ANOMALY and MUJIN-TO Production

の始祖であるロバート・スミッソン[*3]だったり、彼ら大御所の偉業をその背景や理由などとともに学びながら、こちらからも逆に松井に、ビルに巨大なグレースケールの顔を貼り付けるJR[*4]や、広告のモデルの額に赤いスプレーを垂らして銃痕を描き入れるZEVS（後述）など、ストリートアートをベースとした当時のアーティヴィズム（アート＋アクティヴィズム）の現在を紹介したりした。その勉強会の中で、新旧公共空間や「外」をハックする両者を繋ぐものとして、松井が丁寧にレクチャーしてくれた政治・芸術運動こそが、かつてフランス五月革命に影響を与えたシチュアシオニスト・インターナショナルというコレクティブであった。

その先駆性は後述することにするが、彼らの活動はその後のアートに決定的なほどに、社会との関係を意識させる運動となる。その影響はソーシャリー・エンゲイジド・アートなど社会的実践を美学よりも重んじる近年のアートを巡るアカデミックな動向はもちろんのこと、アーティヴィズムなどの政治運動、バンクシーやJRをはじめとした、ストリートアートやパンクなどサブカルチャーなどにも派生した。この接続点として70年代中盤からシチュアシオニストとユースカルチャーを結びつけたのは、ヴィヴィアン・ウエストウッドやセックス・ピストルズのマネージャーであり、立役者・プロデューサーなどさまざまな運営をこなしたマルコム・マクラーレンである。

何度もの変異を繰り返した「ストリート」の文脈を詳しく知って、僕は何か喉の詰まりが取れたような快感を感じた。いわく、ハイレッド・センターやパンクなどを別々に知って、その影響を両者の繋がりがわからないままに享受し、結果Chim↑Pomへと更なる突然変異を遂げていた僕の感覚的な潜在意識が、文脈として立ち現れたのである。これはChim↑Pomにしてみても、「ストリート」と現代アートの思想性を、これまで以上に強く自分たちに自覚するキッカケとなった。

＊3　1938〜1973。アメリカのアーティスト。60年代後半から地球そのものを展示場とする「アースワーク」の制作を開始。ユタ州グレートソルトレークに作られた螺旋状の堤防《スパイラル・ジェティ》は全長約457メートル、幅約4・57メートルの巨大作品。

＊4　1983〜。フランスのアーティスト。建物の外壁や街中の壁に巨大な写真を貼るグラフィティの手法を用いて、ブラジルの貧民街や被災地などでプロジェクトを展開。アートを通じて世界各地の問題を発信する。

計画

パブリックへの介入が思想として増し増しになっていた渋谷のカフェでのChim↑Pom会議で、僕はリサーチすべきインスピレーションとして渋谷駅に恒久設置されている《明日の神話》を提案した。それは、かつて「ヒロシマ・ナガサキ」と副題が付され、《太陽の塔》とセットとして制作されたという岡本太郎の傑作壁画であり、第五福竜丸の被曝を機に描かれた核の歴史絵巻だった。太郎にとっては、自身にとっての《ゲルニカ》を目指した壮大な絵で、縦5・5メートル、横30メートルのパブリックアートである。

皮肉なことに、その年、2011年は岡本太郎の生誕100周年として、伝記ドラマをはじめ、さまざまなイヴェントや展覧会が催されていた。そういう色々な要因に誘われて、とりあえず何かを得られるかもしれない、と近くで話し合っていた僕らは、改めて壁画を鑑賞しに渋谷駅に向かったのである。

一見して、その迫力にはやはり圧倒される。が、日本の核災害の歴史をレペゼンしようというこれほどタイムリーなテーマを持っているにもかかわらず、壁画を前に群衆はそれをただの風景として通り過ぎている。震災発生からもう2ヶ月が経とうとしているのに、まさにいま観るべき、誰もが観られるはずのパブリックアートは、その真意を人々に気づかれないままに、スクランブル交差点を見下ろす目の前の巨大ガラスに、停電の陰影としてただ赤く妖艶に浮かび上がっているだけだった。そんな状況に何か心がザワめくような予感があって、ぼうっと壁画を眺め出すと、「左下と右下が欠けている！」と先に絵を鑑賞していた林が気付いて話題になった。メキシコのホテルのために描かれたという成り立ちから、そこに階段があった、という理由らしいが、絵が四角でないこと自体に違和感を覚える。注意深く右下の余白を見てみると、その真上には小さく「第五福竜丸」が描かれていて、船が死の灰を浴びた水爆実験がビキニ環礁であったことを物語るように、太平洋の水平線が中央から右へと伸びて、ちょうど余白で途切れていた。

日本の核の物語が2011年に更新された「いま」、追加の事象を待っていたような余白の存在に、岡本太郎はじめ死者の暗示が見え隠れするようで、鳥肌が立った。その予言は、課題であった歴史の解像度を急に上げることになったのである。

「ここに福島の絵を追加するのは？」……との林の発言からは、雪玉がゲレンデを転がり落ちるように、「岡本太郎のタッチで」とか、「建屋のキノコ雲を中央の雲のようなキャラで」とか、「左下はそのままでいいのか」など、言うなれば核災害の壁画を完成させるためのアイデア会議が、もはやChim↑Pomの芸術云々を超えたところで、至極「当然」のことのように僕らによって行われたのである。もちろん、だからと言って許可など正式に取れるわけはない。となるとやり口はゲリラ設置しかないが、それはまた広島の騒動の二の舞になるな、という予感も同時に強くあった。が、当の岡本太郎こそは、自身の作品をガラスケースに入れることすら嫌って、落書きされたら俺が何度でも直してやる、と悪戯上等を豪語していたような芸術家であった。それを考えると、同じ作家としてそこにゲリラで絵を追加すること自体には、法はともかくアートの倫理においては全く何の問題もないように思われる。もしも、その延長に広島で経験したような騒動が、さらに法的な問題も含めて「事件」に発展したとしても……来たる炎上を想定した会話の初期段階で、みずのりが言った……「当然のことをしたまででしょ」。

絵を追加させるのは、岡本太郎でもChim↑Pomでもなく、原発事故を起こしたこの社会なのだから。

無人島は高円寺から清澄白河のスペースへと引っ越していた。居酒屋だった名残りを残したそれなりの広さのホワイトキューブである。近くのカフェで藤城さんに「REAL TIMES」展をプレゼンしたのは、4月の第3週のことだった。会期は5月20日から25日の6日間、制作開始から2ヶ月弱、提案からは1ヶ月ほどの開催という緊急展である。とはいえ、震災や原発事故に対するほぼ一発目のアートからのリアクションとなる以上、そのハードルは高く、リスクの想定はしづらかった。まだほとんどの日本人がパニックの渦中にあり、ニュースで事態を追っているような有事であった。議論を呼んでしまうおそれを藤城さんからも注意される。一見、乗り気ではないのかな、と思ったが、藤城さんはその場で「まあでも」……、と自身の言葉に答えるように、自分で自分を説得していった。僕らからしてみれば、しかしこれを持ち込む先は無人島しかあり得なかったのである。展覧会や《明日の神話》へのアクションが物議を醸すことが目に見えていた中で、その炎上に対処できるノウハウや覚悟は、ともに広島で経験を積んだ藤城さんとしか共有できなかったのだ。

実行

4月30日深夜未明。車と電車でそれぞれ渋谷に来たメンバーがハチ公裏の道で集合。停電した暗いスクランブル交差点の真横でこれからの作戦……各自の配置の確認、動きの確認、携帯を持参しないことや、警備員や警察などが来たときの対応……などを話し合う。特に誰も私語は挟まずに、これまでに決めた各自の動きを改めて、相互に、そして全体で淡々と確認し合う。

急遽招集した後輩アーティストのTとH、Mも合流。法的に巻き込んでしまうおそれから、事前には何も知らせなかった。「撮影の人手が足りてない」とだけ伝えて壁画の前で集合。

その時点でメンバーは全員持ち場を担当。1階、壁画前の林は引きで撮影。2階、下りエスカレーターの上からエリイも撮影。全景を見通す2階のデッキは僕が受け持ち、林とインカムで様子を報告しあって周囲を監視。みずのりは福島県相馬市でボランティア中だった。Tに、「あそこに空白あるじゃん、あそこに絵をね……」と伝えると、Tは持ち前の軽さで「なるほど、あそこの空白、ああ、いいっすねー」と理解。林からは、絵を持って左側から現れるおかやんともっちゃんを撮っといて、とだけ指示される。

もっちゃんとおかやんが左から現れるのには理由があった。例の右下の余白が、上りエスカレーターの下側に隣接していたのである。右から来ると、下りエスカレーターに乗ってそのまま流されて止まりづらい。左から来て、絵の右端を担当するもっちゃんがそのまま上りエスカレーターに3段ほど踏み込んで、そこで足踏みをして流れに逆らい作業する方が安定する、とシミュレーションで判明していたのだ。事前に決めたそんな段取りを身体で復唱するように現れた二人は……もっちゃんいわく、「『できるだけ壁画に馴染むよう、綺麗に』『剥がれないよう、固定』ということだけを考え」、作業に徹したのである。

6-7　《LEVEL 7 feat.『明日の神話』》2011
ビデオ(6分35秒)、塩化ビニール板、紙、アクリル絵の具、ほか
200×84cm
Courtesy of the artist, ANOMALY and MUJIN-TO Production

絵の裏には両面テープが貼られている。そのテープの逆面は粘着力の弱いテープの表面に貼られていた。両面テープで強力に支えられた絵が、跡を残さずに剥がせるテープを接着面として、そのまま壁に貼られ、下の段差に立てかけられる仕組みである。壁画に触れない。接着面の壁にも跡を残さない。そのために直接両面テープを壁に貼ることを避けたのだ。その分、立てかけた絵の貼付に際しては絵をムラなく固定するために圧着を必要とした。表面の絵の具を擦らないよう注意して、二人は持参したホウキで一気に絵を壁に押さえつけた（図6-7）。

その間、2分くらいの作業であった。が、周りを注視していた僕には「長い」と感じられた。絵を手にしてフードを被った二人の姿が、壁画に対して小さくても目立ち、作業の間にも通行人が数人、立ち止まって携帯を構えていたのだ。通報されたらお終いだし、写真を撮る人につられて人だかりが出来たら困る。警備員が来ないことを逆に不思議に思うほどには緊張し、「早く……！」と二人の動きをコントローラーで操るように、デッキで、汗が滲んだ腰壁の手すりを握りしめていた。

絵の貼付を実行するおかやんともっちゃんを、エリイが下りエスカレーターを降りながら二人と交差するよう間近に撮影。エリイと入れ替りで、絵の固定を確認したもっちゃんとおかやんは、そのまま二手に分かれる様にその場を去った。一連の動作を確認した僕も、足早に井の頭線の方へと歩き出す。改札口から外へと下る長いエスカレーターを歩きつつ、安堵のため息を深く吐きながら街に出た。

現場で集まらないよう、各自解散を決めていたが、林とエリイはしばらく残ったようだ。二人は、余白を埋めた作品や、自然すぎる絵柄の付け足しに全く気づかずに行き交う人々の様子などを撮影した。映像を見ると、その延長で、記念撮影のようにエリイは《明日の神話》との2ショットを連写。映えることに集中しているその緊迫感の無いノリに、後から嫌というほど癒された。

その後、集合場所として指定していた宮益坂の安居酒屋で全員合流。始発を待ちながら、乾杯も早々に今後の作戦を引き続き話す。

騒動は翌日、一つのツイートから始まった。

「いま、ふと歩いていて気がついたんだけど、渋谷駅にある岡本太郎の明日の神話、右下の部分が福島原発っぽい。。。これってネットとかで話題になってるの？　この絵のなりたちを考えても予言っぽくて不気味すぎる」[*5]

まるで「岡本太郎福島第一原発事故予言説」とでも言えようこのツイートは直ちに拡散され、それを機に次々と現場を確認しに行った人々も画像を投稿、予言なはずはない、と《明日の神話》が分析されたことから、これが何者かによって付け足された「悪戯」であることが判明した。Twitterで画像を見たという一般女性が午前9時半頃に渋谷警察署に通報し、アクションは次第に明らかなこととなる。絵はその日の23時頃に渋谷警察によって撤去されることとなり、林はその様子を陰から撮影。23時6分にメールでテレビクルーが来たことを「遅え！」と僕に伝えている。実際、だいぶ前からスタンバイしていた林が撮影した映像を見ると、盛り上がっているというよりも、絵を数人の警官が囲んで粛々と仕事に勤しんでいる、というプロレタリア絵画のような印象である。映像は通常よりも極端に暗く、大規模な計画停電がその日も続いていたことを思い出す。

マスコミの報道はヒートアップしていく

騒ぎは翌日になってマスコミを巻き込み大炎上となった。昼のワイドショーで「ヨーロッパならブラックジョークとして許されるのでしょうけど……」とまるでヨーロッパやアートやジョークに精通しているかのように振る舞う模範的なコメンテーターを実家のテレビで観た。警察はただちに捜査に入り、聞けば防犯カメラから2階の僕の姿は確認されていたらしい。岡本太郎に詳しい識者もその映像を見せられたようで、しかし人物の特定まではされなかったとのちに聞く。マスコミも同様に有識者にコメントを迫る。美術史家の山下裕二、批評家の椹木、岡本太郎記念館の平野暁臣館長などに取材を行ったそうだが、総じて3人の意見は太郎を引用したこの荒技に肯定的であったため、初期報道ではコメントは採用されず、否定的な箇所だけが拾われた。

それを僕が知っているのは彼らからのちに聞いたからであるが、記者からは「批判的な意見を」という質問が

＊5 https://twitter.com/takahashihide/status/64346781751853056?s=20&t=mN_EljRhSqyDYSKU6T6A0w（2022年5月31日閲覧）。

再三繰り返されたらしい。いわゆるネガティブ・キャンペーンのお墨付きを得る目論見だったのだろうが、特にテレビのニュースやワイドショー、スポーツ新聞はまさにその姿勢で、一気にヒートアップ。「落書き」や「改ざん」といった事実誤認も含みながら、壁画の保全団体である「明日の神話保全継承機構」の、「とんでもないいたずらで迷惑している。多くの方が苦しんでいる中でこういういたずらをされて（原発問題に）結びつけられるのは困る」（『中日スポーツ』5月2日）といったコメントや、渋谷の通行人であるいち主婦による「太郎さんが可哀想、怒っていると思う！」という声が象徴的に扱われた。大手新聞は意外と中立的で冷静だったが、ネットも同様に、賛否両論ながらも初期段階においては概ね好評、謎めいたストリートアートとしてヒロイックに扱われて、その匿名性が支持されていた。

美術関係者らもこれについて続々とツイート。いま見てみると、『美術手帖』編集長（当時）の岩渕貞哉は保全機構の「原発と結びつけてほしくない」というコメントに対し、「結び付けないと」と提起。村上隆の呟きは「バンクシー的な」。「ピカッ」の制作費を空で稼いでくれた八谷和彦は実際に現場に見にいって、「かなり厳密に色合わせしてあった。（中略）壁画作品を汚損していない」と投稿。「ありだと思う」とレポートしている。実際に、もっちゃんは何度も壁画の前に行って、その場で画用紙に絵の具を混ぜ合わせて調色していたのだ。捜査されたら一発でその姿が犯人として浮かび上がるような大胆さだが、絵を考えると確かにこの作業が効いていた。出力などで色校をしても、結局現場での答え合わせが必要となる時点で、データでフィニッシュは難しかったのだ。八谷が認めたクオリティは、もっちゃんのそのオーソドックスな画家スタイルでないと実現できなかったのである。

そんな中、とあるコレクターの予想が的中。

「岡本太郎の壁画の。良いじゃん！太郎さんも敏子さんもあちらで喜んでいるはず。チンポムがやってたらリスペクトするんだけどなぁ〜〜〜[*6]」

ここに僕らと「現代アート」が絡んでくるのは5月13日のことである。Chim↑Pom が YouTube にアップした「REAL TIMES」展の告知動画の中に、当時ＮＨＫが放送していた岡本太郎の伝記ドラマ『ＴＡＲＯの塔』のエンディング曲「水に流して」のリミックスが使われて、フッテージに《明日の神話》が映っていたことから、関与が取り沙汰されたのだ。報道は再加熱し、匿名作家を期待していたネットの書き込みは「炎上商法」と再炎上。「顔出しするなんてダセーな」みたいな言い分や、「なんだ、現代アートかよ」といった否定的なコメントが急増した。

展覧会開催とメディア対応

世論が変化したのは5月18日、Chim↑Pomが個展の内覧会で囲み取材を行ってからだった。僕らはこれを《LEVEL 7 feat.『明日の神話』》と題する作品であることを発表、渋谷警察に押収された絵を岡本太郎記念館に寄贈したい意向を示したのである。

同日と翌日、岡本太郎関係者であるお二方のコメントが新聞に掲載。

「他人のもの、公共のものを大切にできないのは残念だ。岡本太郎と同じ芸術家ならばすべきでない行為だった」（岡本太郎記念現代芸術振興財団理事・中田捷夫『東京新聞』2011年月19日）との意見に対し、一方の記念館館長の平野は、「みなさんはいたずらとおっしゃるけれど、スプレーを作品に吹き付けたり傷つけたりしたわけではない。『明日の神話』は後世に残すべき作品だと敬意を払ったやり方をしている。ゲリラ的な瞬間芸として、明らかにアートの文脈で行われた行為です。ただ、作品としては斬新さも感じないし、ほめるつもりもありませんが（中略）やったのはおそらく若い人でしょうが、彼らがいま、日本の置かれた状況や不安感、そういうものをモチーフにして、表現をしたいと思うのは当然。それをぶつける舞台として太郎が選ばれた。未来を考えるときに参照されるアーティストだということでしょう」（『産経新聞』2011年5月18日）と一定の理解を示していた。

閉店中の無人島をシャッター越しに「アジト」のように報じた『サンデー・ジャポン』（TBSテレビ）が強烈

＊6 https://twitter.com/VoodooDaddyO/status/669160417915043841?s=20&t=mN_EIjRhSqyDYSKU6T6A0w（2022年5月31日閲覧）。

だったが、その後の事態は平野の意見と展覧会を境に作品論へと発展し、マスコミからも批判的な報道やコメントが激減していく。

京都市立芸術大学学長（当時）建畠晢「ユーモラスな挑発行為だ」「これくらいは許容される世の中のほうがいい」、明治学院大学教授 山下裕二「芸術作品として成立している。太郎が生きていたら面白がるだろう」

——『朝日新聞』2011年5月25日

秋山祐徳太子[*7]「芸術家を志す現代の若い人は、流行や市場に迎合する傾向があり、ハプニングする必要性はないのだろうと思っていました。チン↑ポムは、時にひんしゅくを買うけれど、社会のことを真剣に考えている。来場者の目と会場の熱気が、何よりの証明でした」

——『毎日新聞』2011年5月1日

椹木野衣「彼らは元絵を傷つけないよう細心の注意を払いながら、岡本の壁画が被爆をモチーフにした先駆的作品であることに切り込んだ。この震災に際して美術家が後世に何を残せるかを表現しようとした（中略）単なる自己表現ではなく、歴史という大きな流れを作品の形で記憶し、後に伝える媒介者としての役割。それは政治活動やチャリティとは異なる次元でとても大切だ」

——『日本経済新聞』2011年3月10日

騒動の間、当の僕らはと言えば、作品の解説以外はほとんどサイレントを貫いていた。何人かの友だちからは初期段階から、Chim↑Pomがやったんじゃないの?」と直接聞かれたが、シラを切る。最初はボランティアや作品制作に忙しかったし、ネット上で「Chim↑Pomの仕業」と取り沙汰されてからは、展覧会の準備に勤しんでいた。ようは、ネットにかまける暇もそんなになく、何よりも発言は然るべきタイミングと場所を選ばなければ、痛い目にあうと心掛けていたのである。その時までは全スルーして、準備を入念にすることが先決だったのだ。

例外として、アクションの数日後に福島でみずのりと再会したときには笑った。「お、いま話題の実行犯だ」との間抜けな挨拶に、緊張の糸が切れたのである。

展示の告知映像がアップされて以降、無人島には「死ねや」とか「お前のとこのアーティストどうかしているぞ」などの罵詈雑言メールが殺到。マスコミ各社からも事実の確認と取材の依頼が舞い込んでいた。藤城さんは僕らと話し、発言が捏造されないよう、文章での返答のみを基本とし、詳しくは囲み取材をセッティングする（記者会見にすると図式的に謝罪会見をイメージさせるということで）と返答していった。

内覧会の冒頭に行われた囲み取材の出席者は、僕とエリイと藤城さん。10社くらいが来たろうか、当時の記録が残っていた藤城さんのメールとハードディスクがクラッシュしたことにより、詳細は思い出せなくなっているが、ポイントはとにかくその会場を無人島に指定したことであった。場のオーナーとして、藤城さんは取材のルールを設定することが可能になったのである。それを踏まえ、予めいくつかの条件を合意してもらえた記者にだけ、無人島は出席を許可。突撃取材を回避すべく、出席は全てアポイント制とした。

・音声の録音と画像や動画の撮影を禁止とし、メモ取りのみを行うこと。
・その代わり必要な作家や作品の画像は、無人島から提供すること。
・作家の発言のカギ括弧内は、ファクトチェックとして事前確認を要すること。

これらの条件は、美術館やギャラリーが「撮影禁止」としていた当時の風潮に則った約束事である。だから会場でフジテレビの記者がアイフォンで隠し撮りをしていたのを見つけたときも、藤城さんはギャラリストとして「撮影はお控えくださ〜い」と優しく注意していたように思う。

＊7　1935〜2020。美術家。「グリコ」のマークを模した「ダリコ」など、「ポップ・ハプニング」と称したパフォーマンスを行う。政治のポップアート化を目指し、東京都知事選に二度立候補した。

また、僕とエリイは作品の解説に徹し、法的なことに触れる質問に対しては、「弁護士と協議中なので」を一貫した。挑発的な質問は一件だけだったように思う。電力問題を茶化したような《エロキテル》という「性欲発電」をテーマに昔から制作していたシリーズの出品を、「被災者たちが苦しんでいるのに不謹慎だと思わないのか」と問い詰められた。僕は、「被災者と一括りにして均一的に見ることはできない」というような事を言って、「どんな状況でもユーモアは大事だ」と答えたように思う。

事態の好転

初日の20日はオープン前からメディアの大群がギャラリーを挟んだ道の向こうにひしめいていた。大事をとって、Chim↑Pomメンバーは近くで待機していたが、「シャッターを開けたときの、目の前のカメラの多さが壮観だった」と藤城さんはその騒乱を思い出している。

会期中に色々と話した媒体は、海外メディアや雑誌の特集など、こちらの意図が反映されるものだけに限った。僕らが発言の自粛を取っ払い、全開放してスパークさせたのは会期後である。セッティングしたライブストリーミングスタジオ「DOMMUNE」での特番を、展覧会や騒動などをまとめて語り尽くす場としたのである。

事態の好転は、メディア対応だけが理由ではなかった。6日間で3500人ものオーディエンスが会場に足を運び、出品された作品群に向き合った結果、ネット上で「REAL TIMES」展（図6-8）を支持・評価するエモーショナルな言葉が溢れたのである。《REAL TIMES》と《without SAY GOOD BYE》は戦慄をもって鑑賞されて、警戒区域ギリギリの場所から採取した花による生花《被曝花ハーモニー》（フラワーアーティスト柿崎順一とのコラボレーション）は、「避難も移動もできない植物において、しかし花の美しさは変わるのだろうか？」と美学的な問いを投げかけた。何よりも、被災地で出会った若者たちとの、一期一会、アドリブ、一発撮りの映像作品《気合い100連発》が、観客の涙腺に触れた。これも背景や内容は後述することになるが、災禍の真っ只中に生きていた人々が、そのまさに中心である原発近く、津波で船が転覆して、破壊された港で叫ぶ被災者らの言葉

6-8　Chim↑Pom展「REAL TIMES」展示風景（無人島プロダクション、東京、2011）
撮影＝宮島径
Courtesy of MUJIN-TO Production

に、胸が締め付けられたのである。その声が広がるにつれて、観客が「観ないでDisる声」をネット上で説得し始めたのだ。

広島のときもそうであったが、僕らはことあるごとに「観ない人たち」の批判に晒されてきた。それを逆転させてきたのは常に作品の力であり、実際にそれを鑑賞する場となる展覧会と、観客や批評家の言葉であった。言説は、常に目の前の事象に伴って変化する。社会的なモラルが問題とされても、作品や展覧会、書籍などを通していくうちに、それは一般を巻き込む芸術論としての新たな視座と価値観を得ていくのだ。

ファンディング

展覧会は入場料収入で行われた。普段、コマーシャルギャラリーというのは、作品を売ってナンボの稼ぎ方であるが、事が事だけに、商売っけを出したくなかったのだ。収入の一部を義援金に回すとはいえ、異例の入場料制である。お礼として《気合い100連発》の音声をCDに焼き付けて、全ての来場者に配布した。この声を観客への鼓舞としたのであるが、とはいえ、作業は会場裏の事務所で一枚一枚手焼きである。来場者が増えるにつれて、これがなんと言っても大変だった。人手が足りないが雇う余裕もない。困っていたときに展覧会の運営を助けてくれたのは、無人島に所属するアーティストたちであった。連日来てくれて、受付をしてくれて、行列の整理をしてくれた。奥の部屋に「CD5枚お願いします〜!」とラーメン屋のように注文してくる版画家の風間サチコ[*8]の威勢が印象的だった。

通常、コマーシャルギャラリーにおいて、他の作家の個展の運営をボランティアで他の作家が賄う、なんては聞いたことがない。が、無人島がアットホームなギャラリーだったことや、この展示の意義を自分のものとして汲み取ってくれた作家たちが、展覧会に巻き込まれてくれたのである。『なぜピカッ』の編集者・阿部も配布するテキストを書いてくれて、いよいよチーム総動員の様相を呈す。みんな自主的に頑張ってくれて何てことだろう、と感激していたが、後ほど「人手が足りないから手伝って」と藤城さんから全員頼まれていたことが判明。

感謝の気持ちは変わらずとも、Chim↑Pomのデビューが壁立てだった一件からも明らかなように、やはり特殊なギャラリーだな、と改めて思う。

事情聴取・軽犯罪法違反

その日は早くからギャラリーの前に黒塗りの車が2台止まり、道に物々しさがあった。共同通信の記者が藤城さんに「気をつけてください」と注意を促したことから、僕らもそれに気づいた。が、展覧会最終日とあって、観客が外にまで膨れ上がり、僕は接客や取材、交通整理などに追われていた。そのうちに車の存在を失念してしまったのは、このひと月、顔や名前とともに自分たちの犯行を明かしていたにもかかわらず、何故か警察が来なかったことからくる油断だった。もう来ないのかも、と何度か話し合っているうちに妙にナメた余裕が生まれていたのである。

考えてみると、内覧会でアンチでお馴染みの三潴さんが今回は「よくやった！　オレ嬉しいなあ〜」と手を叩いて喜んで、「でもお前らマジで気をつけろよ」と一転、ギャラリーの外に僕を連れ出して、軒先で国家権力の捜査力のあれやこれやを自身の体験から耳元で語ってくれていた。聞いてるうちに恐ろしくなり、何が入っているわけでもないのに、三潴さんの指示通りPCのハードを友だちに預けたりと、1週間前まではちゃんと警戒していたのだ。それが展示を通して嬉しい感想などを聞いているうちにこの体たらくである。

自動車からスーツの男たちが降りてきたのは夜の9時、展覧会終了と同時であった。気づかず最後の観客かと思って彼らに接客を始めようとした僕に、ひとりが笑って名刺を出して言った。「卯城さん、渋谷警察署なんです（笑）」

＊8　1972〜。美術家。独自のリサーチに基づき、現在の事象の根源を過去に探り、未来を予兆させる木版画を制作。2019年、「Tokyo Contemporary Art Award（TCAA）」受賞。架空のオリンピックの開幕式を描いた《ディスリンピック2680》はニューヨーク近代美術館蔵。

忘れてた……と、すっかり面食らった僕は、即席で事務的な対応が出来ず、「遅かったですね」と、今思えば失礼な挨拶で返した。「展覧会が終わるのを待っていたので」と、その中年男性は紳士的に言った。意外な温情である。ありがたい、と伝えながらも、このましょっ引かれるのはちょっと、と身構える。後日で大丈夫なので、と言う彼らと事情聴取の日程調整したのを最後に、「REAL TIMES」展は全日程を終えた。

容疑は「軽犯罪法違反」。立ちションや張り紙と同等である。器物を破損していなかったこと、敷地内への違法な侵入ではなかったことなどが加味されて、通常の落書きの罪よりも遥かに軽くなっていた。実行犯としてはおかやんともっちゃん、リーダーとしてそれを主導したということで僕も聴取を受けることに。弁護士の水野祐[*9]と打ち合わせをし、「事情聴取とか書類送検なんて大御所ミュージシャンたちの通過儀礼！」みたいな励ましに背中を押され、後日、渋谷警察署に３人は出頭、別々に取調べを受けた。

携帯は一時的に没収。事務的で無機質な内装の小部屋で、ボイスレコーダーと調書を手に僕を担当したのは、比較的若い刑事・山﨑である。長崎出身だとのことで、淡々と聴取をしながらも、休憩のたびに原子力災害への想いを吐露してくる。暗に僕に同情を示すような語り口だが、それが情に訴える作戦なのかどうか。よくわからないが、僕としても特に隠すようなことは、もう無い。それよりもマスコミ対策が染みついていたこともあって、調書の作成にあたっても、発言の正確さやファクトチェックに勤しむだけだった。

「絵画」であり「証拠」である

一度目の聴取の後に、山﨑と《明日の神話》に向かう。カメラを手にした山﨑に乗せられるがままに、例の右下の余白の横に立ち、絵が貼り付けられていた場所に指を指す。現場検証としての撮影だが、僕にとっては久しぶりに帰ってきた《明日の神話》である。状況的にも何だか記念すべき再会のように思え、その渋谷警察撮影による《明日の神話》とのツーショット写真を、第一級のアーカイブ資料として欲したことを覚えている。

聴取を終えたもっちゃんから、Chim↑Pomが付け足した絵を「証拠」として見せられて、犯行の「確認」をさせられた、と聞いた。興奮したように、「裏が指紋で真っ黒になっていた」と語っていて、それは是非観たいと思って2回目の聴取のときに山﨑に頼んでみた。意外にそのハードルは低く、すぐに実現。僕が観たときには、塩ビというツルツルした素材に吹きつけられた指紋採取用の黒い砂鉄は、大方取れてしまっていた。とはいえ、それらの痕跡で黒ずんだ裏側は綺麗で、何よりも、砂鉄が裏側だけに施されて表側がそのままの良い状態で残されていたことが嬉しかった。それは僕にとって、犯罪の証拠とされながらも、これが「絵画」であるということが警察に認識された、その何よりの「証拠」に見えたのだ。

結果、僕らは書類送検された。ニュースは新幹線の電光掲示板でも流れたと言い、再びメディアが騒いでいた。渋谷警察署がマスコミにリークしたのだろう。が、もうこの時点ではいわゆるマスコミの「社会的制裁」にも慣れていたし、あとは弁護士・水野に頼る以外に出来ることもない。冷静になるしかなかったが、前年から美学校で始めていた僕の講座「天才ハイスクール!!!!」[*10]の生徒には申し訳ないと思っていた。2期が始まってからまだ2ヶ月ちょっとの生徒3人を前に、「書類送検された」やつが何を教えられるのか、と流石に自分で自分が情けなかった。この週の授業は無人島で行った。僕は返金覚悟で「犯罪者みたいな先生でごめんね」と、第一声で自嘲しながら頭を下げた。顔を引き攣るレベルで無理やり笑ってくれたみんなの顔は、きっと一生忘れないと思う。

送検時に気になっていたことがあった。渋谷警察署を離れるにあたり、押収された絵を返してほしいと何度も念を押して山﨑に頼んでいたのだ。検察での聞き取りは一度のみということもあって、そこでこの話が出るかを僕らは注視していたのである。

検察官は、書類で散らかったデスクを囲むように僕ら3人と面会。あまり目を見て話すタイプではなく、忙しそうに、山﨑作成の調書と、弁護士・水野作成の意見書を読み比べて話す。僕らとしては好印象を残そうと積極

＊9　1981〜。弁護士（シティライツ法律事務所）。Chim↑Pom の弁護をはじめ、数々のクリエイターの活動を法律面でサポート。弁護士・会計士などの専門家による任意団体「Arts and Law」で理事を務め、無料相談活動を行う。

＊10　卯城が講師を務めた美学校の講座。2010〜2014年に開講。アーティストの毒山凡太朗やキュンチョメ、WHITEHOUSE で共同ディレクターを務める涌井智仁らを輩出。講座の解散展となった「Gembutsu Over Dose」は1週間で1000人超の観客を集めた。

的に目をみて話すが、それに関係なく事務的なやり取りが続く。どうなるかと心配したが、多分、水野の意見書が効いていた。軽犯罪法違反レベルでこんなにしっかりとした意見書は珍しいよ、と褒めていたことを記憶している。その中で、「絵を返してほしいんですよね？」と僕らに確認、山崎が動いてくれていたことを察した。

その後、僕らは晴れて不起訴を言い渡された。弁護してくれた水野は、アート系弁護士としてインフルエンサーのような人気を獲得するようになり、この一件は彼の仕事の代名詞のようになった。彼に密着した『情熱大陸』（毎日放送）を報じるネットニュースのリードには、「チンポム事件を不起訴に！ 著作権扱う35歳若手弁護士に密着」の文字、やり手を伝えるフレーズであるが、僕にとって印象的だったのは、例の意見書の方である。ひとつの美術評論くらいに壮大で、検察官に、表現の自由とは、芸術とは、法はどうあるべきか、などを高尚に問いただしていて感動的だった。検察官ひとりだけに読まれるのは勿体ないな、と思っていたが、その一部は水野の自著『法のデザイン――創造性とイノベーションは法によって加速する』（フィルムアート社、2017）にもめでたく掲載されている。

これが法的な顛末である。

「アクション」は今も壁画の「空白部分」に「展示」され続ける

絵の顛末はというと、2013年に改めて岡本太郎記念館に寄贈という形で収蔵された。太郎の作品以外で唯一の収蔵品となったこのコレクションを決断した館長・平野は、その際に、「太郎と現在を象徴する重要な資料だ」（『東京新聞』2013年4月22日）と語ってくれている。

作品の行く末や事件の結果とは別に、《LEVEL 7 feat.『明日の神話』》には予想だにしない顛末もあった。報道が加熱したことで知名度を上げた例の余白部分を、じっと見つめる通行人が増えたのである。実物は岡本太郎記念館の収蔵庫に眠っているからそこには無い。が、そのアクションは紛れもなく今も壁画の「空白部分」に「展示」され続けているように思う。「あの時」を思い出すための余白として、再び訪れるかもしれない、決して訪れてはいけない、「未来の惨禍」を鑑賞するための余白として、アクションは《明日の神話》とともに永久設置され続けている。

渋谷駅にある巨大壁画《明日の神話》は、岡本太郎が描いた日本の被曝のクロニクルだ。広島・長崎の原爆、第五福竜丸の水爆……20世紀を飛んでいた放射線は、原発の安全神話とともに、戦争から平和へと世紀を跨いで引き継がれてきた。《明日の神話》は展示場所であったホテルの都合から、不定形な形で完成されている。絵の中で、第五福竜丸が被曝した太平洋は、真ん中で燃える人の下から右下へと続き、その水平線を欠けた余白で途切れさせていた。そして余白はただの壁として、予言的な空白を21世紀にもたらしてきた。2011年、現実によってこのクロニクルは更新された。Chim↑Pomによって《明日の神話》の余白に追加された、福島第一原発の爆発の絵は、岡本太郎の「描かれなかった」絵であると共に、ヒロシマ以降を生きた全日本人の現実である。今後、《LEVEL 7 feat.『明日の神話』》は常に《明日の神話》とともにある。それを余白から見るために僕たちが必要とするものは、歴史や放射線と同じく、もはや目ではなく想像力だ。僕たちは、この想像力こそがグラウンドゼロにとっての可能性であり、未来を作る最も根本的な力だと思っている。そしてアートはそのためにあるということを強く信じている。

Chim↑Pom 2011

第7章 「芸術実行犯」

世界は至る所で溶融し、その輪郭を失いつつある。さまざまな正義が入り乱れ、善も悪も似たような面構えで僕らの眼前に現れた。かつて古代中国では、伝説上の生物である龍を「混沌の中の秩序」に例えたという。文化にはその龍のような役割があるのではないだろうか。善悪入り混じる世界でそのすべてを受け入れ、善多きときには悪を、悪多きときには善と成し、この混沌たる世界における秩序となるのだ。

『美術手帖』2012年3月号「Chim↑Pom プレゼンツ REAL TIMES」特集の冒頭はおかやんのこのステイトメントに始まる。Chim↑Pom が監修を務めたもので、初の理論的な活動となった。「REAL TIMES」展を通して考えてきたことを、美術の月刊誌を日刊報道的なニュアンスの「TIMES」でもじりながら深め、世界中の「スーパーラット」だと僕らが捉えるアーティストや活動を広く紹介するという内容である。

ここでいう「スーパーラット」はもちろん、ネズミ自身のことではない、毒を摂りこみ自らを「変異」させながら社会に潜り込み、新たな環境に対して「野良」のやり口でアプローチを仕掛け、しかし社会の表面自体をも揺るがしてきた活動や表現者のことである。

逆説的に、特集は「カオス」な時代での既存のアートのセオリーへの懐疑となり、アカデミックな方法論が機能しなくなったときに代替し得る、「野良」の戦略の数々を世に伝える一冊となった。それを宣言するようなおかやんの一節は、「アートに何ができるのか?」というお馴染みの問いが震災時に聞こえてきたことに対して答えている。その対処法はもちろん、「教科書に書かれているわけではない」。「これまで教えてこられたようなことではこの問いに応えることはきっとできないだろう」ことが明らかとなった上で、「長い歴史の中に囚われているものにとって、現在はあまりに遠い」と美術史への盲信が機能不全を起こしたことを書き留めている。

紹介されたのは、それまでChim↑Pomが国際展に参加した際に知った、僕らと同じような動向の現代アーティストやコレクティブ、すでに周知されていたアート・アクティヴィズムやストリートアート、公共空間でいたずらを働く「プランク」や、スケボー、パルクールなど街に介入するエクストリームスポーツ、はたまたマスメディアを騒がせるセレブリティやDOMMUNEなどのニューメディアと射程が広い。特に、マスメディアの方法論を引用してパロディを仕掛け、消費社会をそれによって批判する「カルチャー・ジャミング」の解説は日本の美術において多分初めてのことであり、それは「炎上」自体をクリティカルな戦略として捉え直すことを示すものだった。

色々なフィールドへと「アクション」が溶融する中で、アートを作品よりも方法論と捉え、野外やマスコミ、ネット空間などの公共圏で、コントロバーシャル（物議を醸す）なバズを起こす過激なアクショニストたちの体系化を試みたのだ。

発売ののちに、これはワタリウム美術館でのグループ展「ひっくりかえる展」（図7-1、7-2）として展示に展開され、Chim↑Pomはキュレーターを務めることになる。『美術手帖』、ワタリウムともにChim↑Pomによる持ち込み企画であり、プレゼンから執筆、リサーチ、出版とキュレーション、展覧会制作までを行ったメディアミックスとなった。「アイムボカン」のときの展示を中心としたDVDやオークションカタログ、映画展開や、《ピカッ》騒動の検証本『なぜピカッ』の出版など、これまでにも見られた多チャンネル・多コンテンツな動きは、無人島との「REAL TIMES」展、『美術手帖』との「REAL TIMES」特集、ワタリウムとの「ひっくりかえる展」という一連の自主・コラボレーションプロジェクトで、行為から行動へと展開してきた僕らの「アクション」を、「活動」へと包括的に拡張させるパラダイムを作り出したのである。更にこの展開はその後、2012年のうちに美術の中の自主企画を離れ、『芸術実行犯』という一般向けの本の出版に至る。

上・7-1、下・7-2　「ひっくりかえる展」展示風景（ワタリウム美術館、東京、2012年4月1日―7月29日）
撮影＝今井紀彰

背景

いまだに「炎上好きのお騒がせ」と言われることがある。この前など美術館の館長ともあろう人物から含み笑いで言われ、わかってないとか、リテラシーがないとか、騒がせたいわけではないとか、あとでメンバー間で欠席裁判をする始末。その表面的な言われ方に釈然としないものが残ったからであるが、しかしその通りに、べつに好んで津波のような批判を浴びてきたわけではないし、毎回ダルいと思いながらその波をサーフすることで文字通り乗り切ってきたつもりではある。が、じゃあ何故そんな賛否両論の中に身を投じるのか、しかも不特定多数が集まる公共の場で……と言われると、たしかにサクッと説明するには労力が要るし、というか一言で言うにはあまりに露悪的すぎて、理解されようと大衆に寄り添う態度自体にも疑問が生じてしまう。そもそも、「炎上」だ「お騒がせ」だというパンチワードを持ち出す時点で、その奥のディテールに対して思考停止していることが明白な人にまで、個別に情熱を説く気も湧き上がらない。

とはいえ、言わなきゃ言わないで「言わぬが証拠」と善良に勝ち誇る市民もいるし、一方で、本気で深く知りたいと自分をまっさらなノートにして、沈黙に耳を傾けようという人もいる。「現代アート」という謎のドアを前に「わからないから」と引き返すか、そこをくぐるか。「わからないから」前者は物議をかもすアートが表現の自由や芸術を訴えることに対して、「アート無罪」とドアの全然手前で断罪するのだろうと思う。どちらかといえば、後者の気持ちは痛いほどにわかる無知な僕は、そのモチベーションであるならば、作品からは伝わらないその背景などを彼ら彼女らに語りかけることを、むしろChim↑Pom冥利に尽きると考えている。他のアーティストと違って、僕らが炎上に対話や言葉で対してきた意思はそこにある。

狙い・教科書

それに、自分が無知だからだろうが、語ることは僕にとって自分の行動を学ぶことと全く同じことであり、その観点から二度美味しい場合には、これは何より自分を「自覚」することに直結できる好機となる。そういえば、美学校のクラス「天才ハイスクール!!!!」の課題でそのような無茶ぶりを生徒にしたことがあった。結局自分に何かを教えられるだけの引き出しがなかったことから生まれた苦肉の策であるが、この「REAL TIMES」特集監修の経験から、「自分だけの美術の教科書を作ってみて」というお題を出したのである。自分の引き出しが空っぽだった責任を生徒に転嫁しようという試みであったが、しかしそれは僕の最も基本的な芸術観でもあった。ひとりの人間が独自のキャラクターになった背景には、興味や考え、好き嫌いを育んだ、その人なりの無数の文化の経験と蓄積がある。美術の文脈が新たな考えを示すように、ひとりのアーティストが独自の感性を世に示すことを可能にするのは、その人なりの文脈なのだ。

なぜ炎上？　なぜお騒がせ？　なぜ法律を超える？　これらの問いになんとなく行動と作品で答え続けてきたChim↑Pomは、このタイミングで「自分の美術の教科書」を作ることで世間に新たな提案をし、真っ先に自身でそれを学び、その時点での自分を自覚することで次の道へと踏み出したのである。

本書は行為としてのアクションから始まって、その実践と理論がChim↑Pomの活動を通して行動としてのアクションにシフトしてきたことを追いかけてきた。ここでは改めてアートにおける「行動」というものを俯瞰してみて、その理論を一部的に解き明かしてみたい。

『芸術実行犯』は2012年のものである。だからここでは当時を時系列的に振り返るのではなく、10年前に体系化を試みたこの言説を、現在性も含めて記述したいと思う。

『芸術実行犯』は、前半でChim↑Pomの実践を紹介し、後半を『美術手帖』「REAL TIMES」特集の要約として世界中の表現者たちを紹介している。

アメリカからは、イラク戦争終結などを報じる偽の「ニューヨーク・タイムズ」の号外（10万部）を作って街中で勝手に配ったり、偽のＷＨＯのウェブサイトを制作して実際に機能させたイエスメン（The Yes Men）や、ネットで不特定多数の参加者を呼びかける「フラッシュ・モブ」の手法で色々なアクションを公共圏で起こすImprov Everywhereによる、グランド・セントラル駅での200人超の人々が同時に静止するパフォーマンスや、ズボンやスカートをはかずにパンツ姿で地下鉄を乗り降りする定期イヴェントなどを紹介。顔出しとネット特有の足がつかない匿名性のバランスで、パブリックスペースを撹乱する「アクション」が、ニューヨークを中心に2000年代～2010年代中旬まで立て続けに勃発した。ニューヨークのその頃というのは、言うまでもなく9・11テロの後であり、不審者や異物をテロリストのように排除する「ゼロ・トレランス」（非寛容）という社会風潮が街を支配していた真っ最中であった。あえてテロリストと同じような不審者を街に出現させることで、「非寛容な社会」をユーモアの素材に転化して、劇場化した公共圏内をインターネットで拡散させるというのが彼らの戦術であった。

アート・アクティヴィズムの表現者たち

イエスメンは何本もの映画になってアーティヴィズムのある種手本のように美術評論の対象にもなり、Improv Everywhereは、2019年よりDisney＋で《Pixar In Real Life》というピクサーのキャラが現実社会に現れたら、という設定のテレビシリーズを制作している。一方で、10年代中旬以降には、これらの手法は迷惑系YouTuberやフェイクニュースの流布として一般化し、現実世界を席巻することになった。2007年にはじまった閲覧数の多いユーザーへの「YouTubeパートナープログラム」の誘いが、2011年頃に商業コンテンツから一般ユーザーへと広がり、「YouTuber」が現在のように「職業」になった経緯を考えると、2000年を境にキャリアをはじめた両者はその全然前からのパイオニアではある。全く違うのは、「稼ぐ」という目的でアクションを遂行していなかったことだろうか。Improv Everywhereが自分たちの行動を「ミッション」と呼んでいたことにもそれは透けているが、あくまで関心は自分の財布よりも公共圏の方にあった。だから「炎上商法」と言われる所以は彼らの初期衝動には全く無い。

犯罪や不審者に厳しい態度で挑むというポリシーである「ゼロ・トレランス」は、「自由と統制の間の緊張感」をテーマにした逆説的なタイトルとして、2015年にMoMA PS1での展覧会へと昇華された。当時のPS1のディレクターである名物キュレーター、クラウス・ビーゼンバッハが超政治色の強い展示を企画するということもあって世界的な注目を集めたこの展示には、フランシス・アリスやヨーゼフ・ボイス、オノ・ヨーコなど「お決まり」的な現代アートの巨匠も含みながら、Chim↑Pom[*1]や当時プーチン大統領に反対したアクションを起こして2人が逮捕されていたロシアのコレクティブ／パンクバンドのプッシー・ライオットなどの若手……ここで言うところの「芸術実行犯」たちも集められ、「アート・アクティヴィズム」の時代を総覧した。

イエスメン

イエスメンに会ったのは2012年12月、ニューヨークのグリニッチ・ビレッジ地区のカフェだった。雪が舞い散っていた外を曇ったガラス越しに眺めながら、友だちを含めた3人でホットコーヒーをすすり、どうも記憶に残らないようなぼんやりとした会話を交わしたのを覚えている。終始笑顔だが、西洋人にしてはあまり目を合わせない。当局からマークされるだけあって、警戒心の強い紳士だな、という印象である。多分お互いにだと思うが、プロジェクトの派手さに対してパーソナリティが地味なのだ。チームのメンバーが多いことなどを聞いて「意外」などと相槌を打ったが、それもまあ考えてみれば、映画としてプロジェクトを発表している時点で、チームによる制作であることは知れている。

当時、僕はフランスのストリート・アーティストJRのニューヨークスタジオに宿泊していて、そこで多くのストリート・アーティストたちに会っていた。ニューヨークという向上心と社交性の強いアート界に生きる彼ら彼女らのフランクさとは真逆のイエスメンのコミュ障ぶりに、アート業界の交歓と活動家が備えるガチな姿勢が対比されるように感じられた。とはいえ、イエスメンも助成金などアート・マネーは活用しているらしい。アート界は「利用する」ものだという戦術が興味深かった。

彼らはいわゆる「現代アーティスト」ではない。「The Yes Men」のウィキの冒頭にある「カルチャー・ジャミング・アクティヴィスト」という肩書きが相応しい。

「カルチャー・ジャミング」とは、企業広告など現在のメディア文化を混乱させるように、既存のイメージに乗っ取り、介入したり、破壊したり、転用することで、表面的にはポジティブに見せている企業イメージの裏に、ネガティブな事実が隠匿されていることを暴く思想と実践である。イエスメンの場合、「ニューヨーク・タイムズ」や「WHO」をそのままパクったようなデザインで「本物かのように」大衆を撹乱することがその手法とされる。ビルボード広告など現実の空間に介入するストリートアートの「アクション」などもこの視点でよく語られるように、その定義は広い。だからだろうが、ジャンル的にカテゴライズするよう機能するというよりも、ジャンルを横断した方法論として語られることが多いように思う。が、例えばバンクーバーに拠点を置く財団が隔月で発行する雑誌『アドバスターズ（Adbusters）』などは、まさに「カルチャー・ジャミング」の通例としてよく引用される存在である。

タイトルからして「商業広告の破壊」を謳っているように、ほぼ全ページにわたって、ポップアート的に解釈された消費社会のイメージを転用した過激なグラフィックスが広告ページのように多用されている。その一方で本物の広告はいっさい掲載されていない。財団の発起人は「カルチャー・ジャミング」を援用することを公言するカレ・ラースンで、雑誌の他にも、「無買デー」や「No Car Day」などのムーブメントを国際的に展開するアクティヴィストである。2011年に大きなムーブメントになった「オキュパイ・ウォールストリート（ウォール街を占拠せよ）[*2]」の発起人でもある。

「スペクタクルの流れを止められるかどうかはショックという要素にかかっている」（カレ・ラースン『さよなら、消費社会—カルチャー・ジャマーの挑戦』加藤あきら訳、大月書店、2006）というように、彼らの活動は「パンク」を

＊1　1959〜。アーティスト。拠点のメキシコシティやラテンアメリカの社会を、映像やアクションなどで寓意的に示す作品で知られる。2010年、大型個展がテートモダンやMoMAを巡回。2013年、東京都現代美術館でも回顧展が開催された。

＊2　2011年に全米で起きた経済格差是正を訴える大規模抗議運動。カナダの雑誌『アドバスターズ』のブログでの呼びかけに端を発し、金融の中心地ニューヨークのウォール街周辺でデモが発生。その後各地に広がった。同年のアラブ諸国での民衆蜂起「アラブの春」同様、SNSが活用された。

直接的に進化させたものであり、その始祖でもあるマルコム・マクラーレンが方法論として引用していた「シチュアシオニスト・インターナショナル」の言説や手法を採用し、自身の活動にその文脈を明言する。意外に影響力は大きく、「REAL TIMES」特集刊行時の『アドバスターズ』の発行部数は世界で約12万部とも言われ、表紙のグラフィックなどにはバンクシーなども携わっていた。

ZEVS（ゼウス）たち

フランスのZEVS（ゼウス）はその動向を最も過激に先鋭化させたストリート・アーティストである。現在はアートピースを発表することで活動の場を現代アートのギャラリーにシフトしているが、当時の活動の場は「野外」であった。ビルボードの商品広告に顔が大きく映し出されている芸能人などが「アクション」の対象となる。その額に赤いスプレーを数秒から数十秒照射し続けて、インクのドリッピングで銃痕を描き入れることで「広告を殺す」。「ヴィジュアル・アタック」というその手法が有名だったが、その後ZEVSは広告のモデルそのものを「誘拐」することを思いつく。

「ヴィジュアル・キッドナッピング」と呼ばれるプロジェクトが立ち上がったのは2002年、ベルリンのホテルの屋上に掲げられていた、イタリアのコーヒーブランド・ラバッツァ社のビルボードである。ある夜、ZEVSはその裏側に忍び込み、カッターで8メートル大の女性モデルの全身写真を切り抜いて、丸めて持ち帰ったのだ。「VISUAL KIDNAPPING PAY NOW!!!（ヴィジュアルは誘拐した。今すぐ払え!!!）」とスプレーでメッセージを残し、「人質」となったモデルの小指部分はラバッツァ社に送付された。ZEVSは50万ユーロの身代金を要求し、「人質」はその後、ギャラリーに展示され、「解放」か「処刑」かをめぐって観客による投票の対象となった。

このプロジェクトは話題になり、その後ラバッツァ社がどう対応するかが人々の興味を集める。意外な展開となったのは、ラバッツァ社が結果的に「ジョークにジョークで返答すること」を決断し、身代金を払う方がメリットがあると踏んで50万ユーロを支払ったことである。広告費と考えればまあ、ということなのかもしれないが、兎にも角にも、それまで既定路線であったリミットやリスクの計算や企業の理念、倫理観などが無理やりZEVSによって試されて、企業自体も自らのキャパシティを広げることとなったのだ。資本主義の枠組みをまた一つずらすことに成功したこの事例は、ZEVSによる全額の美術館への寄付で集結し、社会現象となった。２００２年にベルリンの路上で幕を開け、２００５年に寄付先であるパレ・ド・トーキョーで完結した、長期にわたったプロジェクトである。

ZEVSもまた紳士的な男であり、広島や東京、福島やニューヨークで遊んだ。エッフェル塔の何かの合鍵を持っているとか、シャンゼリゼ通りの電灯を消せる場所を知っているとか、不穏な話も多かったが、普段は過激なりは身を潜め、アートや思想に見識が広く、社会への興味が尽きない。広島では被爆者が描いた被爆体験の絵に夢中になり、福島では放射性物質がアスファルトよりも土に滞留することを、「普通はアスファルトよりも土の方が自然として安全とされるのに……」と嘆いていた。

ZEVSに紹介されたEva and Franco Mattes（通称エヴァフラ）は、インターネット・アートのパイオニアとして世界的に活躍するイタリアのデュオである。「0100101110101101」という名前のハッカーとしても知られており、そのアノニマスな動向を反映するように、特に初期のプロジェクトの数々は一貫して「得体が知れない」。デビューからして衝撃的で、《ストゥルン・ピーシーズ（盗まれた断片）》と題された作品は、まだ10代であった二人が１９９５年から2年間かけて美術館を回り、デュシャンやカンディンスキー、ボイス、ラウシェンバーグなどの著名な作品から、キャンバスや陶器などの極小の破片を50個採取してきて、陳列したものである。

98年には、カトリック教会の公式サイトをマイナーチェンジしてコピーし、vaticano.orgというドメイン名を取得して、偽サイトだと気づかれるまでの約1年間ほど運営。自由恋愛やソフトドラッグを奨励し、その間本物と間違ってそこにメールしてきた人々に、教皇として全ての罪を赦すようメールを送付した。

極め付けは、《ダーコ・メイバー》と呼ばれる架空のアーティストである。ユーゴスラビア出身で過激な引きこもり、内戦に翻弄された男性という設定だ。そのプロファイリングからインスパイアされたような作品……等身大のちぎれた手や足や死体などのグロテスクな彫刻……などを発表し、瞬く間にアート界でカルト的な人気となった。しかし彫刻は実在せず、作品はネット上で見つけられた画像から構成されたものだった。評判を呼び、広く知られることになったが、99年4月にメイバーは人気の絶頂で若くして逝去。ポドゴリツァの刑務所でＮＡＴＯ軍の爆撃を受けたという設定で、流布された死体画像は衝撃的な芸術家の死を伝えるメディアによって大々的に拡散された（ちなみにその写真自体はエヴァフラのボローニャのガレージで撮られたものである）。プロジェクトは最後まで綿密で、メイバーの死後すぐから一連の遺作展が開催されることになる。第48回ヴェネチア・ビエンナーレで盛り上がりが最高潮に達したのを確認すると、展示の後にエヴァフラは全てを自分たちがでっち上げたことを暴露した。その後も、さまざまなプロジェクトを立ち上げて、２０２０年にはダークウェブ上で展覧会をキュレーション。２０１９年にニューヨークで会った際に、僕がのちに企画する「ダークアンデパンダン」の話をしたときにニヤリとしたことを覚えている。

エヴァフラとはアメリカ以外にも、東京や福島、ギリシャなどで会ったが、最初の出会いはバルセロナである。彼らが毎年主催・キュレーションしている「The Influencers」というプレゼンのイヴェントがあり、そこにChim↑Pom が招聘されたのだ。美術館で開催されており、現地では若者を中心に人気を博しているイヴェントである。形式としてはＴＥＤのようだが、２００４年からもう15年間続けられているそのラインナップはエヴァフラらしく、アドバスターズや Improv Everywhere、イエスメンなどここで紹介してきたカルチャー・ジャミングの歴々や、ＪＲや ZEVS をはじめとした往年のストリート・アーティストのスターたち、後述するヴォイナなどのアート・アクティヴィストや監視社会、人新世時代を象徴する一人であるアーティストのトレヴァー・パグレン[*3]をはじめ、物議を醸し出してきた現代アーティストたち、ネットミームの変異を扱う若手ネットアクティヴィスト・コレクティブの Cluster Duck[*4] や、ポスト・インターネット・アートの騎手であるコレクティブＤＩＳ[*5]など、ハッカーやネット・アクティヴィティなどその年のカルチャーの最前線の活動が毎年プレゼンされてアーカイブされてきた。

彼らはその運営自体をライフワークにしていて、そのメンツを総覧すると、２０００年代から２０１０年代までのエッジが一通り見られるほどに、際立ったシーンとしての性格を作り出している。近年はそのスピンオフとして「非・企業的／真に型にはまらない」教育のプログラムも設立。僕らは2013年に「The Influencers」に呼ばれた際に意気投合、彼らがテクノロジーや原子力に興味を持った作品を発表してきた経緯もあって、「Don't Follow the Wind」の立ち上げをともにすることとなる。

スーパーラット的自由への渇望

彼ら彼女らが「お騒がせ」とされながらも強固にコントロバーシャルな活動を展開してきたのは、ミレニアム前後から各地の路上やインターネットで生まれ、いまに至るまでに幾度となく変異を重ねてきたある潮流に乗ってのことであった。もちろん、全員若くはあったし、本書でも強調したように、この10年間の「アクションの氾濫」や、バンクシーなど一部のアーティストたちがセレブとして消費され、当たり障りがなくなって、多くのストリート・アーティストたちがアートマーケットとリーガル・ウォール（落書きが許された壁）を舞台にするよう変節してきたことからも、いくつかの動向は一種オワコン化した形式として俯瞰できる。YouTubeや都市開発などを筆頭に、抵抗のスタイルまでを商品化する資本主義の食欲は凄まじいが、例えばバンクシーがアンダーグラウンドだった当時「アート・テロリスト」と呼ばれたように、この一連のムーブメントがテロの時代のパロディとして生まれてきた、という背景は見逃せない。

＊3　1974〜。アーティスト。アートとジャーナリズムや科学を架橋し、軍事産業、監視社会などに切り込む作品を制作。2019年にスペースX社のロケットで地球の衛生軌道上に巨大な作品を打ち上げたことでも話題となった。「Don't Follow the Wind」に参加。

＊4　ニューメディア研究の領域で活動する学際的なコレクティブ。インターネットに基づくコンテンツ制作の背景を探求。近年はミームの可能性を模索するプロジェクト「Meme Manifesto」を展開する。

＊5　2010〜。アート・コレクティブ。2017年までウェブメディア「DIS Magazine」を運営。その後、映像プラットフォーム「dis.art」にてエンターテインメントと教育の再定義をテーマに活動する。第9回ベルリン・ビエンナーレ「プレゼント・イン・ドラッグ」をキュレーション。

監視カメラの数と比例するように急増してきたこれらの直接行動は、誰もが言うように、セキュリティと引き換えに人々が均一化されることへの抵抗であったことは勿論のこと、しかしそのシリアスな理由に留まらないような、遊び心がある。スペクタクルな環境さえもスリル満点な遊園地として、リングとして、縄張りとして、自分の遊び場に変えようという、いわばプレッシャーを餌にするような、スーパーラット的「自由への渇望」が根底にあった。

その「自由」について少し深く考えてみたい。それは勝手気ままな放蕩のように、無根拠・無制限に与えられた独りよがりなものではないはずだ。なぜ迷惑行為に及ぶのか？　まずはそれをグラフィティやストリートアートをダシにして、こう原理的に考えてみる。

ある建物や商店街、国などが、きっちりと区画整理されたように所有権が整備されていたとして、はたしてその名義や領土は絶対的なコンセプトであると言い切れるだろうか。言えるとしたら、誰に？　その場に巣食うネズミやカラス、虫や菌、ウイルス、路上飲みの若者や街を徘徊するホームレス、全ての通行人やグラフィティ・ライター、そして領土の概念が勝手に自身に作られた地球や、人新世をはるかに上回る土地自身の歴史……。その場で共存する身近なものたちにさしたる説得力を持ち得ない、この人間社会によるファンタジーであるところの「土地や建物の所有」……農耕民の定住から段違いにシステム化されたのは、近代国家が成立した18世紀末の西ヨーロッパだとか、日本では公地公民制ができた大化の改新だとか、諸説ある。が、どちらにせよ、あたかも絶対的で不変のものと思い込んでしまいがちなこの「不動産」の概念……は、国家の概念とともに議論されるほどには人工的なものである。それが一体どれほどの軋轢や諍い（いさかい）、戦争にまで発展するような争いの口実を生んできたか。

あの壁画はみんなのものだけど、つまり私のものでもあるから

映画『マルクス・エンゲルス』の冒頭は、ドイツ・ライン州で枯れ木を拾う農民が突如馬に乗った警官に「窃

盗犯」として暴力を振るわれるシーンから始まる。当時、慣習として枯れ木を拾い生計の足しにすることが認められていた中で、州議会で森林所有者の財産を守る名目で「木材窃盗取締法」が制定されたのである。マルクスはそのことを新聞で批判するわけだが、その農民へのヒューマニズム以前に、登記簿が法的に約束する世界自体に、一体何の「実質性」があるかをよくよく考えてみる必要があるだろう。森林を誰かが所有していたとして、しかしその豊かさは、森に生き、そこを通り、その資源を活用する全ての存在によって作られている。

街や公共圏の豊かさも同様に、そこに共に棲むネズミやカラス、グラフィティや広告、街路樹、雑草、全ての都市生活者や空き地、ビルの隙間の土や公園に暮らす虫や、菌、交番、不審者や法律……など、無限に挙がる「他者同士」による生態系にこそ在るものなのだ。自動車、デモ、六本木ヒルズ、ホームレス、役場、鳩、野良猫、タピオカ、ペット、商店街、なめくじ、騒音、ストリートミュージシャン、スズメ、ゴミ、地方自治、ゴキブリ、パブリックアート、データ、貼り紙、路上飲み、街頭演説、外部から流入する人や鳥や種やモノや価値観など……その無意識のネットワークによる場の「シェア」という「世界の豊かさの実質」を、市民の頭から真っ白に奪い、逆に「この場は誰かのものである」という考えを固定化させることで思考停止を作り出す仕組みが、この場合の「所有の概念」である。それをゼロから百まで突き詰めようとする資本主義において、グラフィティは当然ながらヴァンダリズム（破壊行為主義）と一蹴されるが、登記簿がファンタジーでしかないというその事実を公共のもとに明らかにし、「絶対的な所有」を邪魔することを目的としたこれらのアクションは、実のところ、テロや戦争といった世界を私物化する破壊行為とは真逆の価値観に基づいていると言えるものだ。むしろ、これは多くの他者たちを招き入れることによって世界の実質的な豊かさを示す、「所有」に対する「共有」を主張する一つのショック療法であり、他者の介入へのキャパシティを公共圏に試す、新しい調和の形を見せる示威行動なのではないか。

そういえば、岡本太郎の一件をのちに取材されたエリイによる、壁画が「パブリックアート」であることを前提とした「公」についての胸熱なコメントがある。

「あの壁画はみんなのものだけど、つまり私のものでもあるから」……。

突如現れた、「その場を自分のものとする」発想。思考停止した市民と社会の目の前にその衝撃を創出する行動は、それが世界の独占を疑うものであるならば、その先に「世界を自分のものとして考える」ことを促すだろう。誰かひとりの所有物でない限り、世界は誰にとっても賃貸物件のような借り物ではないわけで、リノベしたり、作り変えたりと、当事者には「変える自由」がそもそもにして有る。世界を変える自由。その未踏の挑戦のニュアンスは、「自由を守る」というような野党的にして保守的なスローガンとは真反対のものである。公共の解釈をオルタナティブに編集し、「新たな自由を作り出す」……資本主義や全体主義が所有するこの世界を自分たちの手に取り戻す、いわば革命的な「アクション」の自由なのである。


「芸術実行犯」は枯れ木を拾う。その違法性を裁くのは「木材窃盗取締法」。

薪を返してほしければ身代金を払え！

公共とは何か

「公」なるものは誰のものなのか。誰によって、どのように統治されるべきか。

気候変動やコロナによって「人間中心」に世界の運営を考えられなくなってきた中で、動物や植物、菌など、人間以外の存在との共生を考える「マルチスピーシーズ」や、「コモンズ」としての共有の議論が高まる現代において、世界の「運営の思想」は、これまでよりも一層大胆な方向転換が迫られている。

少し立ち止まって現在の状況を考えてみたい。

そもそも「公共」とは、そこに集う人々の性質が同一化されることを前提としたものではもちろんない。「公共」の概念に先駆けた「公的領域」という考え方を「私的領域」と対に語ったハンナ・アーレントが、その違いを「複数性」にあるとしたことは第2章ですでに述べた。古代ギリシャの社会に照らし合わせ、家族とのプライベートである「私的領域」から外に出かけた家主などが、違う価値観を持った他者と出会い、意見を交わし、対立し、協働する。

異なるものが「共存」する「公的領域」に対し、「公共」は、さらに人々の「共有」が前提として考えられている。ロックやルソーによれば、近代市民社会は、私権の一部制限を受け入れながらも、自分の財産を持ち寄ることで「公共」財産を作り上げたのだという。一人一人が身を削るという責任のもとに蓄積された財産が「公共」なのだとして、内田樹が言うように、しかし現在の日本人にとっての「公共」は、野や海や山と同じように、昔からそこにある「自然物」のごとき印象で存在しているような代物となっている。それが「コモンズ」的に共有されるならまだしも、この個人の責任に無自覚でいられる「公共」は、その延長にいつの間にか国や自治体という「お上」による「公的サービス」のことを指す概念のように取り変わって認識されてきた。個人は、そこでは自身をサービスの利用者くらいの軽い立場へと位置させて、本来は運営のひとりであるところの当事者意識による責任を、「周りに邪魔にならないようにする」くらいの部外者意識の責任感へと切り変えて、切り離す。

現在、個人の公共観がひと昔前の時代のままに固定している一方で、しかし公的サービスの実態は、公園の運営も街づくりも、行政から民間へと大きく移り変わっている。企業という私的な利益を目的とした活動母体が「公共」を作るわけで、これまでのように公的サービスのモチベーションが「市民への奉仕」であるという言い分は、もう建前以上に成立は難しいものとなった。「全てを受け入れる」という理想よりも現実が優先されるなかで、テレビの民間放送が「公共の電波」というときのように、そこでは揉め事や過激さはなるべく避けられて、その種子は早めに摘まれる傾向にある。公のレギュレーションは、企業のコンプライアンスの範囲内で発生するように変化した。

『公の時代』ではそのことを、「公のポリシー」がある社会的な価値観を共有する一部の人たちのもとで民営化した「公の個化」と呼んで、大規模都市開発や多くの芸術祭や美術館などのスローガンとなっている「開かれた公共」が、実態的には、全ての人からコンプラの範囲へと人を絞ったような、むしろ「閉ざされた公」になっているということを指摘した。

それを可視化するように、「開かれた場」であるはずの美術館や芸術祭では、運営団体のリスクマネージメントが作品よりも優先されることが既定路線となり、水面下では「一般の観客のために」と検閲が横行し、結局は気づかれないよう規制された作品が発表されている。「開かれた」ことを強調するほどに、作品は肝心な部分が黒塗りとなって「閉ざされる」のだ。つまり、「オープンな場」では観客は、「クローズド」となった作品を観せられている。そんな倒錯した矛盾が定着しているわけだが、しかしそれは多くの鑑賞者にとっても、「配慮」をしてもらったくらいに、気にしないどころか幸せなことだと思う。

両者の利害が一致するから問題化しない。日本で言えば、「空気を読む」ようにその風潮を歓迎するマジョリティがその統治を支持することから、多くの美術館は大手を振って自らを議論の場にするようなリスクはテイクしない。「一般への配慮」、という一般人へのエクスキューズがまかり通る軟着陸においては、アーレントが言うところの「意見の対立」は、もう「個化した公」ではありえないのである。議論や揉め事の種子が最初から無かったかのように作品が漂白されて陳列されるわけだから、むしろ、何事も起きない。その安心安全な「空気」が絶対的となるなかで、言うなれば「マジョリティ以外には閉ざす公」が、しかし大人数を動員する居心地の良い空間を、マジョリティにサービスするのである。他者との対立から「複数性」をもたらすところの「公」性と引き換えに、「みんな」がオフの時間を素敵に過ごせるような、例えば公園は、『公の時代』風に言えば、「『公』園ではなく、『マジョリティ』園へとデザインされてきている」。

この時点で、アーレントが強調した「複数性」は、現在の「個化した公」ではいかようにも後退するように設計されている。

「複数性」が条件となる、というのはもはやヨーロッパ的な「公共観」だとシカトできるくらいが「日本」っぽいのかもしれない。何しろアーレントが言うところの「複数性」のニュアンスは、現在エクスキューズのように謳われる「多様性」のオシャレ感とはまるで違う。彼女が戦中を経験したユダヤ人であり、ヨーロッパを席巻したホロコーストという「悪」がなぜ近代社会に成立してしまったのかを考え続けてきたことからも明らかなように、そこには、ある考え方や属性、人種を、「自分とは違う」からと否定すること自体が、それが誰かにとって善意であれ、効率的な考えであれ、歴史的には対象を「消滅」させることに繋がった、という事実と恐怖と分析が横たわっているのである。自分の正義をそれぞれの人間が持っているとして、それが絶対に正しいのかどうか。「ものの見方」は「公的領域」で他者とぶつかる「複数性」のなかでこそ、変化していける可能性を実現する行為を彼女は「活動(アクション)」と呼んで、「政治」と定義した。このことは繰り返し確認しておきたい。

シチュアシオニスト・インターナショナル

数多(あまた)あった公共空間でのアート活動のなかでも、「シチュアシオニスト・インターナショナル」(SI)の思想と実践は、西洋的「アート・アクティヴィズム」の始祖のひとつとして最も語られる文脈である。50~70年代に巨大なスペクタクル(見せ物)となった消費社会において、人々がただの観客になることに警鐘を鳴らしたフランス発祥のコレクティブであり、ヨーロッパにそのネットワークを広げた運動体である。理論的支柱であるギー・ドゥボール[*6]の著作『スペクタクルの社会』(木下誠訳、ちくま学芸文庫、2003)は、いまもアート界に大きな影響を与え続けている。

街中に派手に見せつけてくる広告や、いまで言えば大型都市開発、ポピュリズム政治やマスコミなどにも言えるが、それらがショーに仕立て上げられていく中で、人々は視聴者であり、消費者であり、観客ならまだしも、そのうちにエキストラのような立場になって、すべての個人の生が資本のシステムに動員される。そんな「スペクタクルの社会」にさまざまな戦術で創造的な介入をしたのがSIである。

いかに「生」を解放するかを命題としたSIがまず考えたのは、生を取り巻く環境である都市の解放であった。

*6　1931~1994。フランスの思想家、映画作家。57年に「シチュアシオニスト・インターナショナル」を結成。67年に刊行した『スペクタクルの社会』は、翌年の五月革命を予見したと評価される。

「統一的都市計画」と呼ばれるそれは、ル・コルビュジエ以降の機能主義的な建築や、古い市街を破壊する無軌道に増殖する大都市の計画のない都市開発などを批判。都市への提案として、「終電以降のメトロを誰もが使えるよう開放」「教会を廃止してお化け屋敷に転用」「美術館を廃止して美術品を街頭や酒場に開放」「監獄への自由な出入り」「聖人や政治家の名前の道路の廃止」「墓地の廃止」「記念碑的な建造物の破壊」……などを挙げた。提案するだけはタダとばかりに無茶苦茶であるが、言っているだけでは何も変わらない。ガチガチに設定が定められた街に何か新しい「状況」を構築できないか、とさまざまな手法を作り出したのである。

・「漂流」……街の動線や動き方、ルートなど、機能的な目的にとらわれない都市の散策。常識的とされる行動や思考をいったんストップして漂ってみることで、普段慣れてしまっている状況から自らを引き離し、凡庸でない経験から都市がいかに多層かに気付く。

・「転用」……既存の言葉やイメージを他の目的のために転用。そのイメージに介入することでもともとの存在理由をずらす。メンバーであるアスガー・ヨルン[*7]による蚤の市で買った絵画への落書きや、『スペクタクルの社会』の冒頭での『資本論』の転用。漫画の吹き出しのセリフを革命理論などに書き換え。中身がさまざまな転用からなるドゥボールの回想録の表紙は紙やすりで作られ、本屋に流通するたびに周りの本を傷つける。本の一節などを転用した落書きも多い。自動車会社ルノーの工場には、ある作家の言葉である「君たちはパトロンのために眠っている」。街の壁には「決して労働するな」。

それらの方法を社会の中で実践することにこだわっていたSIにとって、アートはその当時の業界が考えるものとは全く違うものであった。芸術「作品」であるとか芸術「家」であることを全否定し、アートは「遊び」ではなく「行動だ」と考え、主張するのである。といっても、アート自体の全否定というわけではもちろんなくて、文化は政治と一個に統合されなければいけないという立場だった。その上で、SIは「作品」や「芸術家」といった概念にこだわるアーティストたちを、次から次へと除名していく。集団自体がエゴイズムに陥らないようその純粋性だけを突き通し、政治活動のためのアートを主張したのである。

だからＳＩの現場は美術館ではない。いくつもの政治行動に参加し、そこで方法を実践することこそが彼らのアート活動であった。それがスパークしたのは１９６８年、５月革命においてである。突然、パリのあらゆる工場や職場で占拠やストライキが起きた。総人口５０００万人のうち１０００万人が参加したと言われる、史上初めて自然発生的にゼネストが広がった革命である。この期間、街にさまざまな落書きや、広告やポルノ、漫画などを転用したビラやチラシが溢れ出した。最初からその運動の中心に居続けていたＳＩであるが、しかし別段、リーダーのような動き方をするわけではない。その状況、状況の中で、自らの理論を実践することだけに徹していたのである。他の団体のように旗を掲げたりもしないし、ビラやパンフレットでもＳＩの宣伝はしない。グラフィティにも署名はしない。注目は浴びながらも、マスコミとの接触も一切拒否していた。アノニマスに活動を展開したことをＳＩは、『スペクタクル社会』との闘争自体がスペクタクル化されること」を回避したのだと語っている。

ＳＩの多大なる影響

70年代まで活動が続いたＳＩの影響は、その後、アート界やアクティヴィズムにはもちろんのこと、サブカルチャーなどにも大きく派生することとなる。ZEVSやバンクシーなどのストリートアートや、カルチャー・ジャミングへと繋がるその文脈を中間において作り出したのが、セックス・ピストルズのプロデューサーであるマルコム・マクラーレンである。ＳＩが実践したスキャンダラスな状況構築を、自身のプロデュース業のやり口にしたのだ。

＊7　１９１４〜１９７３。デンマークのアーティスト。「コブラ」「シチュアシオニスト・インターナショナル」など20世紀半ばの前衛グループで中心的に活動。反体制的なその思想は、マルコム・マクラーレンをはじめのちのパンク文化に影響を与えたとされる。

若きマルコムはSIのイギリス支部と、1960年代後半から70年代初頭にかけてロンドンを撹乱した過激派グループ、キング・モブ[*8]の活動や雑誌編集にかかわっていたと言われている。クリスマスのデパートでサンタクロースに扮したメンバーが、そこにある店のおもちゃを勝手に子どもに配布したりと、キング・モブの活動はまさに「芸術実行犯」そのものであった。地下鉄の通勤ルートの壁に沿って書かれたスローガン「毎日同じことの繰り返し。地下鉄、仕事、夕食、仕事、地下鉄、肘掛椅子、テレビ、睡眠、地下鉄、仕事。これ以上どこまで耐えられるか？ 10人に1人が発狂し、5人に1人が泣き崩れる」などの落書きも知られている。

マルコムはその後、まだ無名だったヴィヴィアン・ウエストウッドとともにブティック「セックス」を開店。そこに出入りしていた若者を集め、バンドを組ませ、セックス・ピストルズと名付け、マネージメントを開始した。破れたシャツに安全ピンという服装、ジェイミー・リード[*9]による新聞や雑誌の文字をコラージュした犯行声明のようなタイポグラフィーやデザイン、少ないコードで演奏出来て、叫べばなんとかなるという音楽……マスなプロデュースを嫌い、全て身の回りのものからコラージュしたようなそのD.I.Y.なスタイルは、まさに「スペクタクル」への抵抗であり、一般社会への撹乱であった。

公共圏へのアクションとしては、テムズ川で行ったイギリス国歌と同名の「God Save the Queen」のプロモーションがよく知られている。エリザベス女王在位25周年の祝典にあわせて川を走らせたボートでゲリラライブを敢行したのである。議事堂であるウェストミンスター宮殿に面するあたりで始まった大音量のライブは、関係者11名の逮捕と引き換えに、曲に全英シングルチャート2位をもたらすことになった。

少年の頃にパンクからノイズに毒されて、ついでネオダダやハイレッド・センターなどのゲリラアクションの伝説に毒された僕は、両者の関係に無知なままにChim↑Pomになった。それが都市の歴史と美術史のなかに潜んでいたことを知って因果なものを感じたが、「面白い」とも思った。マルコムも赤瀬川もなにか自分のやったことをまるで降って湧いてきたような偶然的な産物として見せようとする癖があるが、そこにはなにか「天才」か「イカサマ」かのようにルーツを誤魔化す近代的な天才願望が見て取れる。でも実態は、マルコムもこんな生真面目な運動に影響を受けていたか、そりゃそうだ、というくらいにみんな人の子なのである。

他ジャンルからの影響を邪道だからと誤魔化して、それぞれがあまりに単独の点として成立するような幻想に囚われると、例えば音楽とアートは別物である、と視野が狭まって次の一手も矮小化する。僕の場合、音楽を挫折したような気持ちをどこかで持っていたが、表現で考えると一度も挫折はしていないような気もしていて、その分裂した感情をこうして歴史に俯瞰して改めて観察してみたときに、ああ、結局なるようになってんじゃん、という必然性を知って開き直ったのである。

結局、音楽だ絵画だパフォーマンスだ、と形態自体にはあまり興味がなかったのだと再度確認したわけだけど、そうなると困ったことに、バンドの演奏者であるシドやジョニーが世界に怒る姿という「見るべきもの」の向こう側に、じわじわといやらしく笑うマルコムのしたり顔が視界に入ってくるようになってしまう。演奏や曲やバンドのカリスマティックなキャラクターに注目することは、作品や作家性を評価することと同義である。それはもちろん大前提なのであるが、マルコムはその背景として時代のカルチャー全体を作るように設計をし、運営をした、言うなれば「活動家」だったのである。

アートとは作品なのか、作家なのか、はたまた方法なのか……SIが投げかけたボールはさまざまな時代でキャッチされて、その度に変異を繰り返してリレーされながら、いまも誰かに向かって宙を漂流し続けている。

アーティヴィズムとは何か

公共圏を撹乱しようとした文化的「アクション」……直接行動の事例は、日本の「戦後前衛」の歴史の中にも数えきれないほどに多い。

＊8　1968年、シチュアシオニスト・インターナショナルのイギリス支部と極左グループにより結成されたコレクティブ。モッズやロッカーズなど同時代の無産階級文化を擁護。社会の価値観や倫理観を撹乱する過激なアクションや、機関誌『キング・モブ・エコー』を発行するなどした。

＊9　1947～。イギリス出身のグラフィックデザイナー。『勝手にしやがれ!!』などセックス・ピストルズの代表的な作品のアートワークを制作。切り抜いた文字や写真によるコラージュは、パンク文化を象徴するヴィジュアルとなる。ZINEなどを通じた政治活動も行った。

1993年には美術家の中村政人らが、会田誠や村上隆ら34名の当時の若手作家たちとともに、貸し画廊が軒を連ねる銀座の路上でのゲリラ的な展覧会「ザ・ギンブラート」を自主開催。翌年には参加作家を84名にまで増やして新宿に場を移した「新宿少年アート」を開催。主催者の中村はそのコンセプトを、「流れ続けなければならない路上の法において少年のように寄り道をし立ち止まること。無菌を保とうとする美術館に注入するため活きのいい都市のウィルスを採取すること」と言い表している。*10

同じ頃、渋谷では映画監督の園子温が、アノニマスな集団を率いて神出鬼没に街頭をハック。「ガガガ……」と拡声器で叫びながら横断幕で走り抜けたゲリラパフォーマンス「東京ガガガ」（92〜93）や、ハチ公の複製を作って側に置くアクションなどを繰り広げていた。

遡ると、1975年と79年には、前衛美術家の秋山祐徳太子が東京都知事選挙に立候補し、選挙運動自体をパフォーマンス化。70年代には寺山修司率いる「天井桟敷」*11が路上に「自由の敵に自由を許すな」と描き、市街劇などを決行。大阪万博が開催された70年には、万博会場で前衛アーティストのダダカン（糸井貫二）*12が全裸で走り御用となり、太陽の塔の目玉は「赤軍」ヘルメットの佐藤英夫に占拠された。64年にはハイレッド・センターが東京オリンピックの喧騒の中、路上を清掃するゲリラアクションを敢行。60年代にはネオダダが銀座の路上を、ゼロ次元が新宿の路上を占拠、50年代には「九州派」*13も路上に出現……と、枚挙にいとまがない。

常に更新され続けてきたこの年表がパタリと止むのは、やはりというか95年。ワタリウム美術館が野外で開催した「水の波紋」展など芸術祭は別として、ゲリラアクションがなりを潜めた契機は地下鉄サリン事件*14であった。この事件を当の前衛芸術と絡めてさまざまに語る椹木の観点を見てみると、まずは当然、街のセキュリティが強化された、というのは致命的だった。「東京ガガガ」や「新宿少年アート」が路上を徘徊した90年代前半を、テロという言葉自体が聞き慣れなかったオウム以前であったとして、椹木は「再説・『爆心地』の芸術(23)　園子温と『ひそひそ星』(1)」のなかで次のように語る。

今のような監視社会にはほど遠く、路上を発表の場所に据えるアーティストは今よりかなり多かった。実際、少しくらい不審な行動をとっても、煙たがられこそすれども、警察に通報されるなど余程のことがなければなかった。美術館の展示もまだまだ絵画や彫刻が中心で、それ以外に発表の場所などろくになかった。そんな時代に、既成の枠をはみ出そうとする美術家たちによって、多くの画期的な試みがなされたのが路上でのことだったのも、実はそうした恵まれた背景があった。

——椹木野衣「再説・『爆心地』の芸術（23）」ART iT、２０１６年４月22日

「恵まれた背景」というのは、『公の時代』でいうところの、公がエクストリームな個を受け入れていた戦後民主主義という「個の時代」だと仮定できる。日本の戦後美術は、特に欧米からみたときの「前衛」として語られるラディカルなものが目立ち、その多くが路上を芸術の場としていたことは事例を羅列した通りである。この前衛が挫折した契機として１９９５年はよく語られるが、そもそも椹木は、『日本・現代・美術』（新潮社、１９９８）においてセキュリティ云々以前に日本の前衛が、西欧で「近代」の極限として、それを乗り越えるために生まれてきたような真の前衛とは違い、「近代」という形式や体系の恣意性自体が半端なままに認知される日本の「特殊な前衛」であるとして、その薄っぺらい過激性において、特に90年代のそれはオウムと親和性があったと主張している。そうであるならば、オウムという宗教の前衛が公共に認められなくなったのと同時期に、日本の前衛

＊10 https://artscape.jp/artword/index.php/%E3%80%8C%E6%96%B0%E5%AE%BF%E5%B0%91%E5%B9%B4%E3%82%A2%E3%83%BC%E3%83%88%E3%80%8D（２０２２年５月31日閲覧）。

＊11 １９３５～１９８３。劇作家・歌人。67年に劇団（演劇実験室）「天井桟敷」を旗揚げ。観客が地図を頼りに街中で鑑賞する市街劇「ノック」など、前衛的な演出方法で知られる。

＊12 １９２０～２０２１。前衛芸術家。戦時中は炭鉱労働などに従事。戦後、「読売アンデパンダン展」を機に芸術の道へ入る。60年代より東京オリンピックや大阪万博に反応した数々の伝説的なハプニング（パフォーマンス）を展開。晩年は仙台を拠点に活動した。

＊13 １９５７年、桜井孝身、オチオサム、菊畑茂久馬らを中心に結成された前衛美術グループ。日用品を用いた制作を行い、福岡を拠点に反東京、反公募展の姿勢を強く打ち出した活動を展開。58年より「九州アンデパンダン展」を運営。60年代末に活動を終えた。

＊14 １９９５年３月20日、宗教団体「オウム真理教」が、首都の混乱を目的に日比谷線、千代田線、丸ノ内線など東京の５本の地下鉄に猛毒ガス「サリン」を一斉散布したテロ事件。13名の死者、６０００名以上の負傷者を出し、社会に大きな衝撃を与えた。

が路上から消えたことには、監視社会という事情以前に、もとより存在論的な意味があったと言える。考えてみると、乗り越えるべき対象として、「近代」はおろか「現代」さえもその形式や体系の恣意性に無自覚なままにアーティストになったChim↑Pomが「前衛」と言われたりするわけだから、その幼稚なはちゃめちゃぶりが歴史を考えすぎた人々にとって「面白いねじれ」として存在してしまうことには大いに心当たりがある。だからその「不名誉な前衛」という称号をいったん自分や日本の戦後の「ラディカリズム」に受け入れてみて、となれば構造的に遠い親戚なんだと言われる紫の袈裟を着た、髪と髭の長い太った犯罪者のオジさんたちの例の一件が、「前衛」の存在価値を変えたんだよ、と言われると、認めたくはないが納得はいく。ゲリラアクションの年表があったとして、そこに空白が生まれることこそが、そこで一度前衛がオワコン化し、挫折した証左だろう。

だが、前衛という立役者を失うことは、路上というアートの舞台それ自体が失われることまでは意味しなかった。しばらく空いていたその舞台が活性化するのはそれからたった数年後のことである。国内のテロの台頭によって公共圏から消えたアーティストを再びその場に呼び覚ましたのは、皮肉なことに9・11のテロであった。

ミレニアムの路上のプレイヤーの交代劇は、役者一人の交代というよりも劇団自体が変わったような様変わりだった。前衛の代わりに台頭し始めたのが、監視自体を栄養としていた「アーティヴィズム」である。と言っても、「前衛」自体が綺麗さっぱり無くなったわけではもちろんない。むしろ、それまでのアーティストにとってアイデンティティだった「前衛」は、公共圏を効果的に掻き回してきた数々の輝かしいキャリアにおいて、ここにきてアクティヴィズムとしてのいち「方法論」……不審行動の戦術として採用されるようになったのである。その対比を示したヴィジュアルページ「THEN & NOW」が、「REAL TIMES」特集に付録のように挟まっている。

街でハイレッド・センターがバンクシーの落書きを清掃している合成画像には【正当を装う不当】と題されて、「清掃局員を思わせる装いを身につけ、ゾーキン掛けなど必要以上の掃除をするハイレッド・センター。『落書き防止』サインを皮切りに『国土交通省認定・グラフィティエリア』とまっさらな壁に描き、落書きを促すバンクシー。どちらも無許可」と解説がつく。【メディア利用の反戦活動】と付されて比較されたのは、ジョンとヨーコがビルボードに掲示した「WAR IS OVER」と、イエスメンが配布したフェイクの「ニューヨーク・タイムズ」である。

一見似たような新旧二組の活動だが、アーティヴィズムが掲げていた「目的」や理由、そしてポップさは、前衛の「無意味」や「無目的」、複雑さとは明らかに違った表情を持って路上やネットを騒がせたのである。それはデモ自体にも言える。シュプレヒコールと意識の高さによってハードコアな装いを良しとしていた旧来のデモにかわり、サウンド・カーやラップ、楽器やコール＆レスポンスで奏でるサウンドデモは、アーティヴィズムの流れで出現したものである。日本のアート界隈と路上でそれが最初に見られたのは、椹木やイルコモンズ[*15]などの呼びかけで集まった（「青空同棲」より前の僕も林と連れ立って駆けつけた）イラク戦争への反対デモ「殺す・な」（2003）である。やはり前衛の星・岡本太郎が67年に書いた「殺すな」のカリグラフィーを転用。これもべ平連がベトナム戦争時にワシントン・ポストに意見広告を出した際のメインヴィジュアルであり、一種の「メディア利用の反戦活動」だった。

「たのしいアクティヴィズム」の誕生

「REAL TIMES」特集に掲載されている「アーティヴィズム・ナウ！」（イルコモンズ＋成田圭祐＝文）によれば、「アーティヴィズム」という言葉は「アート」と「アクティヴィズム」の合成語である。一般的には、反戦・反原発運動から反資本主義、エコロジー運動、コミュニティ活動まで、社会・政治運動にアート的な手法や表現を

＊15　1966〜。別名・小田マサノリ。文化人類学者、現代美術家。表現、執筆、研究、教育など幅広い領域で、アートとアクティヴィズムの境界を問う活動を展開。

積極的に活用した活動一般を指すが、表現形態はデモからパーティー、ストリートアートやプランクと幅が広い。が、これをアートに回収しようとすると、要らぬ搾取や美学化が生じてしまう。アートに見えようが見えまいが、これはリーマンショックに至る新自由主義の暴走が始まったあたりから現れてきた、アクティヴィズム、それ自体の変化なのである。つまり、公共圏のプレイヤーは、ここにきて前衛という無垢なダダイストから、アートを活用するアクティヴィストにシフトしたのである。

それまでの政治・社会運動において、アートはせいぜい「アクセサリー」扱いであった。そこからのこの大胆な変化……「たのしいアクティヴィズム」の誕生を、イルコモンズは、権力の奪取ではなく、いま現在のこの場所が資本主義より先の未来であるような空間やシステムをつくり、その自由を楽しみ、さらにそれを人に見せるという、アメリカの人類学者デヴィッド・グレーバー[*16]がいうところの「予示的政治」(あるいは、高円寺でリサイクルショップ「素人の乱」を経営する松本哉の言葉を借りれば「革命後の世界を先につくる」こと)が契機となったとし、それがアクティヴィズムの主要な課題になったことと絡め、アーティヴィズムをこう説明する。

従来の社会・政治運動は革命をゴールとし、革命の後に素晴らしい世界が到来するので、それまでひたすら努力するというプログラムで動いてきたが、それが大きく変わった。いつ起きるかわからない革命を待つのではなく、自分たちが望む世界をいま・ここ(例えば路上や公園)で先につくりだし、それを経験し、共有し、グローバルに広めるというプログラムに変わった。そこでは想像力と創造性を武器に、共に何かをつくりだし、それをたのしむこと(たのしくなければ持続しない)に重心が置かれ、なおかつ、それを目に見えるかたち(動画など)で提示し、誰もが参加できるオープンなもの(例えばフラッシュモブ)にすることが重要となった。そこから、永続的なものより一瞬のもの、固定されたものより移動するもの、個人の作品より集団での協働という美学と価値観が生まれ、アクティヴィズムは、悲劇から喜劇へ、そして寸劇へとスタイルを変えた。

——イルコモンズ+成田圭祐「アーティヴィズム・ナウ!」『美術手帖』2012年3月号

激化する新自由主義の中で何が出来るかという問題に対し、資本主義という生活全てを乗っとるシステムへの対抗措置として、資本主義に左右されない勝手な「自律空間」をまずつくる、そしてそこで生活まで行うことで別の道を世界に示すという、「予示的政治」が影響を持ったのである。

イルコモンズの論考は2012年のもので、このキーワード自体はもうあまり聞かなくなった印象が強い。が、このコミュニティ論は、資本主義の論理とは別の価値観で新たな世界を創出し、そのポスト資本主義の世界を先取りして運営するという「活動（アクション）」それ自体として、「予示的」であるかどうかという自覚などが当事者になくとも、2021年現在においてこそ目立ってきているような動向だと思う。

アートでいえば、コレクティブの流行や、アーティスト・ラン・スペースやオルタナティブ・スペース、アート・コミュニティなどの「自律空間」の勃興など、協働のムーブメントは明らかに昨今の重要な動きとして捉えられている。2020〜21年のコロナ禍においては、人と会えず、コミュニティやコレクティブなどはあり得ないような状況下にもかかわらず、若手のアーティストやキュレーターが運営する小さなスペースがポツポツと立ち上がり、目立った。自分の観測範囲では東京のスペースだけで言っても、根津のThe 5th Floor、西荻窪のTOMO都市美術館、歌舞伎町のデカメロン、新大久保のWHITEHOUSE、代々木のギャラリーTOH……と数え出すとキリがない。美術館やギャラリーが閉館した中で、一見すると自粛ムードで停滞したような美術の動向を、これらは地下水脈的な流れで進め、この先のアートを占う議論自体をリードして、困難な時代を生きることになった若手の発表の場として、そして生活やコミュニティの場として、最も機能したアートシーンになったのである。

資本主義の暴走に抵抗し、従来のアクティヴィズムを更新するように「たのしいアクティヴィズム」として生まれた「予示的政治」は、「REAL TIMES」特集の頃にはその場を公共圏に移し、例えば路上をパーティーの場

＊16　1961〜2020。ニューヨーク出身の文化人類学者、アクティヴィスト。2011年のオキュパイ・ウォールストリートで指導的な役割を果たした。著書に『アナーキスト人類学のための断章』『ブルシット・ジョブ　クソどうでもいい仕事の理論』など。

に変える「リクレイム・ザ・ストリーツ（路上を取り返せ）」の各地での開催や、「オキュパイ・ウォール・ストリート」における公園の占拠など、その楽しさをネットや路上で不特定多数に報じて伝染を図る、という「アーティヴィズム」としての戦略を取った。先述した「シリアスな理由に留まらないような、遊び心」の所以はこのあたりにある。が、現在、街のセキュリティはその頃よりも高まり、ネットは個人情報がGAFAに集約するという「監視資本主義」の主戦場と言われるまでに整備されている。その状況下において、街への直接行動としての「アクション」は、YouTuberやBLM、Qアノンなど、視聴者数や抗議など、その「目的」が明確なものの方が目立つようになっている。「95年」から「ミレニアム」のパラダイムシフトの説明に被せると、「路上のプレイヤーが、前衛という無垢なダダイストからアートを活用するアクティヴィスト（アーティヴィズム）などにシフトし、いまはそこから無垢なアクティヴィストや稼げるプランクスターらにシフトした」というところだろうか。「たのしい」などと言っていられないほどにシリアスの一途をたどる世界情勢において、ガチなアクティヴィズムが実質的な変化を世界に交渉しようという中で、アーティヴィズムはその魂だったユーモアという余裕を失った、というのが実状である。が、そもそもアーティヴィズムが「予示的政治」に立脚したものだったことを考えれば、アーティヴィズムをキープすることよりも、それがいまどこに変異していったかを探ることの方にこそ僕の興味はある。

アクションという言葉に、本章では「行為」以外に「行動」と「活動」という二つの意味の幅を持たせていた。この二つを使うなら、その変異は以下のように説明できる。

「行動」の舞台であった公共圏から距離をとり、そこで新たな公共の形を探して試す。世界中のコレクティブやコミュニティ、オルタナティブ・スペースによる「コモンズ」……その「活動」は、この「予示的政治」を分母に変異してきたスーパーラット的地下への潜伏であるとともに、公共圏の豊かさを広げるさまざまな事例の創出だと見て取れる。それは多種多様な「政治」を資本主義のセオリーとは違うものとして誕生させて、それがひとつのシーンとして浮かび上がってきたときには、新たな行動を公共に向けて輩出する。「活動が行動」を生む。かつてインディーレーベルがさまざまにシーンを作り、そこから種々雑多なミュージシャンらが台頭し、ついでメインストリームを変化させていったような状況に接近しているが、ルアンルパによるドクメンタなどをみてみると、それよりも、もはや母体となる活動自体がそのラディカルさを証明するような時代に入っている。その本質はコンテンツよりも「運営」自体にあると言える。

一方、アクティヴィズムは純粋に世界を変化させる交渉力を持つべきである。アートが政治的態度を曖昧にしていることにまで付き合う必要はもうない。「アーティヴィズム」が叫ばれた当時は、あくまでも表現が社会変革よりも優先されていた。それよりも実質的な変化を優先するならば、現在のアート界がカテゴライズする語「アート・アクティヴィズム」の方が一周回って健全ではないか。真に目の前の社会自体の変化をアートの技術や業界構造によって作り出していく。２０１８年のターナー賞にノミネートされた、各ジャンルのエキスパートらによる実際の事件の捜査組織でもあるアート・コレクティブ、フォレンジック・アーキテクチャーなど、その先端には画期的な試みが生まれている。

現在の芸術実行犯

「芸術実行犯」の現在性も引き続き触れておきたい。

「恵まれた背景」はとっくの昔に終わり、ゼロ・トレランスも日常化し、ネットは「監視資本主義」とＳＮＳで監視されるようにシフトした現在。時代設定で言えばいまは、ＧＨＱのプレスコードを掻い潜った丸木位里・俊が《原爆の図》をゲリラ展で展開した頃や、政治弾圧が当たり前だった大正期に暗躍した元祖ダダイストたちの頃……いわゆる権力と市民とが一体になって表現が規制されるガチの「公の時代」に近いのかもしれない。プレッシャーを栄養に「スペクタクル」を遊び場にすることに長けているとはいえ、現在の「芸術実行犯」にはより巧妙な戦略が必要となっている。

アクションを一瞬で終わらせて、何事もなかったかのように証拠を残さない「ＭＥＳ」（谷川果菜絵＋新井健）は、現在の日本でその最も顕著な例として街を暗躍するアート・デュオである。クラブカルチャー出の二人はポータブルなレーザーを操り、建物の表面全体に光の筋でメッセージを描く。その素早さは特筆に値するほどで、記録撮影のためのカメラをセットした次の瞬間には、絵柄が夜のビルの全面に輝き照射され、幻のように消える。レーザー自体は「グラフィティ・リサーチ・ラボ」[*17]などストリートアートの先達がいるが、MESが一線を越えて際立ったのは、その用意周到さでやってのけたプロジェクト「DISTANCE OF RESISTANCE／抵抗の距離」においてである。タイミングは2020年の戦後初の緊急事態宣言下、某日の夜、サイトは国会議事堂。まさにクレア・ビショップやタニア・ブルゲラがいうところ[*18]の「ポリティカル・タイミング・スペシフィック・アート（政治的タイミングに特化したアート）」の好例だ。国会議事堂の正面の外壁に照射されたのは、左手首から上の大きく中指を突き立てた「ファック」であった。

発表の仕方も入念だった。僕が主催者の一人となった、観客を90人ほどに絞った無審査・自由出品・公開／非公開選択型のアンデパンダン展「ダークアンデパンダン」に投稿されたのが初お目見えである。翌年には代々木のオルタナティブ・スペース、ギャラリーTOHで個展を開催。告知にその画像は使われずに、会場撮影も禁止、証拠の流出はコントロールされた。

「ダークアンデパンダン」に出品される際に公開された長い制作ノート（これもパスワードが設定されて一般には見えない）は、アクションをこのように振り返っている。文中の朗報とはもちろん、ダークアンデパンダン開催の報せと、行動するタイミングについてである。

近ごろますます政治が混迷を極め、相互監視が強まり冗談の通じない低レベルな争いが露呈した社会において、「中指を立てたい」気持ちが募りつつも、諸条件を決めあぐねていた折の朗報であった。

この時、私たちは3月2日以降の4ヵ月先まで予定されていたパーティーやコミッションワークが全てキャンセル、かつてない暇が与えられ、計画を念頭に散歩をしていた。また、緊急事態宣言が発動されたことで夜のはじめには街から電気と人の姿が消え、行動に移す適切なタイミングがやってきた。国会議事堂を独り占めできる。「今がチャンス」、そう思った。

——「MES」による制作ノートより

監視の目を掻い潜るようにアクションを起こしたＭＥＳに対し、スタートアップとして資本主義に丸ごと則り（カルチャー）ジャミングする集団もいる。アクション自体を経営するといったような運営を行う、企業の姿をしたアート・コレクティブ、MSCHF（ミスチーフ）である。

ブルックリンを拠点にするMSCHFは、その名も「いたずら」を名乗る10人ほどの会社である。さまざまな面白商品を展開してきたが、製品は「ドロップ方式」と呼ばれる方法によってローンチされる。２週間に１回のペースで新しいプロダクトを発売しているが、ホームページにも過去の製品や今後発売予定のお知らせなどは掲載されない。独自のアプリで知れるとのことだが、それらは限定品であり、在庫切れになると買えなくなるという方式である。「閉ざされた」運営にして、しかしそれらはバズることで広く一般に知られるようになっている。

アート作品の転売をイジることでも知られていて、例えば《Severed Spots》（２０２０）は、３万ドルのダミアン・ハーストの《スポット・ペインティング》のエディションプリントをMSCHFが購入し、そこに規則的に描かれていたドット（スポット）一つ一つを切り取って、それぞれ４８０ドルでバラ売りしたものである。さらに余った部分を使った2作目の作品《88 Holes》も26万１４００ドルで落札されたというから無駄がない。２０２１年10月には、２万ドルで購入したアンディ・ウォーホルのドローイング《Fairies》の原画と、MSCHF制作による９９９点の高品質な贋作を１点２５０ドルで販売。《本物かもしれないアンディ・ウォーホル《Fairies》の複製》（《Possibly Real Copy of 'Fairies' by Andy Warhol》）と題され、１０００点販売されるうちの１枚がオリジナルというものである。

＊17 エヴァン・ロスとジェームズ・パウダリーにより２００６年に結成されたアメリカのアートユニット。レーザーポインターで建物に光のグラフィティを描く。「ヨコハマ国際映像祭２００９」に参加。

＊18 １９６８〜。キューバ・ハバナ出身のアーティスト。政治権力や移民問題などに切り込む参加型作品を制作。「あいちトリエンナーレ２０１９」で空気中にメンソールを充満させ、観客の涙を強制的に誘う作品《１０１５００５１》を出品。抗議活動の末、たびたびキューバ政府に拘束されている。

国際ニュースとなったのは、ラッパーのリル・ナズ・Xとコラボした《サタン・シューズ》（2021）と、その前身である《ジーザス・シューズ》である。ともにナイキのエアマックスを改造し、それぞれそのスニーカーに、ヨルダン川の聖水と、人間の血を混ぜてカスタマイズしたものである。《サタン・シューズ》は聖書のルカ10章18節を参照したもので、666個限定で販売。《ジーザス・シューズ》は、キリストが水の上を歩いたという逸話のパロディである。全て即時完売したが、これがネット上で賛否両論となり、ナイキは商標権侵害や不正競争防止法違反などでMSCHFを提訴。これを受けて「白壁のギャラリーに守られるのではなく、批判されるシステムの中で生きるアート作品を作っている」とMSCHFはコメント。[*19] 表現の自由を訴えたが、結果、自主回収と正規の販売価格で買い戻すことで両者は和解に至っている。

インスタグラムを舞台にエヴァフラのように虚実入り乱れるプロジェクトで世界を騙したアマリア・ウルマンは、アルゼンチン生まれの正真正銘の現代アーティストである。

最初のパフォーマンス《Excellences & Perfections》（2014）は、4月19日から約5ヶ月に及んだインスタ上での振る舞いである。突然、自身のアカウントでその日から、端正な顔立ちを活かした典型的なインフルエンサー女子のような日常を演じ出したのだ。それは台本に沿ったフィクションであり、セットや小道具、場所などをインスタ映えするよう適切に使うことで、消費者主義的なファンタジーのライフスタイルを演出したものだったが、フォロワーにはガチだと受け止められた。何しろ内容が綿密で、病院でガウンを着て胸に包帯を巻いた画像を投稿し、豊胸手術を受けたふりをしたり、話題のダイエットを忠実に実行したり、ポールダンスのレッスンにも頻繁に通った。アカウントは、花やランジェリー、インテリア、ブランチのオンパレードとなり、知り合いやフォロワーたちは困惑。ファッション誌『SSENSE』での取材で、インタビュアーは、「私自身も含めた多くのフォロワーは、ウルマンが『真剣なアーティスト』であることを止め、ありきたりのコースをたどり始めたのだと思った。つまり、若く、すらりとした、白人として通用する女性らしい外見を利用し、ブランド物、メイクアップ、整形手術、不良っぽい恋人、貢いでくれる中年男性、ヨガ、フィットネスを援用して、他力本願の権力、収入、注目を手っ取り早く手に入れようとしているのだと思った」と、騙されたことを回想している。

2015～16年には、インスタ上で《Privilege》を展開。『美術手帖』によると、「『ボブ』と名付けられた鳩との共同生活の様子や、嘘の妊娠、ファッションブランドの商品やロゴでかざられた架空の広告写真を投稿、その一部は実際に企業から依頼されていた」。2022年には自身が監督・脚本・主演・プロデュース・衣装デザインを務めた映画『エル プラネタ』が公開。貧乏な母娘がSNS映えするスタイリッシュな暮らしを目指すという物語である。注目を集めることを価値とするアテンション・エコノミーを批評し、ミレニアル世代のリアルと虚構を描き出した代表的な作家である。

戦い続けるプッシー・ライオット

一党独裁・官僚国家のソ連の壮大な実験失敗を経たいま、しかし変わらずに超絶トップダウンな政治体制を引き継ぐかたちで、「国家資本主義」的強権的な独裁が行われているロシアで戦い続けるプッシー・ライオットは、逮捕や実刑、毒を盛られるなどの悲惨な目に遭うのと引き換えに、彼女たちをサポートしようという国際的なムーブメントを背景にした、この手のスターのような存在である。

プッシー・ライオットはモスクワを中心としたフェミニスト集団、パンクバンド、アート・コレクティブである。色とりどりの目出し帽をかぶったメンバーおよそ11人の女性で構成される。公共空間でのゲリラライブの様子を編集したミュージックビデオをネットに投稿するのが特徴である。コンセプトはフェミニズム、同性愛者の権利、そしてウラジミール・プーチン大統領のロシア体制への痛烈な批判である。

最も知られているアクション《警察官、試合に飛び入り》は、FIFAワールドカップのロシア大会決勝戦へのフィールド乱入である。2018年7月15日、警察官に扮した4人が試合開始直後のピッチに乱入。世界中の注目が集まっていた試合は1分間の中断を余儀なくされた。1人はフランスのフォワードとハイタッチ。他のメ

＊19 https://www.wwdjapan.com/articles/1206064（2022年5月31日閲覧）。

ンバーはクロアチア選手に取り押さえられた。ほどなく、プッシー・ライオットはSNSで犯行声明を発表。ロシア政府に対して、収監中の刑務所でハンガーストライキを実行しているウクライナの映画監督オレグ・センツォフ[20]などの政治犯の釈放や市民の収監を取りやめるよう訴えて、ついで「①全ての政治犯を解放すること」「②『いいね』の罪で拘束しないこと」「③デモ行進中に不法に逮捕しないこと」「④国内での自由な政治競争を容認すること」「⑤罪状をでっちあげ、理由なく収監しないこと」「⑥世俗的な警察官を、理想的な警察官に変えること」という「要求」を掲載した。

バンドが一躍有名になったのは2012年2月21日。ウラジーミル・プーチンが再選することになる選挙への抗議活動である。目出し帽姿でロシア正教会の「救世主キリスト大聖堂」の内部に立ち入った彼女たちは、持ち歌である「聖母様、プーチンを追い出してください」をゲリラで演奏、モスクワ総主教キリル1世がプーチンを公然と支持していたからであるが、日本で言ったら靖國神社のようなものである。すぐに教会の警備員によって中止させられて、信者は激怒。3人が逮捕されて、2人はロシアの矯正施設に21ヶ月間投獄されることになった。事件は広く世界に知られることとなり、マドンナなど多くのセレブが「フリー・プッシー・ライオット」を牽引、大きなムーブメントとなって、世界的な支援を受ける結果となった。これはトレンドとなって東京でもイヴェントが開催されて、僕もスピーチを依頼された。が、なんだか会場を見て羨ましさを感じたことを覚えている。自分が「明日の神話事件」でその立場にあったときには日本で開催されなかったそのイヴェントの主催者に無邪気さを感じ、なにか複雑な感情を持った自分に苛々とした。

プッシー・ライオットが出てきた背景には、ヴォイナというコレクティブがあった。ロシア語で「戦争」という意味のヴォイナは、世界の美術史でたぶん最も過激な行動を実行したアートアクティヴィストたちであり、もはや伝説上の存在である。

「ひっくりかえる展」のために東京に来たメンバーは、ソ連時代の禁酒法下において何でも酒に代用された名残りから、工業用アルコールなど飲料製品ではないアルコールを掲載する「酒」の辞書などを作っていたという酒豪であり、二度ほど花見を繰り広げたが、酒癖がよくない。女を口説けず路上で暴れたり大変だったが、会田さんと飲んだときは静かだった。英語を解さない会田さんを立てたのかもしれないが、両者全く交わらない、気まずい宴会となった。プーチンを茶化したおもちゃを見せたところ、喜ぶのかと思いきや、本気で手で顔を覆って怯えたのが印象に残っている。

「REAL TIMES」特集ではロングインタビューを掲載、代表作である《KGBに補足されたペニス／ヴォイナの65メートルのチンポ》について語ってくれた。チェ・ゲバラの誕生日を記念して、2010年6月14日に、KGBの後続機関であるロシア連邦保安庁前の跳ね橋に、7人の警官に追われながら、9名で23秒のうちに巨大な男性器を描き上げたプロジェクトである。「巨大な権力にファックするためには、6センチの中指では足りなかった」と、そのアイデアを説明する。午前1時の定刻に跳ね橋が上がりだし、ペニスはゆっくりと「勃起」した。ロシア当局への記念碑的な「ファック・ユー」として、世界中で今も語り継がれている伝説のアクションであるが、意外だったのは、これにロシア文化省から現代美術部門のイノベーション賞が贈られたことである。体制が主催していたから取り消しの圧力もあったが、フランス、ドイツ、ロシアのインディペンデント・キュレーターら審査員が高く評価、頑として粘り、受賞は覆らなかったという。

プッシー・ライオットやヴォイナなど、アマチュアリズムとしてのパンクは、マルコム・マクラーレンが作りだしたセンセーションとD.I.Y.で世を撹乱するというSI的な手法に源流がある。SIもまた、漂流や介入、転用など、作品というよりも「誰もができる」方法論を編み出して、アマチュアリズムへの可能性を追求した。この素人による社会変革は、それが群れとなったときにデモとしての効果を発揮するよう、いつの時代も設計されてきたものである。が、現在のアート・アクティヴィズムにその構造はあまり見られない。「群」の力だったアクティヴィズムは、「個の協働」へとそのスタイルを変化させている。

アートのポリスを自称するフォレンジック・アーキテクチャは、イギリスをベースにする専門家集団であり、

＊20　1976〜。ウクライナの映画監督。ロシア政府への批判で知られ、2014年のクリミア併合後に逮捕。ロシアの刑務所で禁錮20年の刑に服している。18年、ウクライナ政治囚の釈放を求めて145日間のハンガーストライキを実施した。代表作に『ゲーマー』。

現在のアート・アクティヴィズムを代表するようなコレクティブである。構成メンバーは、弁護士、フィルムメーカー、エンジニア、建築家、アーティストなど第一線のエキスパートたちだ。

手法としては、さまざまなメタデータを検証しながら、現実に起きた事件の証拠を再調査するというものである。「アーキテクチャル・イメージ・コンプレックス：画像とデータの複合体」と呼ばれる方法は、メディア化が進んだことでＳＮＳに出回るニュースや素人の映像などをプロファイリングすることで証拠を導き出す。そこから「事件」を多角的・客観的に理解するために、調査結果を三次元的に視覚化したインスタレーションへと落とし込む。その構成から重要な事実を抽出するというものである。

有名なものに、劣悪な環境であると噂になっていたシリアの政治犯を収容する拘置所のモニタリングプロジェクトがある。ビデオが出回らずに内情が謎、政治犯たちも目隠しされるから拘置所の中の様子がヴィジュアルとして伝わってこない。アムネスティに調査を依頼されたことから、フォレンジックは5人の逃亡犯のリサーチを開始した。逃亡犯が中で聞いていたという音を、デシベルレベルで解析するという、「エコープロファイリング」を行ったのである。そのプロファイリングから導き出した音を再現し、そこからさらに拘置所の中のモックアップを作ったのだ。

調査内容は美術館やアートスペースで展示として発表されることで、アートの公共性において、一般にも広く議論されることを可能としている。

メンバーのローレンス・アブ・ハムダンは、ダンス音楽のＤＪやD.I.Y. のイヴェントの主催などを経て、２０１６年に画期的なプロジェクト《Rubber Coated Steel》を作り出した。２０１４年にパレスチナでデモがあった際に、プロテスターを威嚇するためにイスラエルの軍人が銃を発射、威嚇であったはずが、２人のティーンエイジャーが死亡する事件へと発展した。イスラエル軍は、銃弾はラバーであったと威嚇を主張。罪に問えるかどうかは、弾が実弾であったかどうかが争点とされた。

子どもの人権保護団体がコンタクトをし、フォレンジック・アーキテクチャーは調査を開始。ＣＮＮのビデオフッテージの中に当時の様子が映っていたことから、発射音を解析したのである。調査結果はクロ、やはり実弾であっただろうとされる音波の分析は証拠として広く発表されて、海外メディアに大きく取り上げられることになった。結果、それを受けてイスラエル政府は、元の主張を撤回せざるを得なくなったのである。

事件にとっての重要な証拠となったこの「作品」は、いまもどこかの美術展で展示されている（だろう）。が、もはやアートは彼らにとってフィクションではない。実際に世の中の問題を解決するための手段として活用されており、その姿勢から、彼らの態度と芸術観は、まさしく「作品」や「芸術家」を否定して革命に影響を与えた、SIの直系として考えられている。

事件はさらに続く。その後、アメリカ議会にこの調査内容が共有されたことから、この発砲がアメリカとイスラエル両国で結ばれた軍事条項に反するということが判明。ローレンスはさらにその資料を自国のイギリス軍にも送り、二度とこのような惨事が軍によって繰り返されないよう、要請までを行った。

ラディカリストであることはもう前衛の条件ではない。軍事用語としての「前衛」に準じてその現在性を考えるならば、自爆テロのような芸術実行犯たちが最前線を担っていたテロの時代からしばらくが経ち、現在は無人ドローンが前線で爆撃を務める時代になっている。フォレンジックのテクノロジーを活かした時代の先端で戦うその姿には、「前衛アート」そのものを刷新するような冷たいラディカルさが漂っている。

法と芸術を問う

さて、「芸術実行犯」について記述してきたつもりが、最終的には逆に軍の犯罪を暴く話になった。そんなつもりで書き出したわけではなかったのだが、結果的にこう結ばれたことには何か深層的な因果関係があったのだと思う。

章の前半で、なぜ「法を超えるのか？」という問いを立てたが「法を試す」ことは、芸術実行犯たちが軍の犯罪を告発することと同じ道を示していたように思うのは僕だけだろうか。法に違反することと、法を証明すること。アートにおいてこの二つは、実は同じような精神で違う立場をとっている……言うなれば、表裏一体の存在として、「法を守る」というお馴染みの定型文を超えたところで、「法を攻める」というコンセプトを共有し、互いを戦術的に補完し合う協働相手なのだ。

かつてチャップリンは人殺しについて、「1人を殺したら殺人者になるが、100万人を殺せば英雄になる」と、戦争における個人の法廷責任の特殊性を問うた。それが戦争への非難だったことはもちろんのこととして、しかしそれよりもこの名言は法の不確かさそれ自体をついている。当時のチャップリンはレッドパージでアメリカを追われ、スイスに移住せざるを得なくなっていた身だ。アメリカでは「自由」のために、思想や言論、表現の「自由」が抑圧されていた。その弾圧を主導したのは、法の生産地であるところの議会の常設委員会……いまや悪名だかき非米活動委員会であり、チャップリンを国外に追放したのは、他でもない法律問題を担当する閣僚、司法長官その人である。再び名誉が回復されて、チャップリンがアメリカに戻れるようになったのは、それから実に20年後のことである。

法は、社会の価値観とともに変化するものであり、誰がどう運営するかによってその性質を大きく変える。不動産の概念や国家の概念と同様に、それは別段自然の要請には基づいていない、あくまで人工的なものであり、いつの時代も未完成なものとして必ず更新されることが約束されている。

フォレンジックが犯罪を立証したことと、プッシー・ライオットが逮捕されたこととが、なにかコインの裏表のようなものとして思えてならないのは、その不確かさへの確信と、法の運営者へのスタンスが似通っているように見えるからである。例えば、例のライン州の枯れ木の一件を思い出してほしい。その事件がリアルタイムにあったとして、両者がそのことを耳にしたとしたら、はたしてどう思うだろうか?

プッシー・ライオットはうまく枯れ木を拾いに行こうと夜に忍び込むことを考えるだろう。かたやフォレンジックは、農民を殴った警察の暴力を立証しようと思うだろう。その立場や興味、動き方は違えど、どのみち、両者ともにまずは農民を取り締まる側には絶対に回らない。枯れ木を拾って法を試すもの、法の番人を監視するもの、法の運営者を挟み撃ちにするという共闘的な立場をとっていることにおいて、両者が何をターゲットにしているかははっきりしているのだ。それは、枯れ木拾いを窃盗犯に仕立て上げる議会であり、それを取り締まる警察であり、そうとなれば枯れ木拾いなんてする方が悪いんだからと炎上の火を焚き付ける、思考停止したスペクタクルの観客たち大衆なのである。両者は、法というすべての人間が当事者となる、しかし人間社会が作ったフィクションであるものの運営がどうなっているか、そこに触れた活動を展開しているのだ。

本章の冒頭で述べた通り、彼ら彼女らが「スーパーラット」だったことを考えると、その繋がりはより直接的に見えてくる。スタイルこそ違えど、そもそも両者はアートという同じDNAを共有する変異種なのである。法に触れることで法の運営者を問い続けたアーティヴィズムが、時代の変化や社会から受けるプレッシャーによって、今度は法を立証するように、アート・アクティヴィズムへと変異した。

芸術実行犯は枯れ木を拾う。その違法性を裁くのは「木材窃盗取締法」。取り締まりのもと、軍や警察によって行われた暴力のその打撃音を、アート・アクティヴィズムはプロファイリングする。

私たちがその結果から公権力の不当性を世界中の人々とともに知ることになるのは……いつかのワールドカップ決勝の舞台だろう。

第8章「Don't Follow the Wind」

行為から行動へと紡がれてきたアクションをこれまでさまざまな例から見てきた。本章から先は、これが「活動」へと広がる地平である――その歩みにおいてChim↑Pomの触れ込みには、反射神経と瞬発力を活かした「行動派」という定評に加えて、「プロジェクトベース」という言葉が盛り込まれるようになった。

プロジェクトを作るアーティストはたくさんいるが、それらを社会で回すタイプの共通項はなにかと聞かれたら、それはきっと「構成者の独特さ」と言えるのではないか。Chim↑Pomでいえば、例えば「アイムボカン」では地雷撤去の関係者や軍、NGO、ギャラリーや美術館、オークションカタログに広告を掲載してくれた企業や、オークショニアになってくれたいとうせいこうや映画関係者……。《ピカッ》の場合は、被爆者団体や書籍に加わってくれたアーティストや社会学者、出版社、「広島!」展を旧日銀で実現させてくれた花屋やカフェやライブハウスやギャラリーや、資金作りのための作品を購入してくれた市民たち……。「にんげんレストラン」も言うまでもなくSmappa! Groupやミュージシャン、ダンサーやパフォーマー、料理人たちと一緒に作り上げたプロジェクトである。

プロジェクトを通して多種多様な人々が現れ、まるで「どこにもなかった業界」のように新たな協働の形、言うなれば「マイクロアート業界」のようなコレクティブが創出される。そのハブとなる作品の重要性については言うまでもないが、しかし作品はそれ単体で特殊に存在していても、次なる価値観を作り出すためには社会化されるプロセスを踏まなければならない。

特殊な作品は、特殊な見せ方を実現する特殊なチームが作られることによって、真に特殊なケースとして世に現れ、それにより世に新たな特殊性を生み出すのだ。

ここでは、その視点から取り組んできたプロジェクトの進行と、それに伴う「アート業界」への考察を記述したいと思う。

Don't Follow the Wind

「Don't Follow the Wind」２０１５－

会期：２０１５年3月11日～２０ＸＸ年Ｘ月Ｘ日
会場：東京電力福島第一原発事故に伴う帰還困難区域４か所
主催：「Don't Follow the Wind」展実行委員会

参加アーティスト：
アイ・ウェイウェイ／グランギニョル未来／小泉明郎／タリン・サイモン／竹内公太／竹川宣彰／Chim↑Pom／ニコラス・ハーシュ＆ホルヘ・オテロ＝パイロス／トレヴァー・パグレン／エヴァ＆フランコ・マッテス／宮永愛子／アーメット・ユーグ

キュレーター：
ジェイソン・ウェイト／窪田研二／エヴァ＆フランコ・マッテス

発案：Chim↑Pom

概要：

「Don't Follow the Wind」は、長期にわたる国際展だ。この展覧会は、2011年の福島第一原子力発電所の事故後、放射能に汚染された帰還困難区域で行われており、住民が、住居、土地、コミュニティから引き離された場所といえる。そして、12組の参加アーティストによる新作が、元住民から貸し出された4ヶ所の建物に設置された。そこは、すべて原発事故の災害の直後に避難をさせられた場所。したがって展覧会は、一般の立ち入りができない地域のため、開催中だがみに行くことができず、人々の想像力の中でみられつづける。封鎖が解除される「未来」が来たとき、初めて鑑賞が可能となる。

ガイドライン：
展覧会は、展示会場の立ち入り制限が解除されるまでみにいくことができない。

主催者は、展示作品が環境とともに経年変化する状況も作品に包含されるものとして捉えており、ある時点を切り取った作品イメージはプロジェクトの断片であると考えている。

展示会場の所在地等、明らかな情報の公開は立ち入り制限が解除されるまで防犯上の観点から慎重を期す。

ただし、参加作家の意向による作品ドキュメントの公開やその時期については各作家の判断を尊重し、協議の上、行うこととする。

（Don't Follow the Wind実行委員会……窪田研二／椹木野衣／ジェイソン・ウェイト／竹内公太／Chim↑Pom／藤城里香／緑川雄太郎／山本裕子）

幸せを絵に描いたようなニューヨークのクリスマスを祝うように、僕ともっちゃんは12月24日の夜に路地に出た。黒いゴミ袋の中身を黙々と比較的清潔なものに仕分けしたのちに、もっちゃんはサンタクロースのコスチュームを着込んでそれを担ぎ、僕はカメラを手にして、ともにロックフェラー・センターの巨大なクリスマスツリーへと向かったのだ。世界の中心のような自覚で世のクリスマスを象徴するほどに煌(きら)びやかなその場所は、各国からの恋人や親子連れの観光客で毎年賑わっている。光沢のあるビニール素材の、ぎっしりと中身が詰まった黒い袋を背負ったサンタは、老若男女構わずに声をかける。メリークリスマス!とその中身を取り出して配って回り、握手やハグや記念撮影とフレンドリーな交流に勤しんだ。

あれはいったい何がしたかったのだろうか。「中心地」での人々の高揚やクリスマスの華やいだ多幸感のなかで、僕にはその裏側のように存在する者たちへの共感が、例年になく強まっていた。2012年のことである。震災から約1年後に「警戒区域」と「計画的避難区域」に設定されていた一部地域は「帰還困難区域」と「居住制限区域」、「避難指示解除準備区域」へと見直され、いよいよ「帰還困難区域」にはしばらく還る見込みがないことが宣言されていた。その境界に何度となく通っていた僕には、震災の記憶はまだ生々しく、ロックフェラーのような場所が賑わう一方で、帰還困難区域が闇の中でひっそりと存在している、という世界の実態のコントラストに強烈な違和感を感じていたのだ。「裏側」とか「周縁」という概念を生むのは、「中心」という存在を誰もが認め、信じるからである。

その前年に震災の直後という「リアルタイム」で現実に反射した僕に、訪問のたびに帰還困難区域が突きつけていたのは、「リアルタイムは2011年で終わらなかったこと」、原発事故による長期にわたる災害は、2011年の現実が「きっとここから10年単位で続くだろう」、という時間の果てしなさであった。世界的な問題となった災害と、半減期が10万年と言われるスパンをもった放射性物質をどう捉えるか……時間も場所も有限な個人に、そんな時空を超える介入など出来るのだろうか……。

「ひっくりかえる展」を通じて知り合ったストリート・アーティストJRのスタジオには、マドンナやロバート・デ・ニーロなどが顔を出す。外で会うアーティストたちも「成功」を夢見て活動し、東京ではあり得ない規模の巨大スタジオで制作と社交に励んでいる。MoMA PS1での個展やアジア・ソサエティによる作品収蔵、トークなどがあってニューヨークに関係が出来ていた僕らは、JRからの「うちに泊まれば良い」という申し出に甘えてその年の暮れをマンハッタンで過ごしていた。「中心地」ぶりを日々垣間見ていた僕には、そんな彼ら彼女らから学ぶ姿勢と、一方で自分の中に「帰還困難区域」が生じるような、「裏側」への想像力が倍増する「アート業界」への屈折した想いが居座るようになっていたのである。

その想いはそこで生まれたものではない。振り返るとそれは数年に及んで葛藤していた、ある種の理想と現実の不一致をめぐる問いでもあった。

欧米からアジアを見る視点

契機は2010年、韓国で開催された、アジアの新人賞を決める目的で開催された賞レース「アジア・アート・アワード」である。Chim↑Pomは日本代表に選ばれて、各国のファイナリストとともにソマ美術館で展示、日本で養ったセンスを尽くすような展示を展開し、他国の面白いアーティストのことも知った。結果、タイのアピチャッポン・ウィーラセタクン[*1]が大賞を受賞、その年のカンヌの映画祭でも金獅子賞をとって、2010年は彼にとっての当たり年となった。アピチャッポンの作品を観ることは好きなのだが、それが僕には何かしらのわだかまりを残した。彼の欧米の視点を想定した「グローバル」なフォームで、ローカルな事情を語るようなスタイルに対して、西洋の重鎮を含んだ審査員らが審査を下すという構図、その結果が、まるで傾向と対策の成功例に見えたのである。主戦場である欧米に認めてもらう……、という先輩たちが散々語ってきた根深い物語を、いつまで僕たちは続けるのだろうか。そこから脱するか、登場人物になるべきか、無邪気に外から制度批判できていたドメスティックな頃が自分でも懐かしくなるような、そんな課題が浮上していたのである。

欧米からのアジアを見る視点、そこへの対応が「評価」に直接繋がっているという動かし難い現実に違和感は持ったものの、アート界が欧米主導であることはもとより周知の事実でもあった。僕らの場合、それを批判するような純潔さや童貞臭さも、西洋と添い寝するような感性も持ち合わせていない。日本から授賞式に駆けつけた多くのアート関係者と残念会のような（祝勝会になるはずだった）二次会をソウルの居酒屋で行い、しかし一通り見回してみても、そこに誰か「国際的」と本格的に言えるような説得力のある人物がいるわけでもなく、そんなグローバルな時代の小さな日本のアート界を前に、僕の頭には、村上隆のオハコである「日本と世界の落差」についての話が頭をよぎっていた。僕らは自分の先輩として、村上という国際的な成功者と、会田さんというドメスティックなスターの二人の背中を見てきたつもりである……。そんな話で飲んだジャパンタイムズの記者が、のちにアワードのレビューとして記事を書いた。いわく、「川上から情報が流れてくるアート界においての、川下に位置するもの」について。要するにメイン「ストリーム」（流れ）のことだが、そこでは情報は降りてくるだけであり、言うなれば「川上に情報を届けるのがどれだけ大変か」というものである。

それから2年後のニューヨークだった。いま考えると、その時点でもChim↑Pomは順調にというか、その「グローバリズム」の流れに乗っている側のアーティストにはなっていた。大きなビエンナーレはじめ展覧会などに呼ばれ、以降数年間は、ゆうに年間30～50個の展覧会やイヴェントに参加するまでになっていく。それに伴い、（メンバー誰も意思がなかったことから）リーダーという立場もあって僕も英語を適当に勉強。ニューヨーク滞在でも多くの関係者と話し、夢を膨らませていた。が、一方で、そのような「営業活動」と比例するように拭えぬ疑問も日に日に大きくなっていく。

「川下」や「川上」という現状はわかっているが、であるならば村上のように現実であるところの「川」を逆流

＊1　1970～。タイ・バンコク出身の映画監督・美術作家。シカゴで映画を学び、2000年の『真昼の不思議な物体』で長編監督デビュー。2010年『ブンミおじさんの森』がカンヌ国際映画祭でパルムドールを受賞するなど国際的に高く評価される。

する戦略よりも、「アート」という理想と、「アート業界」の関係自体を見直して、そのかたちが「川」であるという状況自体を理念的に疑うべきではないか。それを内在化してしまったら、どんなに「西洋化」して川上へと辿り着いても、老いていつかは「川」の流れに流されてしまうだろう。と、浮世の世界を考えた。が、そのアート界を水や流れに喩えること自体には、特段、何か不思議と違和感はなかった。不定形で、すべての存在の源であり、恵みでもあり、脅威にもなる。かつて老子は、万物に利益や恩沢を与え、自身は利を争わず、一般の人々が避ける低い場所に位置し、万物に順じて争わない、と水を「調和の象徴である」（２０２１年、EUKARYOTE で開催された「FLUSH−水に流せば−」展、キュレーター吉田山によるステイトメントより）とした。水の論法に則ると、なにかもっと違う「かたち」のアート界もその未来なるイメージとして浮かんでくるような気がしていたのだ。そんな「ヴィジョン」を勝手に膨らませていた僕にとって、水であるところのアート界は、ヒエラルキーに例えられた「川」という一方通行よりも、情報が分散しながら漂い、混じり合う、ホラクラシーをだだっ広く地球に沿って丸く広げたような「海」に近かった。

そんな新構造が主張として言葉になったのが、２０１０年の時点である。それからの「REAL TIMES」展と『芸術実行犯』を通じ、自国の問題への深いかかわりと、国際的なネットワークという二つの事象を僕は右と左の両手に持って、こねこねといじって粘土のように、「かたち」を模索していたのだ。それをいかに現実の姿として人々の目の前に浮かび上がらせ、作品やプロジェクトで示しうるか。ぼんやりと霞のように頭を占めていた「海をかたちにする」という「イメージ」は、ニューヨークという「川上」でよりハッキリとしたモチベーションになっていた。しかし「川」を壊して「海」を創出するという革命には、まったく現実味がないうえに、海の源流となる大河の損失は海自体への否定ともなる。だからこそ村上は、まずはオタクや日本美術をアピールすることで他に類を見ない自律した日本という「港」……「スーパーフラット」や「GEISAI」を整備しようと試みたのであろう。が、彼の時代にはその「港」も、そこから欧米という「中心地」へと向かうための「出発地」としてしか創出し得なかった。だからアジア人アーティストは、欧米に行くか地元に留まるかがキャリアの条件になる。

「中心地」という考え方に身を置かない

それぞれの港に情報が固有に流れ付き、独自の港文化を育む。漂流し、交易し、たまには鎖国する。各所から放たれた知や経験は、混じり合いながら大海原に溜まり、蒸発したのちに雨となってすべての陸地を濡らし、固有の川に合流したのちにまた海に流れ込む……情報自体が循環する全体像、もしくは情報を遮断できる固有の空間の自律性など、いずれにしても「中心地」という考え方自体に身を置かない、それでいてこそ「中心」の求心力に匹敵するようなアート活動ができるのではないか……。僕の中にはそんな野望が、むくむくと大きく育っていたのである。

ニューヨークで行動をともにしていたのは、もっちゃんと、アーティストの加藤翼、その相方の平野由香里である。加藤とは7歳年が離れているが、デビュー前からエリイの親友であったことから仲が良かった後輩であり、友だちである。2021年、東京オペラシティアートギャラリーという美術館で、36歳という若さで回顧展を開催したことでも話題になった日本の若手を代表する一人だが、その時点では野心に燃えてアメリカにきていた20代だった。

加藤と「アート」と「中心地」についての議論をニューヨークで重ねられたのは、彼も2011年に、被災した灯台を模した巨大な模型を500人ほどでロープで「引き興す」、というプロジェクトを遂行し、手応えを感じていたからである。彼のアイデアがその地区で瓦礫撤去に従事していた土建屋を動かしたことにより、数珠繋ぎに住民を巻き込み、ついには震災の影響で中止となっていた地元の祭りをそこに合体させる形で行おうという展開になった。復興にとっての記念碑的なフェスティバルになったこのイヴェントには、多くの地元民や加藤の友人たちが参加。僕ももちろん参加したが、なぜか演歌歌手がブッキングされ、出店が食を盛り上げて、福島の浜通りらしくハワイアン・ダンスが「引き興し」の前座のように公演されていたことには驚いた。本書が言うところの「行動」と「活動」……アクションの運営のあり方をめぐる議論においても、この自然発生的な祭りは、ボトムアップな特殊さを極めたマスターピースであると言えると思う。

いざ灯台の模型を引き興そうと全員が「せーの！」と力を合わせて引っ張り、巨大な塔が海をバックにゆっくりと立ち上がってきたときに、周りにロープを引く一方の片手で涙を拭う住民を見た。この灯台がいったい彼らにとって何を意味しているのか、そこまでのことは想像を絶したが、構築物の底面が土地にどしんっと埃を立てて着地したときに、僕にも理解不能な感動が押し寄せてきた。アートが持ちうる力の大きさと、住民の人たちの行き場のなかった想いに興奮を感じたのだ。

加藤と僕は夜な夜なこんな話や帰還困難区域、そして世界の中心や裏側の存在をアートに重ねて語り明かしていた。村上隆を訪ねてみたいなあ、と話し合ったこともあった。そんなウザい熱意にもっちゃんと平野は動員されて、酒に付き合わされる……そういう日々を繰り返しているうちに、その疎外感が黒いゴミ袋に詰まったクリスマスプレゼントになったのだと思う。

余った「プレゼント」の数々をゴミ袋とともにゴミ収集車に直接投げ込んでサンタ活動を終えた僕らは、JRのスタジオに帰った。ふだんは親密な職場兼レジデンスであるその空間には、ホリデーで誰もいなくなっていたことから僕らだけになっていた。マンハッタンの高級地に位置するその暖かく広いラウンジに、取り残されるようにホームを感じた僕らは、ビールの栓を抜き、おもむろに山下達郎の「クリスマス・イブ」を大音量で流してみた。日本の世俗性が凝縮されたようなイントロがその場に流れた瞬間に、僕らはその音があまりに自分の血肉になっていることに驚き、しかしある種の昂まりを不意に感じ、戸惑った。顔を見合わせた僕らは、みんなが「同じものを感じた」ことをその表情からすぐに感づき、なにかすべての謎が解けたように脱力し、きっと悟りの瞬間とはこんなものだろうという意味不明の笑いがこみあげてきて、爆笑した。僕らは、今でも互いに人生でベストだったと話し合う、温かな孤独感に包まれたクリスマスをそこで過ごしたのである。

その2日後、僕らはアメリカ自然史博物館の長い行列に並んでいた。核という10万年レベルで思考されるべき対象、そして中心という概念をずらすほどのアート活動など、そんな問題意識がずっと頭の片隅にあったのかもしれない。

残り10人くらいで入場となったときに、僕はふと、はじめて警戒区域に入域したときに僕らを追いかけていた犬や、荒れた畑を守る防護服のカカシなど、「裏側」に棲むものたちを思い出した。……「違う」ととっさに「裏側ではない」と思い直した僕は、あの崩れた道や無人の街……「あの場所こそが世界そのものではないか」、と蜃気楼のような思いつきが頭をよぎった。伝えなきゃ、と加藤に、「あれ、例えば」と話しかけた僕は、その曖昧な「かたち」を言葉で追いかけることで確認し、アイデアのメモとしたのである。


「例えば、帰還困難区域に作品を置く……国際展として」

「なるほど」

「立ち入ることは出来ないから……、誰も観れないってことになるんじゃない?」

「ああ、たしかにたしかに」

「観に行けるようになるってのは、『いつか』、だよね。……それまでこれ、会期が続くんじゃない?」

「おお、それは……」

「それは……、どうかな?」

「それは、……ヤバすぎるんじゃないですか?」

「だよね」

疑問

発案したものの、この規格外の展覧会をどう作れば良いのか。会場探し、資金繰り、アーティストの選出、帰還困難区域への立ち入り許可……と何もかもが難しい。何しろ会期も謎、ロケーションも特殊、であるから運営や責任問題も前人未到、まったく前例のないプロジェクトであった。

その「困難さ」について、実行委員のひとりである椹木は自著『震美術論』(美術出版社、2017)の中で、展覧会がスタートして1年が経った状況としてこう記している。

> 会場の一角が、国による放射性廃棄物の中間貯蔵施設の建造のため、まったく別のものに変貌してしまう可能性もないわけではない。逆に、部分的に入域制限が解かれ、全貌が見えないまま、まだら状に会場がオープンしていくことはむしろ、大いにありうる。あるいは、想定を超えて帰還困難区域の指定が長期にわたった場合、参加している美術家やキュレーター、実行委員の寿命が尽きてしまうかもしれない。それ以前に作品が朽ち果て、原型を留めなくなってしまう怖れも十分にある。実際、この展覧会では、帰還困難区域が解除されるまで、たったいまこのときも1日24時間、365日、作品は展示され続けている。メンバーが全員亡くならないうちに、将来的に別の誰かにこのプロジェクトを託す必要が出てこないとは言いきれない。他にも、具体的な困難さを挙げ始めたら切りがない。
>
> ――椹木野衣『震美術論』

「Don't Follw the Wind」(DFW)に参加した経緯を僕からの「あまりに独自すぎてどうお伝えすれば良いものか」というメールを引用することで思い出す椹木は、「独自さ」所以に未知な展覧会であったからこそ、参加を決意した意思を書いている。この「未知さ」は、彼にとって「批評家と実行委員という従来通りの役割分担だけでは、こうした事態に対応することができない」ものであるとして、

> たとえ帰還困難区域の指定が解除され、一般の人が来場することが可能になったとしても、付近は依然、放射線量が高いままであり続けるであろうことから、最低限の被曝は避けられない。また、そこが「私有地」に戻るならば、開いた会場は今度は逆に順次、閉めていかなければならない。そんな美術展が、はたしてこれまであっただろうか。というよりも、そもそもこれは展覧会なのか。
>
> ――同

と根本的な疑問を投げかけている。

「そもそもこれは展覧会なのだろうか」……。たしかに、展覧会という形式はとっているが、連れ立って入域した十数人を除いて、一般客は「スタート」してから6年（2021年時点）が経ったいまもいない。作品も環境とともに劣化し、あるものは作家によって更新され、あるものは取り壊された会場と心中するように消滅した（誰にも観られないままに）。年に数回会場に通い続けているが、いまだに多くのことを学び、終わらないリサーチが延々と続いているようである。作品を守り、環境の変化を知り、必要なときに「実行委員会」を開催し、帰還困難区域や会場、地元の協力者の近況などを共有し、何かしらの方針をたてる……。「展覧会」や「作品制作」には違いないが、もっとなにかそういう既知な経験ではない、まったく「得体のしれない活動」を続けているような実感がある。『震美術論』で挙げられた困難さは、そうは言っても「スタート」してからの懸念点である。DFWは準備段階からして「暗中模索」を極めたものだった。

さまざまな協力者たち

プロジェクトは3組のキュレーターと8組の実行委員によって運営されている。Chim↑Pomは発案者として彼ら彼女らに声をかけて回った発起人であり、その全てにかかわりながら参加作家も務めている。

ニューヨークから帰国後にChim↑Pom内で案は揉まれ、その後、僕は現地と世界各地を往復するようになる。一人目の相談相手は若手アート・ディレクター緑川雄太郎であった。2013年2月25日、発案から2ヶ月後の福島県いわき市でのことである。Chim↑Pomをデビュー時からフォローする緑川は、東京でインディペンデントなキュレーションをいくつかしたのちに、「0000」（オーフォー）というコレクティブを結成、端正でお洒落なヴィジュアルとコンセプチュアルな手法でもって村上隆にフックアップされて、展示や海外誌への広告掲載など派手に出回った人物でもある。震災を機に地元のいわき市に帰り、そこを拠点に活動を開始。深夜に電話をかけて唐突に一対一のラジオを始める「ミッドナイト・レディオ」や、謎の国際的アートグループ「YAP」、被災地・富岡町の空き地を使って毎年3月11日に開催されるイヴェント「MOCAF（ミュージアム・オブ・コンテンポラリー・アート・フクシマ)」のディレクターなど、その活動のほとんどは謎に包まれている。

緑川とは浜通りを訪れるたびに会っていた。被災者住宅に泊めてもらったり、被災地をツアーしてもらったり。加藤の「引き興し」など、震災後のいわき周辺で行われた独自アート・イヴェントにもかかわり、また、『新復興論』(株式会社ゲンロン、2018)で知られる小松理虔が主宰する小名浜のオルタナティブ・スペース「UDOK.」や、いわき市内のバーやアートスペースなど、浜通りに面白い繋がりを持っていた。英語も堪能、海外のアート事情にも詳しく、地元に根付いた稀有な存在だったのだ。


その1週間後、3月2日には東京でインディペンデント・キュレーターの窪田研二に相談。震災当初から「ジャパン・アート・ドネーション」という寄付団体や展覧会を立ち上げていた窪田は、日本では数少ない行動派キュレーターだった。筑波大学で復興とアートを実践的に教えるクラスを主宰し、被災地にも通い続けていた。

実は若いときは銀行マンであり、27歳のときに突然上野の森美術館に未経験のまま学芸員として就職。ペンキ塗りからはじめ、企画をいくつかキュレーションしたのちに水戸芸術館に勤務、MoMAのレジデンシー・プログラムなどを経て、独立。野良なのかエリートなのか異色のキャリアで養った人当たりの良さと、現場主義を貫く度胸によって、プロジェクトでは多くの交渉を担うことになる。

窪田に声をかけたのは、もちろん彼がキュレーションしてきた仕事への信頼が厚かったからではあるが、何より当時の日本でいえば、インディペンデント・キュレーターという存在自体が稀有だったのだ。ほとんどの日本人キュレーターは「インハウス」と呼ばれる形態で働いている美術館の学芸員であり、それは日本の美術館の多さを証明する現象でもありながら、組織人ばかりで自由な活動が少ない風潮を日本に生んでいた。だからか自主規制や検閲が横行しても、日本においてはキュレーターの声が微妙に小さい(と僕は感じている)。自分を棚上げできない身の上なのだろうと予想するが、例えば「あいちトリエンナーレ2019」で検閲が騒動化した際にも、作家や演劇系のキュレーター、批評家、ギャラリストなどの声が目立った中で、学芸員の腰は重かったように僕には見えた。

窪田と初めて会ったのはChim↑Pom結成前、2004年に開催された窪田キュレーションの「孤独な惑星――lonely planet」展で、参加作家だった会田さんに手伝いとして呼ばれた水戸芸術館である。制作スタッフとして呼ばれたが、メインは、大量の折り鶴を折る作業に気持ちが折れていた会田さんを励ます、という謎の仕事だった。「ため息つくのが仕事」と公言する作家のモチベーションをなんとか向上させようと、僕は日々水戸芸の広場で暇を潰していた下校時の学生たちをナンパして、美術館内でワイワイと折り鶴を折る、という謎のワークショップを開催して盛り上げていた。「ボランティアがボランティアを生む」（食事と宿だけは担保されていたが）という負の連鎖にもかかわらず、制作は日々楽しく、また窪田もその子らに展示や会場を案内するなどして、社会科見学を提供してくれた。

その後も仕事や飲み会などで一緒になったが、ガッツリした協働はDFWが初めてとなった。カフェのテラスでアイデアをじっと聞いていた窪田は、「誘ってくれてありがとう」とキュレーターとして参加することを快諾した。

震災から2年が経とうとしていた、その直前のことである。

展覧会公式カタログの意味

ここに一冊の本がある。『Don't Follow the Wind：展覧会公式カタログ2015』（河出書房新社、2015）という、Chim↑Pomと椹木、実行員会による共同編集のものである。カタログと言ってもこれは、作品や展示については語られていない。ガイドラインの通りに、作品の説明や画像はプロジェクトの断片だと考えていることから、また、コンセプトの通りに「観に行けない」という特性を増幅させるためにも、各作品のディテールよりもキュレーターや実行委員の道のりや考えなど、その試行錯誤に突っ込んで編集されたのだ。タイトルにある「2015」は、これがひとつのバージョンであることを示したもので、全貌は一般公開が始まった「そのとき」に改めて、という意味が込められている。

本書も、作品の内容を語るのは別の機会へと譲り、カタログから特に実行委員会による座談会と末尾の年表をベースにして、それから6年を経た観点も含めて書き記そうと思う。

事故自体が世界史的なスケールであり、例えば原発がアメリカの戦略で輸入されたエネルギー効率を優先するための産物であったことを考えると、プロジェクトはその当事者性を国外に広げる意味を持っていた。窪田に会った4日後の3月6日、再度渡米した僕はニューヨーク在中の若手アーティストであり友だちの池上健太郎にこの件を相談した。彼もまたニューヨークで村上のアテンドを担当していた過去をもつ因果な繋がりである。

窪田や緑川の反応も同様だったが、アート界において言語化が得意なタイプであろう彼らにして、まずは第一声が「やばい」とか「すごい」とか、アメリカ育ちの池上に至っては「ワオ」とか、いずれにしても中学生レベルのボキャブラリーで応える。「言い得なさ」からだろうことに確信を持てるが、次いで僕に黙々とコンセプトを繰り返して確かめる。発案時に僕が加藤に話しかけて咀嚼した方法と同じだが、彼らはそこでは終わらずに、福島在住の身として、キュレーターとして、ニューヨークという外からのかかわり方として、という具体的な方向に話を進めていく。相槌を打っているうちに、僕はプロジェクトがそれぞれに展開されていく広がりを感じていた。

池上は咀嚼の末尾に、「紹介したい奴がいる」と話し、ジェイソン・ウェイトという若手キュレーターについて話し出した。出会ったばかりだとのことだが、ホイットニー美術館の超難関のフェローシップで実践を積んでいるという若者で、「驚くほどに頭がいい」とのこと。パレ・ド・トーキョーやブカレスト・ビエンナーレなどでキュレーションをしてきた実績も頼もしいが、コミュニティやアナキズム、さまざまな社会問題やアーティスト・コレクティブなどに興味があるという。インディペンデントだということもあって自由が利くらしく、3月12日にアポをとった。

このジェイソンが大当たりだった。彼は2021年12月現在、オックスフォード大学の博士課程として、ホイットニーよりもさらに難関な場所に在学している。通常、ここを出てドクターになれば世界中どこの美術館にも就職可能だという名門だが（追記：その後、目出たく博士となった）、将来については全くのんびりと考えていて、それよりもDFWを立ち上げてからというもの、コロナ前（正確にはコロナ初期）までは日本を何度も訪れて、ほとんど福島とイギリスを往復するような生活を送っていた。その経験から、現在彼が書いている卒論のタイトルは「Michi no Oku / The End of the Land: Contemporary Art in Japan and the Catastrophic Condition」。「福島」や「帰還困難区域」について、「みちのく」の語源である「道の奥」を「土地の終わり」と詩的に解釈し、東北と日本の政治の中心地との歴史的な関係や災害から原発事故とアートの実践を捉えたものである。非常に重要な論文になると期待しているが、一方で、DFWにかかわってからというもの、既定路線のキャリアへの興味を彼が失ったように見えるのは惜しくも思う。友人キュレーターたちが各国の大型ビエンナーレや美術館をディレクションするように時代がシフトするなか、ジェイソンはひとり我が道を進み、欧米ではリサーチの外側にある日本のアートに最も詳しいひとりとなっている。

初めて会ったジェイソンはナイーヴな印象で、まずは「なぜ国際的にやりたいの？」という質問。僕はアメリカと日本の核のかかわりなどについて話したが、彼はその浅知恵をさらに自分ごとへと深めて思考していくことになる。カタログの彼の文章には、自身の当事者性について、「東京電力福島第一原発はアメリカの多国籍企業GEによってデザインされ、世界中の金融資本が出資している。福島の問題は局地的なものではなく、それはネオリベラル型グローバリズムの病理なのである。この時代をともに生きている以上、福島は誰にも等しく自分の問題である」と書かれている。

僕はその場でジェイソンにキュレーションを依頼。全面的なかかわりについては保留となったが、池上の勧めで、約1ヶ月後の4月9日に彼に初来日を要望した。実際に現地を見てもらうことにしたのであるが、資金はまだ無く格安航空券だったことから、旅程は過酷を極めた。深夜に羽田着、品川のホテルにチェックインしたその数時間後にChim↑Pomが迎車、福島県に直行し、3時間後には浜通りに到着という突貫旅行である。「時差ぼけだろうね」と気遣うも、流石に自分でも白々しいと自覚した。3泊4日（ほぼ2泊）の初めての日本はジェイソンいわく、「Chim↑Pomブートキャンプだった」。

いわきや富岡では緑川がコーディネートを担当した。まだ震災の痕が生々しかった富岡駅などを巡り、帰還困難区域をバリケードの外から眺める。仮設住宅では避難中のおばあさんたちが集会場でカラオケを繰り広げており、歓迎されるままに僕らも参加。ジェイソンはビートルズの「イエスタデイ」を歌い、全員で肩を組んで大盛り上がりしながらも、僕と林にはそのタイトルが皮肉に思えてならなかった。

その前日に、当地の花見のメッカであった夜の森の桜並木の立ち入り制限が半分ほど解除されたというニュースを見た。花見スポット復活の映像に復興の速さを知って驚き、さぞ賑わっているだろうと現場へと赴いたが、そこは相変わらず閑散とした、そよかぜがゆったりと枝葉を揺らす無人の街だった。左右に半分から下が除染のために皮を剥がされた満開の桜の木々だけが立ち並び、その並木通りの途中に昨日立てられたバリケードが、一本の道をこちらと向こう側……帰還困難区域に遮断する。あのニュース映像は夢だったのだろうか。呆気にとられた僕の側で、その桜並木に小さい頃から親しんできたという緑川が、「ああ……」と声を漏らしながらひどく落ち込んでいた。

窪田とジェイソンが初対面したのはその帰り、窪田が准教授を務めていた筑波大だった。プロジェクトの意義や目的、コンセプトなどを意見交換した。

ジェイソンと窪田はヘビースモーカーである。煙草を喫まない僕は二人と林が喫煙所で親密になる様子を遠くから眺めてホッとしていた。なにやら話し込んでいた様子のジェイソンは、会議再開にあたってこの「封鎖された国際展」を、航空機事故の際にすべてを記録するという「ブラックボックス」に例え出した。福島第一原発の事故という「明るみに出なかった事故につながるさまざまなプロセスの記録」や、このプロジェクトがこれから記録していく帰還困難区域の事象や作品のアーカイブなどに類似性を見出したのである。

その後、僕とジェイソン、窪田、池上の4者でSkype会議を重ねるなかで、作家の選定は政治性とコンセプチュアル・アートに寄るようにシフトした。「帰還困難区域」という捉えきれない事象について、ヴィジュアル的な応答は力を持ち得ない。そもそも立ち入りが禁止されているから「観に行けない」のであり、そこで発揮されるのはイメージの力ではなく「わからないもの」に対して概念的に応答する想像力の力なのだ。「わかったつもりにさえなれない」その感覚……ここに、帰還困難区域という謎のゾーンとの付き合い方があるように考えられた。

そんな議論を積み重ねていた矢先に、窪田が病気で倒れる。食事が喉を通らず、病院を何度も変えるも病名すらわからないという。オンライン会議で会うたびに痩せていく窪田が医者のススメで精神科病院に入院したのは、2013年3月、プロジェクトが始動してから1年弱、震災3年目のことであった。

運が良かったのは、パートナーが必死に症状を調べて病名に行き着いたことである。ようやく治療方針が確定したが、しかし難病であるとのことで、窪田はどっちみち入院が必要とされた。ミーティングの内容を毎回病室に報告していた僕は、「病院って携帯使って良いのかな」とか、「今日はちょっと声にハリがないな」など、毎度毎度、プロジェクトにまったく関係のないことが気になって仕方がない。ひょうひょうと明るい窪田に対し、なんとも遠慮がちに電話していたように思う。

それからが最悪である。ホイットニーのフェローを終えたジェイソンも、音信不通となったのだ。早くも挫折かと頭を抱えた僕をよそ目に、「世界中を旅していた」とのことだったが、僕にしてみれば、キュレーターの探し直し、イチから出直すかの瀬戸際である。しばしの雲隠れの謝罪から始まる待望のメール（10月8日）からは、まあ、仕方ないというか、納得というか、やはり、外国人としてかかわる自分の距離感の整理がもっと必要だったことが想像された。旅の先々でアート関係者らにこの件を話していたようで、しかしどうも皆の反応がとても良いという。結果、メールは改めて決意を固めたという朗報だった。そこには、「福島は現代におけるパラドクスであり、この社会の弱点であればこそ、実世界であるとも言える」「私の考えでは、このプロジェクトは過去・現在・未来を含めて、最も重要なアートプロジェクトの一つになるでしょう」とアツい言葉が並んでいた。

いよいよ本気になった様子のジェイソンに、元気で良かった、と返信した僕は、その1ヶ月後にバルセロナに来ないかと誘ってみた。僕とエリイが11月7日に先述したプレゼンのプログラム「The Influencers」に出演するにあたり、前々からプロジェクトに声をかけてみたかったエヴァフラと会うためである。

「かつてエヴァとこれだけ離れたことはないんだ……」と妊娠中の妻を遠きに想うフランコは、首からぶら下げた水中眼鏡（ネックレス）をいじる、まるでADHDのまま父親になったようなギークだった。だからだろうが、むしろプロジェクトのことを話したところから一転した。「まず、巻き込んでくれて本当にありがとう」と、かつてチョルノービリ（チェルノブイリ）でプロジェクトをした経験から、それがタイムリーさに欠けていると批判された経験を夢中になって喋りだしたのだ。「ジーニアス」を連発し、興奮冷めやらない様子のフランコは、そのままキュレーターを快諾してプロジェクトへの合流を決めた。

キュレーションの内容はもちろんとして、何よりエヴァフラが天才的だったのは、タイトルである「Don't Follow the Wind」の発案と、そしてプロジェクトのはじまりを告げたオフィシャル・ホームページのデザインだった。

「Don't Follow the Wind」の意味

吹きつめて行きどころがない風

——種田山頭火「旅日記　昭和十四年四月十五日」

「海釣りが趣味で風向きについての勘が働いたから、事故が起きた際にどの方向に逃げるかを考えた。車で北へと向かっていたが、とっさにUターンし、南に方向転換して急いで避難した。結局その日の風向きが北だったことから、放射性物質は北側へと拡散された」

ある被災者の体験談をいわきで聞いた翌日に、来日中のエヴァフラが「Don't Follow the Wind」というタイトルを提案してきた。日本語で言えば、「風を追ってはいけない」……風評被害や風の噂、風化なども連想できる言葉である。それまで仮称で呼んでいた「フクシマ・エフェクト」という科学的なニュアンスのタイトルは、福島を全面に出すことで意味が通りやすい一方で、実験のような冷たい響きから、更なる風評被害を生みかねないものだったのだ。実際の体験談から着想した意義も大きいが、「風」というみえない自然の響きは、プロジェクトに帰還困難区域を通り抜けるすべての存在を含むニュアンスを包含したのである。

「風化」、といえばこのプロジェクトは、その過程自体は作品と展示が放置されることがあらかじめ想定されている。一方で風化に争う姿勢自体も持っていて、だから僕らは現地にずっと通い続けているのだが、しかし災害大国で生きる日本人の「忘れやすさ」や、テロだイスラム国だ難民だトランプだオリンピックだコロナだと、立て続く大問題に直面する世界でひとつの事故の記憶をフレッシュに留めておくには限界がある。人々が忘れてもなお作品はその場に「展示され」ることから、むしろ忘れられた存在として無言で「発信」し続けていく。それを「受信」出来てきたか、その時間がどれだけ長かったか、忘却や風化を観客が自分のこととして目の当たりにするのは、封鎖が解かれた「そのとき」である。「そのとき」、観客は作品が風化自体を背負うように、物質的に風化してきた事実に直面し、時間と環境、そして記憶の関係を突きつけられる。

実際に行くたびに気づく変化がある。猪や小動物に荒らされた会場や壊されたドア、会場の解体と共に消滅した作品など、年々姿を変えていく展示……それらは、例えばある瞬間の展示風景や作品画像が流れ続けるインスタなどとは異次元のタイムラインを有している。春夏秋冬、晴れたり曇ったり、雷雨や時の経過をエフェクトとして帯びながら、作品と展示は滅んでいく/完成されていく。

その条件を受け入れた上で、作家たちは参加してくれた。日本人作家たちの当事者であろうという作品の迫力もさることながら、海外勢は揃いも揃って有名作家たちである。作品の総額などを考え出したらどえらいことになるが、例えばアイ・ウェイウェイ[*2]に作品を提供してもらう際に実行委員会が発行した「ローンフォーム」などは「ひどい」の一言に尽きる。「作品のメンテナンスをしません」「管理はしません」「責任をとりません」「保険に入りません」「返却はしません」……。と、思いつくだけの無責任な条件をひと通り羅列した恐ろしいものである。その制作にあたった藤城さんとギャラリストの山本裕子[*3]は、カタログで、それでも貸し出してくれた作家

＊2　1957〜。中国生まれ、現在はベルリンで活動するアーティスト。2008年北京オリンピックのメインスタジアム「鳥の巣」に携わるなど中国を代表する作家である一方、反体制を打ち出す過激な活動により、当局から拘束、拠点の破壊などさまざまな圧力を受けている。

＊3　ギャラリー「ANOMALY」ディレクター。2004年、東京・神楽坂に「山本現代」開廊。二度の移転を経て2018年に「URANO」「ハシモトアートオフィス」と連携し「ANOMALY」を立ち上げた。

に敬意を払いつつ、「作家はつまり展示するためだけに作品を提供してくれた」と、マーケットにも無関係に、しかし単なるドネーションでもない、ただただ「帰還困難区域に展示する」という目的が作家たちにとって重要であった意義に注目している。

これについて緑川は独自の視座を投げかけている。震災によって完全に変わった「地」(サイト)に、これまで通りの「図」(システム)を乗せることは出来ないとし、新たに出来上がった「地」(これが帰還困難区域であることは言うまでもない)に乗せるべき図は、会期や契約の文面などはじめ、全て塗り替えないといけないと語る。これまで通りのシステムでは、帰還困難区域には全く対応できないという意味だが、実際、椹木の『震美術論』はまさにそのような問題意識をついた書籍であった。震災大国である日本の美術史を、その観点から今一度捉え直す。震災時の美術館を思い出すと、空調どころか全ての電気はストップし、建物は倒壊し、浸水し、作品管理などは到底できないような状態となった場所もあった。一時的に避難所になったという美術館もあったという。西洋のような環境を前提にしたシステムでコレクションを修蔵する、というアート界のグローバリズムに無理が生じたのである。

荒れる大地には、その過酷さに相応しい「図」があるのではないか……。これは当時、震災の経験から自らの在り方を見直した日本のアート関係者の間で大いに議論された。が、時を少し経ただけの現在、この問題は世界的な気候危機とともにどこでも問われ得るトピックになっている。ジェイソンもこの意義をプロジェクト発足当初から強調していて、「今後世界中でおこるであろう災害の際に必ず参照されるものになる」と語っていた。だからか、DFWが、猪や小動物、四季折々の気象や天候、地震などの影響を受けながら、全くの「ノンヒューマン」な状態のまま変化し続けていること自体には、彼はむしろ可能性を見出している。その観点からの考察も必要だ、と鳥の鳴き声の分析や、野生動物を観察する定点カメラなど、来日のたびに科学的なリサーチを会場周辺で試みる。

「風」は、火や放射性物質などを運ぶことから非常時に追ってはいけないものでありながら、一方で、万物が風化の中で一体化していく運命にあることを示していた。その意味で、被災者の方の経験に基づいたエヴァフラの発案は、長期にわたって環境とともにあり続けるこのプロジェクトの性格「そのもの」だったのである。

プロジェクトの発表

「『見えない』とは何のことを指すか」。カタログに掲載された座談会ではこの議論を、「ブラックボックス」がイメージさせた黒からテーマカラーが白へと変化してきた経緯を交えて振り返っている。放射能、歴史、帰還困難区域の内側、さまざまにある「見えないもの」とかかわりながら、僕らは、それが闇としての「黒」なのか、はたまた透明で視認されないという物質的な特徴なのか、とその正体を追い求めてきた。DFWの特性は、立ち入れないという現実によって目視できる存在が見えなくなっている、という「計測できない」現象にこそある。区域の内部や環境、そして作品がどうなっているかを見続けるために想像力が必要だとするのはそのためである。「白」という色が表象し得るホワイトキューブなどのアートそれ自体のイメージは、いうなればアートをテーマにし続けてきた人間の能力であるところのその「想像力」を代弁する……。そんな議論を振り返り、窪田は、「僕たちは政治的に集まっているのではなくて、アートで集まっている。それが一番の肝ですよ。白いホームページや透明な旗（図8-1、8-2）は『ニュートラルですよ』というメッセージではなくて、アートの一番強い武器である想像力を喚起するための仕掛けなんです」と語っている。

いよいよプロジェクトを発表しよう、という段階で課題になったのは、その情報の出し方、つまり作品や展覧会が見られない中でどうDFWを伝えるか、という告知方法というか、態度表明であった。ウェブサイトを作るに当たって、ああでもない、こうでもない、あれはこれはと話しているうちに、インターネット・アートのパイオニアであるエヴァフラが全てのアイデアに首を横に振った。その代替案として、「真っ白なホームページにしよう。開いたときは誰もが、何も書かれていないと戸惑う。ワンテンポ遅れて、プロジェクトの概要と、参加作家やキュレーターの一覧、そして問い合わせ先が読み上げられるのはどうか」と提案をした。

聞くからに未知なホームページである。僕らは全員「おおっ」と惹かれながらも、とはいえイメージがつくよ

上・8-1　「Dont' Follow the Wind」2015-
Courtesy of the artist and Don't Follow the Wind Committee
下・8-2　「Dont' Follow the Wind」「Chim↑Pom 展：ハッピースプリング」展示風景（森美術館、東京、2022）より
撮影＝森田兼次／画像提供＝森美術館

うなつかないような。その反応に対してエヴァフラは、「自分たちは20年間インターネットを素材に作品を作ってきた。信用してもらって大丈夫だから」と念を押した。たしかに、と確信した僕らは、キュレーターと参加作家たちの声を日英でコラージュすることで進めてみよう、と全員一致で合意。プレスリリースも無し、ホームページを貼ったSNSのみで告知、という思い切りである。

結局、黒かった「ブラックボックス」は紆余曲折を経て、ホームページによって突き抜けるような白へと変化した。が、意外というか確信通りというか、そのシンプル過ぎるイメージと音のインパクトは凄まじく、2015年3月11日のリリースとともに、情報はあっというまに拡散された。サーバーはダウン、コメントも記事も勝手に増えて、「Don't Follow the Wind」という未知のアートプロジェクトが始まったという謎の印象は、白いホームページによって表象された。

座談会で緑川はこの反応について、「DFWを発表したときに反響はすごかったですね。それは私がChim↑Pomから（案をはじめて）聞いたときの反応とまったく同じ、『マジで!?』という驚き。引き裂かれてるけど同立してる」と、その感覚の新しさを振り返っている。

展開

キュレーターが多国籍で構成された結果、参加作家も日本人とそれ以外の国のアーティストと割合が半々となった。狙い通りの国際的な枠組みではあるが、しかし当初、海外勢と日本勢の帰還困難区域への捉え方には大きなズレがあった。「帰還困難区域」を語る日本勢に対し、海外作家がカタカナで「フクシマ」と原発事故を話すくらいの相違である。あたかもタルコフスキーの映画『ストーカー』やチョルノービリなど、究極的に「復興が不可能」なゾーンのように「フクシマ」を捉えようとするが、実際の福島県は広く、帰還困難区域はそのごく一部に過ぎない。区域内も街部分はチョルノービリと違って除染作業がひたすら行われていて、そのための作業車などがひっきりなしに通行する。『ストーカー』のようなロマンチシズムは見受けられないのが実態である。それを「フクシマ」と一括りにすることこそが風評被害に繋がるのだが、そのリテラシーの差は距離によって年々大きく広がってしまう。

特にジェイソンはそのバランス感覚に敏感であろうと学び、国際的に展開するこのプロジェクトの難しい舵取りをしているように思う。ほとんど全ての日本人よりも帰還困難区域に詳しくなった彼は、同時に海外からの「フクシマ」像の感覚を知りえる外国人でもある。

区域内の「本展」の運営とともに、DFWは各国の美術館やビエンナーレ、芸術祭などにグループ展や個展として参加することで、その存在を知らせる戦略をとっている。「ノン・ビジター・センター」と呼ばれるこの巡回をリードし、コンセプト・メイキングに積極的なのは、ジェイソンである。国立公園や原発内など立ち入れない場所の傍に設置される「ビジター・センター」。それをノン・ヒューマンな状況でもじって「ノン・ビジター・センター」とする……。ジェイソンらがその着想を得たのは、やはり浜通りを往復する中でだった。東電のビジターセンターが、浜通りを富岡にかけて北上した右側にあったのだ。現在は「廃炉資料館」となっているが、その風貌は事故前に「エネルギー館」だった頃と変わらない。原子力の平和利用を学ぶ施設だったその建物は、原子力エネルギーの父たるアインシュタインと母たるキュリー夫人、電気の父エジソンの生家をモデルにしたものである。

「ノン・ビジター・センター」についてカタログでは、「ノン・ビジター・センターは原則として展覧会のかたちを取りますが、これに加えて書籍やウェブサイトなど多様な形態に媒介され、記録や二次創作などを集積・公開し、長期にわたって継続します」と説明している。

これまで、ワタリウム美術館での個展（図8－3）やシドニー・ビエンナーレの参加を皮切りに、ヨコハマ・トリエンナーレや江陵国際ビエンナーレ、東京、香港、ニューヨーク、リスボン、北京、アテネ、ロンドン、コペンハーゲン、バルセロナ、イタリアやドイツなど、27ヶ所で展示が設置され、書籍は、2015年出版の日本語版と、2021年に出版された英語版（それぞれ内容は違うもの）が刊行されている。

8-3　「Don't Follow the Wind: Non-Visitor Center」展示風景（ワタリウム美術館、東京、2015）
撮影＝森田兼次
Courtesy of the artist and Don't Follow the Wind Committee

浜通り・会場

緑川は地元の方々を僕らに次々と紹介してくれた。その方がまた別の人を紹介してくれる。人の連なりでプロジェクトは深まり、帰還困難区域内へと発展してきたが、そもそも避難した人は散り散りに離れ、コミュニティは解体していたのだ。地元のひとの居場所や連絡先などは、行政ではプライバシーの問題で教えてくれない。広島や長崎、津波の被災地と帰還困難区域が違うのは、このコミュニティの喪失であった。

富岡町の図書館館長だった小貫和洋は、現在関東に暮らしている地元のインフルエンサーである。だからこそ街の現状を憂い、そして怒っていた。初めて面会したあとに頂いたメールには、「忘れられていく」という焦燥感が色濃く反映されている。

「沖縄、広島、長崎、水俣、神戸大地震など 私も他人事のようでしたので……」と、文面からは、歴史的な大惨事の一覧に自分の街が加わってしまったという現実と、3年が経って多くの人にとって他人事となっている現状が悲痛に語られている。DFW 構想については、

「声をあげて、発信できない、福島県双葉郡の郡民にとって、直接でなくても、後方支援にもなるし、国や東電からも気になる、嫌な存在になることができる。東電福島第一、第二原発の現場で働いている東電職員はじめ関連職員、作業員の方たちも、現場の現状を訴えることができない。そして内部告発できない、皆さんにとっても忘れられては困る、無言の訴えになると思います」

と、期待を寄せている。

この「忘れられていく」ことへの「無言の訴え」というあまりに適切な例えは、まだ未完成だった DFW のコンセプトをまさにズバリとついたような、僕にとっては本質を逆に教えてもらったような一文だった。そのように小貫さんは、ご自宅がエリア的に会場の範囲外であるにもかかわらず、地元目線のアドバイザーとして僕らをずっと支えてくれた。ミーティングの場所を紹介してくれたり、役場との面談をセッティングしてくれたりと顔

も広いが、例えば企画書に「福島第一原発の事故によって」とあると、「東京電力福島第一原発の事故によって」と直してくれる。この本質的な違いに敏感であるべきと、気づきをもたらしてくれるのだ。

緑川は当時の国会議員にも相談。議員が「この人は話を聞いてくれるはず」と繋いでくれた初老の男性、Mさんこそは、プロジェクトの要となった初の会場提供者の方である。さらにMさんは次の会場提供者を紹介してくれて、次の次の会場提供者をも紹介してくれた。DFWにとってはまさに「ゴッドファーザー」のような存在であり、帰還困難区域への出入りもまた、彼のご尽力によって行われた。公益一時立入りで入れる会場以外への立入りのために当時年間15回と決められていた一時帰宅の限られた権利を、何度もDFWに貸してくれたのだ。彼なくして僕らの活動はそもそも帰還困難区域に広げられなかったのだが、その影響は実務にとどまらない。何よりも世界中から福島を訪れたアーティストたちを家に招き、自身の経験を話してくれることで導いてくれた。屈託のない彼の明るさを見た海外勢を、「フクシマ」という画一化した悲劇のイメージから解き放ってくれたことは大きかった。

2014年5月に初めて会ったMさんは、緑川が事前に「すごい人です」と知らせてくれていた通りの懐の深さと、ユーモア、親身さを併せ持っていた。バラバラとなったコミュニティを再生しようと、浜通りに避難中の方々が移り住める「第2都市計画」を構想。同時に移り住んだ先でも根をおろしながら、未来に向かって商売を展開しようとも考えていた。当時はいわきに「避難者帰れ」と落書きがあったように、目も当てられないような差別があった時期である。まさに「スーパーラット」的なサバイバル精神を感じたが、そんな社会的な活動の一方で、私的な魅力も強い。相馬の馬追で培った武士道精神から、甲冑のこととなるとこだわり、「甲冑三体」の説明はゲストが来るたびの通過儀礼となった。刀の取り扱い方などは本職のようで、トルコ人作家のアーメット・ユーグなどは弟子入りを願い出ていたように思う。

彼のご友人のHさんは、2つ目の会場をお貸しいただいた地権者である。「倉庫を使いたい」という窪田の希望を受けて、Mさんがその場で電話をしてくれた。

彼もまた活発であり、当時、中間貯蔵施設の設立を住民に説得する側のスタンスをとっていたが、石原伸晃環境大臣(当時)による「最後は金目でしょ」という発言で立場を一転、初めて会った際に、もう協力しないと決めたよ、と怒りと悔しさが入り混じった胸の内を語ってくれた。会社を経営しているが、仕事の繋がりがあったほとんどの場所は帰還困難区域となった。経済的にも厳しく、従業員たちやその家族らも鬱になったという。そんな事態であったにもかかわらず、DFWへの会場の提供に際し、「これはアートだからお金はいりません」、と下を向きながら申し出てくれたことに胸が詰まった。もちろん、僕らとしては(払える目処はたっていなかったが)賃料を支払いたかった。実行委員会でも、いくらが良いのか、いつまで払い続けるのか、そもそもそんな契約は可能なのか、という茫然とするしかない予想や議論が交わされていた。だからこれは本気で抱擁か土下座でもして感謝の気持ちを表したい申し出ではあった。が、しかし襟を正すべきは、その彼の無償の気持ちは「アートとして」期待している、ということの裏返しでもあるのだ。「最後は金目」という侮辱に憤る一方で、芸術には無償での協力を申し出てくれるのである。感謝しているだけでは意味がなくて、金額に還元できないほどの取り組みをしなければ、アーティストとしては「失格」なのだ。

「アート」だからという信頼とアイデアへの共振

これまで計6ヶ所の会場で展示されてきたDFWだが、結局皆さん無償で物件をお貸しいただいた。実際問題、再開発のヴィジョンに伴い、国は帰還困難区域の不動産については地権者に売買自粛要請をしていた。が、それがあろうとなかろうと、きっとこのご厚意は変わらなかったと思う。これは僕らによる交渉の結果ではない。大前提として、「アートだから」という信頼に寄り添ってくれた地権者の方々の善意であり、アイデアへの共振のかたちだった。

現在、高額を記録する「アート」についての報道が相次いでいるが、一方で、いかに貧しくとも、プロジェクトが創出するこの何にも変え難い、強く温かな信頼関係を結びつけるものが「アート」であるという認識もある。これは2014年7月に北京のアイ・ウェイウェイのスタジオに僕が訪れ参加を直接打診した際に、彼が自腹で作品を提供してくれると申し出てくれたときにも感じたものだ。別に貧乏自慢や無償の奨励をしたいわけではない。マーケットへの否定でもない。そうではなくて、アイデアの強さや、アートであるという意志は、「金目」がなくともプロジェクトを必ず前に進めてくれる「エネルギー」そのものだということを確認しておきたいのだ。でないと、地元の不動産をお借りする時点で、DFWも中間貯蔵施設もまかり間違えれば似通う。

コロナ禍に「医療従事者」や「医療現場」という言葉を日々聞いたが、つまるところ僕が問いたい「アート業界」とは、そんな「アート従事者」による「現場」そのものなのである。会場を提供してくれた住民の「志」に応えること、彼らがいう「アート」をその信頼に値するものとしてさらに歴史の中に育むこと。検閲や規制、拝金主義を組織や時代の論理で正当化するような既存の「アート業界」が蔓延る中で、組織の保身よりも「アートに従事」する「志」はこのような「組織なき」プロジェクトの現場でこそ純粋化し得る。グループ（集団）とコレクティブ（協働）の違いというか、ともに一線を越えようという実行委員や住民らバラバラの個人を「アート」は鎖のように結びつけるのだ。そういう意味では当然、DFWも協働のかたちであり、実際、ノン・ビジター・センターを海外で設置する際には、「キュレトリアル・コレクティブによるプロジェクト」と明記される。組織や集団のルールではなく、個人による協働を「アート」が結束させる。これを可能にするのは、いうまでもなくかつての自分たちのような先達が行ってきた失敗も含めた「アート活動」の集積からなる「アート」それ自体への信頼である。

この歴史を、例えばDFWの実行委員会のような「マイクロなアート業界」に対し、僕は「マクロなアート業界」だと考えている。両者ともに世間で言われている「アート業界」とはまったく違うものだが、自分が活動するにあたっては、実際、その両極だけが信頼に値するものだった。

その後も地元の方々とは数珠つながりに出会っていく。3つ目の会場の地権者Tさんや、緑川の友だちだったことからChim↑Pomの作品を展示してくれた4つ目の会場のAくん、その建物が解体されたことで、巡回することになった作品を新たに迎え入れてくれたT親子。

その父親のKさんは、震災後からアート「のような」制作活動を自主的に始めた「アーティスト」である。怒りや悲しみを抗議の表明とし、経験を口伝する……、「伝える」ことは言葉による活動としていかようにも可能だが、どれだけ語っても、有り余る想いが「語り得ない」ものとして残ることがある。言葉にならない何かを抱えてしまったときに、人はそれを抽象的に表現することでアウトプットするのかもしれない。ある種アート「のような」活動が自然発生的に始まったケースが、浜通りにいくつか見受けられたのもそれに近いのかもしれないが、Kさんもまた、カラフルに塗られた電線ドラムを使った儀式やインスタレーションを区域内外の野外で繰り返し、無観客のままそれを写真に収め続けている。会場のオーナーではあるが、自身も作品を展示したい、という嬉しい条件を申し出てくれた、参加作家の「ような」住民である。

林業を営む彼は、帰還困難区域が自然へと移っていくプロセスという興味深い事柄を教えてくれた。

水田だった土地は、まずはセイタカアワダチソウに一気に占拠される。これが帰還困難区域になってから2〜3年続いた景色だが、3年ほど経つと勢力はススキやよもぎに変わる。セイタカアワダチソウは他の植物を枯らす物質を放出して繁栄するが、一種類となって一斉にその物質を放出すると、自身を枯らし始めるのだという。勢力を拡大したススキなどに少し遅れて柳の木が生え始め、背が高くなるにつれて、日光や栄養を吸われた草類は滅ぶ。パイオニア植物といって、土砂崩れの後などに最初に生えてくれるものたちであるが、震災後10年が経った帰還困難区域には、除染の段階によってその3つの勢力の分布が同時に見て取れる。Tさんの水田は一度も除染されていないため、いまは柳林になっているというわけだ。これが衰えてくるのと引き換えに登場してくるのが、松や杉である。区域内の一部はこの1年でいよいよそのプロセスをたどるように変化してきているが、こうなるとあとは一気に森林化するという。

人間の力の後退と共に自然が入り込み、生態系が変化するという話を林の中でしてくれるKさんであるが、今年、その会話の途中におもむろに少し土を掘って中から縄文土器のかけらを見つけて手渡してくれた。その周辺では珍しいものではないらしく、子どもの頃から拾うのが好きだったという。「1万年前からここは人が住んできたんですよ」と、無人の街となった現在の、人類史のレベルでいう異例さを土に埋もれた証拠で示してくれた。

もうなにも見えないんだと思うとすごく苦しい。
でも時々見えるんだ。
この前は朝起きて顔を洗ってたらいきなり見えた。
オレが生まれて一番最初に美しいと思った景色でな。
小学校の校庭にあった大きなイチョウの木さ。
イチョウの葉っぱ一枚一枚風でキラキラ光っていた。
なんて美しいんだろうと思ったよ。
この世界は奇跡でできてるようなもんさ。
オレはその時はじめて感じたんだよ。神様の気配をーー

——いがらしみきお『I【アイ】』3巻

ファンディング

実行委員会にギャラリストの山本裕子が加わった契機は、ひとりファンディングを担当していた盟友・藤城さんからの「一人じゃ無理！」というSOSだった。当時、山本現代というギャラリーを経営していて、Chim↑Pomも個展を開催したりと仲良く付き合っていた。のちにANOMALYという日本最大級のコマーシャルギャラリーを設立（Chim↑Pomも無人島につぐ2つ目のギャラリーとして所属）することになる山本さんは、現在のChim↑Pomにとって最良のパートナーのひとりでもある。

いま、大所帯の僕らが生活できる程に稼げているのは、何を差し置いてもANOMALYの力が大きい。売り方なんてあってないようなChim↑Pomのプロジェクトを、山本さんは資本主義の論理に丸め込むことなく、あくまでも資本主義の例外として売買する。要するにかなりのヤリ手なわけだけど、その力が発揮されているのは市場だけではない。日本の現代美術のギャラリーが一堂に会する協会「CADAN」では副代表理事を務め、その役割から文化庁の会議などにも顔を出す。業界をリードする姐御肌、といった仕事ぶりの一方で、性格は人一倍

キャピキャピとした極楽とんぼである。付き合いやすさも加味すれば、ギャラリー界の、エヴァで言うところのカリカリしていない葛城ミサト（酒量だけでいえば藤城さんの方に当てはまるが……）と例えれば一般にもイメージ出来ようか……。とにかく、それくらいには面倒見が良い。根気もあって、戦略にも長けているから、みんなによく甘えられている。かくいうChim↑Pomの数人（僕も含む）も金を借りているようだし、1歳違いのアート界での戦友である藤城さんにしても、「一人じゃ無理！」だったDFWでは特に頼りやすい相手だったのだ。

自身のギャラリーのマネージメントとは全く関係ない個人の活動としてDFWに参加したことについて、山本さんは、「やるべきだしやらないのはダサいと思った」と座談会で話し、「文化にかかわっている者の端くれとして、社会的責任といったら大袈裟だけど、社会的なアティチュードとして、これは少しでもかかわらないとダメだと思った」と打ち明けている。

とはいえ、ファンディングにおいても「困難」は続く。「たしかに、このプロジェクトが持っている性質は現実と対峙していておもしろいと思ったし、頭ではこの時間軸や状況を受け入れられる。でも、いざこの企画をプラクティカルに進めましょうとなったとき、『（人に）言えない・（会場に）入れない・（作品を）撮れない』の壁にぶち当たる。これはPRやファンディングなど、どうやって進めたらいいんだろうって」と、その苦労を山本さんは語る。

ファンディングのプランの履歴をあげるとこうなる。

・まずは2012年にChim↑Pomに映画制作の話がくる。そこそこ大手であり、バンクシーが監督した映画『イグジット・スルー・ザ・ギフトショップ』の和製版のようなものを、というオファーだった。DFWに取り組むことに決めた僕らは、それをプロジェクトの資金確保のチャンスと捉えて改めて提案。が、それと同時に映画会社はフェードアウト。「福島」がテーマだと観客動員が見込めない、という理由だった。「福島」を別の言葉に置き換えるのはどうか、と提案されたが、本末転倒だとこちらも身を引いて頓挫。

・「ブラックボックス」のイメージが湧いたあたりからは、黒いヴァイナルのレコードを作ってエディション50

で20万円で販売する案が浮上。MoMAで原子力をテーマにしたライブを行ったばかりのクラフトワークの協力を得られないかなどアイデアを煮詰めるも、テーマカラーが黒でもなくなり、コスト的にも厳しいと頓挫。

・会場自体をひとつの美術館として売るという「美術館建設」案もあった。オファーシートのアーカイブだけですごい量になったが、会場提供にあたっての地権者のボランタリーな想いを踏まえると本末転倒、例の帰還困難区域内の不動産売買の自粛要請もあり頓挫。

・アメリカのオークション・ハウスから資金作りの協力の申し出もあった。参加作家の作品をオークションにかけるという案だが、オークションを嫌うアーティストもいて頓挫。

結果、2014年までの2年間は資金ゼロのまま。実費を、窪田、藤城、山本各氏が数十万円ずつ出して補填し、なるべく節約を心がけるというD.I.Y.な活動が続いていた。

竹内公太[*4]に声をかけたのも最初期である。Chim↑Pomとともに一番最初の参加作家となり、実行委員も兼ねた。突如フクイチを生配信している監視カメラに現れ、カメラに向かって指を指した、通称「指差し作業員」というアノニマスな原発作業員の「エージェント」を名乗った竹内は、一躍注目作家となった後にいわきに移住したアーティストである。小貫さん同様に「地元目線」を貫き、綿密なリサーチによってプロジェクトに風評被害や帰還困難区域の危険度の過大評価などがないかをチェックする。会場提供者の方々からの信頼も相当に厚く、新たな住民として被災者の方々に寄り添い続けている。

現在のDFWを最もドライブさせているのは誰かといえば、紛れもなく浜通りに住む竹内と、イギリス在住のジェイソンだろう。竹内は定期的に足と資料で会場周辺をリサーチし、実行委員会に報告してくれる。ジェイソンもまた、コロナ前までは年に数回来日し、メンテナンスや撮影の記録などを持続。二人の問題意識や発信を受

*4　1982〜。アーティスト。「パラレルな身体と憑依」をテーマに、時間的・空間的な距離を超える作品を制作。第二次世界大戦中、日本からアメリカへ放たれた無数の風船爆弾の行方を入念な調査で追う《盲目の爆弾、コウモリの方法》など。

けて、実行委員会が開催されたり、帰還困難区域に入域したりというのがひとつのパターンになっている。全く資金がなかった頃には、竹内のバイト先であったいわき湯本の温泉旅館が拠点となった。大勢でも泊まれることが出来て助かっていた。

日本のアートコレクターの協力はなかった

とはいえ、いよいよ展覧会スタートを半年後に控え、資金繰りの緊急性は否応なく増した。この段階ではもう、言い出しっぺでもあり、それなりに作品が知られているChim↑Pomがなんとかするしかない、と次は２０１４年10月に無人島で展示即売会を開催する。徳島の山奥の限界集落にある僕の父の生家から解体してきた木材などに、《REAL TIMES》と《Red Card》のイメージをシルクスクリーンと筆でもっちゃんが描写、一枚28万円で販売したのである。手堅かったことから、これらはある程度売れた。が、といっても協力してくれたコレクターは少なく、さらに目標額だった窪田による当初の予算の試算は３０００万円と途方もない。中堅作家に馴染みのコレクターの売り上げだけでは先行きが見えず、その道のりの長さに何かトンネルのように続く陰影が落ちた気がした。

日本のアートコレクターの協力による実現が叶わなかった、というのは僕にとってはひとつの挫折でもあった。当初僕はこのプロジェクトを、日本のアートシーンの力で実現したいと考えていたのだ。帰還困難区域からの発信を共作する相手として筋が通っているように思ったからだが、あることをきっかけにして諦めた。とある企業に資金捻出の提案をした際に、これもまた「企業として福島がＮＧ」というニュアンスで断られたのである。理由が理由だけに憤ったが、そこに展示即売会の結果がダブルパンチで響いたときに、そもそもコレクターとは共犯関係が作りづらいという動かしがたい現実がずしんと肩に来た。既存の「業界」への絶望感に直接リンクしたわけだけど、このため息はいまも国主導で市場の拡大をトップダウンに諂うような現状への評価としても引き継がれている。財産やエゴのみを目的としたような「アート市場」において、その道楽の「活性化」や「文化と経済の好循環」があったとして、それでいったい何をもって我々は世界に「文化芸術立国」（文化庁文化審議会文化政策部会アート市場活性化ワーキンググループ報告書）と言うのだろうか。

例えばアメリカの70年代頃のランドアートなどは、ディア・アート・ファンデーションなどによって今も壊されることなく保存されている。ニューメキシコの広大な敷地に避雷針を立てたウォルター・デ・マリア[*5]の《ライトニング・フィールド》や、浜辺から海に向かって反時計回りに巨大な土の渦を全長1500フィートにわたって作り上げた、ロバート・スミッソンによるランドアートの代名詞たる《スパイラル・ジェティ》などがそれであるが、他にもマンハッタンのど真ん中に位置するアパートの一室全て（335平方メートル）に土を敷き詰めた《ニューヨーク・アース・ルーム》（ウォルター・デ・マリア）など、都市部のプロジェクトも多い。作品によっては制作自体がサポートされたもので、驚くべきは、ディアに維持されることで現存しているそれらがいまも「その場で」鑑賞可能となっている、という新たな制度の方にある。アーティストの制作が規格外のプロジェクトであればこそ、その運営も作品に匹敵するほどのプロジェクトであると言える。

ニューヨークでは他にも、「パブリック・アート・ファンド」や「クリエイティブ・タイム」などの組織がアーティストによる野外や廃墟、現在では宇宙にまでわたるプロジェクトを支援し、毎年のように大規模プロジェクトを世に送り出す。ともに非営利団体であり、表現の自由などを前面に謳うことで、企業や財団法人のような組織の事情による規制などがないよう公益性が重んじられている。

日本も同じく60〜70年代にアーティストは外に出た。が、違うのは、「日本の前衛アートは作品が残っていない」と嘆かれている現状にこそある。パフォーマンスなど無形の美学が特徴だったという禅的な理由もあるにはあるだろう。が、僕からしてみると、作家のチャレンジを残そうというコレクターや業界のチャレンジ自体が無かったこと自体にも疑問を感じるのだ。アーティストの活動が美術館の外側に出ていったならば、それを新たな

＊5　1935〜2013。アメリカの彫刻家・音楽家。広大な自然空間を舞台にした1960年後半の「ランド・アート」の代表的作家。香川県・直島の地中美術館にも作品が恒久設置されている。

制度にしようという「運営の思想」も新たに出てくるべきなのだ。保存もされていない、新たなプロジェクトにも協力は薄い。越後妻有や直島など、北川フラムやベネッセによる運営が評価されるのは、逆説的にこの問題意識を改めることに成功したからに他ならないが、とはいえ両者ともに土地や芸術祭など限定された自身の枠組みを出るわけではない。

DFWのように、ゼロからプロジェクトを作ろうという規格外な動きが後世に現れたときに、はたして日本のアートマーケットはどれだけ機能し得るだろうか。「残らなかった前衛」から半世紀が経ってもなお、「日本とアメリカは違う」などの常套句がいまだにエクスキューズとしてまかり通る日本において、その課題はいまだに解決されていない。

ファンディングの格闘

もはや「アート業界」も頼りにできず、ファンディングの雲行きが一層怪しくなった2014年11月、発案から約2年が経って、展覧会スタートまで4ヶ月という切羽詰まった瀬戸際に、突如エリイが行動に出た。自身の知り合いで、社会問題や文化全般への関心が高く、お金持ちであったK氏に相談してみると言うのだ。K氏はコレクターではないし、エリイがお金の相談を持ちかけるなんて初めてのことである。細かいことは後にしよう、とエリイは僕を伴って面会を設定、後がない僕も2年間の想いをプレゼンに込めることにした。

……残念ながら、面会のディテールは全く記憶にない。よほど全力だったのだろう。だからか提案後に疲れがどっと出たことを覚えている。それで酒に酔ったのだが、結論から言うと、しかしそれは祝杯であった。K氏が興味を示し、まとまった額の支援を約束してくれたのだ。ようやく念願だった活動資金を空っぽだったDFWの口座に入れられるということになり、エリイともども肩の荷が降りた。ワタリウム美術館やシドニー・ビエンナーレでのノン・ビジター・センターもほぼ決まり、外堀が埋まった。これでいよいよ後は作品をインストールしてスタートだ……となるはずだったが、喜びも束の間、困難はむしろここからだった。喜び勇んだ僕のメールが、新たな議論を生んだのである。

竹内が、メインスポンサーによるプロジェクトになることに懸念を投げかけたのだ。「サポーテッド・バイ・……」のようなクレジットになると、プロジェクトの権利がある個人または企業に発生しているように見える。そのことを竹内は座談会で、「ある方に支援をいただくというのは、例えば放射能災害の評価や原発に対する考え方が、その人の名前によって左右されてしまうのではないかと思ったんです。個々の作品は別として『DFW』は全体である一つの政治的見解を提出することが目的ではないと思ったんだけど、そこが不透明になる」と、当時の問題意識を振り返っている。なるほど、といったん自戒を込めて納得するも、事は思わぬ方向に進展してしまう。あろうことか、「そこに僕は責任をもてなくなると思ったんです。だから、その時点で逃げようとしたんです」と、竹内が一旦プロジェクトから身を引く決意を伝えてきたのである。

一歩進んで三歩下がる。その相談に僕は呆然となった。一人目の作家として声をかけたくらいに竹内公太は、プロジェクトにとっては絶対的に必要な存在だったのだ。抜けられたときの穴の大きさを考えたら、それなら資金繰りに戻るほうがマシなくらいに思えたのである。が、竹内にしてみたら、

「あれだけ会場探しに苦しんで、お金がない時期も長くて、しかもあのエリイちゃんが他人にお願いして工面して……。事の大きさがわかるだけに、苦しかったです。『かわりに僕が出します。』なんて言える額ではないし、かといって誰かの名のもとに制作してしまうと責任をもてなくなる。他に代替案を出せるわけもないし、悩んで悩んで『辞めます』と言いました」

という程の決意であった。

心底困ったが、同じ作家としては理解もできる。それにこの問題意識は客観的にプロジェクトを考えるにあたっては、実は誰にとっても正当なものではないか。メインスポンサーによる影響は、それが実際にあろうがなか

＊6　1946～。アートディレクター。大学で仏像研究と全共闘運動に携わる。82年、アートフロントギャラリー設立。「大地の芸術祭 越後妻有アートトリエンナーレ」（2000年～）、「瀬戸内国際芸術祭」（2010年～）などを立ち上げ、日本の芸術祭のパイオニアとなる。

ろうが、ある種の力関係として内部にも外部にも忖度されてしまう。特に政治的見解や放射能のリスク、感情、原発への是非などは、今ですら評価や意見が分かれる問題である。当時からしたって二元論的な対立は加速していて、「フクシマ」は風評被害や政治の思惑を次々と再生産していた。「フクシマ」を巡る視点の相違という似たような理由で東浩紀らによる「福島第一原発観光地化計画」[*7]もストップし、そのプロセスもまた分断を生んでいた。そもそも、放射能の危険性などは科学的見地に頼るべきだが、帰還困難区域は科学自体が原発の安全神話が崩壊したことによって信頼を失った土地なのである。

プロジェクトにかかわるひとが多い分、意見の相違というものは自然にある。それを統一させることにはなんの意味も感じないし、かと言って差異にばかり気を取られても物事は進まない。アベレージを探して中立を装うことにも無理がある中で、じゃあいったい僕らはそもそもなんで集まったのか。もっと言うと、何を一致点としてこのプロジェクトを始めたのか……。という初心にまで遡ってプロジェクトを再考するよう、僕は迫られたのだ。

その根幹を取り戻していったのは、竹内との居酒屋やメールでの話し合いの中であった。忘れていたわけではないが、さまざまな関係者の意見を聞き、プロジェクト実現が一義的な目的になっていた中で一旦横に置いていた、自分自身の興味に立ち返ったのである。

自分はいったい何に強くこだわっていたのか。そしてなぜ多くの人を誘うべきと考えたのか……。そのコアを思い起こしたが、もともと単細胞な自分からして、答えはそれほど複雑なものではない。

単純なこととして、僕らの前には、あらゆるスタンスや立場で別れ得ない、問答無用に全員が共有している「強制力」が発動しているという事実があった。世界は登記簿以上にシェアされている実質がある、とは前章で述べたが、浜通りには、そんな悠長なコンセプトはおろか、地権者の権利すら奪われているといった資本主義も通じないくらいの状況がある。「帰還困難区域という入れない広大な場所が存在する」という現実は、つまりは安倍首相(当時)から反原発の活動家にまで通じる紛れもない事実であり、いかなるオルタナティブ・ファクトの成立も許さない、人類共通の現実だったのだ。

DFWは、この「立ち入れない」という事実を「観に行けない展覧会」へと転化した。政治や科学的見地や感情にはいくらでもフィードバックするが、そもそもは「帰還困難区域」と「アート」に特化しただけの、底抜けにシンプルなプロジェクトだったのである。

Chim↑Pomがほぼ全額寄付する

そうである限り、スポンサー問題への解答も実はこの中にあるように僕には考えられた。立場を超えたプロジェクトであることをスポンサーの名で示すためには、実際、道は3つくらいしか思いつかなかったのだ。公益的な名前か、クラウドファンディング並みに分散した連なりか、そして結局これが答えだったのだが、そもそもプロジェクトにかかわる誰にとっても異論のないポジション……呼びかけ人であり、発案者であり、プロジェクトのハブとして機能してきたChim↑Pomの名前だったのである。

「なんだ、Chim↑Pomが寄付すべきだったのか」

と、不意に覚悟が決まった僕らは、K氏が約束してくれた分の額のChim↑Pom作品を彼に販売する、という契約を結ぶことで決着としたのである（K氏も税理上それを望んでくれていた）。そこから経費を抜いた分がDFWに寄付されて、晴れて立ち上げ資金は出来上がった。

竹内は座談会でそのときのことをこう振り返っている。

竹内　「竹内くんが辞めたら本末転倒だから」と卯城さんが言ってくれた。あれで腹がきまりました。実はそれまで僕は勝手に考えていたこともあったんです。実行委員会の会議や人に会いに行くとき、僕は

＊7　福島第一原子力発電所の跡地と周辺地域を、後世のために「観光地化」することを提言したプロジェクト。2012年に東浩紀の呼びかけのもと、社会学者、ジャーナリスト、美術家らによるチームが作られ、2013年に同名の書籍を刊行した。

こっそりICレコーダーを胸ポケットに忍ばせて、皆さんの会話を盗聴していたんですよ。なにか失言があったら、後でリークして洩れ出させよう。それで原発事故と似た状況をつくって……だとか。そんな裏切りの野心を胸に秘めていたのです。……でも、そんな行動はおとなげない。そういう自分にきっぱり別れを告げたのがあのときでした。

一同　（爆笑）。

――Chim↑Pom、椹木野衣編『Don't Follow the Wind：展覧会公式カタログ2015』

恐るべき竹内公太の胸の内である。が、移住者である竹内の問題意識は、硬直化していた二元論への違和感でもあったのだ。いわく、「避難する／しない、解除する／しない、危ない／危なくない。そういった話とは別の発想に（プロジェクトが）向かえれば、と思うんです」と、アートがその分断を超える可能性を持っていることを示唆している。

勢いでアクセルを踏むChim↑Pomと、ブレーキを踏む竹内。このバランスはスタートまでの期間に、DFWという乗り物がどこに進んでいくかを決めるという重要な役割をはたしたように思う。

竹内は、展覧会がスタートしたその後も、一貫して地元目線のスタンスで実行委員会にかかわり続けている。ある住民と僕らが折り合いがつかなくなったことがあったときも、彼は苦悩しながら住民側に寄り添ってくれた。その時も何度も議論したが、地元の視点に絶対的にこだわる彼の指摘には、だからこそ傾聴すべき血が通った力があった。

竹内とジェイソンが現在エンジンになっているということの理由は、もしかしたら二人ともに持つその苦悩を続けざるを得ない地元との距離感……浜通りとイギリス在中というその微妙な当事者意識にあるのかもしれない。

実行

展覧会がスタートしたのは2015年3月11日である。通常、展覧会は「オープン」と言うが、会場自体が封鎖されていることから僕らはそれを「スタート」と呼ぶことにした。プロジェクトは日本を超えて、池上がニューヨークのメディア「VICE」と協働したドキュメンタリー「ザ・クリエイターズ・プロジェクト」や、エヴァフラ側のPRによる『ArtReview』や『frieze』などの海外雑誌でもレビューされた。ノン・ビジター・センターは国内外多くの芸術祭やスペースに設立されて、その都度アメーバ状に各地のキュレーターが独自の視点をもたらしている。中心や周縁、裏側といった当時の問題意識に何が作用できたかは、正直なところわからない。裏側、中心、周縁……、結局帰還困難区域とはその全てなのだろう。ジェイソンの言葉を借りれば、だからこそいまも「世界の実態」として封鎖されている。

昨年、DFWは5年ぶりにホームページを更新した。ウェブサイトは真っ白なままに、声のみの情報解禁である。声の主は、「金目」発言に憤っていたHさんである。震災から9年が経ち、3月に自宅への立ち入りが解除された、と話す彼は、しかしその場は今も帰還困難区域の中である、という区域再編の現状を強調し、こう続ける。

「ガキ大将の家も、子分の家も、無くなりました。故郷ってなんだろう、と、思います。山であり、海であり、景色であり、それが一変しています。ここ、双葉町白山神社近くの、私の家と、倉庫が会場の一つでした。近所の多くの家々が、とり壊されて、この一帯が、空き地になっています。2018年に、私は、家を取り壊すことを決めました。いつでも来ることができるようになりましたが、住むことはできません。行政は、新しい街をここに作る予定です。私が、ここに戻ることはないでしょう」

プロジェクトは今も3ヶ所で開催されているが、マダラ状に区域が「オープン」していく経過において、全てがいつ終わるのかはまだ誰にも見通せていない。

家々が取り壊され、新たな街が作られていることには、希望と絶望が入り混じったさまざまな声を聞く。ある会場提供者は、「これは復興ではなく、新興だ」と印象深い意見を呟いていた。かつての景色と引き換えに、彼ら彼女らの「故郷」は新たな街となって新たな住民が移住する。その是非を問える身分ではないが、街に通い続けてきた僕にとって、この変化はひとつの事実を想像させる。

帰還困難区域になる前の風景は誰もが見られた。解除後の一変した景色も誰もが見られる。その一方で、封鎖中の風景は、立ち入れないことからいよいよ誰にも見られないままに喪失される。直視すべき景色が残らない以上、そこにはいまも想像力が必要とされる。

第9章 「The other side」《気合い100連発》

まるで「封鎖の10年間」である。

2010年代を通してChim↑Pom の活動は、11年の原発事故にはじまって、帰還困難区域から20～21年コロナ禍のロックダウンまで、実に10年間を「移動制限」とともにした。年代ごとに社会を区切るなどもはや古典的な歴史観であるとは思うが、何にしろ急速な変化である。自由だ平和だとの「戦後民主主義」を遠くに思うほどに、公権力のパワーが強調されたかたちで強制力があらゆる個人に及ぶようになった。疫病でのロックダウンなどはやむを得ないとしても、国境や難民、イスラム国やポピュリズム政治、中国やロシアなど独裁国の強権、と例を挙げれば枚挙にいとまがない。

身体的な制限だけではない。報道の自由度ランキングでは、日本は180ヶ国・地域のうち、2010年の11位から福島第一原発事故後の2012年に22位に落としたのを皮切りに、2021年には67位にまで下落、自由度を5段階に分けた3段階目の「顕著な問題」レベルに転落した。メディアが権力監視機関としての役割を十分に果たせていないと理由づけられたが、それに伴うようにアート界にも「検閲」が横行し、表現の自由への介入などもデフォルトとなった。一方でトップダウンな規制は市民にも内在化され、まるで一億総ワクチン摂取のような政策などもからめると、もはや法制度の有無にかかわらず、市民が自らの倫理観で支配に服従する、フーコーが言うところの「生権力」を地で行くほどの「最悪」な状況である。が、悪ければ悪いほど、モチーフとしては意外と「規制の時代」にはポテンシャルがあったようで、逆説的に制作は随分とはかどってしまうという良い面もある。アーティストとはつくづく因果な仕事だと思う。

帰還困難区域にはじまって、検閲も国境も緊急事態宣言も、とテン年代の僕の活動の3分の1ほどは、「悪状況」をプロジェクトに転化した逆転劇となった。

2012年のことである。エリイから突然、「アメリカに行けなくなった」と聞かされた。当時、ファッション誌やテレビ番組、ラジオなどに顔を出してポップアイコンになっていた彼女が、あるテレビ番組のハワイロケに誘われたのだ。その際に、クルーのひとりがアメリカ入国の禁止リストに入っていた。そのことから彼と同行予定だったエリイを含む出演者数人が入国を拒否されてしまったのである。以来、エリイやほかの出演者はESTA申請を拒否され続けている。

エリイのアメリカロケがNHKで企画された際には局の力で何とかなると期待したが、年々厳しくなるアメリカの入国審査においてはそれも無理だった。なにしろアメリカでの仕事も多かったChim↑Pomにしてみれば痛手である。エリイも何とかできないかと努力したが、拒否される度にさすがの彼女も疲弊する。もとよりキレやすく、感情が昂ると手がつけられなくなる火のような性格も相まって、ついには反米発言一歩手前にも思える罵詈雑言を並べながら、「あんな国は行きたくない」と匙を投げた。

The other side

「The other side. I know people there too.」……私は向こう側にも人々がいることを知っているわ。
ソル（Sol）（7歳）、コロニア・リベルタにて。

——『ロサンゼルス・タイムズ』2017年1月23日

計画

きっかけは2014年に参加したニューヨークでのグループ展だった。出品作である《COYOTE》（図9-1）は、ギャラリストとエリイのオンラインミーティングの様子を収めた映像に始まる。羽田空港から参加した彼女は、ギャラリーのスタッフに自己紹介がてら渡米できない境遇を大使館の書類を手にして語り、しかし「アメリカで

9-1 《COYOTE》2014
インスタレーション
Courtesy of the artist, ANOMALY and MUJIN-TO Production

パフォーマンスをしたい」気持ちを伝える。次いで、同情を示すギャラリストにエリイから紹介される形で、キャップを深く被って目を隠したメキシコ人の男が横に現れる。実はメキシコシティのアート・コレクティブの一員で、東京に遊びに来ていたことから前日飲んでいた流れでこうなった。

メキシコとアメリカの両国で「コヨーテ」と呼ばれる密入国斡旋業者を装った彼が、スペイン語で「俺はエリイをアメリカに連れて行くことができるよ」とボソボソ話す。横でその言葉に頷き（もちろんスペイン語を理解していない）、彼を信じている様子のエリイは、メキシコ経由ならアメリカに行けるから、とニューヨークで「コヨーテ」とパフォーマンスを行うことをギャラリストに予告し、お楽しみに！と会議を笑顔で退席した。

言わずもがな、ヨーゼフ・ボイスの代表作《コヨーテ―私はアメリカが好き、アメリカも私が好き》（1974）を引用した作品である。JFK空港からアメリカの地を一切踏まずに救急車でギャラリーに運ばれて、1週間動物のコヨーテと暮らした後に、再度ドイツに出発する、という伝説のアクションである。アメリカを資本主義国としてではなく、先住民の大地として捉え直した名作として語り継がれている。

ギャラリー空間には、「パフォーマンスの準備だけしておいて」とのエリイの指示通りに動物のコヨーテを迎える準備だけが設えられ、壁には、「1974年のアメリカと違い、2014年のニューヨークにはアーティストもコヨーテもいない」という意味のステイトメントが貼られていた。

実践

それから2年後、「Don't Follow the Wind」（DFW）をスタートさせたChim↑Pomは、封鎖の時代の舞台をメキシコのボーダーシティー、ティファナへと移していた。「コヨーテ」の一件を機に知り得たアメリカとメキシコの国境問題を自身の目で確かめて、エリイとアメリカの壁をメキシコでオーバーラップさせようという目論みである。

先発隊の僕とおかやん、もっちゃんは、ロスの空港からバスで3時間ほどでティファナに到着、アメリカに入国できないエリイと撮影を引き受けた友人アーティスト松田修は、メキシコシティを経由して現地で僕らと合流した。

後発隊の到着を前に僕らは、茹るほどの暑さの内陸の街メヒカリから、ビールで有名なテカテ、ビーチと歓楽街で常にアッパーな印象のティファナへと、カンボジアの頃からなんら成長がないような無計画さで、西へ東へと国境沿いをドライブし、ティファナの町外れにとある家を見つけ出していた。「コロニア・リベルタ」という英語で言うところの「リバティ（自由）」を意味するスラムを含んだ国境の地区に建つその家屋は、見るからにD.I.Y.で、なんと国境壁を庭と建物の壁の一辺に使い回すという大胆さで、そこにコの字で建設されたバラック建築だった。庭の木が印象的で、電線は勝手に電柱から引かれていて水道はない。国境が家の一部な訳だから、間違いなくアメリカに最も近い家ということになるが、実際Googleマップで確かめると、むしろGPSの誤差でアメリカ側に入り込んでいた。

ツリーハウス建設に「子どもたちも大喜び」

リベルタの風景も実に美しい。サンディエゴ側には山肌を眺め、谷となっている舗装されていない土の道に何匹もの痩せた犬が木陰で横になっている。逆サイドにはアメリカから大量に廃棄された車のタイヤが段々に敷き詰められて階段になっていて、それを登ると、トラックの平ボディ（荷台）部分にコンクリを流しただけの謎のデッキなどが現れる。街自体がまるで廃棄物で作られたアッサンブラージュのようである。

辺りからは焚き火の匂いとマリアッチやTex-Mexなどのラテン音楽が漂い、高低差のある大地に沿うよう龍のような錆びた鉄製の国境が延々と海まで続いていて、夕方になるとそれを夕陽が劇的に赤黒く染める。

後日。ティファナ近郊の街エンサナーダに住む日本人の友人に同行を依頼し、スペイン語の通訳をお願いした。はじめてその家のドアをノックした僕らは「オラー、オラー」と次々に挨拶、中から出てきた若い母親や何人もの子どもたちに、僕らは日本人です、アーティストです、ハポン、アーティスタ、と馬鹿の一つ覚えみたいに自己紹介し、あなたの庭に生えている大きな木が素晴らしい、ツリーハウスを作らせてもらえませんか？　とニコニコしながらプレゼンをした。続いて、ここに通う間は一日何ドル支払います、と現実的な交渉を開始。先方は「ママに聞いてみるわ」とビッグ・ママと思われる恰幅の良い大黒柱に相談した。ぎょろっとした目力で僕らを一瞥した彼女を前に、上手くいけば良いが、と僕らは笑顔を倍にした。

彼女の名前はエステール。物心がついたときからこの地に住んでいるというそのプロフィールを知ったのは、のちにプロジェクトを報じたロサンゼルス・タイムズによる彼女へのインタビューからだった。[*1] 記事によると、突然の来客であった僕らの第一印象について、「アーティストたちが彼女の家を訪れ、小さな庭にある一本のコショウの木にツリーハウスを建てる許可を得たとき、彼女は『何も考えなかったわ。ただ、イエスと言っただけです。子どもたちも大喜びです』と話す」。

何事もどんと来いといったおおらかな彼女らしい感想である。逆に僕の印象では、ママたちにサンキューとか、子どもたちにキュートとか話しかけても、何かイマイチ伝わっていないようで気を揉んだ。が、ノリの良い彼女らにしてのそのリアクションには別の理由があったのだ。彼女たちは、まったく、完全に、まるで強い意志でもあるかのように、ひとことも英語を解さないのである。ワンもツーもスリーも、マジでメリークリスマスにさえも無反応、自他ともに認める合衆国最寄りの家族なのに何故、と最初は理解に苦しんだが、付き合うにつれて彼女らのアメリカへの独特な距離感を感じて腑に落ちた。

スペイン語で「エル・オトロ・ラド（向こう側）」と呼ぶのが慣習となっているその国は、そもそも大陸の名前である「アメリカ」としては彼女らに認識されていない。それに、多くのメキシコ人もエリイ同様に「向こう側」に行くのは難しく、もっと言えば不法移民の玄関口となっているリベルタは合衆国からもとより警戒されていて、記事には、かつてエステールたちが国境警備隊の催涙ガスや唐辛子スプレーによる襲撃を受けたということも書かれている。

互いに共通言語がないということを早々に知り、僕らは10個くらいのスペイン語の使いまわしと愛嬌、ボディランゲージや絵、あとは確かめようのないGoogle翻訳などにコミュニケーションツールを切り替えた。日本人の友人にたまに電話で通訳してもらう以外は、昼にはタリバホ（仕事）、ペリグロッソ（危ない）、と体当たりのように激しくぎゃあぎゃあと抱きついてくる子どもたちを諭し、夜には焚き火を囲んでセルベッサ（ビール）とメスカルでサルー（乾杯）とした。

制作もひと段落し、ロスのコレクターの計らいでホテルに泊まったある晩、横の松田が寝言で「ペリグロッソ」と不意に呟いたときには驚いた。関西人らしいボケかと思ったが、熟睡している彼を見て、たしかに無意識に染み付いてしまうほど、何度この言葉を口にしたか、と激しい日々を思い出した。

《U.S.A. Visitor Center》を建設する

ツリーハウス建設は、暑さと国境警備隊の監視、そしてその地特有のハプニングの数々とともにあった。双眼鏡で「向こう側」を見ようものなら警備隊に威嚇される。３分でも道具から目を離すと盗まれる（電動工具もパクられた）。国境沿いのその道は通称「トゥーマッチキリング通り」だと通りすがりから教えられた通り、何が起きてもおかしくない雰囲気が漂っている。例えば、わずか10メートル先で盗難車と思われる車が突然爆発（第一発見者は木の上から見ていた僕である）したり、それを喜ぶ子どもたちと燃えカスの周りでサッカーをしたときに、彼らがボールを執拗にぶつけるブルーシートに包まれた廃棄物から嫌な腐臭が漏れていたり。大人くらいのサイズで見ようによっては人型のそれが生々しく、最悪の想像力を喚起させられた……。とにかくワイルドさを極めたような場所であり、制作現場での子どもらへの注意勧告も含めてペリグロッソ、ペリグロッソ、と口癖のように話していた外様の僕らであったが、それでも3日も通っているうちにエステールからはファミリア（家族）と呼ばれ出した。毎日めっぽう美味い手作りの（蟻などが混入する）サンドイッチやタコスがお昼にでてくるようになったのだが、これがもっちゃんや松田、おかやんの腹を壊すことになる。

＊1 https://www.latimes.com/entertainment/arts/miranda/la-et-cam-chim-pom-tijuana-treehouse-20170123-story.html（２０２２年5月31日閲覧）。

木の下に備え付けられたぼっとん便所に3人が入り浸るようになると、僕らはそれを美味いが「スラメシ」と呼んで警戒もした。僕の腹は大丈夫だったが、さらに胃腸が強いのだろうか、味覚の好奇心に誘われるままにエリイは毎日ばくばくとスラメシを完食していた。

ツリーハウスは「向こう側」にそびえ立つ管制塔と対称的に建設されていった。登るとちょうど同じ目線で向き合うのだが、高さにこだわりがあったわけではない。コンセプトよりも木の事情により、なによりも遊び心を重視したわけだけど、その割り切りは事前のリサーチに基づいたものだった。

ここらで以前、国境をテーマにした国際展があったそうで、アメリカのアーティストが管制塔をあえて「こちら側」に作ったことがあったというのだ。ツリーハウスと同様に「向こう側」のそれと向かいあっていて、会期後も残されたらしい。が、作品のその後の運命が悲惨だった。聞くところによると、地元のメキシコ人たちの手によって破壊されたというのである。事情を知らないまでも、僕はそれを聞いたときに、なにか同じアーティストとしていやーな居心地の悪さを感じた。そもそも不法移民を監視しているのは「向こう側」だから管制塔は「こちら側」には必要ないし、なんならそのアート作品はメキシコ人にとっては「向こう側」から怪しまれるリスクにもなる。面白いコンセプトだと思うが、アーティストのエゴと需要のバランスが、悪い意味でその後の作品の管理・運営を破壊へと繋げたように感じたのだ。「アートの悪い手付き」と言えようか、その轍は踏まないようにと心掛けたのだが、つまり、コンセプトがハードコアで地元に壊されるアートよりも、この地に機能するアートとして、そこで遊ぶ子どもらによってツリーハウスは残ってほしかったのである。

とはいえ、もちろん作品にコンセプトがないわけでもない。ただのツリーハウスではないわけで、それを象徴するように屋根にはアメリカの国旗が立てられていて、外壁には作品のタイトルである《U.S.A. Visitor Center》の切り文字が貼られている。

エステールは下から一文字ずつ付け足されていくその題字を眺め、意味を確認し、ついに完成とともにそのコンセプトを理解したときに、口を大きく上に開けて、おいおいセントロ・デ・ビジタンテスって〜、と爆笑していた。どう思われるか少し不安もあったが、その笑顔にChim↑Pomなりのコンセプトが伝わったことを確信した僕らは、ようやく1ヶ月にわたる制作に終止符を打ったのである。
《U.S.A. Visitor Center》(図9-2)は、言うまでもなくDFWのノン・ビジター・センターから着想されている。ティファナは不法に国境を越えようと南米各地から人が集まってくるエリアである。壁を越えるだけではない。複数の違法トンネルが何キロも続き、それを「コヨーテ」がアテンドする。そのひとつを発見したときに前で和んでいた中年男性によれば、地元に住む彼にはコヨーテは関係ないのかトンネル使用のハードルは低く、馴染みの店でもあるのだろうか、トンネルを毎週のように通ってアメリカに飲みに行っているというではないか。まさしく「スーパーラット」の巣のような街だと思ったが、人によっては国境を越えられないままその地に住み着く。エステール、その子どもたちや孫たち、リベルタに住む人々や、エリイ。国境を前に境遇を同じくする彼ら彼女らが、壁を隔てたすぐそこの土地を知覚する施設……国立公園や自然公園のように立ち入れない「向こう側」を展望するための、《U.S.A. Visitor Center》がここに設立されたのである。

報道

例のロサンゼルス・タイムズは、その景色をこうレポートしている。

ティファナからの報告——このツリーハウスは、比類のない眺望を誇っている。北側にはサンディエゴ国立野生生物保護区の低木に覆われた斜面が広がっている。南側には、ティファナのリベルタ地区にある、タイヤの擁壁と波板トタンのパッチワーク屋根を持つ、おんぼろ建築群がある。西側には、メキシコと米国を隔てる約7マイルに及ぶ鋼鉄製の国境壁が地平線まで延びている。アメリカとメキシコの国境は、決して普通の場所ではない。そして、ここは普通のツリーハウスではない。日本のアーティスト集団「Chim↑Pom」によって作られた芸術作品なのだ。ティファナ側にあるこの裏庭のツリーハウスは、世界で最も政治的な問

9-2　《U.S.A. Visitor Center》2017
ジークレープリント
66×100cm
撮影＝松田修
Courtesy of the artist, ANOMALY and MUJIN-TO Production

題を抱える国境の一つを見下ろす、辛辣な視点としても機能している。

——『ロサンゼルス・タイムズ』2017年1月23日

記事は2017年1月のものである。ツリーハウスを建設した2016年初夏はアメリカ大統領選の時期であり、その頃はドナルド・トランプは圧倒的に不利だと言われていた。それがあれよあれよと選挙に勝利して、トランプは世界一の大国の大統領に就任した。年が明けたときには、これから何が起こるのか、と世界中が動揺し、特に彼に名指しで批判されていたメキシコの国境は国際的に不穏な注目を集めていたのである。

「このインスタレーションは、これ以上ないほどタイムリーなものだ」と続く記事は、国境壁を新たに建設することに激しい賛否両論が巻き起こっていることに言及。「このため、ティファナのダウンタウンから東に約2・5マイル離れた個人の裏庭にあるChim↑Pomの無粋なツリーハウスは、激しい政治的嵐の渦中にあるのだ」と、その異質性を報じている。

僕らとしては、アメリカの国境はエリイの私ごとであり、コヨーテはボイスの遺伝子である。それがグローバルな政治問題に発展していたことは織り込み済みではもちろんあったが、とはいえ社会問題のみを理由に他国に首を突っ込んだわけではない。あくまでエリイありきでメキシコに興味を持ったわけだから、プロジェクトにはポピュリズムと排他主義への硬派な抗議というよりも、むしろ、例えばプロジェクトを機にメキシコの大ファンとなったエリイが「合衆国になど行けなくとも」と、以来何度もメキシコを旅しているように愉快な一面もある。メキシコは、世界情勢に関係なく、彼女にとっての特別な地になったのである。

だから当のエリイにしてみたら、ツリーハウスが「激しい政治的嵐の渦中にあるかどうか」をアメリカのメディアが報じることに理解は示しつつも、気持ちは「こちら側」とともにある。取材は、僕と作品のプロモーションを考え現地を訪れた無人島プロダクションと、ロスのギャラリスト、ロッドのリークによってやってきた。その政治的手腕を受け入れながらも訝(いぶか)しんでいたエリイは、取材自体にも、特にアメリカからのそれには冷めた目を向けていた。

記事は続く。

稲岡は国境の壁と並行して走る泥だらけの未舗装路に入った。北側の端が国境と接している小さな住居の前に車を止めた。車から降りると、子どもたちが大声で叫び、抱きつきながら卯城を取り囲んだ。子どもたちの後をついていくと、Chim↑Pom のもう一人のメンバー、エリイがツリーハウスの上から手を振って挨拶してくれた。

——同

記者はお目当てのツリーハウスにも登り、その内装を記述。

ツリーハウスの北側の窓からは、一風変わった無人地帯を見ることができる。国境を示す塀の北側数百メートルに、アメリカ領の2つ目の塀がある。このフェンスは、国境に沿って狭い通路を作り、CBP（Customs and Border Protection：国境警備局）が厳重に監視している（午後の間にヘリコプター1機、トラック6台、四輪車1台を数えた）。大人2人がゆったりと寝られるChim↑Pom のツリーハウスは、この厳かな風景にユーモラスな対比を与えている。その内部は、スケッチや地図、マーク・トウェインの『トム・ソーヤーの冒険』（日本語版）など偉大なアメリカ文学の作品など、さまざまなもので飾られている。

——同

展開

2016年の夏にツリーハウスは完成し、秋に歌舞伎町で「にんげんレストラン」の前身となる建て壊し物件での展覧会「また明日も観てくれるかな?」展を自主開催した僕らは、そのすぐ後の12月にリベルタを再訪していた。クリスマスの時期だったこともあり、全員でサンタクロースの格好をし、夜にエステールらの家をサプライズでノックした。サンタの登場とChim↑Pomとの再会を狂喜乱舞で迎えてくれた子どもたちに、僕らは日本から持ってきたプレゼントを配り、エステールには新たに2つの作品を作りたいことを提案した。
ツリーハウスの中から直接鑑賞できるサイトスペシフィックな作品を、メキシコ側とアメリカ側にそれぞれに設置しようと考えたのである。

《The Grounds》2017（図9-3）

メキシコ側の国境沿いに掘った実際の穴。穴は地中に刺さった国境壁の下、アメリカとメキシコの境界である土にまで掘り進めた。アメリカのオーバーグラウンドには立てないエリイがそこまで潜り込み、アンダーグラウンドでその土に足跡を残すことによって、合法的にアメリカに足を踏み入れるという私的なプロジェクト。その足跡を石膏で型取りした。国境壁の真下である土地はアメリカともメキシコとも言えない領土であることから、タイトルには複数形を用いた。

《LIBERTAD》2017（図9-4、9-5）

アメリカ側に設置された作品。現在、国境には新旧二つの壁があり、その壁の間にはアメリカ政府管轄の、特に厳しく立ち入りが制限された「ノーマンズランド」と呼ばれるゾーンが存在する。けれどもそこは、近所のメキシコ人にとっては生活圏の一部でもある。Chim↑Pomは「コロニア・リベルタ」と呼ばれるメキシコ側の地域に通い、現地の人々とともに「チーム・リベルタ」を結成。ノーマンズランドにFRPで制作した穴と十字架、スコップを、メキシコ側に設置された本物の穴の作品《The Grounds》と対になるように設置した。それは、その土地に複数あるとされる違法トンネルを想起させる。そこが墓であることを意味する十字架には、穴の向こう側の地名である「LIBERTAD」、つまり「自由」という想像上の主の名前が書かれている。

9-3　《The Grounds》2017
ビデオインスタレーション（ビデオ、石膏、ラムダプリント、アクリルマウント、マニュアル）
撮影＝前田ユキ
Courtesy of the artist, ANOMALY and MUJIN-TO Production

地下トンネルからインスピレーションを得たのが《The Grounds》である。エリイともっちゃん、おかやんによってツリーハウスが立つ庭の壁（つまり国境壁）の手前に掘られた穴は、地下で直角に折れ曲がってちょうど国境壁が突き刺さる下限の真下の土にたどり着く。作業自体は単純だけど大変だったようで、子どもらが落ちないようにと現場の安全にも目を配っていた。ホームセンターに行くと、買い物客をターゲットに店の前で職を求める男たちが集まっていたことから1人を雇用、雨が降っても土が柔くなったと作業は黙々と続けられた。

一方その頃、僕は壁を隔てたアメリカ側に通っていた。そちらに十字架を建てる段取りを地権者を訪ね歩きながらつけていたのだ。地権者には開発目的の企業が多く、見るからに儲かっていそうなオフィスでナイスな紳士に接客されると、壁で二分されただけで元は地続きであったはずのリベルタの値打ちとの落差に愕然とする。

結局、ゴミを捨てたり拾ったりと毎日のように壁を乗り越えて生活しているリベルタの日常に即した方が、ということに落ち着き、ファミリアとアクションを共有するために、みんなで十字架をかついで歩くドローイングをもっちゃんに描いてもらった。そこに描かれた一団は、エリイによって「チーム・リベルタ」と命名された。

彼ら彼女らは、例えばサッカーボールが「向こう側」に飛び込むと、壁に登って警備隊に「けいびたーい」とスペイン語で声をかける。米兵も慣れたもので、ハイハイといった様子でボールを拾いにくる彼らをシカトする。米兵が警備している場所はアメリカ側の国境である。壁は近代的な高い塀で、メキシコ側の錆びてグラフィティだらけの鉄製のトタンに対して経済力と防衛力を感じさせる。要するに、ノーマンズランドにおいては壁は二層になっているのだが、その間は意外と広く、警備が待機している場所からリベルタの壁までは少し遠い。また、丘を登るような地形となっていて、メキシコ側の壁に沿った丘の上あたりはグレーゾーン的にリベルタの人々の生活圏にもなっているというわけである。

緊張関係を保ちつつも、アメリカ管轄のノーマンズランドはリベルタの住人にとっては身近な土地として存在し、日々、ゴミ業者は壁を越えてそこに不法投棄するし、人々はそこから使えそうな廃棄物を見つけては拾いにいく。

上・9-4、下・9-5　《LIBERTAD》2017
ドキュメントビデオ（9分56秒）、ラムダプリント
125 ×194.5cm
Courtesy of the artist, ANOMALY and MUJIN-TO Production

ロサンゼルス・タイムズの記者がリベルタに来たのは、「チーム・リベルタ」がプラスチック製の十字架をアメリカに建てるまさにその日だった。

アクションを前に、しかしエリイはこの取材に憤っていた。僕に、「これはアメリカに行けない『チーム・リベルタ』の儀式なんだ」と抗議し、アクションの際にも、記者が取材しようと「チーム・リベルタ」についてきたことを、「アクションが汚された」という意味で怒り、その気持ちを僕に「アメリカに行ける人間にはわからないかもしれないけど」と突き放すように語った。

のちに「ダークアンデパンダン」開催にあたって、かつての自分の孤独な制作を思い出した僕は、その際に真っ先にエリイのこの「儀式」という言葉に思い当たった。行為や行動が純粋芸術として神秘性を持つには、演劇的に観客を想定した身体性よりも、たしかに無観客の状態による「誰にも向けていない」という儀式的な身体性が理(ことわり)を得る。向けているとしたら、神のような大いなる第三者と、自分自身に限る。記者や観客はそれを広めるリポーターとしての側面は持つが、発表段階の作品はともかく、「制作」とは彼らに向けて「披露」される行為ではない。世界中で行われている神秘的な儀式が取材や撮影NGで行われるのは、むしろ「広める」ことが「深める」ことに相反するという古典的／普遍的解釈に基づいているからである。

アートの場合、この2つの関係は、わかりやすく言えば「広める」ことが「発表」であり、それに左右されない「深める」行為は「制作」というセクションに置き換えられて考えられてきた。前者はキュレーターやギャラリストなどの運営側で、後者はアーティストという役割で棲み分けられてきたが、両者の関係が溶融し、アートと演劇が接近してきた現在においては、そうハッキリと語りきれなくはなっている。

が、儀式性に神秘が宿るというのはいまも昔も変わりようがない。絵画にしろビデオの編集にしろ音楽の録音にしろ、他者を介さずに芸術性を高めるのは、いまもなおスタンダードな制作方法だと言えると思う。

このときの僕には、制作には発表が明らかな目的として付いて回らなければいけないような強迫観念があったのだと思う。その性質を理解した上でもなお苦言を呈したエリイの言い分はもっともであり、批判は心にちくりと刺さった。自分のなかに発表が入り込みすぎていたことを、のちに僕は作家として見直さざるを得なくなるのだから。

そんな議論を知る由もなくロサンゼルス・タイムズは、しかしその瞬間をしっかりと臨場感を持って伝えている。

午後遅く、雨雲が切れ、国境は突然霧のような光に包まれた。アメリカ側のノーマンズランドを、2匹の野良犬が国境というお役所仕事をものともせず、トボトボと歩いていた。エリイは、子どもたちやそのいとこ、友だちを集めて、彫刻を運んだ。エステールの息子フェルナンド・アリアスは、最初に国境壁をよじ登り、メキシコの土地にあった作品をアメリカの土地に、2番目の壁の手前にできていた隙間に並べた。アリアスはすぐに塀を乗り越え、メキシコ領に戻った。

——同

アメリカの地に建てられたプラスチック製の墓に埋葬されたのは、壁をまたいで作られた2つの穴がファンタジーとして繋がった先の、「リベルタ」……自由である。

英語でいうところの「Liberty」は、リバティ島にある自由の女神や、アメリカの硬貨に刻まれていることからも明らかなように、アメリカ合衆国の象徴的理念であり続けた言葉だ。建国の頃より移民の国として門戸を開いてきた「向こう側」は、だからこそ多くの人々によって数多あった「こちら側」から目指されてきたのだ。

灰色のパーカーのフードを被ったフェルナンドは、壁の向こう側の草地に立った墓の横で、墓守のようにゆったりとツリーハウスを眺め、そして無言で壁のこちら側へと振り返り、エリイと目を合わせて「OKだよな」と頷きあった。

墓に別れを告げるように向こう側を確かめたエリイは、取材への怒りなのか、「チーム・リベルタ」が抱える境遇なのか、その全てが入り混じったものであろう理不尽さをぶつけるように、「クソ！」と国境壁を強く蹴った。

全てのアクションが終わり、僕と記者の前にはソル（7歳の女の子）が、ジャングルジムのように国境の壁を登っていた。頂上で壁にまたがり座ると、美しい夕暮れの中で十字架と穴とツリーハウスを見渡せる。ふいに記者の方へと振り返り、「『エル・オトロ・ラド（向こう側）』の人？」と訪ねた。

スペイン語でそうだと笑って答えた記者に、「向こう側にも人がいるのを知っているわ」とソルは自慢するように笑顔で返した。

アートのダイナミズム

マウリツィオ・カテラン[*2]による、本物のバナナを壁に貼り付けただけの作品《コメディアン》（2019）が、12万ドルで売買されて話題になったことはまだ記憶に新しい。そのことが報道されたとき、「富裕層の道楽にすぎない」とか「ニュースにすること自体がポピュリズムだ」といった疑問が多かったことが印象に残っている。これが「貴族の遊び」であることは間違いないが、その格差社会への批判をコピペしたような反対意見には何か少し違和感を感じた。

その正体を「The other side」を引き合いに出しながら少し語りたい。

プロジェクトの経済的な構造は次の通り。

- 実働はメキシコのスラムに住む人々との協働。
- 旅費や製作費は自腹にプラスしてコレクターらに限定したクラファンで捻出。メキシコ土産として、思い出写真や、リベルタの電柱に貼られまくっている行方不明の人々を探す手作りのポスターから古くなったもの

＊2　1960〜。イタリア生まれのアーティスト。ヒトラーをかたどった立体作品《Him》や、実際に使用できる18金製のトイレ型作品《AMERICA》など、スキャンダラスな作風で知られる。

を剥がしてリターンとした。

・ツリーハウスはアート作品としての価値だけでなく、子どもたちの遊び場としての「使用価値」を持った。

・プロジェクトのドキュメント自体は、東京における展覧会でいわば一種の「贈与」として観客に無料で観せたが、この展示のパッケージは「商品価値」を持って、コレクターや美術館に所蔵・管理されることで未来の観客の鑑賞ツールとなる。

・一方、現地には、今でもロスやメキシコのコレクター、アーティストたちがツリーハウスを見に行くという。そのことを知らされる際には、ツリーハウスへの「入館料」をエステールに払ってもらうよう頼んでいる。

治安が悪く、貧困層が集まるリベルタは富裕層にとっては非日常な場所である。一方のエステールにしたって、アートコレクターと接する機会なんてかつては無かったろう。プロジェクトを展開していくうちに、アーティストや作品は超貧困層とも超富裕層ともつながりを持ってしまうことがたまにある。これを搾取やポリティカルコレクトネスとして批判するのは簡単だが、個人的には、この、普段は出会いようのない階層の人々がプロジェクトを介して突然つながってしまう、「アートのダイナミズム」とも言えよう力学には強い関心がある。言わば業界特有のネットワークであり、既存の善悪や公共論とは違う論理で絡まる独自の生態系のようなものである。たぶんいまだに社会モデルのパターンとしては研究されていないが、なかなかに興味深い社会像であると考えているし、これによって動かしがたく見える社会のヒエラルキーを無効化してしまうことにこそ、「アーティストの職能」や「プロジェクトの特性」があるように思うのだ。

その上でカテランのバナナに戻れば、アートマーケットの貴族性への批判は簡単だけど、では富裕層を排除したり、アーティストがフェアを遊び場にするのをやめることが善を為すような顔で行われたら、それはもう一般社会と変わらない、アートの特性をも一般の善悪観が包摂することを意味してしまう。その先では、アーティストがスラムに介入することも、逆説的に偽善と取られるようになるだろう。

アーティストや作品は、世界に存在するあらゆる属性と、友好的であれ敵対的であれ「隣人」として会話し、その上でならば、例えば「輩」として富裕層の経済ゲームにも介入し、皮肉な事例を世に生める。マーケットならば一般的な枠組みのみでは計りきれない「特例」として、既存の資本主義と未知の経済世界をまたいだ実験となる。アクティヴィストのように対象を「他者」と為す関係性とは異なり、内部にアプローチすることで、しかし同一化もせずに油断ならない友人のように、ひとつひとつの事例を「異例」として創造するのだ。

だから(もちろんTPOは必要だが)極論を言えば、スラムでも貴族でもお構いなしというか、戦場であろうが平和な世であろうが、異なる世界を渡り歩いてリンクを作るアートのダイナミズムこそは、「アイムボカン」でオークションと地雷原を往復していた頃から、というか、野良ネズミをコレクターのベッドルームに届けた頃からの、僕にとってのアート/アーティストのポテンシャルと言えるのだ。

D.I.Y.

一方で、この誰とでも繋がってしまうアーティストの無鉄砲さを恐れる向きもある。

例えば「ピカッ騒動」において制御不能となったのは、被爆者とそれ以外、広島市民とそれ以外、アート界隈と一般、とそれぞれに棲み分けられていた人々が突然出会ってしまったことだった。両者を調整することこそが本来なら美術機関の役割のひとつなのだが、果たしてD.I.Y. に進められたカンボジアやメキシコ、DFW のようなプロジェクトは、美術機関が介在していたらどうなっていたか。

考えてみると、Chim↑Pom の制作方法に期待した国際展は数々とあった。が、その多くのプロジェクトは、美術機関というオフィシャルさが加わることで、軟着陸を余儀なくされたものばかりだったように思う。

例外もある。パンデミック前の2019年に参加した「マンチェスター・インターナショナル・フェスティバル」の会場が、産業革命時にコレラの死者を多く埋葬した廃トンネルであったことに着目し、労働とアート、菌や疫病と下水インフラの歴史を紐付け、ビール工場とパブ、ブリック工場を運営した「A Drunk Pandemic」や、後述することになる台湾国立美術館での大規模プロジェクト《道》などでは、Chim↑Pom の制作方法と運営機関（インスティテューション）の関係は上手くいった。しかしそれら近年のプロジェクトは、Chim↑Pomが中堅になって大任を任され作家として尊重された結果であり、若手や一般に通じるセオリーではないし、異例であったと言い切れる。

危機管理と組織の論理が過剰に介在すると、交渉は人間同士よりも組織の話になる。危ない地域には行きづらいとか、揉め事が発生したときの責任論とか、組織は深読みでリスクを洗い出して二の足を踏むし、一方のプロジェクトを受け入れる現場側だって、組織に利用されるわけだから算段する。

美術機関を通さないこと。これがプロジェクトのコツとなることが往々にしてある中で、D.I.Y.なスタイルこそは突破口であり、だからこそ僕らの常套手段にもなってきた。

交渉や制作の段階に限った話ではない。リスクマネージメントは発表の段階では自主規制の主因となって、その先に検閲などを準備し得る。何かあったら困るので、という事前の判断だといえばそれまでだが、SNS炎上の常態化や各国の政権と資本のパワーの強化によって、それは年々過剰になっている。

気合い100連発

「The other side」を開始した前年、結成10周年を迎えた2015年は、Chim↑Pomにとってさまざまな意味でのターニングポイントとなった。活動が国際的になる一方で、通常ならばそれに伴って美術機関との協働が増えるところが、自主企画の道へと舵を切ったのだ。

その年はシンガポールで開催されたプルデンシャル・アイ・アワードに始まった。2010年にChim↑Pomが辛酸を舐めたソウルでのアジア・アート・アワードを、よりド派手にグローバルなバージョンへと広げたようなアジアの賞である。

《気合い100連発》という作品が展示され、これまでの活動の評価とともに、Chim↑Pomは「デジタルアート部門」と「総合最優秀賞」である「ベスト・エマージング・アーティスト・イン・アジア」の二冠を授与されることになった。

会場はマリーナサンライズ内の映画館に設けられた、アカデミー賞のようにセレブリティなレッドカーペットとステージであった。アジア各国からノミネートされたアーティストらがドレスやタキシード／ブラックタイで着飾る中で、Chim↑Pomといえば、年始から訪れていたバングラデシュのダッカからの帰りということで、サリーやルンギなど当地の正装にアクセサリーといった、和でも洋でもない急ごしらえの「フォーマル」な出立ちだった（僕だけは展示担当として東京から）。タキシードなんて人生に二度も着ないだろうモノに無駄遣いは出来ないとの財布事情も相まってのことだが、会場では浮きまくっていた。と言うか、そもそもからしてソウルの経験によって僕らは、アワードなど泡のようなモノに期待しても消沈するだけ、と何の希望も持たずに現地入りしていたのだ。前夜祭の二次会で同じくノミネートされたチームラボの猪子寿之に、「どっちが取っても賞金500万を山分けするのはどう？」と完全に取る気なしの提案をして盛り上がり、名誉よりも現実的に金にしようと画策していたことからも、それまで受賞は全くの予想外だったと断言できる（結果、僕らはその約束を反故にした）。

にもかかわらず、授賞式の壇上から二度にわたって名前が呼ばれてステージに上がった際に、会場を埋め尽くした世界各国のアート関係者に向けたスピーチで、エリイは、

「I believed that we get this award. Because we are genius, as you know!（この賞を取ると信じていたわ。ご存知の通りに私たちは天才ですから！）」

と、暗記していた英語で当然とばかりの大口を叩いて拍手喝采を受けていたから人が悪い。

3月にはDFWをスタートさせて、怒涛となったのは夏だった。

アワードの副賞として、9月10日からのサーチ・ギャラリーというロンドンの美術館での個展が決まってしまったのだ。これが完全にキャパオーバーだった。何しろサーチのオープニングのわずか9日後の19日に、DFW初のノン・ビジターー・センターの開催がワタリウム美術館で決まっていたのだ。かつ、サーチの1ヶ月前には、

自主運営を始めていたChim↑Pomのギャラリー（キタコレビル・Garterギャラリー）で、10周年を記念した個展を自主開催していたのである。Garterのオープン自体は6月で、こけら落としとしての園子温の初個展と、2本目の松田の個展とキュレーションが続く。松田の出世展となったその「何も深刻じゃない」展のオープニングは、ワタリウムがオープンしたわずか2週間後に用意されていた。

ヨーロッパでは雑誌の特集や展覧会の参加も増加し、出張も絶え間なく行われるようになっていた。そんな中で、僕はワタリウムのオープニングの日に人知れず倒れた。

作業が終わった徹夜明けに、経験したことのない疲労感を感じ、青山の裏あたりを歩いていたときに目眩と立ちくらみでふらついたのである。墓場で横になったまま夕方まで眠りこけた僕は、蚊に刺されまくった痒みと悪夢にうなされ起きたときに、ストレスと肉体疲労、時差ボケで身体が壊れる寸前だったことを痛感した。

多忙を極めながらも、芸術実行犯として「行動」を続けていたChim↑Pomが、慣れない「運営」にまでD.I.Y.に手を出し始めていたことには僕なりの理由があった。

ひとつは、6人の生活費をどう捻出するかのサバイバルである。当時のアート界の経済はソロの作家を前提に設計されていて、コレクティブが恒常的に食えるという先例がなかったのだ。この四苦八苦については後ほど触れるが、社会的にはもっと深刻な問題が横たわっていた。２０１4年にスタジオを高円寺にオープンしたのと時を同じくして、日本の美術機関による検閲や自主規制の動きが加速していたのだ。Chim↑Pomでいえば、シンガポールでのアワードで出品された《気合い１００連発》にまつわる因縁と、その会場にダッカから赴いた「アジアン・アート・ビエンナーレ」参加のプロセス、そして先述した「10周年記念」のD.I.Y.展にそれはあった。ビエンナーレの打ち合わせが高円寺のスタジオで行われたときに、日本側の主催者である国際交流基金のスタッフが、僕らとキュレーターに「福島、放射能、朝鮮、慰安婦」などの文言は現在NGワードになっている、と伝えてきたのである。キュレーターが出品を望んだ《気合い１００連発》に出てくる「放射能」と「福島」という言葉が問題視されたのだ。

「直接、首相補佐官から連絡がきちゃうんです」

と担当者は話す。「今は我慢するしかない……」とまるで戦中かのように悔しさを滲ませながらも、出品を取り下げるか（結局出品に2年以内の制作という条件があったことから断念）、もしくは「ピー音を入れるなど……」と再編集を頼む。

のちに同様の目にあった作家や学者たちに聞いて気づいたのだが、基本的に彼らは書面に残さないようにしていたようで、僕らの場合も対面だった。

実行・反応

そもそも《気合い100連発》（図9-6、9-7）は、震災後2ヶ月ほどの2011年5月、原発から50キロくらいの福島県相馬市、という極めて特殊な状況で撮影された映像作品である。言うまでもなく住民は極限状態での生活を余儀なくされていて、しかし原発との距離からボランティアの数も充分ではなく、被災者たちは自ら復興のボランティア要員としても働いていた。

先発としてみずのりが泥かき作業をしていたことから、《明日の神話》に絵を付け足した後にその地に集合。楽市楽座のようなフリマに行くと、勢いよく魚を売っていたひとりの若者がひときわ目立っていた。かっちゃんという地元で顔が利いていそうな親分肌で、過酷な状況をガッツとユーモアで生き抜くノリと風格を感じさせる。この人だ、と感触を得たエリイが、アーティストだと名乗り、自ら発案していた映像作品の共作を呼びかけた。

「気合い100連発入れない？」

実に簡単、単刀直入な提案である。むしろ簡潔だったからこそ、円陣を組んでアドリブで、など色々言わずとも、「お、いいっすね！」とかっちゃんには一瞬で伝わった。

「相馬は漁師の街なんで漁港で」「連れたちに声をかけます」とかっちゃんは矢継ぎ早に指示をくれて、僕らは指定の港に移動して、撮影準備をしながら待つことにした。

かつて全国初の「エネルギー港」の指定を受け、漁も活発だった相馬港である。いくつかの船が陸に乗り上げて散乱し、港湾施設は津波で壊滅、港は残骸と化していた。ほとんど焼け野原となっていた一帯は見晴らしが良く、その辺りが街だった事実は間取りを地に残す建物の基礎からしか想起し得ない。だだっ広い空き地を見ると、大地に残った一本の道の向こうから、一台の軽トラが埃を上げながらこちらに向かって走ってきた。荷台にはかっちゃんを含む5人の若い男たちが乗っていていて、各々僕らに大声で体育会系の挨拶を飛ばす。

やぶれかぶれでも生の声を伝えたい

「かっちゃんに呼ばれたら断れませんから」と話す彼らの突き抜けたような笑顔からは、この2ヶ月間の踏ん張りと逆境でのエネルギーが見てとれた。まさしくスーパーラット、とヴァイブスが合って、(運転手を含めた)6人と握手を交わし、談笑したのも束の間。「気合い、入れましょうよ!」と言った誰かに「やろうやろう」と誰かが呼応。早速、Chim↑Pomの4人を含めた10人で円を作った。

「はーい行こう!」とのかっちゃんの第一声に、「よっしゃよっしゃ!」「いくよ!」と若者たちが手を叩き合う。自然と肩を組んで円陣となった僕らは、エリイの「3月11日に震災があって、こんな感じになったけど、これからも明るい未来に向かって、向かっていきまっしょい! じゃあみんな、気合い100連発、行くよ!」の音頭に、「おー!」と声を合わせて昂らせた。

「復興頑張るぞ!」という地元の若者に始まった気合いは、「津波に負けねえぞ!」と続き、その都度全員で「おー!」という相槌をテンポとして入れる。「絶対負けんなよ!」と4人目の僕あたりからペースが加速して、「日本最高!」や「福島最高!」などのスローガンに「原発ふざけんな!」「放射能に負けないよ!」といった現地の惨状が入り混じる。「お母さんありがとう!」「おとうさーん!」という私的な叫びのリレーでは、何かあったのだと思われる「ケンタ」という友だちの名前も叫ばれた。「美味しい魚!」「車ほしい!」「彼女ほしい!」などと飛び出るユーモアに勢いは増して、「友だちがほしい!」「俺は友だちです!」「僕も友だちです!」とノリは矢継ぎ早にヒートアップした。

上・9-6、下・9-7 《気合い100連発》2011
ビデオ（10分30秒）
Courtesy of the artist, ANOMALY and MUJIN-TO Production

後半になり、地元の若者による「原発ふざけんな！」や「被曝最高！」という叫びを受けた最後の一周で、「放射能が出てるよ！」とエリイが応酬。地元の若者が次々と「放射能最高！」と吐き捨てるように連呼したことにどきりとしながらも、僕は「放射能、最高!?」と言葉に詰まりながらも語尾を上げた。その流れを止めることは違う、というとっさの判断だが、それはみんなも同じだった。次からのふたりの「放射能最高ですか!?」と「放射能最高なんですか!?」へとパスされた後に、これは「もうちょっと浴びたいよ！」と声を張り上げた地元の若者を受け継いだもっちゃんによって、「放射能最高じゃないよ！」と突っ込まれた。実質最後の気合いとなった99発目を地元の子が「ふざけんな!!」と喉を振り絞るように結ぶと、「これで１００だよ！　手を準備してもらっていいかな」とラストのかっちゃんの呼びかけに、全員が手を合わせる。合図に揃って、息が続く限り、僕らは十数秒にわたって、野太い雄叫びと歓喜の遠吠えをあげて、ありったけの声を出し切った。

　おかやん撮影による引きのアングルは、瓦礫の中に小さく映る僕らの絶叫が、マイクが拾うぼうぼうと鳴る海風に流されていくように、海へとゆっくりとパンされていた。

《気合い１００連発》で写し取りたかったイメージは、同様の風景の中を生き抜いていた戦後の人々のリアルであった。焼け野原という戦後日本の原風景で、いったい人々はどう生きたのか。40年代には記録媒体が貴重だったことから、その姿は特権的にカメラを持っていた人によるわずかな撮影や、のちに構成されたドキュメンタリーなどからしか知り得ない。

　僕らがこだわりたかったのは、報道やドラマが物語るのではない、生の人間の声だったのだ。被曝を恐れ、家を流され、身近な人を失って、ボランティアの集まりも良くはないという考え得る限り「最低」な状況に暮らしていた自分たちを、放射能をメタファーにして「最高」と叫んで笑いとばす……その「やぶれかぶれ」な絶叫は、極限状態の自分たち自身を鼓舞する「人間讃歌」のように、僕には痛切に響いたままに耳に残されていた。

　が、この「放射能最高」は、叫びに含まれる切実な意味を剥ぎ取られて、国際交流基金によって「福島」や「慰安婦」と言う単語とともに政治的にＮＧとされた。さらに２０１９年の「あいちトリエンナーレ」では、同様に言葉尻を切り取られて、「放射能最高じゃないよ！」や「ふざけんな！」などの言葉をカットした改ざんバージョンがネットにあがり、ネトウヨに「福島ヘイト」だ「日本ヘイト」だと槍玉に上げられた。その一方で、「日本最高!」という言葉は逆に、2012年の上海ビエンナーレで「日本に愛国的だ」と当局から問題視された。全く立場によった言いがかりばかりで呆れるが、問題はそう一蹴できるほどに簡単ではないと思われた。

福島に生きる被災者たちの喚声が何故「福島ヘイト」にあたるのか。放射能を恐れながら生きていて、「最高」なんて思ってる人は当然ひとりもいなかったのだ。だけど、最低な状況を「最低」だと言っているだけで、彼ら、僕ら、人間は、どう困難を乗り越えられるというのだろうか。NGワードをフィルタリングするような機械と違って私たちは、ぐちゃぐちゃになった感情に突き動かされて、戦後も、東日本大震災も、そして再び来るだろうカタストロフを何とかそうして生き抜いていく。クソな世界をクソッタレと笑い飛ばして社会を再生し続けてきた、そのがむしゃらな「人間の歴史」に連なる限り、誰ひとりとして彼らの「放射能最高」は否定し得ないはずだと僕は思う。

にもかかわらず、2011年に発せられた彼らの「生身の人間」としての言葉は、2014年にトップダウンに握りつぶされたのちに、2019年には一部の市民たちによって「ボトムアップ」に攻撃された。たった10年のうちに、この国は、官民一体となって絶望の淵にあった切実なユーモアまでも排除するように変化した。意味を読まず、状況を理解せず、気持ちに耳を傾けずに、なんという国に、なんという国民になってしまったというのだろうか。作品が一身に背負ってしまった日本という国とその国民のあらゆる変化を痛感したときに、憂いを超えた「嘆き」というものがはじめて僕の心に芽生えていた。

「堪え難きを堪え↑忍び難きを忍ぶ」展

「意味を読まない」。検閲において、これはコンセプトのようなものである。なぜそれを描くのか、なぜそれを言うのか、書くのか。メッセージや広報をアピールするためのデザインや運動と違って芸術は、「問い」のメディアとして常に言葉やモチーフに裏の意味を持たせてきた。人間には、社会には、世界には、このような側面がある、違う見方もある、という多面性と複雑さを肯定するためのレイヤーであるが、検閲にはそれが全く通用しない。国際交流基金の例で言うと、スタッフなど個人がどれだけ意味を理解していようとも、彼ら彼女らが「検閲官」と化す際には、とたんにレイヤーが無いものとされる。「単語」や「モチーフ」のみに議論が集中し、何故か観客はその裏の意味まで読まないだろうという、「検閲官」による勝手な推測が作品を思考することよりも先行されるのだ。

検閲というものがどれだけ複雑性と対極にある単純な行為であり、多様性に反する画一的なアクションであるかがここに証明されているわけだけど、興味深いことに、芸術の意味を読もうとしない「検閲官」は、一方では当局や大衆といった心理については必要以上に「読む」。読解力という「読み」と、忖度という「読み」……。ここに「空気を読む」でも加えておけば、現在の日本美術界の規制など、書かれていない／描かれていないさまざまな事柄からいくらでも総括できそうなほどにはレベルが低い。

文書に残さない（これも「書かれない」ことの一部だろうか）という国際交流基金の努力も虚しく、検閲や規制の風潮は徐々に社会全体に現れてくるようになる。

2014年8月には愛知県美術館で鷹野隆大による男性ヌードの写真に警察が介入し、美術館と作家による協議のうえ、警察の介入の痕跡を残すため、不織布などで性器が見えないよう変更を加え、展示を継続した。2015年には、「会田家」による檄文が東京都現代美術館で撤去要請を受けた（最終的に館が要請を撤回）。翌年にはまた東京都現代美術館での「キセイノセイキ」展において、規制をテーマにしているにもかかわらず、天皇の肖像をモチーフにした小泉明郎[*3]の《空気》が出品不可になるなどの事態が起きた。

もとより「やりたいことは自分でやる」と活動してきたが、いよいよこの美術機関の「運営方針」に僕には「アンチ」の気持ちが芽生えていた。コラボレーションをしてもプロジェクトが良くなるわけがなく、だとしたら「アクション」へのプレッシャーが日に日に強まる社会において、「行動」をバックアップする「運営」それ自体も自分で行うか、と活動全般を「アクション」と捉える必要性が生まれていたのである。

これを機に、Chim↑Pomは自前の展覧会やイヴェントに、「D.I.Y.」という言葉を強調するようになる。展示もパーティもD.I.Y.に開催、監視スタッフなどの管理もさることながら、マネタイズも自主、宣伝も自前、キュレーションも、発案も、マネージメントも、コーディネートも、雑務も……、と、そのひとつひとつの活動すべてに、この最低な状況に抗する「アクション性」を見出すようになったのである。

活動の独立性を高めるためにスタジオを設立し、なけなしのお小遣いでスタッフを雇い、アーティスト・ラン・スペース「Garter」をキタコレビルにオープンしたのは、そんなタイミングだった。

「Garter」では、先述した松田らの個展の他にも、のちに共にWHITEHOUSEを設立することになる涌井智仁の個展、ライターであり音楽プロデューサー、環境アクティヴィストという多面な顔を持つ平井有太[*4]の個展など、2年のうちに5つのキュレーション展が企画された。

他にも、「天才ハイスクール!!!!」の全生徒たちが合同展を開催、キタコレビルという建物自体でいえば、Chim↑Pomも二度の個展を行った。

そのひとつである10周年記念展「堪え難きを堪え↑忍び難きを忍ぶ」は、検閲や規制などの水面下での交渉を笑って誤魔化してきたChim↑Pom自身の黒歴史を回顧したものである。オープニングは会田家の東京都現代美術館での検閲騒ぎの直後となったが、もとより僕らの結成日、8月7日にその照準は合わされていた。

10周年を迎えるにあたり。

アートをマジでガチでやってきた最高の日々だったが、同様にまじで美術館や機関の検閲にクソみたいに屈

*3　1976〜。アーティスト。社会と個人の関係に演劇的な手法で迫る映像作品を制作。近年ではVR技術を用いた作品《縛られたプロメテウス》が話題を集めた。
*4　1975〜。別名・有太マン。アーティスト、ライター、「みんな電力」のメディア「ENECT」編集長など多領域で活動。福島を拠点とする土壌スクリーニングプロジェクトも行う。2016年に個展「ビオクラシー」を開催。

し続けて来た最低の10年でもあった。

近年こういった問題が多く表に出回る様になったが、とはいえアーティストとキュレーターの個人的な資質に問題がシフトしたり、美術館が批判しやすい権力として単純化されてワイドショー的に盛り上がるなど、つまりは問題になった各々の作品が言及していたはずのバラエティーにとんだ社会的なイシューがフォーカスされることなく、20世紀的「表現の自由」をめぐるクソみたいな議論に終始しているように思う。

問題は、今突然おこった訳ではなく、これまでも実は人知れず繰り返されて来たクソみたいに理不尽な、しかし常識的だと水面下で交わされ続けて来たクソみたいな検閲と交渉の慣例にこそあり、その責任は、要求を伝えざるをえないクソみたいな事情を抱えている主催者だけでなく、「表現の自由」を表で謳いながらも、それらを受け入れ続けて来た全てのクソみたいなアーティストにもあったはず。

たしかにアートにかかわるキュレーターや主催者は良い人ばっかだから、彼らとそんな低レベルな交渉をするのはマジでクソみたいにめんどくさい。気まずい会議が長くなって、シリアスなうざい空気を吸ってお互いに寿命を縮めるくらいなら、代替案を考えますと外のフレッシュな空気に逃げた方がまだマシだった。

10周年を迎えるにあたり、そうやって積み重ねて来た自らの黒歴史を振り返り、Chim↑Pomは、改めてアートに本当に申し訳ないことをしたと思っている。そして結成以来ずっと向き合ってきたクソみたいな空気、更には現政権になって以来実際に、そしてとても具体的に厳しくなってきたアートへの介入、それと裏腹で進むクソみたいな戦後70年を前にして、堪え難きを耐え、忍び難きを忍び、そんなクソみたいな黒歴史を10周年の記念として回顧したいと思う。

ちなみに本展で展示される5つのケースはChim↑Pomとしても氷山の一角であり、日本のアートシーン全体で言うと、この展覧会を広げていった先には途方も無く巨大な日本美術の回顧展が待ち受けるだろう。

僕らを支えて来てくれた日本のアートシーン、これまで本当にありがとう。そしてこれを機に前進できない組織とは、これでさようなら。

Chim↑Pom 2015年8月7日

検閲だ規制だとどの口が言えるのか、と自虐を極めたような最低最悪の展覧会である。展示されたのは、これまでにあった事例を逆にアイデアとして採用した、代表作を自ら改ざんした「新作」群だった。

簡単に紹介すると、

《堪え難き気合い100連発》(図9-8)は、国際交流基金からNGだと言われた箇所にピー音を入れて字幕を黒塗り。

《堪え難きスーパーラット》(図9-9)は、ポケモンの著作権を管理する小学館から無人島への内容証明をネズミが手で支え、背後に隠れるよう設置。

《堪え難きREAL TIMES》は、上海ビエンナーレで日の丸が映るからと日中関係を背景にダメ出しされたことから、赤いスクリーンを天井から垂らして映像をプロジェクションし、日の丸の赤と赤旗で色を相殺。

《堪え難きヒロシマの空をピカッとさせる》は、スカイライティングが黒く隠れるようにプロジェクターのレンズにフィルターをかまし、その箇所に広島市現代美術館にまつわるイメージを風刺漫画的に差し込み。

《堪え難きBLACK OF DEATH》は、東京都現代美術館が収蔵を決めたときに、カラスを集めたさまざまなスポットから読売新聞グループ本社代表取締役主筆・渡辺恒雄のお宅だけをカットするよう合意した経緯から再編集したものだ。

揃いも揃ってクソみたいに醜悪な作品である。

上・9-8　《堪え難き気合い100連発》2015／ビデオインスタレーション、キャプション
Courtesy of the artist, ANOMALY and MUJIN-TO Production
下・9-9　《堪え難きスーパーラット》2015／ビデオ、剥製、内容証明、キャプション
撮影＝前田ユキ／Courtesy of the artist, ANOMALY and MUJIN-TO Production

自滅的な内容に対し、しかし運営にはある種の美学があったように思う。何しろ業界にかかわっている限り、どのギャラリーでも絶対に出来ない展覧会である。

グッケンハイム美術館への収蔵

人によっては現在急増している東京のオルタナティブ・スペースのムーブメントを分析し、このキタコレのGarter[*5]をXYZ Collectiveやアート・センター・オンゴーイング[*6]、ナオナカムラ[*7]やASAKUSA[*8]らとともに第一世代だと唱える向きがあるが、さまざまなスペースを総覧しても、しかしこれほどまでに直接的なカウンターは見当たらない。ひねりが薄くて馬鹿なのかも、と自身の直情性が情けなく思い当たるが、それを差し引いたとしても、オルタナティブ・スペースがミュージアムやコマーシャルギャラリーの2軍3軍のような展示を繰り返してきた状況において、「オルタナティブ」とは何なのか、という独立性や態度、スタンスを自ら示した極点であったとはいえるだろう。

マネタイズには当時珍しかった「投げ銭」制度を導入し、連日ギャラリー内を箱や帽子を手にみずのりが、「ありがとうございます〜、ありがとうございます〜」と愛嬌を撒き散らして練り歩いた。CAMPFIREや

＊5　アーティストのCOBRAとミヤギフトシがディレクターを務めるアーティスト・ラン・ギャラリー。2011年世田谷で設立、2016年巣鴨に移転。同年代の幅広い作り手の展覧会やイベントを企画。

＊6　2008年、代表の小川希が表現にかかわる同世代のつながりを作ることを目的に東京・吉祥寺に設立した芸術複合施設。ギャラリー、カフェ、レジデンスなど多様な機能を持つ。2010年に始まったJR中央線・高円寺〜国分寺間を舞台にしたプロジェクト「TERATOTERA」の拠点でもある。

＊7　卯城による美学校の授業「天才ハイスクール!!!!」でアシスタントを務めた中村奈央が2012年に立ち上げた「ノマドギャラリー」。特定の場所を持たず、高円寺や目黒を中心に展示を企画。中村の妊娠・出産に伴い2018年より休業、2020年再開。

＊8　2015年、東京・浅草の狭小住宅を改装して始まったプロジェクト・スペース。主宰はキュレーターの大坂紘一郎。国内外のネットワークのなかで展示、シンポジウム、レジデンス活動などを行い、研究活動と市場の動向の媒介を試みる。

READYFORなど老舗のクラファン・プラットフォームの創業が2011年である。寄付文化も多少は定着し、観客がその行為にアクション性と当事者性を見出す風潮が出来つつはあった。とはいえ、いかんせん、ネットでの謳い文句はどのクラファンもTEDのような正義感に溢れ、Chim↑Pomにはあまり馴染むものではない。ということで現場でやってみると意外なことに、作品の横ということもあってか共犯関係の広がりが見受けられた。一万円札を入れる人も何人もいて、結果的には8日間で合計50万円弱の寄付が集められた。

その延長線上に作品も売れた。コレクターもアートのプレイヤーとして試されたような気になったのだろうが、もとより美術機関を信頼していない収集家や、意外にパンクな気質を秘めた経営者などにとっては滅多に出会えない好機となったのである。

反応はといえば、まずは観客の中には「こんなこと本当にあるの？」と自由社会であるはずの日本美術界とのギャップに戸惑う人が多かったように思う。全て水面下での出来事だったわけだから、当然といえば当然の反応だが、当の水面下にいた者にとっては「内部告発」のようなインパクトがあった。と言っても特段ネガティブな意味ではなく、「アートへの申し訳なさ」を宣誓したことから、芸術への従事性に応えるキュレーターも現れた。例えば東京都現代美術館の学芸員・藪前知子などはこれに反応を示し、この時以来、《BLACK OF DEATH》の常設展示をカットなしの完全版へと改善させている。

《堪え難き気合い100連発》は、2019年にニューヨークのグッゲンハイム美術館への収蔵が正式に決まった。まさに「アートのダイナミズム」を地で行くようなドンデン返しだが、水面下を徹底していた国際交流基金にしてみれば、規制行為が美術史として歴史化されてしまうという皮肉な事態である。僕にとってはただの業界の自浄作用にも思えるが、考えてみれば、これまで散々な目に遭ってきた《気合い100連発》は、作品自体がアジアの新人賞大賞を作家にもたらすほどには、根本からアートの力を業界に迫る本質性を持ち得ていたのである。被災者と美術史、作品を批判する権力や大衆、そして美術の権威といったさまざまに異なる立場の間でせめぎ合って、作品は強化されていたのだ。作家の手を離れつつも、しかし何かあるたびに僕に、業界への不信と信頼という双極を突きつけてきたのである。

展望

さて、現時点（2022年1月末）。「規制の時代」は結局2010年代特有の問題ではなく、現在進行中のこととして引き続き僕の頭を悩ませている。直前に迫った森美術館でのChim↑Pom回顧展の内情がそれであるが、とはいえ本件も含めて2015年から7年の時を経て、「堪え難きを堪え↑忍び難きを忍ぶ」展（2015）、「キセイノセイキ」展（2016）、「表現の不自由展・その後」展（2019）との日本美術の推移の中で、僕にも規制に対する「変化」というものが生まれている。その3パターンどれもが過去になった今、事例に現在性があればこそ、対応にも現在性が必要となる。特に「表現の不自由展・その後」のような戦後民主主義というレガシーで対応することの不可能性は、これからの芸術の出発点として広く受け止められるべきだと個人的には思う。

これを現在の自分の立ち位置を起点にして絡めて考えると、何かその変化と相関図、そして新たな打開策が浮き出てくるように思われるのだ。

いっときはオルタナティブのみへと向かわざるを得なかった僕であるが、現在は、アーティスト・ラン・スペースであるWHITEHOUSEの運営に携わりながら、ANOMALYや無人島プロダクションというコマーシャルギャラリーに所属し、DFWという地域性の高いプロジェクトを主催しつつ、森美術館というメインストリームで当の回顧展に取り組んでいる……。オルタナティブ、マーケット、美術館、国際芸術祭、という多方位な現場で当事者として活動しているわけだけど、この立ち位置が意外と特殊であったことにようやく最近気がついた。実際、日本では僕ひとりかもしれない、と周囲の人々がシーンを跨がないように活動していることに比して実感するのだが、この無節操さこそは、やはり異なる現場が連なるダイナミズムに依拠したスタンスであろうと自覚する。

ともすれば、各現場の力学やレギュレーション、可能性と不可能性に引き裂かれながらの活動を余儀なくされているが、その副作用として、視野の中に「ある見通し」がつくようにもなってきている。各現場をいっぺんに見通す景色に浮かび上がるヴィジョンのような、雲のような、設問のような、今の所まだ漠然と「見通し」としか言えないのだが、これが「アートのダイナミズム」に社会像としての輪郭をいつか与えるのではないか、と期待させるのだ。

森美術館の個展、そう遠くないだろうDFWにとっての一発目の一般公開展やWHITEHOUSEなどの実践、そして本書を書き進める中で、この「見通し」がなにかアイデアに変異すれば良いのだけれど。

第10章 《LOVE IS OVER》「また明日も観てくれるかな?」「道が拓ける」《道》

手塚マキとは何者か

「俺はChim↑Pomと結婚するつもりだから」

と、手塚マキは初対面の僕に無邪気に言った。たしか自身のワインバーのオープニングだったように思う。夜のテラスで店内から漏れる灯りに照らされたロン毛の婚約者を、エリイは僕らに「セイちゃん」と本名で紹介した。カリスマホストだった頃から独学でビジネスを学び、20件ほどの飲食店を経営。もともとラガーマンだったようで、気は優しく力持ち、そしてノリも良いといった三拍子そろった男に初対面にして結婚を告げられたChim↑Pomのメンバーとしてみたら、戸惑いこそあれ、そのフランクな大口もまさしくエリイのパートナーっぽいと了解した。

そもそもエリイが結婚をすること自体への驚きも周囲にはあった。いまにしてみたら何の違和感もないが、たった9年前までは「女性アーティスト」という括りがあって、それは、エキセントリックなもの、家族や生活よりも仕事に生きるもの、そして婚姻制度などに批判的なもの……という典型的な「イメージ」があったのである。すべて個人の勝手であり、わざわざ本人の意志と無縁に性別を肩書きとする意味もいまとなっては不明である。が、かく言う僕も、その頃まではトークでエリイを「女性メンバー」と呼んでいたし、なんならほぼ全ての雑誌で書かれていた「紅一点」や「ミューズ」という称号にも違和感こそあれ、問題視はしなかった。この9年間で、世界の価値観はだいぶ変わり、僕の見方もガラリと変わった。かつて婚姻自体が問われたエリイも、いまは母親となって子育て中である。

時代の変化が垣間見えるエピソードがある。先述したパフォーマンス・アーティスト、アブラモヴィッチが、２０１６年7月のインタビューで、「女性アーティストが男性ほど活躍できていない」とする理由を「人には一定のエネルギーしかない。育児と創作でエネルギーは2つに分かれる」ことにあるとし、創作に集中するために過去3回の中絶をしたと告白したのである。[*1] これにソーシャルメディアで応答したのは、ニューヨークのアーティスト、ハイン・コウだった。双子に授乳する自撮りを公開し、「#母親になったことで、私個人はより良いアーティストになった#重要なことを優先し、その他のことには構わず、時間を有効に使うことを学んだ#マルチタスクの達人になった」とキャプションを添えたのだ。[*2] この画像は直ちに拡散され、ニューヨーク・タイムズはじめさまざまなメディアに取り上げられた。

世代の違い、というか時代の移り変わりを地でいくような逸話だが、そのように変化を顕著に現したのは「女性アーティスト」だったエリイよりもむしろセイちゃんの方だったように思う。主に女性を接客してきた手塚マキにとって、ジェンダーやフェミニズムには当事者意識を強く駆り立てる何かがあるのだろう。いまもフェミニズム専門の家庭教師を付けて学び、実践との両面から重視する。

視点の多様化は業種にも言える。本屋やデイケアサービスを新宿に次々とオープンし、夜の街から福祉までをフラットに語れるレアな人物になったかと思えば、新聞では書評を担当し、茶の湯や能にも親しむ。ホストたちによる短歌を集めた『ホスト万葉集 嘘の夢 嘘の関係 嘘の酒 こんな源氏名サヨナライツカ』（講談社、２０２０）を出版するなど、カテゴリー不能な文化人としての側面も併せ持つ一方で、WHITEHOUSEへの家賃援助や「にんげんレストラン」の主催、現在、若手アーティストやキュレーターらの一大ハブになっている歌舞伎町のバー兼ギャラリー「デカメロン」の経営など、東京のアート界にとっても欠かせないプレイヤーとなっている。

セイちゃんは、もとより社会が大好きなのだろうと思う。いまや歌舞伎町商店街振興組合の（街の地主が出自ではない唯一の）常任理事となり、もはやナイトメイヤーのような活躍ぶりであるが、その社会性の加速にエリイは何かしらの影響を及ぼしたのだろうか。そう深読みしてしまいそうだが、エリイに言わせると、「（結婚によっては）何も変わってないよ。私が家事を全くしないからそれを納得するためにフェミニズムに傾倒したのでは。と言うよりも私をよく知るために」くらいのものである。付き合ったことでセイちゃんに何か変化はあったのかを聞くと、「強いて言うなら、性格が悪くなったと自分で言っている。私の癖がうつり、とにかくよく人のせいにするようになったらしい」。分析するだけ罠に嵌まり込むような言い草である。

挫折した人間がたどり着く土地で

コロナの第二波が2020年の夏に歌舞伎町で流行したときには、彼は新宿区長と共に「夜の街」への非難と感染対策に乗り出したその張本人となった。その直前の葛藤を伝える当時の「BLOGOS」への寄稿文がある。公的機関は水商売を排除する形で感染対策を打ち出していたが、同時に「夜の街」は連日メディアからも非難されていた。セイちゃんは、「そんなことには慣れている」と綴り、特に有事でなくとも、「部屋も借りられない、銀行も融資してくれない。我々は公序良俗に反していると思われている。そんなことは知っている」と打ち明ける。「我々はいつだって『必ずしも公に推奨されているわけではない』ところで商売をしてきた。しかし、「いつだって、我々は誰かのやむにやまれぬニーズに応えてきた」とその煮えきれない想いを吐露するが、一方で、そんなことはただの泣き言だ、と一蹴し、過酷を極めたストレスと、思考停止できない経営者としての想いに揺さぶられる。

「彼らと共に生きてきたことが私の意義の全てだ。彼らと共に生きていくことが私の全てだ」と水商売人としてのアイデンティティに立ち返った上で、大好きな社会に認めてもらいたいという本音と、それでも社会から突き放される悔しさを滲ませる。

＊1 https://news.artnet.com/art-world/marina-abramovic-says-children-hold-back-female-artists-575150（2022年5月31日閲覧）。
＊2 https://www.instagram.com/p/BJQUzUFDJpI/（2022年5月31日閲覧）。

水商売は、感染予防する能力がない人種が携わるものだと思われているのだろう。でも、今までだって、水商売を疎外して、勝手にやらせてきたじゃないか。その中で、どうにか社会の一員だって思ってもらいたくて私のグループは色々なことをやってきた。地域活動には積極的に参加してきた。拒む若者たちを街のお祭りに参加させたり、ゴミ拾いに参加させたり、社会との接点を設ける時間を作ってきた。必死に歩み寄った。それでも溝はなかなか埋まらなかった。まさか、こんな形で『社会の一員だ』と押し付けられることになるとは思ってもみなかった。社会の一員と水商売を認めたようなフリしているのは、悪い例として見せしめにするためなのか？

――手塚マキ「『今までだって、水商売を疎外して、勝手にやらせてきたじゃないか』新型コロナの打撃受ける歌舞伎町で――ホストクラブ経営者・手塚マキ」BLOGOS、2020年6月3日

コロナ禍という恐怖は人と人の距離や信頼を圧倒的に遠ざけたが、感染症の歴史には常にスケープゴードが付き物だった。コレラは労働者や貧乏人という衛生的な状況に居られなかった人々が多く罹り、「不道徳の病」と呼ばれ、エイズのときにはゲイが差別の対象となった。当のコロナ禍第二波では都知事が連日「夜の街」を名指しし、感染者数を報じるニュース画面も歌舞伎町の街並みを映し出していた。

彼はまさしくその渦中にいたのである。

もちろん、ある種のデータが裏打ちしてのことだとも言えるとは思う。しかしメディアによってその印象が確定すると、途端に人々は「感染源」としてそのコミュニティを見下せるようになり、自身や社会の抱える不安の矛先を過剰にそこへと向ける。それが差別となって一層の分断を推し進めるにもかかわらず。

人間には無限の生き方があり、街やコミュニティは多様な人生観に基づき文化や環境を育て上げてきた。いかに画一的な価値観が強いられようと、己を貫くしかない存在は世に潜み、生活し、声をあげ、ともに生きることで真に多様なバラエティを人間社会に創出する。この原則が担保されてこそ、世界は、人類は、ひとつの厄災や政治に滅亡しないほどには、環境や遺伝子、文化や思想の豊かさを保ち、変異をおそれず世代を繋ぐことが出来

るのである。

新宿は、「多様性」という標語があちこちで耳を通り過ぎるようになったもう半世紀以上も前から、2丁目にはコミュニティが自然発生的に発展し、5人も入れば満席となるイカれたバーが軒を連ね、アーティストやホスト、ホステスやミュージシャンという「部屋を借りられない」人々……手塚の言葉を借りれば「挫折した人間がたどり着く」土地だったのだ。

L O V E I S O V E R

計画

「手塚とChim↑Pomの結婚」……ついにはChim↑Pom from Smappa!Groupへと成った現在まで続くこの特異なコラボレーションは、文字通りエリイと手塚の結婚式をChim↑Pomが企てたことから始まった。

僕らはエリイのマッド性をテーマにした写真集の制作を編集者の綾女欣伸と計画中で、その矢先の知らせとセイちゃんとの出会いを経て、さて両者の結婚をどう作品化し、なんならそのイヴェントを写真集にするかなどを話し合っていた。

結果的に披露宴自体をアクション化したわけだけど、議論が始まった当初はセレモニー自体への懐疑も争点となった。何しろ、エリイをはじめメンバー誰も、他人の式や披露宴には全く興味を持っていなかったのである。神も仏もなく育ったはずの多くの日本人が突然教会で神父の言葉を信じ、友人を集めて幸福を共有し、異論を挟む余地はない。突如として形式的な振る舞いを演じる役者のような人々にまみれると、疲れる。時間泥棒だ、式など要らん、と当のエリイも語気を強めた。

だが、それでは何故そのようなセレモニーが世に存在してきたのか。縁もゆかりもない「業者」があたかも親友のような微笑み顔で司会進行する「一生に一度の」披露宴……友人、親族、同僚、新郎新婦の何某たちが動員されるお芝居が現在の式典であることに対し、近世の農民などは田畑の脇道や村道を一列になって嫁入りの道を練り歩き、途中、集落や縁者の家の前で歌を披露するなどして祝言までのプロセス自体も儀式化した。

かつて路上で婚姻を披露していたのは、結婚というものが今でいう同棲のような私的な行為とは違った、ある種社会的な行為だったからである。財産の父系相続を前提にした家同士、という私的な取り決めにもかかわらず、その契りにはコミュニティに広く婚姻を周知する社会性があった。村民は道に出て花嫁を見送り、その厳かで妖艶な様子は、「狐の嫁入り」のように怪異や風土にも結びついて語り継がれていた。

かく言う現在だって、結婚は引き続き契約である。がっつりと社会制度に含まれるが、昔と違って自由恋愛であることから、それを無理やり愛だ恋だと私的に振る舞い二人のナラティブとして完結させるところに、現代の式や披露宴のピントのズレがある。

「路上で結婚式をやる」という本作のアイデアは、そんな婚姻制度の社会的特性に基づいたものだった。が、中央線の中で何気なく思いついたくらいに軽い案だったから、当の僕がそのコンセプトに気づいていたわけでは全くない。「Chim↑Pomらしくさ……、ストリートで……」くらいに、みんなへの提案もガバガバだったように思う。

これまでのすべてのアイデアがそうだったように、この時も一人の思いつきが「たしかに」とラフに共有されたところから、他のメンバーの視点によって実質性が盛り付けられていく。

道と結婚をつなぐキーワードとして、「皇室のパレード」との類似性が確かおかやんかエリイから挙がり、そのセレブリティな、あるいはロイヤリティ溢れるパフォーマンスの引用から、道というものが実は我が国における最もハイクラスな披露宴の舞台であるという仮説にねじれたのである。

さらに、道路交通法や諸条例を鑑みて、道を仕様するにあたっては「デモ」が方法として有効ではないか、と再びねじれた。「素人の乱」という高円寺をベースに変わったデモを繰り返して路上をハックしていたアナキスト集団が身近にいて、デモ申請さえすれば、誰もが公道を自由に使用できる権利があることを知っていたのだ。

それに、なんと言っても権利となると、皇室だハイクラスだとセレブを騙っておきながら、利用料は何故か無料、ビタ一文、一銭も払わずに済むどころか、国家警察による警備まで付いてくるというコスパの良さである。そこに何か本末転倒な可笑しみがあった。

デモは「広場」で勃発し、道へ移る

ところで、言うまでもなく、道は公的な場所である。入り口もなければ出口もない。誰もが入れ、行き交い、誰をも排除できないように空間としては設計されている。

そこで人々が集うこと。これを肯定することが「公共」という考えのひとつである以上、デモを前提として体制の保持を絶対としないことは民主国家の条件であり、そこに暮らす市民の権利でもある。この思想がいち早く広まった西洋の町並みには、デモが「広場」で勃発し、道へと移る「ルート」がそもそも確保されている。古くは政治広場であったアゴラにまで広場の起源は遡ると言われているが、つまりは道以前にまずは人々が自然に集まる広場こそが、近代では公共空間として重要な地位を占めているのである。西洋に限ったことではない。記憶に近いところで言えば、2011年のエジプト革命[*3]も現場は街の中心地であるタハリール広場であった。

また、広場の活動は抗議だけにとどまらない。2019年に僕らが訪れたマンチェスターでは、2017年にアリアナ・グランデのアリーナでのライブで起きた23名の死者と120名以上の負傷者を出した自爆テロの後、その3日後には市内の広場に自然発生的に民衆が集まって、沈黙を共にした。その場で突如一人の女性が口ずさんだオアシスの「Don't Look Back in Anger」が群衆の合唱へと広がって、テロへのアンセムとしてサッカーの試合などで合唱されるように発展したことはよく知られている。全ては自然発生的だった、と地元の友人が回想

*3　2010〜2011年にかけてチュニジアで起きた民主化運動・ジャスミン革命に呼応して、エジプトでも反政権デモが激化。2011年2月に約30年続いたムバラク独裁政権が崩壊した。中東の民主化運動「アラブの春」のひとつ。

していたが、見方を変えれば、テロの後に集まるなど新たなテロのターゲットになりかねないリスキーな行動である。が、彼の言い分はこう。「だからこそ団結すべきだったんだ。分断されないぞってメッセージとしても」

日本とは何か「集会」というものの考え方の違いを感じるが、これを国民性の違いだと断定するのは拙速に過ぎるように思う。

日本で行われるデモに違和感を感じ、「ぎこちなさ」が感じられるというセンスは僕も共有する。しかし前提として日本のデモが「自然発生的」な集まりではなく、申請によって許可され、警察の管理のもとで最大4列、速度はこのくらいという参加者の動きがコントロールされる実態は踏まえてもいいだろう。次いで、そうやって「管理される」ことが自然となるマインドが生み出される背景に、街の開発や計画そのものが与していることは見過ごせないし、都市や公共に興味を持つ人の間ではよく知られてもいる。端的に言えば、東京にはそもそもからして各国の首都に比して、「広場が無い」のである。

香川大学教授の西成典久の講演「まちなかの再生と広場のデザイン」によると、広場と道、そしてデモの関係は昔から強い。例えば新宿西口広場で1960年代後半に起こった反戦フォーク集会を反体制派の集会とみた警察側が、その対応として「西口広場」という名称を「西口通路」に変更し、道路交通法的に集会を規制したことが挙げられている。

また、戦後日本の都市開発の巨匠である歌舞伎町の都市計画家、石川栄耀は、「日本の駅前広場は交通連絡施設であって、真の社会的な民主的な広場ではない」「自分は都市計画20年、その間常に此の広場を提唱して止まなかった」と、特に広場の創出に執着した人物であるが、その甲斐あって整備された「シネシティ広場（旧コマ劇前広場）」も、石川が思い描いていた、人々が屯（たむろ）し、集会の場にもなるような西洋的広場とはかけ離れた、表面的なものに帰結したとされている。GHQの建築統制が原因となって、車が入りやすく、道路として管理しやすい場所として整備されたのだ。実際、80年代には車の侵入が常態化し、実質的には「道路」に変わってしまった。

東京の広場をめぐる問題は、原武史の『皇居前広場』（光文社、2003）にも見出せる。天安門広場より広いというその場を追う本書には、そこが戦中、戦後にさまざまな勢力による儀式やデモの舞台となりながらも、1952年の「血のメーデー」を機に取り締まられ、半世紀以上もほぼ使われない「空虚な空間」へと変貌したことが記されている。

色々と事例は尽きないが、とにかく東京という街は、構造それ自体としてそもそもデモや集会には向かないように造られてきているのだ。どうしたって「ぎこちなくなる」よう、環境からして身体が管理されているのである。

だからいざデモをやるとなると、出発地点となる集会場所は決まって代々木公園や日比谷公園、エリイ×手塚の結婚デモで言えば大久保公園、と公園があてがわれる。公園はあくまで余暇スペースであり、抗議の場としては最初からして「ぎこちない」。

西成は、広場の存在が開国以前の封建社会から今に至るまで、治める側に危険視されてきたことを語るが、一方で、江戸時代の日本ではそれに代わる人々の自然発生的なコミュニケーションの場を「道」が補完してきたとも指摘している。

たしかに江戸時代の民衆は、道に沿った縁台に座り込み、将棋や囲碁などに興じ、井戸端会議に花を咲かせることで道を育てていた。ともすれば、打ちこわしや一揆、ええじゃないか運動など、群れる行動だって道の上では特段苦手とはしていなかったようである。

デモや集団行動の無さを従順な国民性で片付けるには、その歴史はまだまだ浅い。

道を使って不特定多数の前で祝うこと。狐の嫁入りの現代バージョンをデモというかたちで実行し、皇室とエリイを暗にオーバーラップする……。エリイの結婚式はシンプルなアイデアの割に、何重にかねじれて構想されたわけだけど、とはいえプラクティカルにはデモの主催など誰にとっても初めてのことである。腰が引けるのは当然で、警察への申請という未知の行為にみんな戦々恐々とし、やりたくねーなーとダルがったことを互いに察した。さらに、もとより僕ともっちゃん、おかやんは、《明日の神話》の件で調書を取られているから警察署で少しでも掘られたら信用がない……。ということで、「……じゃ、」と罰ゲームが回ってきたような形で指名された林が、しぶしぶ申請を一手に引き受けることになった。が、しかし結果的にはこれが適材適所となった。申請時の「何についてのデモですか?」との警察の質問に、「愛についてです」と自信満々に即答できるほどには林は食わせ者だったのだ。

予期せぬことに、この一言もまたコンセプトとして重要な盛り付けとなった。ちょうどその頃、同じ新宿の大久保では、コリアンタウンがあるからと連日「愛国者」たちが結集し、「ヘイトデモ」を繰り返していたのである。ヘイトに対する「ラブ(愛)」のデモは、林の一言から、そんな物騒な状況へのカウンターとしてのアクションにもなった。

実践

提案を聞いて、セイちゃんは特に驚きはしなかった。最初に見せたのは、「面白そう」という無邪気な目の輝きと、その奥に見据えた歌舞伎町でデモなど「どうやればいいか」という経営者らしい思慮深さだった。何せ修羅場と修羅場をハシゴし続けてきたような人生である。多少のことには驚かないし、いまだに狼狽(うろた)えたところなどはみたことがない。

エリイと手塚という個人のイヴェントであるが、その運営をChim↑Pom と Smappa! Group で行いたいとの僕らの提案には、こういう意図があった。デモを朝からするとして、参加者は夜に強い二人の友人ばかりである。真っ当に路上でシュプレヒコールなどを挙げたことがないことは明白であり、慣れない公衆の面前で全員が萎縮してしまったらデモがつまらない。前夜は朝まで宴会場で狂ったように騒ぎ、全員ヘベレケで街に出たい……。それくらいしか全員が自由を発露して路上を占拠するアイデアが浮かばなかったからだが、しかしそうとなると、会場の飲食は、出し物は、会費は、と突然通常の披露宴のようなToDoが鬼のように発生してきて手に余る。互いにやれることを分担できれば、という相談であった。仕事でもないのに自分の結婚式を従業員たちに手伝わせることを少し気にしたセイちゃんは、一日考え、しかしすぐに、「まあみんなホストだから。面白けりゃなんでもやるような奴らだと思うよ」と開き直った。

2014年1月1日。結婚式の招待客にハガキでインビテーション（図10－1）が届く。表面には「このたびChim↑Pom エリイは結婚する運びとなりました。つきましては幾久しく懇情を請たまりたく……」という手書きの案内文とともに、指輪をしたエリイの薬指が切断された写真が全面にプリントされている。左上にキティちゃんの切手がその年の干支である馬の血液でベトッと貼られ、裏には公安委員会宛ての「集団示威運動許可申請書」のコピーが印刷されていた。1月24日午前10時に新宿大久保公園を出発することが読み込め、申請者の欄には、Chim↑Pom のサインとエリイ以外のメンバー全員の捺印が連判として朱色で押され、林の「090－783……」というガチの携帯番号が掲載されていた。デザインはこの時から現在まですべてのChim↑Pom の書籍を装丁することになる、盟友ブックデザイナー・吉岡秀典である。あまりに生々しいレターが年賀状に紛れていたことから、「公安から何故……」とか、脅迫状のようで、などと不穏な感想が100%を占めた。

《LOVE IS OVER》ドキュメント

1月24日。午前2時。歌舞伎町風林会館内の元キャバレーで宴が開宴。花輪を被ったアーティスト・デュオのキュンチョメ[*4]に出迎えられて、アーティストやホスト、芸能人、歌舞伎町の住人やミュージシャン、批評家やギャラリスト、キュレーターや親族など、友人知人が続々と集合。ご祝儀を払い、出店していたゴールデン街のバーでドリンクを入手して、歌舞伎町裏路地のディープスポットとして知られる上海小吃からの出前をつまむ。会場随所にChim↑Pom の作品がちりばめられる中、プラカードのワークショップやホストクラブ、何故か腕

＊4　ホンマエリとナブチのアートユニット。2011年の東日本大震災を機に活動を開始。東北の被災地や沖縄などを舞台に、社会問題をユーモアや喜怒哀楽を交えて切り取る作品を制作。

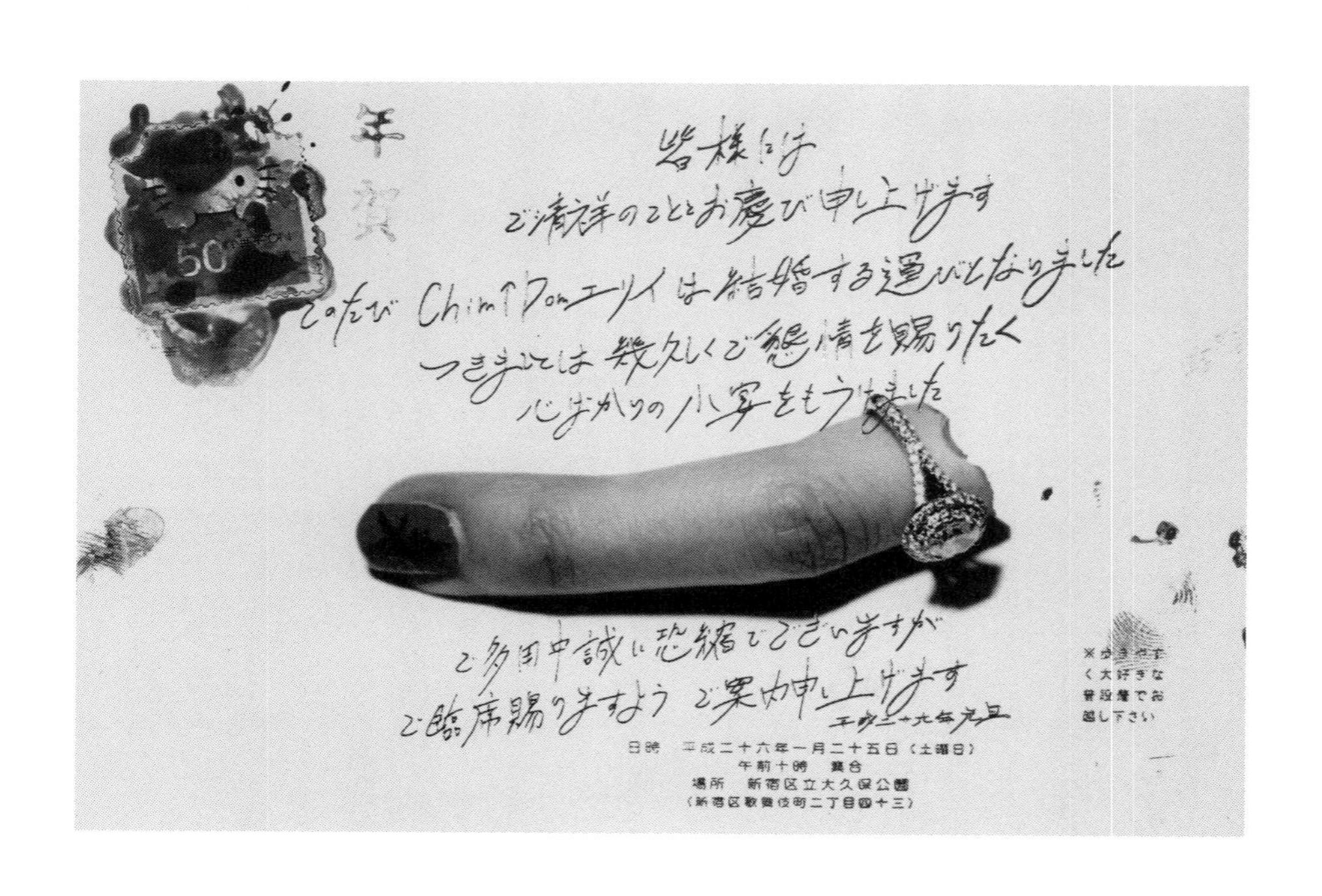

10-1　《LOVE IS OVER》招待状
デザイン＝吉岡秀典／撮影＝森田兼次
Courtesy of the artist, ANOMALY and MUJIN-TO Production

相撲大会（もっちゃんが優勝）などのブースがボックス席として設えられていた。ステージでは、Chim↑Pom や DOMMUNE のイヴェントをディレクションしてきた古藤寛也（鬼畜先輩）[*5]の回しによって、まずは白く半透明のゴミ袋で作られたウェディング・ドレス姿のエリイと、白いタキシードとハット姿のセイちゃんが壇上から挨拶。次いでラッパーの Zeebra が登場し、勢いのある乾杯の音頭で宴の始まりを告げた。

午前未明。DJやライブなどが続き、大盛り上がりの壇上に半裸で女装した会田さんが登場、中島みゆきの「化粧」を「馬鹿だね～あたし～馬鹿のくせに～」と涙目で熱唱し、パンツを下ろそうというエリイのセクハラに「やめて～」と絶叫。会場がカオス化した深夜なのか早朝なのか、タイムスケジュールに追われる鬼畜先輩以外に誰も時間を気にしなくなった深い頃合いには、「初めての共同作業」とケーキの代わりにみずのりの背中に二人がタトゥーを刻印した。ゴールデン街をベースにするナガシのミュージシャンが会場を練り歩いて歌を受注し、無償で参加してくれたカメラマンの篠山紀信やレスリー・キーなどが会場の出来事をくまなく撮影。見るからに常識人であろう新郎新婦の両親の挨拶に歓声が湧いて、音楽とパフォーマンスが雪崩を打ったように続く。「ウルトラ」の元ディレクター小橋賢児が酔って「東京のアンダーグラウンド無くなったと思ってたけどここにあったわ」と笑っていたが、ズバリの批評だと腑に落ちた。

午前7時。夜遊びに疲れた人々が寝落ちした中で、宇川直宏と僕、素人の乱からのヒップホップ批評家、二木信が、結婚制度やデモ、狐の嫁入りなどについて鼎談を開始。時間も時間であり、突然の真面目な話で大丈夫かと心配したが、例のナガシが酔って「アートなんて知らねえよ！」と絡んでくるなどのハプニングにも恵まれて、集中力が持続できた。

その流れで、この先に進むデモのルートを僕が参加者全員に壇上から説明。3ヶ所でデモ本隊を待ち受ける3つのグループに全員を分けて、続々と人数が増えていくたびにムードが変化していく戦略などを伝える。直前の

＊5　1974～。プロデューサー。DOMMUNE の超前衛偉人列伝プログラム「超前衛鼎談」など、イベントや展示の企画運営を行う。2015～20年、美学校で松田修と「外道ノススメ」の講師を務めた。「鬼畜先輩」はあだ名。

作戦会議に、いよいよ差し迫ったムードが満ちたなか、エリイが僕の横からベロベロの参加者を鼓舞。客席の有名俳優が「みんなでやれば怖くない！」と応えると、会場の士気が俄然昂った。

午前10時。新郎新婦のみが大久保公園をスタート。朝の西武新宿駅前通りをJR新宿駅の方向へとのんびりと歩く。撮影隊が付き添い、警察を担当していた林が主催者として同行。少なく申請していた参加者数から動員された数十人の警官が二人を警備、個人が公権力に取り囲まれる姿には、結婚を「社会的行為」といったときのアイロニーが漂っていた。

「ハッピーウェディング！」の叫びに意味はない

歌舞伎町を抜けたところ、新宿西口大ガード横に大きく開けた「新宿大ガード東交差点」に二人がたどり着く。普段ならば歩道を渡るところを、デモということで信号にかからず、警官が車を静止する中で、4車線の車道のど真ん中をドレスのロングトレーンを浮かせた花嫁とセイちゃんがそろりそろりと渡る。モーゼの海割りのように突然開けた大交差点の中央にたどり着くと、二人は突然立ち止まった。対岸の歩道には二人を待ち受ける数十人のデモ隊が歓声をあげていて、それに応えるようにエリイは花婿の肩に腕を回し、長いキスを交わし始めた。

その時代にドローンが手頃な値段だったら、きっと、車と警官に囲まれ街中にポッカリと空いた穴の中の白く小さな塊が、まるで韓流恋愛映画のエンディングのように劇的に撮れたのではないか。そんなドラマティックさをプッシュするようにベタにクラクションが愛へのプレッシャーのように鳴り出したが、しかしエリイは今度はセイちゃんの腕に全身を乗せ始め、ロマンスをなおも長引かせようとする。想像以上に長い接吻に野暮な警官が痺れを切らし、「早く進んで！」と赤い警備棒を進行方向に真っ直ぐ突き立て二人を怒鳴った（図10-2）。

第1隊が二人を熱狂的に出迎えて、デモ隊の人数が一気に増える。一行はスピーカーでダンスミュージックを流しながら、そのまま大ガードを西口方面へと行進した。

メガフォンを手にしたエリイが、ここぞとばかりにシュプレヒコールを連呼するが、「ハッピーウェディン

10-2　《LOVE IS OVER》2014
撮影＝Ryan Chan
Courtesy of the artist, ANOMALY and MUJIN-TO Production

グ！」とその叫びには全く何の意味も無い。それに参加者たちは復唱し、何往復か繰り返す。飽きると、「すしざんまいで！」と二次会の会場を連呼し、隊もそれに続く。悲惨なほどに中身も主張もないシュプレヒコールに花を添えるように、酒臭い参加者たちも思い思いの台詞を書いた自作のプラカードや横断幕を掲げるが、ここにも何の意図も見当たらない。いわく、「エリイ」だの「愛」だの「うおー！」だの、「セイちゃん」や「社会」、「おめでと」、「エレクトリカルパレードで満足したことは一度もない」だの、色々であり、有象無象である。

道ゆく人々は怪訝そうにスマホをこちらに掲げ、当然ながらかかわろうとしない。一方で、「立ち止まらないで！」とマイクと笛で警告する警官たちは戸惑いながら、林に、「なんとかしてよ、4列4列！」と整列を促す。林も手にしたメガフォンで、パーティーの騒乱にかき消されるような地声のトーンで、「4列でお願いしますー……」と誰に言うでもなく要請に応える。「なんだこれは！」と事態の異常さに気づいた中年警官に、若手警官が、「あれ、篠山紀信ですよ！」と芸能人を見たときのリアクションのように答えていた。

ちなみに、作品のタイトルはジョンとヨーコの「WAR IS OVER」から拝借し、《LOVE IS OVER》と名付けられた。先達2人へのオマージュだが、篠山による撮影には少なからずの因縁があった。彼こそは二人のアルバム「ダブル・ファンタジー」のジャケを撮ったその人だったのである。

隊は徐々に膨らんでいき、新宿副都心のビル街を進む。SOMPO美術館を抜けたその先の新宿アイランドタワーに常設設置されている、ポップアーティスト、ロバート・インディアナ[*6]による《LOVE》が目的地と定められていたのだ。

世界的に有名なこの公共彫刻は、インディアナが頑なに著作権主張や作品へのサイン入れを拒んでいたことから、時代に先駆けたフリー・コピーライト作品となっている。権利を放棄したところに作家としての潔さや、パブリックアートと公共性を巡る問題が考えられる秀逸な作品なのだが、《明日の神話》が核災害のクロニクルであることと同様に、そんな実態はほとんど全く世に知られていない。Googleマップでその場所を開いても、キャプションには「新宿の待ち合わせと自撮りスポット」と書かれているだけである。

目的地に近づくと、待ち受けていた別働隊が《LOVE》の前で喝采や歓声を上げながら二人を迎えた。ゴールでついに参加者全員集合となったことで、ボルテージはいよいよ最高潮へと達し、篠山が集合写真を撮ろうと脚立に乗ってカメラを構えると、誰からともなく促されるようにエリイとセイちゃんは彫刻の上に登り始めた。僕の横で、とあるキュレーターが「これはまずいんじゃない……？」とボソリと呟き、警官も「降りなさい！」とパーティーの外側から勧告する。その呼びかけに応えるようにセイちゃんが、「みんな、本当に今日はありがとう！　警察の皆さんもありがとうございます！」と頂上から地声で叫びながら、「ハッピーです！　ラブです！　皆さん、愛を大事に！　警察の皆さん、明日は居酒屋行くでしょ、みんな！　楽しみましょう！」と最後の挨拶を叫んだ。その結びに、セイちゃんは「ラブイズオーバーです！」と思い切り声を振り絞る。思わず口をついたのだろうが、自身でもきっといったい何を言っているのかわからないだろうその意味不明の締めの言葉を、「降りなさい!!」と強い口調のディストーションが効いたメガフォンの怒号がかき消した（図10-3）。

《LOVE IS OVER》は、林の事情聴取と、参加者たちの二日酔いという狂乱によって幕を閉じた。その一部始終は参加者たちから募った1万枚にも及ぶ記録写真から厳選した写真集『エリイはいつも気持ち悪い　エリイ写真集 produced by Chim↑Pom』（朝日出版社、２０１４）にまとめられたが、何人かの参加者はその後、「酔っぱらっていてよく覚えていない」と本を眺めながら語っていた。

当のエリイは後日、参加者全員に挨拶をメールで送り、恍惚とした情景をこう綴った。

「歩いている時は景色がスローモーションでした。道路の向こうにみんなが居た時は神様に見えました」

＊６　１９２８〜２０１８。アメリカの美術家。数字や記号を用いた絵画や彫刻を制作。１９６６年より《LOVE》の制作を開始。さまざまな媒体で展開され、公共彫刻はニューヨークなど世界各地の街に設置されている。

10-3　《LOVE IS OVER》2014
撮影＝篠山紀信
Courtesy of the artist, ANOMALY and MUJIN-TO Production

また明日も観てくれるかな？

新宿とアートの歴史はアクションの歴史そのものである。

渋谷や六本木の美術施設の豊富さに対して、新宿には現代アートを取り扱う美術館が少ない。というか東京オペラシティアートギャラリー一択ではないかと思われる。コマーシャルギャラリーもほとんど無くて、あるのは有象無象の怪しいマイクロスペースばかりである。そんな美術制度の外側にある新宿であるが、近現代の文化の試みはどの街よりも目立つものがあった。

明治・大正期にはアナキストたちが住み着き、アクティヴィズムとプロレタリアートの現場となった。幸徳秋水、堺利彦、荒畑寒村、山川均、内村鑑三、WHITEHOUSE 近くには大杉栄と伊藤野枝も暮らしていたというオールスターぶりで、彼らを思想犯として取り締まっていた官憲もこの界隈を警戒していたらしく、当時の地名をとってイチミは「柏木団」と呼ばれていた。何の因果か、戦後はそのアナキズムが文化的に開花する拠点となる。唐十郎の状況劇場がゲリラ的にテント公演を西新宿で強行し、ゴールデン街には文士や芸能人、アラーキーや森山大道などの写真家や演劇人が集った。１９６７年にはゼロ次元が紀伊國屋の前を全裸で防毒マスクを着用しながら練り歩き、その7年前には新宿ホワイトハウスでネオダダが夜な夜な饗宴を繰り返していた。１万人を超えた反戦運動「フォークゲリラ」が西口広場を占拠して事件になるなど、60～70年代には音楽、映画、演劇、アートを巻き込んだアングラ・カウンターカルチャーの巣窟となったのである。

この系譜は80年代からパンクの聖地となった新宿ロフトや、94年に中村政人らの主導によって歌舞伎町一帯で模様された「新宿少年アート」へと繋がる。特徴的なのは、そのどれもがイヴェント的であり、ゲリラ、そして無形的であるということだろうか。アンダーグラウンドか公共空間で展開されて、アクションとして伝説を残して消えていったものばかりなのだ。

これほどに文化活動が活発で、そして野外が狙われるような物騒なエリアならば、歌舞伎座を招致しようとしたくらいにハコ作りの思想があった歌舞伎町は、美術館が建設されそのエネルギーを回収することも出来たはずである。が、なぜか新宿のアートはそうならず、オルタナティブとアクションの連綿とした文脈だけが続いてきた。

計画

セイちゃんから、「歌舞伎町商店街振興組合ビルが解体されるから何かやれるよ」と提案されたのは2016年3月のこと。立地は歌舞伎町交番とシネシティ広場の斜め向かい、TOHOビルの真裏というまさしく歌舞伎町のど真ん中である。セイちゃんがそのビルの一角で運営していたガラス張りの配信スタジオ「TOCACOCAN」[*7]が遊び場になっていて、僕らは、路上と地続きに歌舞伎町のストレンジャーたちが酔って絡んでくる配信番組自体の大ファンだったのだ。解体に合わせるということで自ずと10月がタイミングとして示されたが、メキシコの国境をウロウロしながらプランを考えていた僕らは春が終わっても議論を深掘りできていなかった。

時期を同じくして、2012年に個展を開催した渋谷パルコの担当者から、ビルを解体するけど個展のときにファサードから取り外した「C」と「P」のネオンサインを使いたいですか？と連絡が来た。そういえば、渋谷もあちこち大規模に工事中で、歌舞伎町もミラノ座とコマ劇場というかつての二大シンボルを失い街並みが激変していた。聞くと、パルコも振興組合ビルも、「2020年のオリンピックまでに（当時）」建て直すという。「2020年までに」という再開発のスローガンは、見渡せば国立競技場や原宿駅、築地市場や渋谷駅周辺など、あちこちから宣伝されていて、スクラップアンドビルドの口実として東京の明るい未来を約束させていた。

1章で述べた通り、僕自身は東京育ちということもあって街の変化には耐性がある。が、この、「東京オリンピックに伴う再開発」という響きには、何か昭和の匂いというか、まるで戦後の夢をデジャブするような、そんな「20世紀の未来像」を感じさせる懐古的なものがあった。調べると、奇しくも当の振興組合ビルが竣工したのもまさしく1964年、一度目の五輪に合わせた建築物だった。高速道路や競技場、ビルの建設など、東京にとって一度目の五輪は焼け野原から復興するためのカンフル剤だった。

「スクラップアンドビルド」は和製英語である。日本人には馴染み深い言葉だが、中世の建物をリノベしまくって古い街並みを残す欧米人には意味が全く通じない。戦後復興に五輪が寄与したのと同じく、二度目の東京五輪の誘致では、東日本大震災からの「復興五輪」が国内外に広くアピールされていた。蓋を開けてみると、その再開発の多くは東京都心部で行われ、2020年には「コロナからの」と復興の対象もぬるりとすり替わることになる。「世界中から人が来る」と躍起になった戦後最大規模の大工事も、今にしてみれば未来を信じて描かれた「青写真」であったと総括できるだろう。

そもそも21世紀における未来とは、このように20世紀に描いたビジョンを繰り返すことで創られるものだったのか?（略）展覧会そのものが体験するスクラップ&ビルドから、日本人の「青写真の描き方」を問い直す。

――「また明日も観てくれるかな?」展ステイトメント

「展覧会そのものが体験するスクラップアンドビルド」……この一節には、以下、プロジェクトのフレームが踏まえられていた。

・解体される寸前の振興組合ビルで展覧会を行い、作品は撤去せずにビルとともに壊してもらう。
・その後、自分らのスタジオであり、Garter ギャラリーの地である高円寺のキタコレビルというバラックの建物に、それらの残骸を持ち込む。

＊7　歌舞伎町のど真ん中から24時間生配信を行うライブネットスタジオ。歌舞伎町商店街振興組合が所有するビルが取り壊されるまで一年間限定で開局。多様なゲストとともにリアルな歌舞伎町の一端を伝えた。

・PARCOのネオンサイン「C」と「P」なども加える。
・それらを再構成した個展をプロジェクトの後半戦として開催することで、キタコレビルをD.I.Y.に改築する。
という企みである。

「全壊する展覧会」という構想を思いついたのが夏だったろうか。のちにプロジェクトの全貌を記した書籍『都市は人なり「Sukurappu ando Birudo プロジェクト」全記録』（LIXIL出版、2017）に収録された座談会によると、8月に振興組合にプレゼンをスタートしたことが僕の口から語られている。

ここからはこの本を片手に経緯を読み解いていくが、改めて読み直して、思わず「8月？」と驚いた。この展覧会は、規模から考えても、通常不可能であろう内容の実現からしてみても、更にはその全てを美術機関と無関係にD.I.Y.で実行した点で言っても、通常ならば1～2年の準備期間を要する大型プロジェクトである。最初のプレゼンが8月で10月に開催、とは、たった2ヶ月で一体何を成し遂げたのか、今となっては想像もできない無茶ぶりである。

だからだろう。当然、振興組合側も戸惑った。セイちゃんから展覧会をやりたい旨は伝わっていたが、彼らの美術観と常識では、それは絵を壁に飾るくらいの「展示会」程度の理解であった。それが、まさか、よりによって、3フロアにわたって2メートル四方の正方形の穴をスラブ（床と天井部分）に開けて、各階の残留物を挟み込んだ形で1階に積み重ねる巨大彫刻《ビルバーガー》のような化け物が提案されるとは。全くの予想外だったろうし、しかもそれを2ヶ月なんて「無茶ぶり」以外の何ものでもない。理解のあった理事の杉山元茂に最初に相談したところ、だいぶ悩んだ末に組合内の交渉を始めてくれたは良いが、その実現までの過程は前代未聞の独特さを持った。

歌舞伎町商店街振興組合

歌舞伎町商店街振興組合は、戦後日本最古と言われる商店街組合である。『歌舞伎町の60年――歌舞伎町商店街振興組合の歩み』（歌舞伎町商店街振興組合、2009）に、焼け野原を数人の地主たちが自身でタウンプランニングをし、それが振興組合へと成長してきたその歩みが詳しい。発起人であった鈴木喜兵衛は、例の広場の鬼、都市開発の父と言われる・石川栄耀とともに「歌舞伎町」の名付け親であり、「広場を中心として芸能施設（歌舞伎座を誘致したが叶わなかった）を集める」、「道義的繁華街」の構想をぶち上げた張本人である。それが結実したのがコマ劇前広場とミラノ座、コマ劇場という三位一体のスクエアであったが、これは今もシネシティ広場とTOHO、2023年開業予定の東急と名を変えながらも街の柱である。

構想の原案となった「角筈復興計画」を鈴木が練り上げたのが敗戦を知ったその日のうちだったという驚くべき逸話や、振興組合の前身となった「復興協力会」が設立されたのが終戦からたった2ヶ月後の10月であったという事実からも、その切り替えの速さや熱量の高さは尋常ではなかったと思われる。

2016年当時の振興組合のスタンスも独特で、「安全だけど安心できない街」と歌舞伎町を定義づける理事長（当時）の片桐基次ですら、「合法、違法にかかわらず、（風俗など）そうした実態も歌舞伎町のアイデンティティであり続けてきた」と豪語し、安心すぎる繁華街には魅力はない、と言い切っていた。それを反映したかのような振興組合ビルの構成も各時代によって乱雑で、かつてはハプニングバーなどの店舗も入っていたらしく、展覧会の感想として場所を「懐かしい」と伝えてくる好き者がいた一方で、竣工時には治安対策として1階に交番が入っていたというから滅茶苦茶である。

運営方針も変わっている。座談会の中でセイちゃんは、「じつは、これまでは、振興組合がおおっぴらに何もやっていないように見えることが、けっこう重要だった」と話すが、その実、半官半民の性質を併せ持つにもかかわらず、組合は、強固なリーダーシップは発揮せずに、行政と街で働くものたちの緩衝材のような存在として、白黒がハッキリとしている両者の間にグレーを作り出すよう立ち回ってきた。事件の多い街である。そんな態度こそが機能的なのだろうが、それほどには「善悪のジャッジはしない」と自ら言い切っている。あらゆる活動が成り行きで生まれた歌舞伎町らしく、セイちゃんが「これを機に若者がたくさん来て文化が生まれるといいですね」と事務局長に何気なしに言えば、「文化は勝手に生まれてくるものだから、作ろうと思って作られる文化は、もう文化ではないと思う」と、自然発生であればこその自由さという文化の本質で切り返される。渋谷からラディカルさを一掃したセンター街商店街振興組合の美観とは、文字通り美女と野獣くらいの違いがある。

僕らにしてみたら、この野獣の緩さこそが、カンボジアのアキ・ラーやメキシコのエステール、被爆者団体などにも共通するキャパシティであり、そこにこそ可能性の扉が常に半開きの状態といったような付き合いやすさがあった。

交渉

会場で、《ビルバーガー》を前にイギリス人のキュレーターが、「うちの国では出来ないよ」と感想を伝えてきたことがあった。これに僕は完成した作品の面前で、「いやいや、うちの国だって不可能だよ」と矛盾した返答をしたのだが、実際、無理を承知のプランだったこの作品が一体どう実現したのか、その経緯を鑑みれば、これが自分たちの範疇を遥かに超えた、さまざまな人たちの交渉の成果だったことがよくわかる。

まず面白かったのは、田島邦晃というキーパーソンの動きだった。杉山のセッティングによって改めて振興組合のオフィスで展覧会をプレゼンした際にいた人物で、肩書きで言えば東急の歌舞伎町開発を一手に担い、2023年春にミラノ座跡地にオープンする新宿最大のビルの開発を手がけてきた責任者である。

ジェントリフィケーションなどのトップダウンな大型再開発に否定的な僕であるが、田島とは今も親交を重ね、なんならWHITEHOUSEの展示に来るたびに新宿の街について意見を交わす。

とはいえ、その出会いは互いに良いものではなかったようで、田島いわく、「なんか空気が悪かった」。Chim↑Pomに興味があったと言う彼は、僕らに挨拶でも、と杉山から聞きつけてオフィスを訪れていたそうだが、それにエリイが「なんで東急の人がいるんですか」と不快感を示したのだ。エリイとセイちゃんが言い争いを始め、田島は焦って「すぐ帰りますので……」と前置きをし、組合の理事たちに「Chim↑Pomさんは本当に素晴らしいアーティストです。絶対に彼らのやりたいようにやらせたほうがいい」とフォローのような熱弁を振るったのである。棚からぼたもちというか、これに理事長たちが感化された。「東急さん」と呼ばれて絶対的な信頼を置かれている田島の言葉には説得力があったようで、「東急さんがそこまでいうならば……」と突然ムードが和らいで、プレゼンが噛み合いだしたのである。

その夜、事態を好転させた東急さんの電話にエリイからの着信があった。「もう一度会いませんか？」との誘いであるが、田島にしてみたら、「Chim↑Pomからの呼び出しですよ。ぶっちゃけ怖かった（笑）」と回想するほどに、嫌な予感しかなかったのではないか。が、覚悟を決めて林とエリイと再会した際に、二人の本音に思わず心が動かされた、と当時を振り返る。「振興組合を落としきれない」とハッキリと悩みを打ち明けたエリイや、「これに勝負をかけているんです」という林の言葉に誠実さを見たという。開発を手がける自身にとって、「成果を出さなければ次がない」という想いには共鳴する熱意があった。「それ以前に、何しろとにかくプランが良くて、オリンピックやスクラップアンドビルドを考えるにあたり、これは世に出すべきだと確信したんです」と言う田島は、「僕の方からも理事長たちを説得してみます」と約束し、有言実行してくれたのだ。

東急さんの暗躍はそれだけに留まらない。しばらくして、再びエリイから「困った」と着信があった。焼肉を食べに行く約束をし、再再会すると、今度は「スラブに穴を開けることが、建築的な観点と行政的に問題があるかもしれない」と相談されたのである。一考した田島は、近々に予定されていた「シネシティ広場協議会」という官民が一堂に揃う会議があるから、そこにChim↑Pomがプレゼンする時間を作りますよと言い、その席での全面的な協力を申し出てくれたのだ。歌舞伎町以外の全ての界隈の商店街や警察、行政なども揃うということで、一発逆転に賭けた形だが、この良かれと思った提案が、あろうことか東急さん自らを窮地に追い込むことになってしまう。なんと、「Chim↑Pomメンバーが忙しくて、誰も来てくれなかったんですよ（笑）」という予想外の展開が待ち受けていたのだ。林から企画書が送られてきて、仕方なしに、それを資料に田島は展覧会をプレゼンするという謎の役割を負ったのである。

見ていないからなんとも評価はできないが、多分、これは相当に良いプレゼンだった。というのも、どうもこの場で、区の人たちをはじめとした参加者たちが、「東急さんもやる気だし」という勘違いも込みで、「楽しいからやろうよ」とまとまったというのだ。さらに、実行にあたって気をつけた方が良いと思われる注意事項の指摘などもその場で挙がり、消防法のクリアが必要だという話にまで一気に進んだ。

　結果、ホテルや区の施設など、思ってても見なかった場所にまでポスターが貼られるという広がりがこの会議によって作り出された訳だけど、そのポスターの協力欄には当然のように東急の名前はない。田島自身が「入れなくて大丈夫なので」と、会社のブランドを活かしながらも個人の活動を貫いてくれた格好である。「クビになってもしょうがないか」と思っていたと言うが、田島が何故そこまでのリスクを承知で協力してくれたのか、答えは今も謎である。

　開発の過程で色々な人々とかかわるべきだとか、トップダウンな在り方以外の関係も作るべきだったとか、仕事に照らして東急さんの行動を推し量ることはもちろん出来る。が、これを書いている2022年2月時点で、実は田島は東急を去ることを僕にひっそりと打ち明けている。何かあったのかと聞くと、「まあ、今度飲みましょうよ」と笑って誤魔化すだけであるが、この間の付き合いからしてみても、会社のメリットだけに彼の行動の所以を見ることはやはり出来ない。

　改めてその時のモチベーションを聞いてみると、「類は友を呼ぶっていうじゃないですか」と立場の違いを超えた僕らへの共感を示す。その上で、「とにかく皆さんが一生懸命だったじゃないですか。軸がハッキリしていたし。それを大人の役割として、助けたかったっていうのはあります。それに」と言葉を続ける。

「スラブを切って落とすなんて、(無茶だということを)『知らないが故の無茶』ですよ。それがなんか良かったし、可笑しかったんです」と懐かしんだ。

　残る関門は消防法だけとなった。トリッキーなインスタレーションの実現を阻む壁として、「消防法」はアーティストによく知られる存在である。まずはこのプロジェクトを機に盟友となった建築家の周防貴之[*8]と、「明日の神話事件」以来なにかと付き合いのあった弁護士の水野祐に問題を洗い出してもらう。これによって、煙が各階を回ってしまう縦穴がポイントだということが判明した。

対応として、

- 入場時に観客一人一人に火気厳禁や「会場内の自己責任」への同意書へのサインを義務付ける。
- 避難計画を立てる。
- 消火器や人員を配置し、避難経路を確保する。
- 入場制限を徹底する。

ということで決まったが、時を同じくして、縦穴自体に実は消防とは無縁に美味しい側面がもう一つあることがわかってきた。意外なことに、解体業者も実はビルの解体時に、上の階から瓦礫を下に落とすために、同サイズ同型の縦穴を最初に開けるのだという。偶然の一致であったが、これも「縦穴自体が異例ではない」ような雰囲気を作った。なんなら、先んじた解体作業がそのまま展示になるという予期せぬコンセプト・メイキングとなって、作家としては願ってもないプロセスだし、業者の指定する場所に穴を開ければ、組合にしてみても若干解体予算が抑えられよう。

そうこうして議論が進行し、問題にならなそうなラインを探っていると、組合の番頭である城克が、「問題がないなら申請してきますよ」とフライング気味になってきた。これまで何度も消防法を理由に作品提案が却下されてきた僕らとしては申請自体に慎重だったが、署と日頃からの付き合いがある城はとにかく明るい。目を細めた笑顔で「消防署長に連絡しときました！」「もう、今日挨拶しといたんで！」「いい感じ！　保険もかけときましょう！」と矢継ぎ早に先行し、「え！」「今日？」と僕らを追い越していく。とはいえ、本当に許可が降りるのかと気を揉んだが、拍子抜けするほどに城の思惑はズバズバと当たる。正式に消防から返事をもらったのは10月

＊8　1980〜。建築家。2014年まで妹島和世建築設計事務所・SANAA勤務。2015年に「SUO」設立。作品に「S-House Museum」など。2022年夏に「高松市屋島山上交流拠点施設」が完成予定。

1日、オープニング2週間前という離れ業であった。

「通るわけがない」という自主規制をはずす

消防法を「通す、通さない」というよりも、「通るわけがない」という自主規制が日本のアートの足枷だったのだ。安全対策やルールは敵ではなくて、役所が民間の新たなアイデアに、現場現場で対応するしかないことは考えてみれば自然なことである。消防に関しては、「交渉次第」とか「担当者次第」といった話をよく耳にするが、それを白か黒かで話すような会議の席ほど無駄なものはない。とどのつまりは全部消防法を理由にしてしまえば、面倒を避けられるという主催者の思惑がそこには隠れているのである。

城の進撃は続く。やはり馴染みの保険屋に電話をし、イヴェント保険をアレンジ。保険金などの細かい交渉を僕らと詰めて、これにて下準備は整ったという格好である。が、そこから、城はいかにも歌舞伎町の住人らしい行動に出る。協力はしてくれつつも、運営に関しては、「振興組合は責任を一切負いません」という合意書を提案してきたのだ。一見、突き放しているようにも聞こえるが、実はこれは僕らにとっても望ましい形の合意書だった。「責任問題」の発生が行動のブレーキになることは往々にしてあり、特に作家にそもそも無関係な人間や機関にとって、その尻拭いの大きさはどうしたって推し測られるべきリスクである。そういう意味で、限界のリミッターを外すことが実はこの一文には約束されており、僕らとしては食い気味で合意できる内容だったのだ。「また明日も観てくれるかな?」展はこうして準備が整っていったわけだけど、日本にはラディカルなプロジェクトがない、という巷の論調に、法律や公的な問題はそこまで関係がないということが改めてわかった。あれは無理だ、これは歌舞伎町だから出来る、不可能だ、と口々に感想が伝えられたが、その多くは思い込みだと言い切れる。田島然り、城然り、人間の活動は実は多面的であり、その人にしか出来ない役割というものが(隠れて)存在する。それが自主規制の範疇に留まってしまう。プロジェクトさえラディカル——非常識であれば、交渉や実務もそれ自体が言わばアクションのような革新性を持ち得るのである。

展示構成（抜粋）

4階―振興組合―：

《青写真を描く version2》2016（図10-4）

いわゆる「青焼き・青写真」と呼ばれる写真技術で、歌舞伎町商店街振興組合の事務所の痕跡を部屋にまるごと感光、焼きつけた。「青焼き」は、建築図面のプリントとして20世紀の建築家たちを支えてきたが、その需要は21世紀に入って激減。その一方で、「青写真を描く」との慣用句は社会に定着し、いまも未来のビジョンを描く意味で使われる。50年間にわたり、歌舞伎町の振興を担ってきた振興組合。まさに20世紀のこの街のビジョンを描いてきた彼らの歴史の痕跡を、「青写真」として描き出した。

《ルネッサンス憲章》2016（図10-5）

《青写真を描く version 2》のインスタレーションの一環として、歌舞伎町商店街振興組合の事務所にあった、いくつかの象徴的なものをパネル作品にしたシリーズの一つ。「歌舞伎町ルネッサンス憲章」は、「地域活性化プロジェクト」「まちづくりプロジェクト」とともに、自治体や消防・警察、入国管理局や民間機関などとの協働・連携の下、歌舞伎町の「怖い」「汚い」というイメージを払拭し、安全・安心対策を進める「クリーン作戦プロジェクト」を柱に掲げる。東京オリンピックの招致の裏側で、2004年に石原慎太郎都知事（当時）によって開始された「歌舞伎町浄化作戦」としても知られ、日本のジェントリフィケーションを巡る議論の重要なトピックでもある。

3階―歌舞伎町―：

上・10-4 《青写真を描く version 2》2016／サイアノタイプ、部屋、インスタレーション
撮影＝森田兼次／Courtesy of the artist, ANOMALY and MUJIN-TO Production

下・10-5 《ルネッサンス憲章》2016／サイアノタイプ、インスタレーション
撮影＝森田兼次／Courtesy of the artist, ANOMALY and MUJIN-TO Production

《みらいを描く》2016（図10－6）

歌舞伎町にある風俗店で働くデリヘル嬢、みらいちゃん（18歳）のシルエットを「青焼き」で感光、焼きつける。性風俗、性的マイノリティ、暴力、文化、芸能、外国人……、さまざまな生き方が混在し続けてきた歌舞伎町。それぞれの人生が交差するこの場所に、一人の人間が名乗る「みらい」の姿を描き出した。

2階――都市の「浄化」――：

《下町のパラドックス》2016（図10－7）

お掃除ロボットを使った巨大ペインティング。延々と掃除しながらも自らペンキで床を汚し、またその掃除を繰り返す。無限やカルマ、パラドックスをテーマにしつつ、ダウンタウンでの落書きや浄化運動などをギャラリー内で可視化する。

《都市は人なり》2016（図10－8）

ビルの解体現場の中にリアル造形で作られたエリイの頭を配置し、撮影した写真を、サイアノタイプでプリントした。「歌舞伎町」という名前は、都職員として復興に奔走していた石川栄耀都市計画課長が提案した。都市の風格とは市民の心や行動によるものであり、そこに集う人々の姿が、すなわち街の姿であった。「都市は人なり」は石川が残したとされる言葉である。

1階：

《ビルバーガー》2016（図10－9）

上・10-6 《みらいを描く》2016／水彩画紙にサイアノタイプ
撮影＝森田兼次／Courtesy of the artist, ANOMALY and MUJIN-TO Production
下・10-7 《下町のパラドックス》2016／掃除ロボット、ペンキ、ペンキ缶、ゴミ、ローラー、床
撮影＝森田兼次／Courtesy of the artist, ANOMALY and MUJIN-TO Production

上・10-8 《都市は人なり》2016／サイアノタイプ・プリント、紙、パネル
撮影＝森田兼次／Courtesy of the artist, ANOMALY and MUJIN-TO Production
下・10-9 《ビルバーガー》2016／3階分のフロア、事務用品、空調、家具、照明器具、カーペットなど
撮影＝森田兼次／Courtesy of the artist, ANOMALY and MUJIN-TO Production

歌舞伎町商店街振興組合ビルの4階、3階、2階のフロアを180〜220センチ四方で切り抜き、そのまま真下の1階に積み重ねた巨大彫刻作品。壊すことと建築することという相反する二つのプロセスによって、「スクラップ&ビルド」を可視化した。タイトルは、各階にあったさまざまな用品を挟み込んだ、その姿に由来。ファストフード的大量生産・大量消費を、街や都市の在り方に重ねて想起させる。

《また明日も観てくれるかな?》2016（図10−10）

2014年、30年以上続いた国民的テレビ番組「森田一義アワー 笑っていいとも!」の最終回で、最後にもかかわらず、司会のタモリはお馴染みのキャッチフレーズ「また明日も観てくれるかな?」で締めくくった。この「お決まり」と同じように、NHKは毎日の番組終了時に必ず日の丸と「君が代」を放送し、「今日」の終わりを告げている。ビル自体の最終回ともいえる「また明日も観てくれるかな?」展と同じタイトルのこの作品は、必ず訪れる「終わり」、そして途切れることなく来る「明日」の狭間の当事者として、オーディエンスに未来の在り方を問いかけている。

地下1階:

「ART is in the pARTy at Club 仁義」（図10−11）

かつて公衆便所だったという埃っぽい地下階へは、埋まっていたオリジナルの階段を図面から見つけてコンクリをハツって発掘した、数十年ぶりの動線から降りていく。「クラブ仁義」と名付けられ、「仁義」というレリーフから採取した拓が、暗渠のような灰色の壁に看板として掲げられた。昭和20年代、新宿の闇市を根城にし、自分の親分を殺害したのちに刑務所内で自殺し、仁義に背いたとされながらも自身の墓にその言葉を刻印するよう遺言を残した伝説のヤクザ、石川力夫の墓拓である。

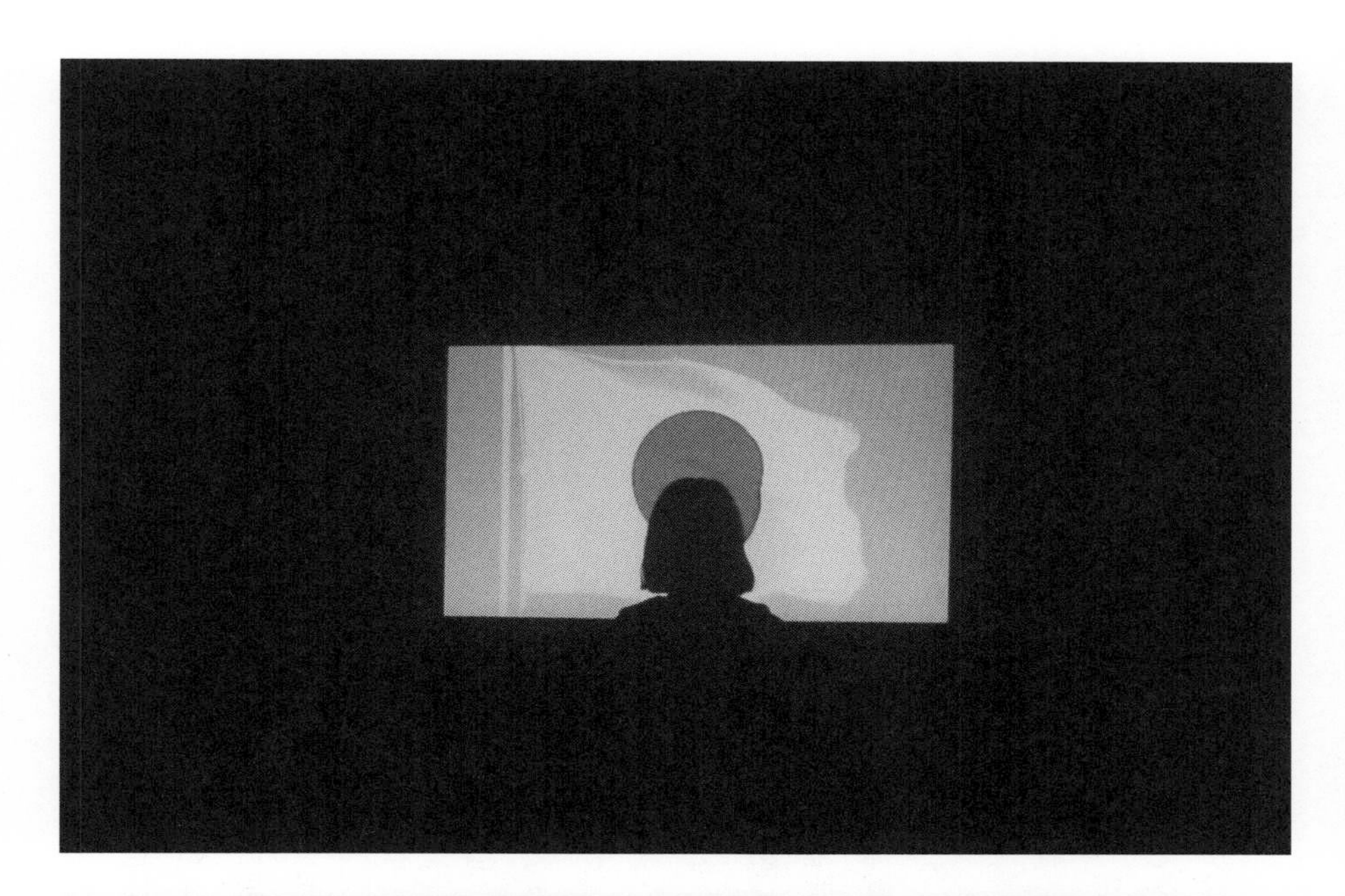

上・10-10《また明日も観てくれるかな?》2016/ビデオ(3分00秒)
撮影=前田ユキ/Courtesy of the artist, ANOMALY and MUJIN-TO Production
下・10-11「ART is in the pARTy at Club 仁義」2016
撮影=前田ユキ/Courtesy of the artist, ANOMALY and MUJIN-TO Production

プロジェクトにとって重要となったのは展示だけではなかった。石川栄耀の言葉である「都市は人なり」を召喚すべく、そこに集まる人々の身体……アクション自体が出来事となって展示に併置される、パフォーマンスイヴェントを複数回開催したのである。建物や作品という物質は無くなるが、無形のイヴェントは記憶の中に身体化する。再開発が作る新たな景色が記憶喪失のように思い出を書き換えてしまうことを前提に、記憶に強く残る、大きく出れば、「伝説」となるライブイヴェントのプロデュースをお願いしますよと鬼畜先輩に無茶ぶりしたのである。

パフォーマンスは、同時多発的に各階で興った。「クラブ仁義」では音楽や演劇関係者がライブを行い、4階では涌井智仁主催によるDJパーティーと、ゴールデン街のバーやホストクラブの出店がバッティングする。2階ではセイちゃんがホストとなって歌舞伎町の重要人物との連続トークを開催し、観客はビルの中を縦に横にと動き回る。

『美術手帖』「Chim↑Pom」特集号（2022年4月号）における アーティスト・中島晴矢によるレビューは、「出演者は、若手のDJやミュージシャンから、会田誠や康芳夫[*9]といったアクの強い面々、そして小室哲哉といった超ビッグネームまで、まさに種々雑多だった。実際に、筆者は『Club仁義』でライブに観客として参加している。ラッパーの漢 a.k.a GAMI とジャズメンの菊地成孔という、歌舞伎町に縁が深い二人のセッション。濃密な熱気に満ちた空間で、その祝祭性は自身のライヴ体験のなかでも随一だった。また、機材トラブルにより開始が遅れ（朝6時スタート！）、人だかりのなか歌舞伎町の路上に延々と並ばされたことも、ライヴの爆発的な盛り上がりを助長した」と、熱気を今に伝えている。

この機材トラブルを現物の貸し出しで解決してくれたのはライブハウスの新宿ロフトである。深夜にもかかわらず、「味噌がなくなったら隣の家に頼んで少し分けてもらう」（鬼畜先輩）くらいの近所付き合いで対応してくれた。当時ロフトを盛り上げていた「Have a Nice Day!」や「NATURE DANGER GANG」「どついたるねん」などといった超絶アナーキーなバンドも出演しており、僕ら素人による手作りイヴェントを心配してくれた親心であった。

出演者の謝礼は一律3万円。メジャーな方々には心苦しかったが、会場を轟音ノイズというイレギュラーな演奏で震わせた小室さんなどは、出演に二の足を踏む事務所に、「これはアーティスト同士の信頼関係の問題で、やりたいライブなんだ」と説得する立場にまでまわってくれた。

稀に見るクロスジャンルな、そして過激なイヴェントであった。音楽からも演劇からもお笑いからもアートからも、自身の畑を飛び出した表現者たちが異種格闘技戦のようにぶつかり合う会場……まるで地下リングのように振興組合ビルが荒み、夜のネオンに怪しく沸き立っていた。

オーガナイズ

さて、振興組合から「一切の責任」を引き継ぐ形で始まった展覧会であるが、その運営……警備や入場整理、勘定などを担ったのは、「責任」という言葉とはほど遠い素人たちであった。そのメンツは、Chim↑Pom 6名とスタジオマネージャー2名、数人のボランティアスタッフと、Smappa! のホストたちである。平均年齢は多分20代後半、年配の僕やセイちゃんですら30代半ばを過ぎたあたりである。経験値でいえば、アーティスト・ラン・スペースや飲食接客業のノウハウと、数々の炎上を経験してきたくらいの偏った寄せ集めだった。が、まさに「都市は人なり」というか、周囲が僕らの頼りなさを補完した。募集してきてくれたボランティアだけではない。その人たちに何かの形でお礼がしたいと念ずれば、もう何年も服やアイテムをChim↑Pomに支給し続けてくれている友人でアディダスの加瀬雅敏から、突然物品が郵送で届く。いつもながらの無償でのサポートという田島方式で、何箱にもわたってぎっしり詰まった服や靴などを、ボランティアの人たちのために提供してくれたのだ。

＊9　1937〜。プロデューサー。自称「虚業家」。1960年代より興行師として活動。「国際ネッシー探検隊」や「アントニオ猪木対モハメド・アリ」など数々の伝説的な企画を行う。

自然にアイテムが見られるというメリットも企業としてはあったのだろう。が、見返りを求めずにサポートし続けてくれている加瀬らしい振る舞いであると僕は思う。漢気（おとこぎ）、という古い言葉が似合ってしまう懐の大きさで、ライブのときなどはイカついガタイと坊主頭を活かしてガードマンなども引き受けてくれていた。

何人ものホストが会場を守る姿を演劇関係者などは「わざと？」と深読みしていたが、これも確かに既存の展覧会ではまず拝めない異例の風景であった。イヴェント会社が請け負うような業務を全て捌いてくれただけでなく、交番や地元の特殊な事情にも上手く立ち回る。通行や導線の確保、酔っ払い対策から日々の収支まで、多岐にわたって取り仕切ってくれたが、それもセイちゃんに言わせれば、「ホストもバーも自分が主役ではない商売だ」「何かをサポートして、それが街を面白くするんだということなら、筋が通っているんだよ」と、慣れない仕事も客商売の延長として割り切っていた。それにしても、例えばアーティストのコムアイが巨大なポケモンボールの中に入って路上を走り続けたり、パフォーマンス集団「悪魔のしるし」が路上で観客を「１００人斬り」したり……と、ゲリラで建物の外の道を何度もハックし続けていたわけだけど、警察や街の怖い人たちとの軋轢を生まなかったのは、やはり彼らホストが街の住人だったことが大きかっただろう。

とはいえ、交番の「動かなさ」にも街の治安を案じてしまうほどの驚きがあった。その無関心ぶりから警官も交番も張りぼてなのではないかと思わず国家を心配したが、これも座談会でのセイちゃんの言葉を引くと合点はいく。

「この間、路上でヤクザが竹刀を持ってバンバンやってるところに、お巡りさんがたくさん集まって、ちょっとしたお祭りみたいなイヴェント状態になってて。でも、周りの人たちも、わりとあっさり見てる程度だった。パフォーマンスなんて、平和なもんだよ」

エクストリーム慣れというか、ひとつの公共性と言えるのか、謎すぎるがやはり「歌舞伎町でしか出来なかった」というのは本当のところだろう。

ファンディング

実は僕は当初から、芸術祭規模のこの展覧会を、一切の妥協なく、単体のアーティストがD.I.Y.でやり切ることにアクション性を感じていた。開くことと引き換えに規制を強める業界や、スポンサーに表現の内容が左右されることへのカウンターなど想いは色々だったが、それにしてもかかる資金は400万円。通常なら数千万円かかるところを得意の節約術で算出したが、常にカッツカツだった当時のChim↑Pom口座にはそんな余裕すらない。どうするか……、と溜息と苦笑いしか出ないような会議の沈黙を破るように、エリイが、「これまでメディアに出て稼いできた貯金があるよ」とニヤリと笑った。まさに悪魔との取引である。一瞬牽制しながらも、背に腹は変えられないのが実情だった。「Chim↑Pomやってきたから来た仕事だし」とのエリイの発言にすぐさま全員が飛びついたことで、それはあたかも雑なコモンズのように「Chim↑Pom貯金」と名付けられた。それでも足りない分を僕ともっちゃんが実家に頭を下げて借り受けて、めでたく満額が揃うこととなる。

が、赤字を取り返さなければ大変なことになる。「4歳のときに髪を引っ張った」と母親が責められていたのを垣間見たことがあるが、些細なことを死ぬまで根に持つエリイである。一生ネチネチ責任を問われ続け、奴隷のように返済を続けるか……。という現実的な恐怖が全員の経営努力をかつてなく喚起した。冗談ではなくて、本当に崖っぷちでやる気を出したわけだけど、しかしこれがなかなか難しい。何せ作品はひとつ残らず壊されてしまうわけだから、アートマーケットのご利益などは全く見込めないのである。

とりあえず出来ることとして、観客からの入場料を1000円とし、イヴェントのチケットを3000円に設定。会場内にはシルクスクリーンの工房を設えて、Tシャツをもっちゃんが朝から晩まで手刷りする。自作のカタログやミニチュアのビルバーガー、ステッカーなど、グッズとともにそれを販売するミュージアムショップを開店して、ドリンク代なども計上した。課金、課金と目を円にしながら毎日売り上げ報告をスタジオで共有し、売れ筋のアイテムを増販するなど情熱を降り注いだ。

結果、どうなるかとヒヤヒヤしていたが、2週間の開催で客数は9000人を超えて、1万に届くかという勢いで会期は終了することになる。これは中小規模の美術館と同等の数字で、最終日にはビルに沿って1時間待ちの行列が数百メートルにわたって延びる程であった。僕にしたって全くの予想外である。振興組合の人々なら尚のことで、「東急さんのいう通りだった！」と喜び勇んで（作品ではなく）行列だけを見に来ては、「すごいじゃないか！」と興奮した様子で話しかけてくる。その大声を耳にしながらも、僕には目の前の行列が何か革命的なものに見えて理解が追いつかず、小声で「はい」と答えるのみの塩対応となった。信じ難い光景に、呆然と視線が釘付けになって、胸が苦しくなっていたのだ。反応が鈍り、しかし記録せねば、と街の行列を林とカメラで追ったが、すぐに立ち止まってまた見入ってしまう。写真ではなく目に焼き付けたかったその一人一人の顔を、解体間近のビルへと向かう人々の後ろ姿を、永遠を見るようにじっと眺めていた。

展開

1ヶ月後。

僕は再びアメリカとメキシコを往来していた。一時帰国するもほどなくして、もっちゃんとエリイ、おかやんと、サンタに変装してリベルタの家を再訪問する。

みずのりは旧日銀での「広島」展で出会った彼女と結婚し、「また明日も観てくれるかな？」展の途中から広島へ。

エクストリームな身体表現への限界や、それを役割分担と考えるChim↑Pom内のプレッシャー、東京の生活などに疲れ果てていたのである。「アートとケア」や「コレクティブ」が『美術手帖』で特集され、ハラスメントが活動を問うようになった現在。いまならメンタルケアを優先すべきとなるところだろうが、当時はどうして良いかわからなかった。事態を打開しようと動くも、僕は、鼓舞したり、会話を迫ったり、と全くみずのりの状況に噛み合わず、ただただ空回っていただけだった。

展示を前に高円寺の居酒屋でおかやんとみずのりと飲んだときに、「彼女の父親の運送会社で次期社長として働く」と、ハッキリと語る彼に、いつからかずっとメンバーを「率いる」という目線がデフォルトになっていた僕は、なんだか肩の力が抜けて、笑ってしまった。その選択についてはみずのりの彼女とも話していたし、なによりも、クリアに届いたその声にリアリティがあって、久しぶりに友だちのままで飲めたことが嬉しかったのだ。

いま思えば、勝手に感じていた責任というものがあった。責任から「解放された」という見方も出来るだろうが、それは違う。「肩の力が抜けた」のは、肩の荷が降りたわけではなく、その荷物の種類が変わったような心の変化だったのだ。たぶん、正確にいえば、みずのりがリーダーとしての僕を「解放してくれた」。世界中で多くの展示に参加しながらも、日本では全く呼ばれないというアンバランスの中で、僕には需要と供給や、作品至上主義とかキャリア向上を際限なく計算する完璧主義者としての癖が付いていた。「こうでなければいけない」というChim↑Pom像や、それを「追い求めなければいけない」というメンバー像に取り憑かれていたのである。この強迫観念はその時点からしても3年ほど続く。Chim↑Pomという容れ物とメンバーという個の間の軋轢が深刻化し、どちらも捨てきれずに苦しむようになったことは「にんげんレストラン」の章で触れた通りである。

居酒屋でみずのりとおかやんの3人で、「そんなメンバーがいてもいいじゃん」「そもそもカスみたいな奴らなんだから」と笑い合えたことは、そんなパラダイムシフトへと至る第一歩だったように思う。広島での未来の生活を想像し、「どんな社長だよ」「会社潰す気かよ」とか「子どもができたら……」などと冗談を交わし合うと、結成時に未来を語り合っていたときと同じ顔をみずのりが見せた。それがとても懐かしかった。


みんなお疲れ様。

昨日のイヴェント大成功してるのネットで見てました。

こちらも滞りなく結婚式を終えました。


と、厳島神社を背景に、白装束と紋付袴のツーショット写真が送られて来たときに、自分の中に2つの感情が芽生えたことを覚えている。広島で色々とあったChim↑Pomのそのメンバーとしては誇らしく、友だちとしてはその会心の笑みに、ついつい笑顔が誘われて幸せを願った。

さて、ひとり東京に残った林は、連日、埃と轟音にまみれる解体現場にカメラを持って入り込んでいた。コワモテの解体業者の事務所にも改めて菓子折りを届けたようで、応接間に通されたときに、「ヤクザの組長が座るようなでっかいソファの後ろの壁に社訓が飾ってあったんだけど、それが『スクラップアンドビルド』だった（笑）」と記録集の座談会で回想している。

業者とはＬＩＮＥでも繋がったようで、深入りしたことによってか林は妙に現場の内実に詳しくなっていた。外国人労働者ばかりの現場だったそうで、現場監督の日本人は「ジュースいる？」程度の会話なら彼らの母国語で交わせるというから今っぽい。

とにかく、日々、ビルバーガーの竪穴から落下するビルや作品の瓦礫を拾い集め、仮囲いの中の未知のスペクタクルを人知れずドキュメントし続けるという特殊な日々を送っていたのである。

それらの瓦礫を高円寺に移し、キタコレビルの大工事を始めたのは、２０１７年の前半だった。

キタコレビル

建築家の周防のリサーチによると、キタコレビルの原型が建てられたのは戦後すぐだそうだ。やはり１９６４年の東京五輪の少し前に建物が後付けされて、入居者たちの手によって増築増築が繰り返されてきた。一体何をもって完成と言えるかは現在においても謎で、その裁量は新たな入居者に委ねられている。

駅からも近く、商店街の一角と立地は良い。入居者の権利関係が歴史の中で揉めに揉めまくって複雑化したことにより、周辺の開発から独自に取り残されてきたバラックである。

近所への聞きこみによると、かつてはジャズやロックなどの音楽バーが入る横丁のひとつだったとか、「拝み屋」と呼ばれたスピリチュアル系の女性の拠点だったとか、いわゆる「ちょんの間」と言われる風俗施設だったとか、歴代の活動もかなり込み入っている。そんなこんなでビルの大部分が廃墟となって暫くが経ち、２００８年に、改築ＯＫ、家賃も安い、とファッション系の若者たちが目を付けたことから新たな歴史が始まった。「素人の乱」のメンバーであり、リメイクブランド「途中でやめる」のデザイナー山下陽光が１ヶ月間だけ展示のために借りたことをきっかけにして、当時まだ10代だった「Garter」の江幡晃四郎や、「はやとちり」のごっちゃん（後藤慶光）などが借り受けることになる。２００万円ほどをかけて廃墟だった建物を手作りで改築（幽霊を見たとかお札が大量に発見されたとか何かと妖しい）し、そこに「ILIL」や「Dog」など、当時の東京を代表するエッジなブランドが次々と参入。ギャラリースペースも設け、「天才ハイスクール!!!!」のメンバーなども展示をするようになり、気づけばいつしか東京のD.I.Y.文化の拠点として、アンダーグラウンド・カルチャーの新たな聖地になっていた。

　このムーブメントに五足飛びくらいで注目したのは、世界のファッショニスタたちである。『VOGUE』の編集長がパリから取材に来たかと思えば、晃四郎の衣装をレディ・ガガが着用し、キタコレにもコートニー・ラブやファレル・ウィリアムス、BIGBANGのG-DRAGONなどのセレブが訪れるようになる。今にも崩れそうな建物と客層のギャップが激しすぎるが、キタコレはそれ程に奇妙な引力を放っていた。
とはいえ、Chim↑Pomにしてみれば晃四郎やごっちゃんはあくまで身近なごろつきといった存在で、まさかそこまで持て囃されているとは思いもよらない、もとよりカスな若者たちであった。かつて無人島が高円寺にあったことから、Chim↑Pomの下品で過激な作風を面白がっていて、駅前に屯している路上飲みの輩といった印象しかない。

　スタジオを設立しようと考えていたこともあって、そんな流れでChim↑Pomがキタコレに入ったのは２０１４年のことである。アートっぽさが無いこともおあつらえ向きだったから、入居当初は「金三昧」という売れないショップで活動を開始した。売れない、と言っても、商品自体が、噛み締めて変形したストロー「ふにゃふにゃのストローでホームランは打てない」とか、１０００円を入れたらぐちゃぐちゃになった１０００円札が出てくるガチャガチャ「金三昧」など、ゴミばかりである。すごいショップだ、と3〜4人の変わり者だけにマークされたが、それも束の間、家賃ばかりが飛んでいく無気力な経営に引っ張られるように（「金三昧」という響きだけ残り）、カジノになって、ゲーセンになって、と次から次へと迷走。傍には一畳ほどの隙間を設えてオフィスとし、そちらの方がChim↑Pomを訪ね来る外国人キュレーターやアーティストたちで賑わうようになる。

そのうちに愛着も段々と増してきて、オフィスを拡張し、アトリエとしても使いながら、ついにはゲーセンと引き換えにギャラリーまでをも開店することになる。ようやくアートスペースと呼ばれるだけのカテゴリーに接近したわけだけど、しかしビルの雰囲気や展示の態度からしても、ギャラリー「Garter」は完全にアートへのカウンタースペースとして目されるようになった。

ちょうどその頃。パルコから例の「C」と「P」の案件が舞い込んできた。セイちゃんからも振興組合ビルの話があった。これを別個に捉えず、総合して「スクラップアンドビルド」というテーマで考え出したのは、まだまだ頑丈なビルが無くなる中で、この雨漏りすら止まらない掘っ立て小屋が何故か高円寺の一等地に残り続けているという、謎と奇跡を等身大で実感していたことが大きい。

次いで、そんな成り行きだったから、キタコレを終着駅と考えた都市や建築のスケールで描かれるプロジェクトには、（雨漏りも含めて）それら全ての事象を物質的に収めることができる、建築家のパートナーが必要なのではという話になった。

周防は、当時、妹島和世建築設計事務所とSANAAから独立したばかりで、直島や犬島など瀬戸内のアートプロジェクトでキュレーターの長谷川祐子[*10]の案件などを担当してきた猛者だった。Chim↑Pomとも知り合っていて、同世代だし冒険心を感じさせる。建築に詳しいワタリウムの和多利浩一[*11]からの推薦もあって、迷わず声を掛けることにした。

二つ返事で快諾してくれたのは良いが、しかしその時点ではこの先どうなるかなんて誰にも答えられない場当たり的なプロジェクトである。「C」と「P」をキタコレに入れたい、とか、スタジオとしてカッコよくしたい、とか、色々と言った気がするが、蓋を開けてみれば、ビルに竪穴を開けたり、複雑化していたキタコレを改築したり、詐欺だと言われても否定出来ないほどに狂った案件となった。にもかかわらず、特にプロジェクトの後半戦となるキタコレでの展示に際しては、アイデア会議から加わるという密なかかわりをもった。新進気鋭の建築家として公共施設や住宅の仕事なども抱えていたが、これが一番のプライオリティになっていなければいいのだけど……とその身を案じてしまうくらいのペースでカスなキタコレに通い続け、カスなメンバーと飲み明かし、夜な夜なカスな議論を続けていた。一体何のモチベーションがあってそのような……という質問に対し、周防は座談会でこう答えている。

単純に楽しいので（笑）。振興組合ビルやパルコのガラ、キタコレのゴミとかに紛れて、いっしょに模型を使いながら現場を見て、話しながら設計するのがすごくスリリングで楽しかった。規模としては、たしかに小さい。でも、やろうとしていることは、すごくでかい。それがすげえなと思うんですよ。

——Chim↑Pom『都市は人なり「Sukurappu ando Birudo プロジェクト」全記録』

まったくのD.I.Y.にして東京という大都市への提案……身の丈に合わない壮大なプロジェクトへの共犯関係が、ここにもまたひとつ成立していた。

＊10　１９５７〜。キュレーター。東京都現代美術館などを経て、２０２１年より金沢21世紀美術館館長。第11回シャルジャ・ビエンナーレ（２０１３年）などの国際展、海外美術館でのキュレーション展多数。

＊11　１９６０〜。キュレーター。母・志津子（初代館長）、姉・恵津子（現館長）らと90年にワタリウム美術館を開館。東京・青山の街を舞台にした「水の波紋95」展など、独自性の高い展示を展開する。

道が拓ける

計画

「キタコレ内に道を作る」という妙案は、周防からの「広場のような誰でも入れる場所を作ったらどうですか」という提案に端を発したものだった。「スクラップ」されたもので増改築して「ビルド」というのも安易だろう、という懸念と、キタコレの持つわけのわからないスラム感にインスピレーションを得てのことだった。

その発言を機に、おかやんと林、もっちゃんが、かつて誰かによって増築された壁や2階部分を取っ払った。相変わらずのことだが、動きながら考える。吹き抜けを作るための解体工事だったが、進めてみると、なんとちょうどその場所がかつて道だったことがわかる痕跡が発見された。どういうことかというと、キタコレは小道を挟んだ二つの建物が原型としてまずあって、その道を跨いで二つをひと棟に合体する形で増築されていたのだ。道の上に屋根を被せ、そこがいつからか部屋になったことは昔の登記簿からも明らかで、部屋の内壁を解体してみると、その奥に建物の外壁が露出してくるという発掘があったのである。プライベートな場所がかつて公共圏だったことを示す「道の名残り」が現れてきたことから、議論は一気に「公共空間について」へと広がることになる。

どんな議論が繰り広げられたのか。面白いところだが、実はこの過程に僕は居合わせることが叶わなかった。ちょうどその3ヶ月間を、アテネ、香港、ニューヨーク、ロンドン、再びアテネ、と3分の2ほどを国外で暮らし、合間合間に顔を出すというせわしなさに追われていたのである。時差ぼけが周回し、しかし帰国する度に聞くと予想の斜め上を行くぶっ飛んだプランがあがってくる。頭が追いつかんわ、と半ばジェットコースターのようなプランニングに受け身で対することとなった訳だけど、これはこれでChim↑Pomのプロジェクトを観客目線で観るような、そんな貴重な体験にも思えてくる。ついには、広場だったはずが「道をつくる」と聞かされて、すごい！　とファンのような感想を持った。

「けど、アスファルトを敷くだけじゃ道のコスプレに過ぎない」と3人から深刻に言われ、「建物内に敷くアスファルトの道を玄関を壊して外の公道に接続する」「24時間365日間誰でも通行可能にする」という二本立ての条件を提案される。どう思う？とか言われても、最高としか答えようがない。何が起こるかわからないけど、やるしかないじゃん、と軽率なままでワクワクするだけである。さらに振興組合ビルや渋谷パルコから引き上げてきたビルや作品の瓦礫はどうするのかと聞くと、埋めるという。たしかに「スクラップアンドビルド」ということを分析する限り、埋立地はその極点として理に適っていた。

いまだかつて、古今東西、誰が実際の道を作品として創出したろうか。公共圏、という曖昧な空間や概念は、例えば高層ビルが建てられるたびに用意される公開空地や、美術館制度を語る際にもよく議論される。が、とはいえ、誰が自分のスタジオの内部に完全なパブリックスペースを作ろうなんて考えようか。鍵が、玄関が無ければ、どんな人が入ってくるかも予測できないし、管理のしようもないではないか。というかキタコレはそれ以前に、賃貸物件なのである。とち狂っている……、と、あまりに無責任なその極論……アイデアに感動したのである。

道の開通にあたって

この度、平成29年度より着手して参りました「道」が、東京・高円寺のキタコレビルに開通する運びとなりました。《Chim↑Pom通り》と命名したその道は、一般開放は24時間、近隣への公道や私道から、誰でも無料でご利用いただけます。

「道が拓ける」と題された個展のためのステイトメントは、こんないたって形式的な序文から始まっている。キタコレとChim↑Pomについての関係がサラリと述べられて、公共の概念とそこにかかるルールについて、やはり事務的に続く。

いうなれば、プライベート空間の中にできた公共空間。そんな道として、今後ともChim↑Pomと不特定多数の皆様とで育てていけたらと思います。ちなみに、Chim↑Pomは、かねてより公共空間やパブリックアートなどの私的利用を無断で繰り返してきたアーティストコレクティブとして知られており、公共という概念に関しては少なからぬ思いがあると自負しております。ですので、いまのところはこの《Chim↑Pom通り》の利用にあたってのルールは設けるつもりはありません。が、隣人、キタコレビルのほかの住人、当のChim↑Pomがさすがに必要だろうと判断した場合、随時ルールを設定する予定です。

自動車が通れる広さはありませんが、混雑時には速度制限を設けるかもしれません。

火災の危険が感じられた場合、路上喫煙を禁止するかもしれません。

あまりにセンスのない張り紙や落書きが横行した場合、「張り札」と「器物破損」を禁止するかもしれません。

パトロールを強化するほど暇ではありませんが、公共を謳う以前に、そもそもここは賃貸物件ですので、大家さんの気持ちを忖度する可能性は十分あります。

プレスリリースを出したのはChim↑Pomだけではない。共同名義でリリースを、という手もあったが、建築には建築の所作があった。周防の事務所「SUO」からは、建築関係者に、これもまた物件の内覧会のお誘いという何の変哲もない案内がリリースされた。

オープンハウスのお知らせ

この度、弊社、周防貴之が設計・監理を担当してまいりましたアーティスト集団Chim↑Pomの活動拠点が「道」として竣工いたしました。お施主様であるChim↑Pomのご厚意により……

云々、と実に特徴のない文体が続く。ポストに投函されているような、毒にも薬にもならない、ピリッとしない、淡々とした「お知らせ」である。山も無ければ谷も無い、盛り上がりに欠けるご案内は、「一般開通させて頂く運びとなりましたので、みなさまご多忙のこととは存じますが、近隣の方から建築関係者の方々まで、ご通行いただけましたら幸いです」と、慣例的に締め括られた。

作品（抜粋）

《Chim↑Pom通り》2017（図10-12、10-13）

キタコレビルの屋内に建設し、屋外の公道とつなげた「道」。施錠せずに24時間、一般に無料開放することで、プライベートな空間内に公共空間を作り出した。築70年ほどの建物には、これまでさまざまな人が入居し、それぞれに増改築を重ねてきたD.I.Y.建築の歴史がある。そこで、二つの棟の間にそもそも存在していた道を再生するよう、本作は作られた。私道であるとともに公共空間であるがゆえに、キタコレビル内に存在しつつも道の周りに展示されている作品はパブリック・アート、トイレは公衆便所、バーは路面店などと位置づけられている。

《みらいの埋立地》2017（図10-14）

キタコレビルの敷地内に穴を掘り、「また明日も観てくれるかな？」展で制作した、風俗嬢みらいちゃんのシルエットを描いた作品《みらいを描く》を埋めた。モチーフが「みらい」を名乗る一人の若者であることや、サイアノタイプが劣化の激しい素材であることから、埋葬やタイムカプセル、経年変化などの要素をプロセスとして導入。さらに、その地点をキタコレビルのリノベーションの礎（いしずえ）と定め、その印としてアスファルトに「定礎石」を埋め込んだ。2016年から、みらいを描く↓描いたみらいが壊される↓壊れたみらいを埋める、という経緯を経た本作は、いつの日か訪れるキタコレビルの解体時に発掘されることで最終形となる。

上・10-12、下・10-13《Chim↑Pom通り》2017／解体された歌舞伎町商店街振興組合ビルの廃材、
解体された渋谷パルコの廃材、キタコレビルの廃材、
「また明日も観てくれるかな?」展の作品、簡易アスファルト、キタコレビルの地上
撮影＝森田兼次／Courtesy of the artist, ANOMALY and MUJIN-TO Production

《The Road Show》2017（図10－15）

《Chim↑Pom通り》の制作のために埋め立てられた廃材のレイヤーを地層として標本化し、キタコレビルの地下に常設展示されている。東京のスクラップ&ビルドの極点であろう、廃棄物や建設残土などからなる埋立地から着想した。渋谷PARCO、歌舞伎町商店街振興組合ビル、キタコレビル、旧国立競技場、「また明日も観てくれるかな？」展の作品など、東京各地で同時期に行われた解体工事の残骸が埋められている。

オーガナイズ

街の変化には慣れている、と先述したが、考えてみると、路上で活動を始めた僕らにとって、道は変わりゆく故郷・東京の、唯一変わらない原風景のようなものだった。ネズミを追いかけ、カラスに追いかけられ、婚姻をデモとして公衆に宣し……と、アスファルトは常に足元にあった活動のステージであり、ストリートに根差したChim↑Pomの芸術道そのものであった。

とはいえ、それは全て公共の場に介入する個の側としての話である。まさか公共自体を作る側に回ろうとは夢にも思わなかった。そういう意味において、《Chim↑Pom通り》がホームレスの寝床になっても、ライターに落書きされても、立ちションされても、ゲロを吐かれても、芸術実行犯としては何ら注意する権利は持ち合わせていないのである。嫌とは口が避けても言えないわけで、あまつさえ「違反」などと、どの口が言えるものか。散々これまで公を私物化してきた身としては、管理者側に立ったからにはあらゆる個の行為や行動……アクションを、どこまで許容できるかが問われているのである。逆説的には、その態度こそがいわば僕らが公に何度も突きつけてきた、「公共の証」そのものだった。

「道を育てる」。「個」を突き詰めてきたことで何故か人生において全く未踏であった「公」という領域に管理者として足を踏み出すことになった僕であるが、そのことに初めて触れた一文が、『都市は人なり』の「あとがき」

上・10-14《みらいの埋立地》2017
解体された《みらいを描く》(水彩紙にサイアノタイプ)、アクリルボックス、ブルーシート、コンクリートガラ、映像、キタコレビルの地中、定礎石
撮影=森田兼次/Courtesy of the artist, ANOMALY and MUJIN-TO Production
下・10-15《The Road Show》2017
都内各地から集められた廃材と土による土壌モノリス、アクリル、キタコレビルの地下
撮影=森田兼次/Courtesy of the artist, ANOMALY and MUJIN-TO Production

にあった。

運営の思想をD.I.Y. に紐付けて、ルールやヴィジョンという目的意識や共同幻想から脱することで、新たな「個と公」の関係を描き出そう、という、以来、何年にもわたって取り組むことになる問題意識のスタート地点が明示されている。

「スクラップアンドビルドプロジェクト」は草の根的な運動であった。展覧会やパーティー、カタログの出版やトークシリーズ、ライブなど、コンテンツは多岐にわたったが、その内実は、暗に共犯関係を結んだ、建築家やパフォーマー、音楽家、スタッフ、ビルのオーナーから観客、協力者までを含めた多様な関係者たちと、「好きにやった」ことにある。これを前提に「あとがき」では、「大規模開発やジェントリフィケーション、スクラップアンドビルドなどをテーマにしたときに、それらが行われるプロセスの真逆の方法論であるD.I.Y. は、最もコアなコンセプトになり得るものだった」と総括する。

公共とは、プロジェクトとは、世界は誰によってどう統治され、運営されるべきか。現在、あらゆる場所や政治に徹底されるトップダウンなシステムに、何か建設的なプロテストがあるとすれば、それは自滅的・敵対的に個が公に介入するような直接行動だけにはもはや留まらないのではないか。アクション自体が氾濫し、しかし資本主義とポピュリズム政治が貫徹されるようになって久しい現在、直接行動はもはや「刺激」以上の生産性を持ち得ない。

「道を育てる」……「個による公の運営」は、政治勢力による「権力の私物化」や、民営化による「公の個化」など、権力側による経営や統治の手法をバリエーションとして「転用」した、新たなアクションとして登場したものである。実践的なプロテストであるとも言えようその論旨は、つまるところ、公共の運営の変わり種が「Do It Yourself ……あなたの手によって」世に多く産出されることに尽きる。

「Chim↑Pom による手作りの道」だからこそ、喚起し得る新たな直接行動がある……「機会の創造」自体がクリエイションとなるアートにおいて、場づくりという「活動」の総体としてのアクションが、「行動」としてのアクションを生む。

公に個が介入することで状況を「構築」することがシチュエーショニズムだったとすれば、公自体をミクロに多様に創出することで、状況の可能性の扉を開く……状況の「準備」をすることを、Chim↑Pomは「道を育てる」というスローガンで示したのである。

面白い試みの多くは、これまでも「好きなように」「勝手に」興ることで、そこに集った人々の土地への当事者意識を育んできた。東京も、そうだろう。プロジェクトの舞台となった新宿でも、高円寺でも、渋谷でも、そんな有機的な文脈こそが街の文化を創り出し、アイデンティティを形成してきた。そしておそらく、徹底した区画整理や社会性を義務付けられる現代の都市空間において、けもの道のような野性の小路こそが、最も狂った、かつ真っ当な空間として、さまざまな出会いと実験の場となってきた。それが、僕らの高円寺のプロジェクトへと繋がる。

誰がどう集まって何を起こすか。そして、それをどう許容するか。街の可能性はその実践の豊かさにこそ拠っている。当事者がいなければ、人々が集まっていたってそこはゴーストタウンと同じ、空虚な街だ。

（略）

僕らが手作りした道に、これからどんな人間が集まって、どんなことが起こるのか。それを考えると期待と怖さ、夢想や心配が入り混じって夜も眠れなくなりそうだ。だって、そこにはやはり安心はない。しかし、それでも願わくば、この道が、多種多様なことが起こる本当の公共圏になってほしい。そして、次なる公私の在り方が実践される、そんなアートの本道になることを願う。

——Chim↑Pom「おわりに——すべての道はアートに通ず」『都市は人なり「Sukurappu ando Birudo プロジェクト」全記録』

道

さて、「道を育てる」ことがミクロな運営形態を実践することだとしたら、勘の良い読者はそこに予示的政治との類似性を見るだろう。そのままじゃねえかというアナキスト諸士からのお叱りも聞こえてきそうだが、「道」と呼ぶ限りにおいてこれが予示的政治と異なる点は、あくまで公共性の実践にある。

予期せぬ他者からのアプローチがあり得る場所、他人が行き交うそれを道と考えれば、公共は趣味や傾向の合ったコミュニティのために開かれるものではない。道は、他の公的施設……美術館や議事堂、公園などと違って、拓かれた当初は何の設定もない、合意もない、ヴィジョンもないという「無」の状態から始められる。個人が好きに行き交うだけで、そこから生まれる全ての活動や、集団にとっての行動の舞台などにその都度顔を変えるのである。

コミュニティを独自に始め、運営するのは誰にでもできる。一方で、公共を作るハードルは誰にとっても高いから、おいそれとは「道をつくる」ことは出来ない。その簡単さと不可能性のギャップによって、社会実践とアートプロジェクトの境界線上に存在するが、逆にいえば、「道を育てる」ことに参画することのハードルは何よりも低い。コミュニティのようにクローズドでない分、参加は常に不特定多数に開かれているのである。

キタコレというプライベートスペースで始まったこの実践は、その後、国立台湾美術館というガチの「公」立や、森美術館といった「公」的な場に内容を変異させながら転送されることになる。キタコレのときにはギャグみたいな裏通りで、来る人も迷い込むくらいの心持ちだった。玄関も壊しているし、こちらとしては本気のつもりだけど、公共と言ってもゲームみたいな趣があった。それが舞台が公性を伴うと、利用者の思惑も、遊びには留まらない、より現実的で、一般に広く開かれるものへとスケールアップする。

ここからはそのダイナミズムについて記述したい。

「公共性」や「一般に開く」ことを広く宣伝しながらも、美術館には、観客一人一人を当事者と捉えて自らの場を開く、という体制はまだ整備されていない。作品の保護や、権威性を保つポリシー、などと理由はさまざまにあるのだろうが、つまるところ、館自体には「道を育てる気なんてもとよりない」のである。美術館で「道」を行うにあたり、これを確信したことは、この制度が謳う公共の内容そのものが、何か「公共サービス」や「公益財団法人」のような違うものを指しているということを認識する良い機会となった。結局、館内に道が拓けたとして、個人の主張や行動を拾い上げて、既存の美術館の在り方を脱却するには、ノールールだったキタコレと違って、誰か管理者のようなものによる調整が必要となるのである。いわく、そこにプロジェクトの制作者であるChim↑Pomの作家性が発揮される役どころがあった。

美術館では、個人と館、作家、という3者の綱引きによる共同運営が為されてはじめて「道を育てる」ことは成立するが、その顔ぶれやマッチングによって育ち方には差異が出る。仲良し同士のグループ運営とは違って、公共の宿命的に、ギスギスとした、しかし信頼に基づいた、個と公の緊張関係から交渉を通じてアクションを生む……という骨が折れるコミュニケーションの「実験」がミッションとなるのである。だから、常態化を目論む必要は特にない。「展覧会期」や「アートである」ことが保証となって、美術館が特区の存在を許容するならば、「パフォーマンス」として一時的に消えること、しかしその代わりに発揮される瞬発力で限界を拡張し、ただ先例となることを本望とする。道ではあるが、パブリックアートのように永久設置されることは目的ではないのである。

それら曖昧な条件が揃ったときに、道には、半分オフィシャル・半分イレギュラーという未知な運営形態が立ち上がる。

計画

国立台湾美術館で2017年に開催された「アジア・アート・ビエンナーレ2017」は、テーマを「Negotiating the Future」（現在進行形の「交渉」が未来をつくる）とした、アジアのアート・アクティヴィズムやアーティストの社会的実践を総覧する展覧会だった。

僕らはドでかいエントランスでの展示をコミッションされたわけだけど、そこが国立施設であることや、テーマからしても社会的にラディカルであることなどを踏まえ、ひまわり学生運動（2014年に起きた立法院を1ヶ月占拠した学生運動）をリサーチすることにした。

実際に立法院を占拠した人たちから話を聞く中で、最初に議会室のドアを開けたという一味のひとりから面白いことを聞いた。

建物の中に入った。議会室の入り口にまでたどり着いた。ドアを前にして、しかし彼ら彼女らは、実は誰ひとりとしてその鍵が開いているとは思ってはいなかった。が、閉まっていたらそこで逮捕されてゲームオーバー。ええいと勢いで押してみると、ドアには鍵がかかっていなかった。「Why Open?」と驚いて、笑って、興奮したまま入場したんだよ、というその無計画さを披露するエピソードである。

「何で開いてるんだ？」……この一言に、キタコレの壊された玄関と、薄暗い建物の奥へと続く道の様子が重なった。


美術館内と外側の公道を結ぶように、200メートルの道を建設する。タイトルは、《道》（図10-16）。ひまわり学生運動が国立の議事堂の中と外、国と個人を繋げたことにインスピレーションを得たアイデアであるが、キタコレとは違ってこの《道》は、物質的にアスファルトで舗装しても、公共空間と呼べる代物にはならなかった。そのことを痛感したのは、オープニングでのテープカットの後に《道》で酒を振る舞おうよ、とキュレーターに言ったときに、館内は禁煙禁酒だからとダメ出しされた瞬間である。路上ではみんな飲んでるよ、いいじゃん、と軽く振ってみても、表情は固まるばかり。おや？　と、国立美術館と公道という、《道》の両端を結ぶ二つの「公共圏」では、まるで性質やレギュレーションが違っていることに気がついた。

公共圏にはそれぞれ独自のルールがある。例えば台湾の公道では酒も煙草もオッケーだけど、同じく公共圏の公立美術館ではNG。アメリカでは路上飲みは禁止されている。美術館では過激なアートを観たり観せたりがOKだけど、公道では絶対に無理。じゃあ、その二つの間に出来たこの《道》は、一体どっちなんだ……。と、考えれば考えるほど、いちいちテープカットの酒くらいで個別に交渉するのがめんどくさくなった。何しろダメ項目はそれだけではない、煙もダメ、チャリもスケボーもグラフィティも館のルールに従えば全部ダメ。「でも

10-16　《道（Street）》2017-2018
オンサイトインスタレーション
サイズ可変
撮影＝前田ユキ
Courtesy of the artist, ANOMALY and MUJIN-TO Production

ここは道だから……」とひとつの論拠で個別に全部を問い直そうとすると、キリがない。それに、館にしてみたらひとつひとつには理由があるが、こちらの根拠はたったひとつなのである。勝てるわけがない……、と悩んだのも束の間。ならば、いっそ、交渉を通じて、《道》に美術館とも公道とも違う、独自のレギュレーションを制定すれば良いのではないか？　と、より実質的・本格的な、「第三の公共」を構想するよう割り切ったのである。

早速宿に帰って手書きで雑なドラフトをＡ４用紙に英語で書いて、翌朝美術館を訪問。会議室で、「テープカットの件で考えたんだけど……」と、コンセプトを話し、用紙を片手に全部まとめて美術館との交渉を試みた。『美術手帖』（２０１８年４・５月合併号）によるキュレーターへのインタビューによると、「冗談でしょ？　とまず思いましたね。正直あまりに挑戦的なコンセプトだったので受け入れるかどうか、かなり悩みました……」と本音が漏れるが、冗談ではない。クソ真面目に「酒を飲みたい」と語る目の前の僕は、狂信者のように、ルールは変えられると完全に信じていたのである。

会議の内容は、こんな感じだった。

卯城　グラフィティは？

美術館　美術館ではダメです。

林　でもまあ《道》は物質的にChim↑Pomの持ち物なので、うちらがＯＫならいいんじゃないですか？

卯城　道ではデモをする権利は広く市民に与えられるべきだよね？

美術館　館内ではいかなるデモも許されていません。

卯城　展覧会のテーマがアクティヴィズム的なのに？　意味わかんないけど……、じゃあ、アートパフォーマンスとして解釈してみたらどうですか？

美術館　それは表現の自由の範疇ならば……。Chim↑Pomが主催するなら、まあ……。

卯城　ゲリラパフォーマンスは？　スモークマシーンは？　館内で飲食がダメだとしても、《道》の外の部分ではＯＫでしょ？

林　公然猥褻はもちろん禁止。だけどロマンチックで愛があれば良いんじゃないの？

と、もはや押し売りのようである。妥協点や思わぬ答えを双方から見つけ出しながら、《道》の内実はとにかくなんとか机上でこうして育っていった。

次なるミッションは、ルールの現実化である。実行されてこそ、とさまざまなアクションを試すための、ブロックパーティーの開催だった。

オーガナイズ

パーティーのキュレーションを依頼したのは、リサーチで出会っていたベティ・アップルという若き坊主頭のノイズミュージシャンである。Chim↑Pomへの共感を語る20代の彼女は、その影響をモロ出しするように、ひまわり運動や反核運動、台北のオルタナティブ・スペースやコレクティブの当事者を兼ねる行動派だった。だからもちろん交渉力も高い。ともにパーティーのために美術館と話を続けるうちに、ダメだと言われていた飲食もＯＫになり、スモークマシーンもＯＫになり、飲酒さえも「エリイのパフォーマンスとして」なら、と何故だかＯＫになった（参加者たちは皆ポケットに瓶を隠し持っていたが）。

ブロックパーティーのエネルギーには凄まじいものがあった。ＤＪが爆音でプレイする中で、《道》はグラフィティライターやチョークを手にした子どもらによって、傍若無人に落書きされる。数メートルごとに扮装した意味不明なパフォーマーたちが行き交っていて、プリントされた何枚もの政治的なステイトメントがアスファルトに貼られていった。おにぎりやら洋服やら何やらを販売する屋台やフリマが点々と並び、台湾原住民やクィア系の歌手やダンサーがパフォーマンスをする。「この一杯は小さな一杯ですが、アートにとって、人類にとっては、大きな一杯です……乾杯！」とメガフォンでスピーチしたのを皮切りに、エリイが堂々と酒を観客に注いで回った。

まるでパフォーマンス・ビエンナーレが現れたような、そんなアナーキーな熱気が《道》の隅々にまで立ち込めていた。（図10-17）

道を壊して新しい道を作ることへの抗議を《道》でやる

その前々日に、アップルから一人の青年を紹介されていた。アブイといって、Xianggogreenという台南のコレクティブのメンバーであった。人懐っこい笑顔とノリの良さが印象的で、何やら真摯な雰囲気で接してくる。「提案があるんだ……」と言う彼と後日ゆっくり話すことを約束し、改めてカフェで再会した。

「《道》で」と、僕程度のブロークンイングリッシュで話し始めた彼によると、Xianggogreenは、東南アジアの豊かな自然の中で、村の人々と交わりながら、野外で映画のスクリーニングや音楽ライブ、展覧会などを開催してきたコレクティブであり、コミュニティだそう。写真を見るからにスロウな雰囲気で活動していて、きっと良質な文化的生活を村人たちとともにしているのだろうことが想像された。問題は、その拠点周辺が、道路を拡張する大規模な再開発工事の対象になっていることにあった。壊されるのは自然やコミュニティだけではない。日本統治時代にさとうきびを運んでいたという古い線路が残っていて、それに歴史的・文化的価値を見出している村人たちが、生活や歴史の破壊だと強く抗議していたのだ。しかしなにぶん、都市型ではなく、目立つタイプでもない彼らにとって、その事を広く人々に周知させるのは至難の業だった。

「何か良い方法を探していたんだ」と話を続けるアブイは、最初にビエンナーレを訪れたときから、《道》にその可能性を見出していたことを打ち明けた。Chim↑Pomの作風はわかっていたし、掲出されていたアイデア募集のポスターを見た。「この《道》を媒介にすれば、国立美術館という公の場で自分たちの訴えを表現できるのではないか」と、着想したのである。以来、何度もビエンナーレを訪れては考えてきた、という彼らの提案は、「《道》の上でアンプラグドなパーティーと、10分間のサイレントデモをやる。そして、記者会見をする」という

10-17　「道上趴體 - ART is in the pARTy -」2018
撮影＝ Evan Yelverton
Courtesy of the artist, ANOMALY and MUJIN-TO Production

平和的な、しかしシリアスな抵抗だった。

驚いたし、そして正直に言って、揺さぶられた。その席のことは今でも忘れ難い、個人的には作家人生に残る思い出のひとつとなっている。道を壊して新しい道を作ることへの抗議を、《道》でやる。しかもデモという激しい行動ではなく、記者会見という建設的な方法である。スマートだと思ったし、何よりも、ここまで深刻に《道》を必要としている人たちがいたとは夢にも思っていなかったのだ。やって良かった……という実感が押し寄せてきて、僕と林は即答で賛同しながら感謝を述べた。僕にしても拙い英語だが、それでも彼の誠実さにはまずは言葉で応えたかった。「全力でサポートするから」と言うと、アブイはそれまでセーブしていた緊張感や感情が緩んだようで、安堵の笑顔とともに堰を切ったように涙をボロボロとこぼし始めた。「ありがとう」と声を詰まらせうつむく彼の姿からは、相当に思い詰めていたのだろうことが察せられる。僕にしたって、そこまで極まったプレゼンテーションなど未経験である。作家という同じ立場として、それほどに重要な行動の場に《道》を選んでくれたことに心が激しく動かされたし、かつて《明日の神話》というパブリックアートをアクションの舞台にした自分たちの姿も重なった。何よりも、この作品が明らかに従来のアートとは全く違う、何か途方もない力を秘めていて、そしてその可能性を存分に発揮したことを確信したのだ。

帰国する前に僕はキュレーターと会って、これをオフィシャルで行いたいことを提案した。が、結果的に、美術館からはサポートすることは難しいという判断を改めてもらう。会期終了間近であり、警備やなんやらの予算はもう無い。メディアに対応するなどの余裕もなくて、あまりにイレギュラーだという。理解を求められて、キュレーターの自問自答も伝わってきたことから、引き続き僕は双方と話して打開策を模索することにした。Xiganggogreenには館内よりも館外でのアクションを提案し、美術館には、そのアクションを彼らがゲリラで行うことを黙認するよう頼んだのである。

それでもXデーには気を揉んだ。くしくも展覧会の最終日であり、東京でざわつきながら待機する。その2日後にアブイからメールが来て、ようやく心が晴れることになった。

「……それで、はは、記者会見は無事に行われたよ。ガードマンが止めようとしたこともあったし、多くの警察官も来てしまった。けど僕らのパフォーマンスを見ているうちに、彼らも笑顔になったんだ。何かが変わったのかもしれないね。その後、駅でももう一回パフォーマンスをしたんだけど、最終日だったし展覧会にも何人かで再訪した。緊張しすぎて、疲れすぎて、泥のように眠ったよ」

美術館が黙認したかはこのメールからして怪しい。が、それでも僕は勝手に達成感を感じていた。Chim↑Pomのアクションが Xianggogreen のアクションと呼応した、そのことを最後にプロジェクトを終えられたことを幸せに思ったのだ。《道》は、そんなアートのダイナミズムの場として僕の中に刻印されて、翌日にスクラップされて跡形もなく消えた。

キタコレの《Chim↑Pom 通り》の顛末を語ろう。

思い起こすと、最初は近道かと迷いこむ人々が数人いた。高円寺の阿波踊りの最中には酔っ払いが入り乱れ、誰だか誰も知らなかったが若者が数人テントを持ち込み宿泊しようとした。ある時はフリマの場となって、松田が美学校でやっていたクラス「外道ノススメ」には教室として使われていた。しばらくは薄暗くて人けがなかったが、それを良いことに若手アーティストらが路上飲みの場としていたことを最近知った。バーがあったことから道には何度もゲロが撒き散らされていて、備え付けた公衆便所は今も近隣住民たちに使われている。僕らは、外国から友だちが来るたびに、そして何かと宴会の予定があるたびに、何度となく、酒と音楽ともっちゃんのお手製手巻き寿司を用意して、先輩や若手アーティスト、音楽やお笑いや俳優や、サラリーマンの友だちなどをシャッフルするようにブロックパーティーを開いていた。

現在、僕らはスタジオを引っ越して、キタコレの運営から身をひいている。再びファッションやバーのスペースとして利用されるようになったキタコレには、改めて門が作られて、アスファルトには白線などがデザインされている。もはやプライベートスペースに戻っていった形であるが、それもまた成り行きに委ねる道の一つのプロセスなのかもしれない。

第3部

第11章「ReFreedom_Aichi」「ダークアンデパンダン」

ReFreedom_Aichi

自分で見て、自分で考えて、自分で知って、その中で自分で表現をして表明をする。そこからしか自由や権利は生まれません。

——朝日新聞2020年1月3日「折々のことば」で紹介された筆者の言葉[*1]

オーガナイズ

これまで紹介してきたのはChim↑Pomの活動のごく一部である。あくまでも僕が「アクション」の現在性について考えるために抜粋したものであり、全貌だとは間違っても思わないでほしい。

それもこれも「にんげんレストラン」以降に活動そのものにアクション性を見るようになったからであるが、具体的には『公の時代』と「ReFreedom_Aichi」「ダークアンデパンダン」、そして「WHITEHOUSE」というChim↑Pomを離れた4つのプロジェクトでこれを考えてきた。流れで言うと、Chim↑Pomというバラバラな性格による協働や、キュレーションと作品、都市開発などで「容れ物」と「個」への問題意識が高まる中で、『公の時代』でこれを松田と語りおろした。その最終章でダークアンデパンダンのアイデアが浮かび、その後に実践。時を同じくして「あいちトリエンナーレ2019」の炎上の当事者となった。トリエンナーレ参加作家らとともに「ReFreedom_Aichi」を立ち上げて、正真正銘のアート・アクティヴィズムを実践する。と、いずれもChim↑Pomとはまるで異なるメンツと理由でプロジェクトを展開することになったわけだけど、作品の制作と離れたところで「活動」したことには多くの気づきがあった。それを土地と歴史に根ざす形で実験中なのが、

「WHITEHOUSE」ということになる。

また、リーダーを辞めたことを機に執筆活動も開始した。それまでも書いてはいたが、その多くはあくまでもChim↑Pomを代表したものだった。個人になって発言のスタンスが変わり、新鮮さを持って活動ができるようになった。ここからはそれらの原稿に立ち返りながら、これらのプロジェクトを振り返ることとする。


表現の自由という標語が嫌いだった。言い回しとしても、言い訳としても。表現による自由の搾取の危険性を感じていたし、自由が表現を隠れ蓑に開き直っているようにも思ってきた。表現の自由について聞かれる度に、「人間はそもそも自由でしょ」と、その不自由さを前提にした政治的なマインドに呆れ、「それを表現するのがアートだろう」と、あいトリ以前は割り切っていた。

——卯城竜太「公の時代」『新潮』2020年2月号のための第一稿より

「あいちトリエンナーレ2019」(あいトリ)の会期の2ヶ月間は、シリアスさを極めた2ヶ月間であった。テーマからしても、動き方からしても、これまでのような享楽さはない、ガチのアクティヴィズムである。多くの交渉を水面下で行い、署名を集め、記者会見をし、数々のステイトメントを書いた。

事実無根の情報を宣伝されたのは、被爆者団体や太郎記念館のような対話的ではない相手、大衆と権力による「語り合えない」相手、そしてTwitterや電凸という「目に見えない」相手であった。この泥沼の攻防戦にメンタルも多少やられ、《気合い100連発》が炎上したときには、ラジオで全編を流した際に号泣したMCの涙を受けてコメントを詰まらせた。

それに加えてスケジュールも過酷を極めていた。東京、愛知、ウィーンを往復しながら、あいトリの閉会式の夜には体調を崩し、中部国際空港からヨーロッパに戻る飛行機に乗れなかった。数日の静養の後、フランス、イ

＊1 ReFreedom_Aichiの記者会見での筆者の発言を、鷲田清一が朝日新聞の「折々のことば」で紹介した。

タリア、スペインとミーティングやリサーチを渡り歩き、ウィーンへと戻る。スペインでの講演の後にも吐いて寝込んだが、あいトリでの活動にそのストレスが起因していたことから、支え合う仲間は遠く離れていた。

「ReFreedom_Aichi」は、あいトリの参加作家40人らによる、アート・コレクティブ的な運動である。

2019年、「あいちトリエンナーレ2019」内の展示内展示「表現の不自由展・その後」に《平和の少女像》が出品されたことから、松井一郎大阪市長や河村たかし名古屋市長が展示中止と撤去を大村秀章愛知県知事・芸術祭実行委員会会長に要請。菅義偉官房長官による文化庁の補助事業として問題があるとの認識も含め、展覧会への抗議が加熱した。脅迫を含む抗議電話が殺到し、県警が無職男性を威力業務妨害容疑で逮捕する事態となった。

芸術監督の津田大介[*2]と大村知事は「表現の不自由展・その後」の展示の閉鎖を発表。職員らの精神的負担が大きく、脅迫などから運営の安全性を考慮せざるを得ない、との理由であったが、その一連の流れが検閲であると参加作家たちからは展示の中止や変更が相次いだ（最終的に13組）。

「表現の不自由展・その後」に参加していたChim↑Pomは、まさにその大波に翻弄されることとなる。そもそも、「表現の不自由展・その後」のスタンス自体にはメンバー全員が懐疑的だったのだ。僕にだってそれはあり、嫌な予感はしていたのである。何しろこれは美術展というよりも、左翼団体による保守派批判という側面が強かった。検閲された作品を集めるといえど、それが平等性を欠けば崩壊する。だから参加には躊躇したが、それでも当初案としては、会田家の《檄》や赤瀬川の《模型千円札》なども参加が予定されており、政治運動的な側面から、よりアートとして表現性を拡張し、左右の二項対立を脱構築するようなヴィジョンを津田から聞かされていた。そのことを信じた上での参加だったが、蓋を開けてみれば、実行委員の匙加減で会田さんは排除され、彼ら彼女らによる年表には、「ピカッ」なども入っていなかった。つまりは、実行委員会の政治姿勢に100%偏ったキュレーションとして貫徹されていたのである。

心配は的中することになる。参加作家にして閉鎖の決定はニュースで聞くという、まるで実行委員会との意思の疎通が十分でなかった中での大事故であった。コミュニケーションが破綻していたのは僕らだけではない。実行委員会と津田というそもそも協働すべき二者も、検閲の当事者同士となって内紛することになる。根本的な原因が政治家による検閲的な発言や、ネトウヨの電凸であったことは明白であった。が、死語でいえば「内ゲバ」以上でも以下でもないところで対立が激化、津田は対話を求めたが、実行委員会がそれを絶った。

このことによって未知の次元に放り出されたのは、参加作家たちである。なにしろ津田に言われて参加していた僕らは、実質的に自分の担当キュレーターを失って、突然、ふわふわと着地点が無いままに実行委員会とのコミュニケーションを余儀なくされたのだ。

誰にとっても未経験だろう後手後手の対応の中で、とにかく現状や今後についての説明が必要であることが示されて、「表現の不自由展・その後」の参加作家と実行委員たちが集まることになった。人数が多かったこともあって、僕は当時Chim↑Pomのスタジオだった新宿ホワイトハウスを会場として提供した。

ほとんど内容は覚えていないが、しかしその説明には危うい印象を持ったように思う。批判のターゲットに津田が追加されていて、やはりというか、お題目であった「表現の自由」という、誰しもが持つ権利であるモノの冠詞に、左の、右の、という二元論が強調されていたように思う。

ボイコット

ただ、ボイコットすることで表現の自由への意志を示した他のアーティストらには敬意があった。作家たるもの、作品を観てほしいという気持ちは重々にわかる。それが自ら展示を閉めるという苦渋の決意で挑んでいるわけで、当事者としてはここに足並みを揃えなくてどうする、という認識は強く持っていた。が、その時点でここに連帯することが難しくなっていたのは、次から次へとリリースされるステイトメントや、アクションのプラン

＊2　1973〜。ジャーナリスト、メディア・アクティヴィスト。「ポリタス」編集長。黎明期からSNSを活用したジャーナリズム活動を行う。著書に『情報戦争を生き抜く』など。

が、ほとんど作家単位で行われていたということによる。バラバラな活動がボトムアップに起きるべき「個と公」を考えてきた身としては刺激的な風景ではあったが、そうなるとアーカイブもないし、闘ったり交渉しようにも参加作家を代表する窓口がない。まずは、個別に動き出していたアーティストたちの動きをリンクさせ合うこと。そのネットワークが形になったところに、トリエンナーレや政治家らと交渉する作家側の窓口を作ることが必要に思えた。

「ReFreedom」……かつて無条件に標榜された自由を「再生」しようというこの言葉は、僕の思いつきに端を発している。（略）僕らは、近代社会の限界を先延ばしながら生きている。だから引き継ぐべきことだらけだけど、もはやその延命中に、従来の価値観だけで他者を説得することは難しくなった。「表現の自由」は、その輪郭も、性質も、概念も、再生よりも更新してこそ実を結ぶのだ。そういう意味で言うと「表現の不自由展・その後」は、いかにも古臭く、昨今のアートの場には珍しく、従来通りの体制批判だった。しかしだからこそ、〝戦後民主主義の限界〟を露わにできた。自らと、Disってきた人たちのオールドスクールな姿によって。

——同

新宿ホワイトハウスでの会議の後に、僕は釈然としないまま、同じく参加作家である小泉明郎ともっちゃんと新大久保の韓国料理屋で運動の構想を話し合った。

ボイコットした海外作家たちとやり取りを個別に続けていた小泉は、この事態に最も熱心に取り組んでいたアーティストのひとりであった。ラディカルな作家性にして、温和で明るくブレがないという人柄である。国際的にも活躍する彼は多くの作家から信頼されていて、この運動を率いていくべき適材に思えた。

小泉と、一足先にアクションとして現地でアーティスト・ラン・スペースを開設しようと奔走していた作家の加藤翼と毒山凡太朗[*3]、そしてニューヨークにいた津田道子[*4]らと連絡を取り合う。口切りとして、8月25日に集まりませんか？と参加作家たちに連名で呼びかけるメールが小泉から送付された。

当日、名古屋に集まった作家らによって、「表現の不自由展だけでなく、ボイコットされた全ての展示の再開」を目指そうということが共通目標として話し合われた。
いよいよアクションは始動することになる。

展開

その日のうちに、LINEグループの会員数は20名ほどに膨らんだ。そこで夜な夜な会議を重ね、9月10日、僕らは日本外国特派員協会で、「ReFreedom_Aichi」の立ち上げを宣言するために記者会見（図11-1）を開催した。記者会見は原則的には質疑応答の舞台である。にもかかわらず、あくまで僕らはこの事態を「解決するため」に来たことを語り、多くの時間を運動の内容の説明に充てた。

登壇者は僕、高山明、小泉明郎、ホンマエリ（キュンチョメ）、大橋藍、加藤翼、藤井光、村山悟郎、毒山凡太朗。知る権利に基づいた表現の自由を観客に取り戻すことを約束し、「あいちトリエンナーレ2019」を「検閲のシンボルから表現の自由のシンボルに書き換える」ことを訴えた。

以下、メンバーの加藤らがアーカイブとしてまとめてくれたウィキペディア[*5]より、そこで発表された主張や要求、具体的なプロジェクトの詳細は以下の通りである。

＊3　1984〜。アーティスト。2011年の東日本大震災と福島第一原子力発電所事故を機に作家活動を開始。美学校「天才ハイスクール!!!!」修了。故郷・福島やナショナル・アイデンティティなどをテーマに、幅広いメディアで制作を行う。

＊4　1980〜。アーティスト。映像メディアの特性を活かし、知覚や身体感覚を問うインスタレーションなどを制作。2021年「Tokyo Contemporary Art Award（TCAA）」受賞。

＊5　https://ja.wikipedia.org/wiki/ReFreedom_Aichi（2022年5月31日閲覧）。

主張・要求

・河村たかし名古屋市長や黒岩祐治神奈川県知事そして菅義偉官房長官ら政治家による国際文化事業の内容への介入を示唆する発言について、また差別の扇動に繋がるような、公人から発せられる歴史否定ともとれる言動を強く非難する。

・脅迫によって文化事業を閉鎖へと追い込む犯罪的手法に強く抗議し、警備の強化と具体的な対応を愛知県警に求める。

・現在に至るまで電話や現場での抗議に対応している職員の心身を案じつつ、脅迫・クレーム対策の具体的な見直しと強化を愛知県に求める。

・再開への協議の場を一日でも早く設定することを大村知事に求める。

プロジェクトの柱

・ネゴシエーション：展示再開までのロードマップを作成し、あいちトリエンナーレ実行委員会（大村知事、津田芸術監督）への具体的な提案、交渉、要求をする。展示を継続させているアーティストたちは、その交渉の進展いかんによっては展示中止を判断する。またトリエンナーレ実行委員会と「表現の不自由展・その後」実行委員会、ReFreedom_Aichi に参加していないアーティストたちの三者を繋げ、そのコミュニケーションを促進させる。

・サナトリウム：トリエンナーレの一つの会場である名古屋市那古野・円頓寺に開設されたアーティストラン・スペース。専門家によるレクチャーや意見の異なる市民同士の対面を試み、分断を煽るもの——ジェンダー差別、歴史否定、ヘイト、検閲——を非難しながら、ReFreedom_Aichi への市民参加を促すフィジカルなプラットフォーム。碓井ゆい、加藤翼、毒山凡太朗、藤井光、ペドロ・レイエス、村山悟郎が作品を展示。

・#YOurFreedom：鑑賞者・市民との協働によって世界中の不自由の声を集め可視化させるプロジェクト。

「あなたは自由を奪われたと感じたことはありますか？　あるいは不自由を強いられていると感じたことはありますか？　それはどのようなものでしたか？」という質問のもとに寄せられた個々の抑圧の体験、そこからの解放を求める声が書かれた無数の紙が愛知県美術館内の閉ざされた展示室扉に貼られていく。ジェンダーも国籍も年齢も問わない、さまざまな不自由が可視化され共有される場となり、不自由、暴力や差別を各々が認識しノーと言うための行為となる。このアクションは、現在展示を中止しているモニカ・メイヤーの作品 the clothesline のコンセプトを受け継いでいる。

・Jアート・コールセンター：展示再開から会期終了までの期間にアーティストたちによって運営されるコールセンター。市民から寄せられる、芸術祭や作品にまつわるさまざまな意見や疑問に対してアーティストやキュレーターが自ら応答する。「電凸」という暴力を可能にする電話のメディア的特徴を逆手に取りながら、最もミニマルな公共圏の出現を目論み、パブリック／公共サービスの再設定を試みる。

・ジェンダーフリー・ステートメント：あいちトリエンナーレ2019の騒動をジェンダー、人種による差別からくるヘイトクライムであると捉え、トリエンナーレの指針であるジェンダー平等への返答として制作したステートメント。署名は特設ホームページから行うことができ、全ての賛同者の確認も可。

・あいち宣言・プロトコル：市民が多様な芸術を鑑賞する権利と表現の自由を守り、権力構造から自立した芸術・文化活動を未来に実現するための「あいち宣言・プロトコル」。草案の起草を主導したアーティストたちは、アート・マネージャー、キュレーター、ギャラリスト、評論家、弁護士などの専門家を交えて文面を練り、愛知と東京で同時開催したオーディエンス・ミーティングにおいて社会と芸術についての議論をおこしながら、市民からの意見を取り入れ、より具体的な内容に踏み込んだプロトコルを目指した。

・クラウド・ファンディング：上記の ReFreedom_Aichi のプロジェクトおよびそのアーカイブの制作に必要な資金を集める。

各プロジェクトや交渉は各々のアーティストによって分散型に展開されて、資金やネットワーキング、アーカイブ、窓口をReFreedom_Aichiが担うという構造である。

「サナトリウム」では毎週のようにイヴェントが行われ、地元の人々や作家、有識者らが草の根的に語り明かしていたし、キュンチョメによって進められた「#YOurFreedom」は観客直筆による数えきれないほどの付箋が壁やドア一面を覆い尽くした。「表現の不自由展」が閉ざされていた扉にも展開されて、最終的にはこの部分が開くこととなった。展示再開によってクレームが殺到したラスト1週間を支えたのは、「Jアート・コールセンター」（図11-2）である。参加した「オペレーター」は31名、着信は718件、これを手がけた高山明の著書『テアトロン　社会と演劇をつなぐもの』（河出書房新社、2021）によると、「一件一件が長く、3時間半というのもあった」というから余程である。ちなみにマニュアルは無い。対応は電話に出た人たちに任せられていて、ヘイト発言を続ける人に議論を続けることもあったし、こちらから電話を切ることもあった。僕などはむしろ、電話口の「表現の不自由展の実行委員会は偏っている」という意見に「そう思う」と同調し、共に愚痴ってスッキリするという謎の時間をクレーマーと過ごした。「あいち宣言」も最終的には『美術手帖』で全文掲載され、現在の日本の表現の自由の現実的な理念としての、トリエンナーレのレガシーとなった。これをトップダウンではなくアーティストらが制作した意義は計り知れない。

つまり結果的には、この運動は大成功だったように思う。ボイコットを表明して展示を閉鎖していたすべてのアーティストたちが戻ってきて、トリエンナーレ最終日には全作品の再開が実現されたのだ。そこにはもちろん、表現の不自由展や津田らの動きも重なっていたが、何にしてもかつて検閲が発生したどの展覧会でもこれほどの快挙はなかったのではないか。これが世界的にも異例中の異例であったことは、国際美術館会議（CIMAM）による「展示再開は国際的な好例」とした声明の発表にも現れている。

基本的にはアーティストによる運動と捉えられるReFreedom_Aichiであるが、実際には多くのキュレーターや有識者もかかわっていた。その中には、時には交渉相手となる津田も、独自の距離感を保ちながら当然関係していた。彼の紹介によってPRの一切合切をボランティアとして引き受けてくれた若林直子は、さまざまな社

上・11-1 「ReFreedom_Aichi」記者会見の様子
左2人目から、高山明、ホンマエリ(キュンチョメ)、小泉明郎、大橋藍、卯城竜太
撮影=平野由香里

下・11-2 「ReFreedom_Aichi」より「Jアート・コールセンター」
撮影=蓮沼昌宏

会課題解決事業を担当している凄腕であったし、なんと言っても、トリエンナーレ実行委員会や知事とのパイプ役などは津田にしか出来ない役回りである。だから僕は当初から彼とは密に連絡を取り合っていたし、彼としても連絡不通となっていた不自由展実行委員会とのパイプ役が必要だった。そういう関係だったから、津田の手紙を不自由展との会議に持参したり、どっちもどっちだと立ち回ったり、水面下では知事に会って僕らが作成した手紙を渡したりもした。

「金髪豚野郎ー！」と外で街宣車に名指しされていた津田は毎日防刃チョッキを常着していて、盟友であった東浩紀にも企画アドバイザーを辞任され、四面楚歌の一歩手前にあったように思う。いつでも逃げることは出来ただろうが、踏ん張っていた。参加作家としては彼を孤立させることに何のメリットも無かったし、何よりも官房長官や文化庁といった国家までもが絡む巨大な波に飲まれる中で、芸術界隈なんて小さな村の村人同士が争っていて何の意味があろう。

もちろん、炎上案件に耐えて前に進もうという姿勢には、同じ経験をした身として共感を持った。それに引くことも留まることもできなくなった彼にしてみても、僕らに見放された時点で終わりというか、とどのつまりは作家と連帯し、「全面再開」にしかゆく道はなかったのだ。が、後で聞くと津田は、「再開は無理だとも思っていた」と本音を漏らす。マジかよと思った僕にしてみれば、「全面再開」は、いわば国境沿いにツリーハウスを建てたり、広島上空を「ピカッ」とさせたり、帰還困難区域に国際展を開催したり……、というこれまでやってきた不可能を可能にするプロジェクトの延長線上にあった。その戦略やロードマップはさほど変わらないように思えていたし、それにゼロからプロジェクトを作ることに長けるアーティストばかりが仲間だったから、「無理だ」と思ったことなどは一度もない。基本的にはいつも通りに楽観的だったが、しかし、これが作品とは違ってある種純度の高い政治運動的なプロジェクトであったことは、アクティヴィズムの持つその強烈な特性によって何度となく苦しめられた。

社会に真っ向から民主主義を訴えなければならないなんてことは初めてのことで、これには最後の最後まで違和感は拭えなかった。にしてその「正義感」のような態度は、文化庁が一度決めた助成金を不交付するという異例の事態によって、一層のエスカレートを必要とした。僕はこれに反対する署名のステイトメントを書く役割を担っていたのだが、その後「アーティストが署名など」と批評家などから辛辣に批判されたことも後味が悪かったし、それでも書いてる途中には暗然たる日本への想いに苛まれて実際にムカついてもいた。その場が途中から渡航していたウィーンだったという距離感もあって、いったい、どんな国でこれからアートをやっていかなければいけないのか、という見通しの暗さと、これまで執拗に実践してきた「公共」に伴う、「開く」ことの本末転倒さが嫌な形で実感された。

あらゆる取り組みにかかわってきた。ロビイングしたり、ステイトメントを作文したり、右翼や左翼の方々ともよく対話した。「社会と美術における」とか「表現の自由は」とか「知る権利を」とか、その都度何度も語ってきた。アホ臭い。何でこんな外道が民主主義をレペゼンしてるのか。胡散臭い。自分が臭くて臭くてしょうがなかった。というかどれだけ民主主義のレベルが下がったら、そんなイリュージョンが起こるのか。というぐらいには瀬戸際にあり突端化した社会を危惧したからこうなったわけで。その成り行きも説明も実に面倒臭い。

——卯城竜太「公の時代」『新潮』２０２０年２月号のための第一稿より

お互いの違和感

最終日、会場では最後の瞬間を感動のフィナーレとして迎えていた。僕もその渦中にいながらも、しかし何故かドス黒いものが心に芽生えて消えなかった。

試練を乗り越えた芸術祭は大きな拍手に包まれていて、作家も、知事も、キュレーターも、芸術監督も、ボランティアも、その場に居合わせた人たちが互いの達成感を讃えあっていた。

《気合い100連発》という人間讃歌が左にも右にも政治利用されてしまったこと。その責任を彼らは誰も取れないこと。取らないこと。しかし作家であるChim↑Pomはその責任を一生痛感しなくてはいけないこと。などなどが怒涛のように押し寄せてきて、トリエンナーレにかかわる全ての事象に、怒りに似た感情が芽生えたのだ。


公共はもうウンザリだ。

何が終わったことになってるんだ。

急に頭に喜怒哀楽がまとめてよぎり、僕には周りが一瞬、馬鹿の群れに見えた。

仲間とともに「全ての展示再開」を成し遂げゴールを迎えつつも、炎上への対応を続けていた僕は、その大団円の中で笑いながら、しかしその多幸感を疎外した。同時に、一番の馬鹿はそんな自分であることも激しく自覚され、あまりに情けなく、iPhoneで嬉々としてその騒ぎを撮るクソな自分に慄いていた。そんなコントロールできない感情を他所に、「こういう時代にアートをやるのだ」という底知れぬ認識だけは正気となって押し寄せてくる。責任として、未知の自由への誘惑として、目の前の現実を「しょうがない」と許容させる説得力として。それは僕の心の奥底に、これまで以上にアーティストとして生きること、そして更には死ぬことまでを含んだ新たな覚悟を突き付けていた。

——同

とてつもない疲労感に陥った僕は、二次会では寝込み、三次会では津田と会話を交わすことはできなくなっていた。頭痛や腹痛に襲われて、名古屋から乗るはずだったヨーロッパに帰る飛行機にも乗れなくなったことは先述の通りである。

結果、僕にとってあいトリは、公共の果てやオルタナティブ・ファクトの時代を痛感した貴重な体験となったように思う。

自分も充分に芸術原理主義者だろうから他人のことを言えた義理ではないが、しかし「表現の不自由展」の実行委員らも、何度も対話したネトウヨも、僕には何というか、ある種の「テーマ」を背負った「隊員」のように感じられることが度々あった。個人的に話している分には楽しいのだが、「信じていること」が会話に発生すると言葉が途端に定形文になる。

信じていること……。これがすべての個人を包摂する絶対的な良心だった時代、戦後民主主義や平和というものがそう機能していたフェーズは、やはり終わってしまったのだろうと思う。ジャーナリズムや表現の自由、言論の自由などは、その大黒柱の絶対性に支えられていてこその、民主主義を駆動させるファクターだった。

それが今は、信じるファクトが人によって異なるようになって、その意義を語ること、それ自体が、まるで分断を深める燃料のようになる。「ReFreedom_Aichi」がそうなっていないか、僕にはずっとそれが気がかりだった。その答えが今もわからない時点で、多分、僕にも他者への想像力が欠けているのだろう。

2時間お茶を共にした電凸の指揮官は、右翼ながらに人権派であった。元アムネスティ名古屋の会長だそう。僕らが人柄の良さを自己アピールするたびに、「君らに同情すると指揮できんようになるぅ」と困ったフリをして笑わせる。会場を毎日パトロールする学ランに日の丸の腕章をした中年男性も、館内でのお道化と屋外での抗議活動が周知された、何なら会場で1番楽しげな客だった。それがSNSでは豹変する。独特だった「個」は埋没し、定型文によるヘイトと熱いメッセージが世界を煽る。「そっちの方が本当の姿かもしれない」とツイッターを見た友人に言われた時に、だとしたらそんなAI化する本当の彼らよりも、嘘でも人間として振る舞う彼らに理解されたい、と叶わぬ希望を抱いたりもした。それは「Jアート」批判一色となった左翼にも思った。「みんな」が「みんな」、「みんな」に向けてツイートする正論の数々に、そのコピペの宣伝力に目が眩むのだ。以前は極論として孤独に棲息していた多様な価値観が、今は相容れない他者の正義を公共の外へと排除する。それに負けじとヒートアップしてきたのが取り取りの正義だとしたら、ネトウヨやポリコレだけでなく、実は今回の件によって、芸術祭も、自らを「その内」に含ませて、正義のひとつになるのではと思う。

——同

何が真実なのか

芸術も、政治も、ジャーナリズムも、主張だと見られればそれはテロの呼び水になりかねない世の中である。オルタナティブ・ファクトとは、真実が複数存在することを言う。逆説的に言えば、ひとつのファクトはもう誰かにとっては「真実にはならない」のである。その現状において、「表現の不自由展」は、確実に「分断を深めた」。闘っている、と彼ら彼女らは言うだろう。それがあの人たちの生き方でもあるし、実際、見方を10年前に戻せばそう納得できただろうとも思う。

しかしそれはネトウヨにしたってそうだ。彼らはいまは堂々と民主主義を謳う。

つまりは民主主義というコンセプトを軸に表現の自由をプレゼンしたところで、この時代にあっては、それが民主党的になるか共和党的になるかくらいの違いしかない。真実だ、捏造だ、正義だ、悪だ、と「信じてるもの」に操作される見方によって、報道は「事実／嘘を報じている」と信用が変わり、作品や美術展は解釈が変わる。そんな状況下に放り込まれたことで、《気合い 100 連発》はもみくちゃにされた。

その多極化を、さらにネットによる細分化にまで広げて語るのは、WHITEHOUSE のキュレーターを務めるわっくん（涌井智仁）である。会話の上ではあるが、彼の言葉を借りれば、その現状はこう分析できる。

政治や宗教、民主主義や真実が個人を包摂することで、個人の自由を担保していた時代と違って、現在は、個人が真実を選択し、政治や宗教を使って「自己決定する」世界になっている。

正義として語られるものが社会全体に通用するという言説はもはや虚像であり、前者の論理で個人を包摂したり、語ることは、およそ不可能になっているのだ。

人は何故、かように他者を納得させたいのか。

わっくんは、民主主義などを大ナタにして「正しさ」を語ることが個人を必ずしも納得させないことと、作品がコンセプトという何か一貫した物語の中で語られることの無理性に類似性を見る。

正しさにしても、コンセプトにしても、それを語る側にしてみれば、そこには何か絶対的に一貫した論理が存在しているようにこれを使う。他者と共有できる／されるべき世界がそこにある。その前提を信じる先に、自身の作品や主張も、他者と共有できる／されるべきだとの考えに至る。

「民主主義」とか、「コンセプト」とか、絶対的な幹さえ共有していれば、人は枝葉の理由に納得するものだ。が、幹が優位性を持って枝葉を包摂するという論理自体、その関係性をリゾームやネットワークとして解釈されるようになって久しい現在においてはマッチョに響く。実際に「正しさ」が機能しづらくなっているこのご時世を反映するように、作品を解説する際の「コンセプト」という一貫した理由付けも、そろそろ先が見えてきているような風潮がある。

コンセプトは良いけれども、作品がイマイチだったらどうするのか。何とでも言えるのかもしれないけれど、一歩間違えばそれはただの説得である。それにもとより名作とされる作品のそのほとんどが、「語り得ない」部位を持つことは周知の事実である。どんなに批評が蓄積し、評論やレビューが信頼を得ても、「語り切れる」という根拠自体がどこか虚像であると諦めることは、「アート鑑賞」にとっての節度である。にして、昨今の「語れる」と信じて疑わない神話は爆発的に解説を生むし、作品自体がその挿絵のようになる優位関係の転倒を生む。

「正しさ」にも同じことが言える。「正しい」という根拠自体は絶対的なものではない。間違っている可能性もある、という節度を踏まえて使われなければ、正義から戦争が始まるのだとその危険性は何度となく警告されてきた。それが、ポリコレやネトウヨや表現の不自由展などが爆発的に乱用するようなカジュアルな状況で、正義は、作家が全ての観客にコンセプトをリリースするくらいのお決まりさで、誰の親指からも呟けるようになった。

正義も、コンセプトも、こうなるとまるで大量生産である。コンビニのように、ＳＮＳのように、ＰＣＲ検査やかつてのタピオカのように、あとは大量消費されていく。

それ程にこれらは使いやすく、便利なのだろう。コンセプトさえ言っておけば、自身の行動の所以はなんとでも説明できるのだ。例えばあるラーメン屋が、「女性や子どもに優しい」という経営方針を「ウチのコンセプトは」と立てるとしよう。内装を明るくしたり、油や量を減らしたり……と、隅々のアイデアの基礎となる一貫した「テーマ」のようなものとしてこれを語る。語り口としては、幕の内弁当の中身を弁当全体のコンセプトから説明するようなものだ。マーケティング用語としての歴史は長いと言うが、「コンセプト」と言ったときにアートリテラシーで了解されるジョセフ・コスース[*6]の概念芸術とはもう全くなんの関係もないような寸劇が、資本主義社会の隅々で日常的に演じられ、アート界もその例外ではなくなっているのである。

ビジネスワードのひとつとして広く世の中に消費されているいま、コンセプトが形骸化した事例はいくらでも見つけられる。大量生産なわけだから、日に日に説得力は大衆へと向けた稚拙なものになり、言葉自体も「一般にざっくり伝わればいい」というくらいの「あらまし」となる。

そのオワコン化を実感したければ、あちこちの企業や商品のウェブサイトなどで確認してみると良い。例としてMIYASHITA PARKのサイトを覗いてみると、やはりそこにも「Concept」というページは用意されている。[*7]そしてまさに予想を裏付ける、というか上回るほどに、公園通り文化の劣化を決定付けるような稚拙なポエムが綴られている。いわく、

「卵とキャラメルが出会って、プリンが生まれた。出会いって、愛。組み合わせって、未来かも。公園の下に、ハイブランド。ハイブランドの横に……」

と、まるで詩人が頭でも打ったのかというような迷文である。極め付けは、「ここは公園のASHITA。その全部があたらしくなった、MIYASHITA PARK」と、ナイツやR-指定も真っ青だろう言葉遊びが恥ずかしげもなく並び、お花畑を印象付けている。わずか10行、全183字というツイートレベルの「コンセプト」である。

作品はデモのプラカードではない

「コンセプト」も「正しさ」も消費される時代にあって、「一貫した論理」が絶対的に各々の行動や作品を取り扱うことは難しくなった。身近な例でいえば、Chim↑Pomという容れ物に一貫したコンセプトがあり、それが優位性をもってメンバーや作品を取り扱おうとすれば、とたんに会議は破産する。メンバーの状況もプロジェク

トの経緯自体も、これまで書いてきたようにシナリオ通りにはいかないのである（これもまた「多様性」という「Concept」に包摂されているのかもしれないが）。

これを一旦公共論に振り戻してみると、やはりアーレントの「公的領域」が面白い。人間の「活動（アクション）」を考えるにあたって、現実よりも観念の世界での実践（観照）が優位性を持ってきた哲学の伝統に物言いをつける。「公的領域」がバラバラな個人による複数性に従っているからという前提に基づいたものだが、これを真理のように一貫した論理で包摂する先に、全体主義が芽吹く隙がある、と考えるのである。それが普遍的であれ、魅力的であれ、例えば地球儀を眺めるように俯瞰して……抽象的な論理で世界を一貫して説明しようとする行為、それ自体が、世界というものから人間の実感や特性というそれぞれのものを遠ざける……「疎外」する、というのである。

「疎外」は、例えば土地が収用されること、現在ならばジェントリフィケーションなどにも言えるのかもしれないが、この事によって自分がいるべき世界から追放される事態のことを指している。「世界疎外」と呼ばれるが、これはもともと個性が社会関係の中で埋没するという「自己疎外」を、マルクスが資本主義の中で人間がその個人としての「本来」の姿を失うことに当てはめて更新したものを、更に批判的に再解釈したものである。

が、僕の論点においてはアーレントもマルクスも、問題意識の出口に、『本来』の個人やその『活動』（アクション）と、それを包摂する「資本主義や全体主義という一貫した論理やシステム」を対置する……「個と公」への疑問が強い時点で本章の問題意識に憑依しやすい。

言わんとすることはこうだ。

展覧会という枠組み自体に作品をキュレーションとして動員する。

＊6　１９４５〜。アメリカのアーティスト。69年の論文「哲学以後の芸術」などでコンセプチュアル・アートの第一人者となる。代表作に椅子の実物、定義（文字）、写真を並べた《１つと３つの椅子》など。

＊7　https://www.miyashita-park.tokyo/concept/（２０２２年5月31日閲覧）。

しかしキュレーションの意図に作品の力の発揮はない。

作品は実行委員会が信じる政治性や「正しさ」、「コンセプト」を正当化するためのビラの挿絵のように配置された。

場が一貫した論理一辺倒にキュレーションされたことで作品は、「本来の姿や力」を失って、美術館（いるべき場所）から「疎外」された。

これが、表現の不自由展と戦後民主主義的な表現の自由が、現在の公共の場という「開かれた場」で陥った罠であり、作品が力を失った内実だった。もちろん彼らの思想はその真逆であるが、運営やキュレーションの方法によって、彼ら彼女らは、アートにおける「個と公の関係」を、ある種全体主義的にセッティングしてしまったのである。

「作品はデモのプラカードではない」

だからこそこの印象が、内側に動員された参加作家の僕からも、そしてオルタナファクトの時代によって、外側にいたはずの左翼の「敵」からも強調されてしまったのである。

誰もが共有する「世界」とは、いったいどんなものであろうか。ディテールにこだわっていては、AとBが持つ世界の差異のアピールが永遠と続く。アーレントは両者が座る椅子の前にある机を共有された世界に見立てるが、しかしその机の解釈は人によって違うだろう。これを「社会」だと名付けると途端にイメージも湧きやすくなるが、当のアーレントは公的領域と社会を同一視しない構えでその対立を明らかにする。

土地の収用に始まり、資本の富の蓄積という所有の画一化が、本来はバラバラな個性をもっているはずの個人の居場所を奪う。そのことを特徴とする「疎外」に、本来の自分よりも「みんな」との均一化が個に求められる現代社会の実像が見てとれるならば、社会というものからはアーレントが語るような複数性を特徴とする公共性は失われていく。彼女の言葉を借りれば、「社会が勃興したために、同時に、公的領域と私的領域は衰退した」。

これまで僕が「開かれた場」と呼んできた美術館や芸術祭は、画一化が進みながら、はたして公共圏という意味での社会と呼びうるものなのだろうか？

社会と公共を完全に切り分けることは不可能でありながら、その攻防を描いたこの論理にのっとると、答えは実感を伴いこう言えるだろう。現在の、社会に公共性がなくなっているのだ。美術館や芸術祭が開かれれば開かれるほど、そこから個人それぞれの「本来」の姿と、それによって構成される「公共性」は失われていく。それが今起きている「開かれた場」の宿命なのである。

ダークアンデパンダン

「一般」という種族

映像作家・吉開菜央の映像作品《Grand Bouquet／いまいちばん美しいあなたたちへ》が、ICC（NTTインターコミュニケーション・センター）の展覧会「オープン・スペース 2018 イン・トランジション」で一部シーンが黒く塗りつぶされた形で上映され、検閲事例となったことがある。その際の美術館側のコメントを『美術手帖』への回答[*8]から抜き出してみる。「一般的にもこの映像表現に懸念」とか、「様々な客層に配慮」とか、「公開しないという選択肢ではなく、どのようにすれば作品を公開できる可能性があるか」とかとか。

聞こえ的には「開かれて」いる。が、美術館はどうしてこれを持って「開いている」と自信を持って言えるのだろうか？　何しろ当該作品は黒塗りというクローズドな情報で公に開かれた（公開）のである。でありながらこの処置は、「一般」をおもんぱかった上での「公開」であると、「さまざまな客層」が理由になっている。耳触り的にオープンな言葉に置き換えているが、検閲の原因とされた「一般」という「種族」（「表現の自由の敵」であるかのように扱うICCの論理にのっとり、あえて芸術のトライブと価値観を切り離したように呼んでみた）にしてみればまっ

＊8 https://bijutsutecho.com/magazine/news/headline/19808（2022年5月31日閲覧）。

たく迷惑な話である。
しかしこれを「一般族」が問題視しないのにはそれなりの理由がある。なにしろ観客は、黒塗りされた作品をそれが「オープン」なものであると信じていた。「鑑賞」というものは美術館にセレクトされて「公開」された作品に限って行われるから、それは必ず主催者にコントロールされている。その権威下にあって、事前に作品が黒塗りされていても知り得ないし、それより以前にもとよりリスキーな作品は「開かれた場」では選ばれない。
……ちょうどこれを書いているたった今、『公の時代』の共著者である松田からタイムリーなＬＩＮＥがあった。

松田　これ絶対言っちゃいけないんだけど、どうやら○○○○○○○○○展に○○さんが俺を推薦してくれてるらしいんだけど、○美術館が俺の（10代のときの）鑑別所収監を問題視してて、何の罪状だったのか気にしてるらしく、○○さんから申し訳なさそうに罪状はなんだったか聞いてきた～。なんだかな～。

卯城　もう法的にも終わってんじゃん。つうか何の罪状だったらどうするって言うんだろ ｗ 内容によって展示かわるのかな。

松田　わかんね ｗ

卯城　すごいキュレーションだな ｗ 少年法で裁かれた少年少女はもうアーティストになっても美術館では展示できなくなるのか……。

松田　おれ少年院行ってねーし、前科ついてねんだけどなあ……。まあ今鑑別関係なく（作家選定の）審査中らしいから。

卯城　その審査に鑑別が関係してるんだよ！ ｗ

松田　あれ？　岡本太郎ってなんか捕まってないっけ。

卯城　わからん。岡本太郎で捕まったのは俺 ｗ

松田　w

（その後、美術館からは不適切だったと謝罪されたとのこと）

本来アートには綺麗なものや高価なものだけでなく、醜いものや不快なもの（それは誰かにとっては快感かもしれない）、目を覆いたくなるようなものなども存在する。これらが主題になる理由について、アートジャーナリストの小崎哲哉は『現代アートを殺さないために ソフトな恐怖政治と表現の自由』（河出書房新社、２０２０）で端的にこう書いている。

> つまるところ、善行から愚行まで、薬から毒まで、生から死まで、人間のあらゆる営為を描くのが芸術であり、それらに接することで、読者や鑑賞者は自らの生を豊かにする。我々の中には、ゴータマ・ブッダからアドルフ・ヒトラーまでもが存在する。ブラックジャックもドクター・キリコも、グレタ・トゥーンベリもドナルド・トランプもいる。ヒトラーはいうまでもなく完全否定されるべきだが、ヒトラーを知らずして生きるのは、現代に生きる者にとっては無責任であり、誤解を恐れずに言えば、それ以前にもったいない。
>
> ――小崎哲哉『現代アートを殺さないために ソフトな恐怖政治と表現の自由』

善悪入り混じった総体というものが世界の実態であり、人間の本性であることは周知のとおりである。が、「開かれた場」と呼ばれる場では往々にして、複数性が失われ、選択されるものと選択されないものが存在してしまう。「表現の不自由展」を偏っていると言ったが、「開かれた場」も充分に偏っているのである。観客が「開かれた場」で見ているものは、「一般族」の癪（しゃく）に障らない作品と、そのキュレーション（リスク管理？）の結果という「クローズド」なものであると言っても語弊はないだろうと思う。それがリテラシーとして広く一般に知られていればまだ良いが、そんなはずはない。何故ならその排除の原因は体制や経営陣にしてみれば、自分にではなく当の「一般族」にあると考えるのである。それに、もとより選ばれないものの存在だって知られようがない。

決定を下す人間には身の覚えがあれど、「一般族」にはただの一度もその存在は知られないままに、静かに排除されているのである。

とはいえ、美術館などが口を酸っぱく「一般族」を持ち出す理由もわからないではない。何しろ社会の異物を見なくて済むようになるならば、これは「一般族」にも歓迎されようという予想は、日本社会のムードに根拠があってのことだ。ホームレスはいるけどいないように整理される。ネズミやカラスは見なくて済む。公文書が黒塗りされてもニュースを信じなければなかったことに出来る。「一般族」は、そうして黒塗りされた世界を「オープン」だと信じ込んで生きているのである。もとより、「社会に公共性がない」こと自体を無かったことにして。

儀式としてのアート

「全面再開」し、改めて全ての作品の鑑賞が可能となった「あいトリ」を、僕も最終日に一日かけて観てまわった。喜ばしい。タニア・ブルゲラの何もないホワイトキューブに涙腺を刺激するメントスのような香り、イム・ミヌク[*9]によるニュース映像をコラージュした「報道が扇動する分断」の検証、再開に大きなリスクを伴う「表現の不自由展」にどのような炎上対策が施されるかにも興味があった。行ってみると、リテラシーがない人たちにどう伝えるか……と散々悩んできた事務局は、絵本のようにわかりやすい解説をエディケーショナル・プログラムとして仕込んでいた。なるほど、そのアクションには一定の効果があったように思う……。と、書きながら、しかし何か魚の骨が喉に刺さったような違和感を覚えたことが思い出された。「公共性がない社会」の中で過激なものや不快なものを展示するにあたっては、もうどうしたってリスク管理の方法は、「黒塗り」か「易しい解説」しかないのだろう。前者が検閲として克服された今、残された方法は自ずと後者になるのは重々承知の上であるが、しかし、僕は何かこれにも居心地の悪さを感じたのだった。

一言で言えば、つまりはその「一般族」を子ども扱いするような「態度」に、言うなればどこか「卵とキャラメル」が絡まるような響きの座りごこちの悪さを覚えたのである。もっと言えば、そのコンセプトの語り口によって座りごこちが悪くなっているのが誰かとその主体を考えたときに、それは観客でもキュレーターでもなく、解説されている本人……というか当事物である「作品」だろうと思い当たって頭を痛めたのだ。

一般に過激な性格を持つ作品にとって、それが「いるべき場所」が「社会」であるための条件はただひとつである。「本来」のままに存在できる複数性……つまりは公共性があるかないかである。「本来」と言ったときの姿を儀式性や過激さを作品に想像すると、そこに「一般に易しく理解される必要」などがどれほどにあろう。「謎」だったり、「理解し得なさ」だったり、そういうものが前提に存在していたものが、「開かれた場」では「理解されること」が目的化する。それで作品の「本来性」が失なわれるのだとしたら、ここでもまた作品は結局「開かれた美術展」から「疎外」されている。

人は何故、かように他者を納得させたいのか。美術とは、他者を説得させたり納得させることが条件となるようなものなのか。儀式だ、ということをもう一度考えてみたい。僕があれほどにこだわっていた、「制作と発表」、その不一致についてである。

『肉体のアナーキズム』によると、「儀式」は60年代の反芸術パフォーマンスに多用された言葉であった。同書では、一遍上人の路上などでの踊り念仏をその始行とする羽永光利[*10]の考えを紹介しているが、その言葉を引用した起源はまたもや「アクションあるのみ!」の工藤哲巳である。ネオダダの仲間内での過激な行為を儀式と呼んだらしいが、これがゼロ次元による公共の場のハッキングに引き継がれてその過激さが公然猥褻へとエスカレートした。彼らが仏教・伝統芸能色の強い地方に生まれたことや、岡本太郎の呪術研究、澁澤龍彦[*11]によるヨーロッ

＊9　1968〜。韓国のアーティスト。国家を超えた共同体や個人の連帯の可能性をテーマに、映像やインスタレーション、演劇作品などを制作。参加展示に2016年の第10回台北ビエンナーレなど。

＊10　1933〜1999。写真家。ハイレッド・センター、ゼロ次元、ダダカンら戦後の前衛芸術家らの活動を撮影。2017年に1000ページ超のアーカイブ集『羽永光利一〇〇〇』刊行。『眼球譚』など。

パの秘教的伝統や政治・文化的アナキズム（独裁者のみならずあらゆる政治指導者の死滅を要求した思想）などを背景とするが、そもそも太郎も澁澤も、宗教的秘密結社・アセファルを主催していたジョルジュ・バタイユ[*12]の直系である。当のヨーロッパでもヘルマン・ニッチュが血みどろの儀式を行い、ボイスもキリスト教の秘儀をパフォーマンスの題材とした。彼の政治・芸術理論である「社会彫刻」が、実はその人智学的シャーマニズムの延長線上にあることは、「人類みな芸術家」というモットーで社会彫刻が広く一般化される世間においてはあまり重要視されていない。

これら過激な作品群を見てみると、その多くが舞台を公共圏かクローズドな場にしていたことに気づくだろう。どんなものも「疎外」しない「あるべき場所」というものが設定されているとして、そこで重要になるのが何かと言えば、一言で「観客の種類」と定義できる。例えば公共圏でアクションを目撃する人々……見慣れた景色に介入してその風景を一変させる介入芸術には、それを訝しむ大衆の存在が必要だ。しかしだからと言って彼らに理解される必要は全くない。秘密結社の集会で言えば、そのクローズドな場に人々こそ存在しえど、彼らは観客とは呼ばれずに、参加者であったり、会員であったり、ある種身内としての契りを結んでいることが前提になる。

「観客」と「大衆」を分ける

一般だ参加者だ目撃者だと色々な形で表してきたが、観客とはいま、いったい何のことを差すのだろうか。もっと言えば、ＩＣＣに「さまざまな客層」と忖度された「一般族」……これを炎上の種だと美術館が位置付けていることからして、つまりは「ピカッ」を批判していた人たち、「明日の神話事件」で炎上を燃やしていた人たち、そしてあいトリに電凸を仕掛けてきた人たちなどは、果たして総じて観客と捉えられるべき相手なのだろうか？　「開かれた場」は、どうもこの声を気にして「黒塗り」や「易しい解説」という展示にかかわる工夫を行っているが、しかし実のところ、彼らのほとんどは展示の鑑賞などしていない。ＳＮＳで回ってきた情報に課金もせずに、好きだ嫌いだと反射している野次馬なのである。

「一般族」が、しかしSNSの時代にあっては「開かれた場」をつくっている……。そういう「公共論」も現代社会においては成り立つだろう。が、そもそも、だからこそ、「社会に公共性はなくなっている」のである。であれば、私たちアート従事者は、そろそろ「観客」と「大衆」というものを分けなくてはいけない。観客の皮を被った「大衆」というモンスターが、「開かれた場」に「さまざまな客層」と扱われることを良いことに、展覧会の運営に実質的に介入しているのである。

これをエスカレートさせていった先を考えてみたい。例えば東京五輪のコーネリアスや小林賢太郎をめぐる騒動に、僕はタガが外れた行く末としての、芸術祭とアーティストのひとつのパターンを見たように思った。大きな話題となったので詳細は省くが、サブカルチャーを代表する二人のクリエイターが開会式の制作を務めるにあたり、過去の素行調査が「一般族」によって行われて、降板に至った例の一件である。松田の過去が美術館に調べられた話ともリンクするが、二人が活躍してきたそれまでの場は、マスに開かれることを前提とはしていなかった。むしろメインストリームとの距離感によって作家性を築いてきたわけだけど、それが国際的なイヴェントであるところのオリンピックに フックアップされた。

しかしだ。コーネリアスや小林を批判した人たちは、本当にオリンピックの観客だったのか？

同じく国際的な舞台である国際展と比較するとその開かれ方には雲泥の差がある。あいトリはそのバランスこそ崩れた例外となったが、基本的には芸術祭は「まだ」そこまで大衆化されていない。アートがそもそもアカデミックで、貴族的に敷居が高いからというブレーキも効いているのであろう。が、詳細は後述するが、ハイブロウやロウブロウを諦め、ミドルブロウの芸術を一世紀にわたって育んできたという美術史家・富井玲子[*13]の指摘の

＊11　1928〜1987。作家、翻訳家。マルキ・ド・サドやジャン・コクトーらの作品を翻訳紹介。幻想文学や美術評論、耽美なエッセイでも知られる。

＊12　1897〜1962。フランスの思想家、作家。西洋思想を根本的に問う言論活動を展開。主著に『無神学大全』三部作、『エロティシズム』

＊13　美術史家。1988年テキサス大学オースティン校美術史学科博士課程修了。以後ニューヨーク在住。2019年に、単著『荒野のラジカリズム――国際的同時性と日本の1960年代美術』をもとにした展示をジャパン・ソサエティで企画開催。

通り、日本ではチームラボなどエンターテインメントとアートの架け橋は重要な位置を占めている。それに、もとより高い理想と欧州貴族の特権によって運営されていた近代五輪だって、ロス五輪でそれを「経営」に方針転換したことで劇的に大衆化したことはよく知られている。これが商業的に成功したのは、ひとえに広告収入や放映権といった、動員をもとにしたビジネスモデルを引き込んだからである。開かれるなかで理想主義が形骸化されてきた事は何度も指摘されているが、東京五輪でもそれは顕著に現れていた。しまいには、パンデミック第5波の直撃と大きな開催反対を押し切って、放映権が優先されるタイミングで開催が強行されたことは記憶に新しい。

果たして「一般族」や大衆におもねることなく、作品や作家が「本来」のままに存在できる場所は「開かれた場」にあり得るのだろうか?

「黒塗り」もダメ、「卵とキャラメル」もダメ……。となれば手の打ちようもないし、もはやグダグダとくだを巻くお前の方がクレーマーだ、どうしろと言うんだこの悲観論者、という正論が聞こえてくる。確かにその声は深刻である。公共性がない社会において、これは闇に助けを求めるような、無心論者が神に嘆くような、誰も的確に答えようがないような難問である。

それに、だいぶオプティミストな活動を展開してきた僕らのような作家にしたって、もはや「開かれた場」でわかりやすく、小崎の例を持ち出せばヒトラーを演じるようなことはしないだろう。するならば、「易しいコンセプト」に依存するか、事前に自ら編集を加えるか、抽象化するか、匿名でも名乗るか、そのセキュリティを「ストリート・アーティスト」や「コンセプチャルアーティスト」のレベルくらいにまでは引き上げる。

ということで、言えることはもう限られている。

社会に公共性を作り出すか。それとも公共性を求めて「開かれた社会」から「閉ざされた社会」にエスケープするか。

前者がChim↑Pomによる森美術館という「開かれた」場での個展だとしたら、「ダークアンデパンダン」はまさにこの後者の試みとして着想された、「暗黒」の中での展覧会であった。

社会が作品を疎外するならば、「作品のいるべき世界」を社会の外側に作り出す。

ダークアンデパンダン開催

この特異な展覧会の開催は、2020年、日本史上初の緊急事態宣言の最中であった。それの全貌を知ることは誰にも出来ない。会場も、作品の内容も、「口外しない」という約束に基づきアーティストから公募された秘匿性の高いアンデパンダンだからである。観客にもまた、入場に際して「作品の内容他言無用」（ただし、作家が個別に許可した場合、警察や裁判所からの命令があった場合を免責として、しかしながらその際は、赤瀬川原平の千円札裁判など、美術史上のハプニングなどを参考にしながら、アート従事者として振舞うよう求めている）との合意書に宣誓してもらっている。

展覧会の構造を説明するとこういうことになる。

一、誰もが作品を投稿し閲覧できる「オンライン展」（図11−3）。作品はすべての人々が閲覧できる部分と、非公開部分とに分けて投稿できる。

二、非公開部分は、「フィジカル展」で主催者によってキュレーションされたアート従事者を主とした94名だけに鑑賞が許される。投稿者はその観客のリストを前提として参加することとする。

ここでは開催前と直後に『新潮』に寄稿したエッセイ、「ダークアンデパンダン」を短縮・修正するかたちで回想し、これまで述べてきた「運営」のディテールをあえて省いた独白とする。

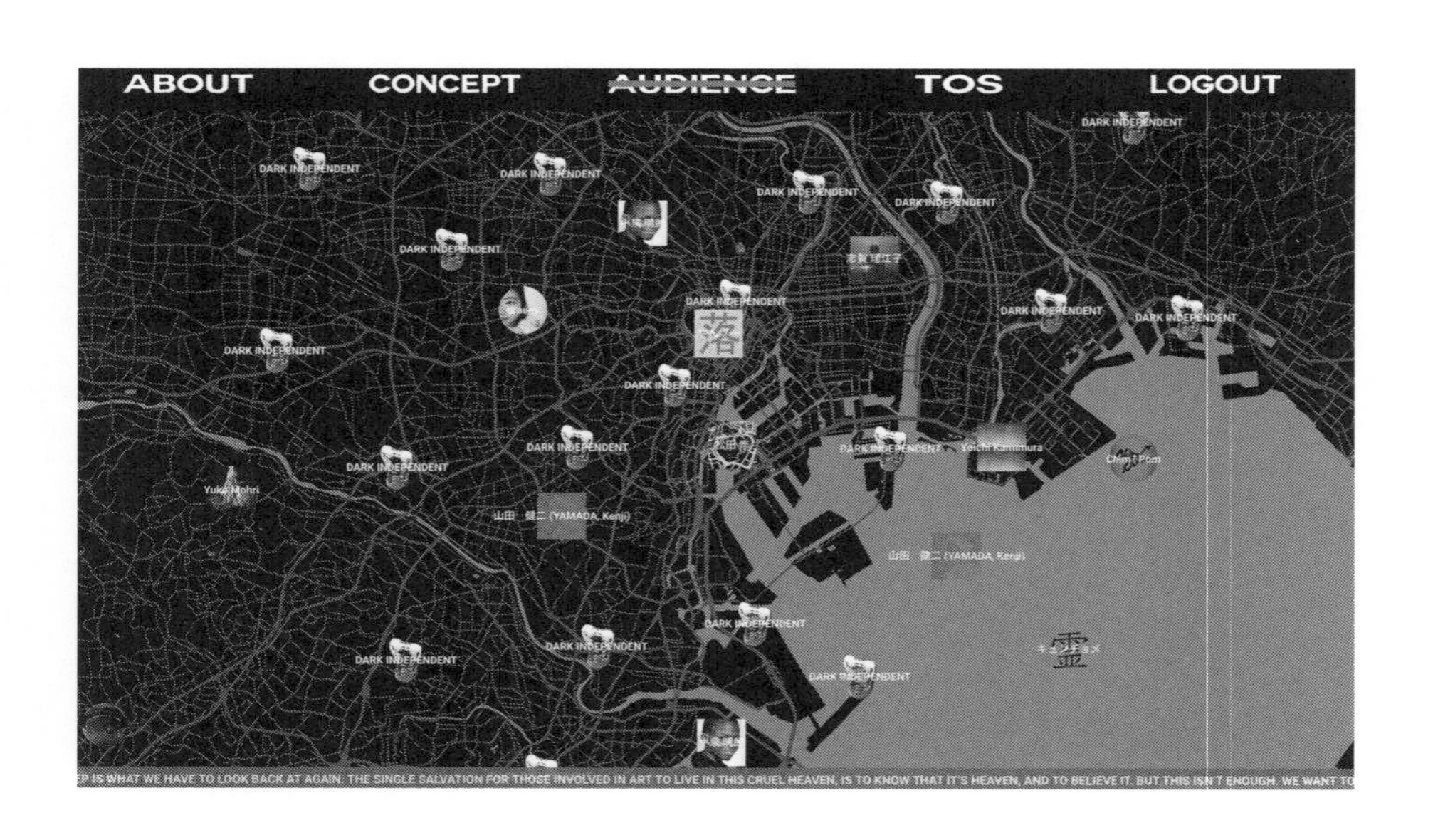

11-3　「ダークアンデパンダン」開催当初のウェブサイト

コロナ禍で、十うん年ぶりに巣籠もった。決して引き籠もりと呼ばないメディアの言葉の的確さに感心しつつも、確かに、総理から請われて巣籠もって、星野源に踊らされて、オンライン飲み会で盛り上がる。こうなってくると、話は断然変わってくる。#stayhome でシェアされる、26・2Mもの世界の室内、花畑の如きセルフィーを見ると、もはやインスタという単一人格による大量投稿の様相を感じ、目が眩むようである。地球がひとつのシェアハウスかのように、同一化して巣籠もる兄妹感。にもかかわらず、それでもこの不慣れな余暇と堕落に馴染めずに、不安を覚える方々は、この状況を孤立だ孤独だと言う。どうも我々はグローバリズムによって、孤立すらも共有する、という怪現象を経験しているようである。

芸術家ユニット・キュンチョメの片割れであるナブチは、高校を辞めた際に、「引き籠もり宣言」なる自由宣言をクラスメイトらに発表し、以来、7年間それを実践した猛者である。その間、頭上に思念体が浮かんでいて、例えば「本屋に行って平置きの本を全て裏返せ」とか、「石を置き換えろ」とか、何やらの指令があればそれを遂行することが仕事と疑わなかった。我に帰ったのは7年目。タメの地元の引き籠もりが、鉄アレイで教師であった親を殴殺するという事件が勃発。同じく教師であったナブチの親が、その日から寝室に密かに鍵をかけるようになったことに気付き、社会復帰を想った。

松田修は尼崎の新地育ちの芸術家。中学の時分に、パトカーを燃やしたり、強盗だのの罪で二度の鑑別所を経験。更生プログラムで訪問した美術館で観たピカソの不条理さに爆笑し、最低最悪、ちんこだまんこだと、過激で下品で呵々と乾いた笑いを作家性に、スラムの遺伝子を芸術に持ち込んできた。松田、ナブチと（同等に闇が深いだろう相方）ホンマによるキュンチョメ、理論的支柱となった天才・涌井智仁という若手芸術家らと僕が、それぞれの理由で集まり、立ち上がったのが、「ダークアンデパンダン」である。

我々が見たいのはアーティストの深淵である

美術界の現状を少し、インターネットの領域の言葉を引用して説明してみよう。猛烈な勢いで一般に開くのが、芸術祭や美術館をはじめとした本家・美術界、表舞台である。これはインターネットの世界でいえばGoogleからTwitterまで、「表層」と呼ばれる共有を目的とした領域にあたる。一般客にしてみれば、それこそが我々の舞台であると思うだろうが、実は本家となる表舞台では不特定多数とかかわることから、挑発性のハンドリングが難しい。そうしたなかで多くの芸術家は「表層」にチューニングを合わせて活動をする。ある程度リスキーな作品は、「表層」よりも下、コマーシャルギャラリーやオルタナティブ・スペースが舞台となる。しかしそのアンダーグラウンドも、今や、本家とまるで一軍と二軍、メジャーとインディくらいの差しかないのが実情だから、表層よりも少し「ディープ」である程度。このややマイナーな領域は、通常、ウェブでは検索出来るか否かで分けられる、LINEや会員制のサイトのような、私的に共有する領域と例えようか。「ダークアンデパンダン」が注目しているのは、そうした「表層」でも「ディープ」でも目下未発表となっている、「ダーク」な作品である。

それがどんなものかを評論家の的確な言葉を借りて例えると、フィジカル展で発表されたキュンチョメのある未発表作品を携帯画面で観た椹木野衣――「時代が時代ならナブチは死刑だ……」と筆が立った感想を僕に送ってきた。

自分に引き寄せると、Chim↑Pomの過激作を観たギャラリストは――某国を相手にしたらかくかくしかじか、と危機管理を訴えていた……。ただ、そんなリスク、こちらも百も承知なのである。どうせ発表なんか出来やしない。共有なんてしたらこちらが死刑、「時代が時代なら」な訳だから、したくもない。でも、なのに作ってしまう、何故だ、本当に馬鹿なのかもしれない……。といった作家の性を密議しているうちに、プロジェクトに転じた。いわく、古くはレオナルド・ダ・ヴィンチが、あの名画「モナ・リザ」を生涯自身の手元に置き、他者との共有を目的にしなかったのは有名な話だ。時代を下れば、マルセル・デュシャンの通称「遺作」にまつわるエトセトラや、個人の手で人知れず23年間守られた広島の原爆の残り火、獄中死した同志の遺骨と共に育った花を生花にして郵送した大正・昭和期の芸術家・望月桂のメールアートなどの例が浮かぶ。さらに、個人の秘密はもちろんのこと、迫害により地下へと場を移し、独自の進化を遂げた「カクレキリシタン」や、旧ソ連時代の政府公式芸術と距離を取った「非公式芸術家」の活動など、一般へと「開く」ことを想定せずに孤立して、伝説化した作品や活動が、人類史には数多ある。

——ダークアンデパンダン・概要[*14]

本家にも地下にもあるまじき新たなグラウンドを、闇市的に創造せしめんという計画である。

かつて孤独は孤立から生まれ、芸術と孤独は蜂と蜜であった。「個と公」が結束して隔離政策を求め合い、世界のリーダーらと市民がかつてなく相思相愛となる現在、我々は積極的に監視を共有し、表現だ言論だ、と個の自由がデフォルトであった以前と以後の岐路に立つ。緊急事態宣言下、「孤独」とは、いっそうイメージしづらいものとなった。家に一人でいるからと孤立を感じ、それを恐れる必要はもうないのである。むしろこれは、安全と引き換えに自由を停止した我々が、Zoom 飲みやメタバースを手に入れて、ネトフリとAmazon に空前の利益をもたらした、壮大な共有の物語なのだ。

我々が観たいのはアーティストの深淵である。「すべての作品がすべての観客に開かれていなければいけない」かのように「ショウ化」した昨今の美術展の鑑賞制度と、「共有」を標榜し、相互監視化したＳＮＳ社会は、その障害である。そこで我々は、鑑賞自体を徹底的に「閉ざす」ことでコントロールし、その代わり

＊14 https://darkindependants.web.app/（２０２２年5月31日閲覧）。

にアーティストには参加を無限に「開く」ことにした。そうであるが故にこのプロジェクトは、これまでなかった「鑑賞者の責任」を問うものにもなるだろう。アーティストが担っているのと同等のリスクと責任が、いわば「共犯者」である限られた観客には与えられることになる。ここで留意すべきは、それは決して「特権」のようなものではなく、「義務」であるということだ。とりわけ、表層の世界の価値観をアートへと過剰に招き入れてきたアート従事者――彼や彼女には、その選択の蓄積によって選ばれることがなかった想像力の一端を「見る義務」があるはずだ。

――同

これは美術界に限った話ではない。自己啓発で稼ぐ出版界は、健康になれそうなモチベーションで個を誘惑しているし、Twitter のタイムラインは、トレンドへの反応の応酬で、個を生き埋めにする。この社会全般の動向に即し、鑑賞者と協働者を兼ねる「フォロワー」のパイは、もはやそれなりの貯金額よりも価値が高くなったと言えるだろう。しかしそこで交わされる言葉やリアクションは、反応であって思考ではない。美術界は、鑑賞者とはバックパックを背負った冒険者のように、「思考する」当事者として関係したかったのではないか。蓋を開けてみれば、鑑賞者はまるで、ツアーにアテンドされる観光客の如き猿ばかりになった。観光客のように映えるインスタレーションにセルフィを交えて「反応」するだけだ。にもかかわらず、本家は、まさかの、観光が本業とばかりに住民サービスに励むものだから、バズや異分子や突然変異を、なんとか現実に軟着陸させることを至上命題とし、その不快感を展覧会から排除しようとする。

「自由と民主主義は両立しない」と PayPal の創業者であるピーター・ティール[*15]は言った。「インターネット」という空間が「現実」という空間のオルタナティブとして作られた経緯に当事者意識を持つシリコンバレーの面々、特にリバタリアン(自由主義者)らは、今も海上都市など「ミクロネイション」の建設を目論むなど、既存の社会制度からの脱却を図っている。ティールの指摘は、民主的な社会で、個人が自由を求める限界値が現在であることを示したものだ。真に自由な表現を、アーティストにのみ真に民主的な参戦によって集う……。鑑賞を閉ざすダークアンデパンダンが試みるのは、やはりオルタナティブな世界の創出である。

しかしこれは表層を本家からぶん取る革命ではない。幅広い共有を標榜する表層は、もはや敵ではなくただ一層のレイヤーであるべきなのだ。だからこそ逆に、「表層で出来ない事」、それを芸術家がアート従事者と深化させる。それは地上の覇権を争わないが、地下の蠢きが足元を揺らすように、表層を根本的に揺さぶるだろう。

無審査という穴だらけの秩序

10年程前、20代のアーティストIの映像作品がとあるアンデパンダン展に出品された。オープニングの数日後、彼から異様な電話があった、「死体遺棄容疑で捜査されることになってしまったんですが、どうしたらよいでしょうか……」と、前代未聞の相談である。青木ヶ原の樹海で、遺骨と、傍らにあったカセットテープを見つけたIは、遺骨が最期に聴いたであろうそのテープに収録されていた、一曲の演歌を自身のパソコンに録音した。そして、その曲に合わせて、現場で、クレイアニメのように遺骨を踊らせたのである。作品は、展示初日に通報されて、即時撤去。自宅に来た警官の捜査に応じた彼は、データの消去と、再展示せずとの約束に応じ、その後、美術界から忽然と姿を消した。結果、Iは無罪となったが、僕は、いまだにその作品を観ていないし、鑑賞の機会もどうやらもう無い。しかし、以来その作品を事あるごとに思いだしてきた僕は、その都度「観たい」と夢想してきた。正確に言えば、作品単体への興味と重なって、一瞬でもそれが展示されたという、そのゆゆしき事態を現場で経験したかったのである。

断言するが、一切のキュレトリアルな展覧会、表層・ディープいずれのネット上でも、一般客がいる限り、その作品の鑑賞の場を設けることは不可能である。それを、観客がいるというあまりに錯誤した状況で可能にしたのは、ひとえにそこが、芸術家の一存で作品を展示する事を表向きに約束し、無審査という穴だらけの秩序を自

＊15　1967〜。アメリカの起業家。98年に電子決済サービス「ペイパル」共同設立。2005〜2022年まで「メタ」（旧Facebook）取締役。ドナルド・トランプ支持者としても知られる。

立の精神とした、アンデパンダンだったからに他ならない。
この誰にも知られることなく蒸発した一連の事故……社会との違和で芸術をやめてしまったあるダークな芸術家による奇跡は、今も僕の暗黒の中に輝き続けている。

実行

鑑賞者は平均2時間を費やしてダークアンデパンダンを目撃してくれた。が、実は我々は最初から、展覧会の内容を報告するレビュー等は欲していなかった。それよりも、実際に鑑賞したアート従事者の今後、彼ら、彼女らが、これから何をするかを見たいと考えている。
鑑賞者の一人である美術評論家・福住廉によるレビューは、その企みに呼応するように、こう締め括られている。

ダークアンデパンダンを目撃した鑑賞者たちは、企画者たちに「負い目」を負っています。つまり、返礼の義務を負っているのです。その体験を表層に持ち帰り、そこで何をするのか。それが問われています。深淵を覗いた視線を持って、わたしのように可能なかぎり批評を執筆するのか、あるいは中庸な企画展をより先鋭的なものに作り変えるのか。美術館や大学、国際展や芸術祭など、問題含みの美術の制度を抜本的に改善するのか。そのためにこそ選抜されたという厳然たる事実を忘れ、沈黙を貫いたまま、たんに例外的で実験的な企画展として「深淵」を消費する態度は、返礼の義務を一切果たさないという点で、最悪中の最悪であると言っておかなければなりません。だから、ここまで読んでくれた読者のみなさん。いいですか。公開されている鑑賞者のリストを忘れないようにスクショしておきましょう。彼らが今後どのように行動してどのように返礼するのか、つねに眼を光らせておくのです。ダークアンデパンダンとは、革命のはじまりなのです。

——福住廉「洞窟の奥の暗がりで——ダークアンデパンダン darkindependants」note、2020年5月31日主催者としては嬉しい言葉だが、福住にこう言わしめたのは、何よりも総勢80組以上もの芸術家による、140を超える投稿、中でも30近いダークな返答が、鑑賞者であるアート従事者一人一人に突きつけた、その実際的な革命の在り様だったように思う。彼ら彼女らからの、異様な投稿と展示が無かったら、我々の実験は徒労に終わっていた。アンデパンダン展という形式は、芸術家たちの欲望を剥き出しにしただけではない、「キュレーションなき徒党」という圧を生んだ。それが少なからぬ鑑賞者に「態度」を迫った。

とはいえ、アンデパンダンという民主的仕組みが悪手に働くと、芸術家の群は、みんな違ってみんな良し、という「つまらない民主主義」の宣伝隊に成り下がる。それを危惧していたダークアンデパンダンですら、御多分に洩れず、全投稿の3分の2はその類だった。が、過激でダークな投稿物が増えるにつれて、プロジェクトは徐々に闇市へと変貌し、公衆便所のように荒んでいった。

帰ってきた不敵な芸術家たち

ここからは、主に一般から投稿された幾つかの作品について記そうと思う。非公開部分には触れず、公開された部分から、書ける範囲で紹介する。

まずは、死体遺棄容疑のIよろしく、美術界から姿を消していた不敵な芸術家たちが帰ってきた。

大井健司の《二十歳の誕生日に母親の局部を見ようとする》は、題名通りの交渉の一部始終を収めたひたすら気まずい作品である。公開されたステイトメントは、「少なくとも、この世のはじまりの場所はある。それは実家の、僕のおかあさんの体の、一部分。それは、いったいどういう場所だろう。二十歳の誕生日、『大人』になる日、僕は実家に帰って尋ねてみることにした。『あのさ、お願いがあるんだけどさ』」と結ばれて、非公開部分へと誘う。

ある作家の作品《Fuck'n Beautiful World》は、ノミとハンマーで作家自身の片手中指を切り落とし、かじる、という規格外のパフォーマンスである。「世界と自身に中指を立て続け（またおろし続け）たい」という意図が公開部分に書かれ、非公開部分に「現在の切断箇所の写真」と、なんと「作家の電話番号」が掲載されていると告知。記録映像を観たい人はこちらまで、という段取りだが、全投稿者の中で一人だけ、鑑賞者との関係を一対一に持ち込む事で、ダークアンデパンダンからの脱出をも仄めかしていた。意を決して、電話をかけた鑑賞者は二人。その後会ったのかどうかは知らないが、あの時の緊張感は一つのハイライトだったように思う。

中指といえば、と雑にまとめて良い訳はないが、それを国会にレーザーで突き立てたMESの《DISTANCE OF RESISTANCE／抵抗の距離》については「芸術実行犯」の章で触れた。これもまた最終日のピークとして圧巻だったが、ここでは割愛することとする。

検閲事例となった作品も多数あった。岡田未知は、「作者自身の皮膚をハート型に剥ぎとり、虎の皮と表裏に縫い合わせ、皮膚細胞の培養を試みた」という解説と共に、自身の美大での卒展で、作品から過激な部分を排除して軟着陸させられた経緯を投稿。山田健二は、壁に書き殴られた、香港のデモの最中にビルから落下したプロテスターの遺書の写真と共に、ある美術館の外壁にそれを映し出す試みが、館側の自粛によって却下となった事例を紹介した。

それらが世に問うべき強度を持っていた事は明らかである。作品が外圧によって不完全な状態で発表され、または取り下げられているという、この「オープン」な場で目にする「クローズド」な現状を裏付ける告発だったように思う。

他にも、有名無名を問わず、多様な作家による重要な作品が溢れていた。その多くは非公開だったので、ここでは断腸の思いで割愛させていただく。

特筆したいのは、一般からの非公開投稿にあったひとつの「傾向」についてである。期せずして、そこで目立ったメディアは文字であった。吐露であったり、日記であったり、作品の体を為さず、むしろ「展覧会」や「作品」という芸術の産物の、その絶対性や暴力性によってヒビが入った人間関係や、それによるハラスメントの告発、または精神疾患的な文章や、意味を為さない散文だった。全て非公開の中で起こった自然発生的な傾向である。アート従事者にそれを読ませようとする彼ら彼女らの意図を考えることは、いつの間にか主催者の思わぬ日課となっていた。プレゼンやメッセージとは明らかに違った目的意識について考えるうちに、僕は更にダークアンデパンダン全体に起きていた、新たな傾向にも着目するようになった。

通常の展覧会、または投稿サイトであれば、その参加はＳＮＳとの連動によって可視化される。こんな展示に参加してます、だったり、何々してますなう、だとか。しかし、一般からの投稿が百を超えても、ダークアンデパンダンは全くこのセオリーに則らなかったのだ。不気味なことに、その時点で、参加を呟くツイートはゼロ、非公開のみの投稿ならいざ知らず、公開部分で完結する投稿に至っても、だ。ＳＮＳと連動しないという事は、我々のサイトの設計上、投稿にはコメントも無いし、「いいね」も無い、つまり、投稿者との対話やレスポンスは皆無となるのである。会場と接点を持たない投稿者には、鑑賞者が観ているという保証もなければ、別に、「参加する事に意義がある」意味も無いのである。得体の知れない投稿は、鑑賞者へのアプローチが無い限り、「感情のポイ捨て」になる可能性も高い。メーリングリストでもしてみようか、やめとこうかなどと熟考しているうちに、それは僕にとって知的な壁として立ちはだかる、正体不明のスペクタクルとなった。会場で、鑑賞者の一人である宇川直宏とこの話をした際に、宇川はこれを、公共に個人的な想いをポストする「絵馬」と、神にのみ聴こえる声で贖罪をする「懺悔」に例え、その合体たる無意識の集合体が立ち上がる可能性を示唆した。ぶっちぎりで面白い話だったけど、つまりそれは何か？　という答えはいよいよ煙に巻かれたように思え、僕のダーク疲れはその辺りをピークに沼に落ちた。

展開

「だからまあ、そこがダクアンの限界だという事がわかっただけで、それなら出す必要もないかと。ダークの世界の中にも表層とディープとダークがまだあるのかという事だと思う」

過日。やっと準備が終ろうというときに、突然松田から「主催者をおりたい」とのＬＩＮＥがあった。話し、冒頭のリプを送って一件は落着したが、その経緯はややこしい。要するに、松田がダークアンデパンダンで見せる「作品」とは別に、自身に、見せられない「行為」がもとより在った事を発見したのである。

事の発端は、写真家・志賀理江子[16]の出品作だった。作家の許可のもとにキーワードだけを述べると、彼女が住む東北には、独特の風土や人間感がある、その「根」にアートは触れ得るのか、そんな課題に直面してきた中で、とある精神疾患を抱えた被災者の事を想ってきた。が、そこに、自分にとってのダークが在った。そんなエモーションを聞いた松田が、連想し、思い当たったのが、統合失調症の弟が住む部屋で数年前にふと為した自身の行為の事だった。

義母が首を括った自死がトリガーとなった、家族で唯一正気であった弟の発症。ゲットーで生まれた数々の吃驚仰天(びっくりぎょうてん)な不幸話、貧乏話を、基本、笑い話として昇華してきた松田のスラムの精神は、それによって「狂わずにいられる」という松田の作家性そのものである。当該ハプニングもまた、その場では不条理なお笑いとして処理された。が、そこでふと「表現行為のような」事をした事実が、彼を、芸術家から、ひとりの人間に引き戻したのである。更に、それが「表現行為のような」リアクトであったからこそ、自身に、芸術家の業という深淵を突きつけた。ＬＩＮＥいわく、「自分でも見たくない風景を、自己防衛するために、シャレにするために」為した。その産物を、志賀の話から思い出した松田は、なかった事には出来ず、しかし作品のように捉えるかどうかという思考自体に抵抗を覚えた。「これは出したくねえなあ」と考えた所以は、「批評されたくない」からである。詰まるところ、自分だけがわかっていれば良い事だ、と思うに至った。

しかし主催者としては、他人に「己のダークを投稿してくれ」と頼む立場である。矛盾を感じ、オープニングが迫る中で悶々とし、「主催者を辞め、ダークの一兵卒として参加すべきだ」とメンヘラ全開に相談してきたのだ。が、実はこれは僕にとってもよくわかる、他人事ではない話であった。Chim↑Pom もまた、出品にあたり、喧々囂々意見が割れていたのである。とある未発表作を巡り、ダークアンデパンダンだからと言って、他人に観せても良いものなのか、という Chim↑Pom 独自の倫理が議論のテーブルに上がっていたのだ。更に、議題にこそ挙がらなかったものの、僕の中では、とある故・エイズ患者を巡る Chim↑Pom の未発表作も想起され、やっぱり自問自答に陥っていた。

この当惑が文字通り一周回ったのは、志賀理江子の二週目のやり取りであった。松田のエピソードを僕が彼女に送ったメールの返信に、志賀は共感と共に、ダークアンデパンダンにも出せない写真の存在を明かしてくれたのだ。思いだすと「手が震える」と。「それは表現にしてしまってはいけない」ものであり、それをそのように扱ってしまったら、「全部終わり、あとは私が死ぬくらいしかなくなるからと思います」と、本文には記されていた。

表層では見られない産物、ダークアンデパンダン。その領域でも見せられない産物の存在を発見していくうちに、僕は、会期中にはまったこの沼が、底無しであるという事実に気づかされた。表現よりも更に奥に宿る闇。各々の芸術家が、それを「表現にしてはいけない」と語る、アートには成り得ない部位がある。東北の風土や人間に例えた志賀の言葉を借りて言えば、それは「根」のようなものかもしれない。だから日の目を見ることは、一生無い。表面化する「作品」や「活動」の源として、芸術家各々が地底に張り巡らせた「根」。「これは表現にして良い、してはいけない」、という倫理が存在するならば、我々にとってそれは正しくこの「根」に依っている。この倫理観こそが、各々の芸術家にとっての「絶対の一線」だとしたら、逆に言えば、だからこそ我々は、その価値観に従って、社会よりも芸術を信じ、あらゆる一線を超越する事が出来るのだ。それを怖れること、面白がる事……志賀が東北の根に触れたがるように、我々はダークに誘われていた。

ダークの中の、ダークの中の、ダーク。結果的に、超ド級に個人の秘部であったそれは、共有不可能な闇でもあった。しかし僕は、泥沼で行われたこの一連の告白のスパイラルに、一瞬ではあるが、かつてない理解と、深い繋がりを感じて救われていた。初めて会田誠の作品集を見たときの啓示や、Chim↑Pom の面々に出会ったときの稲妻に似た何か。土足で心に踏み入るような、共犯者の香りとシンパシー。それは少なからず、

*16　1980〜。写真家。ロンドンで写真を学び、2008年から宮城を拠点に活動。主な個展に「ヒューマン・スプリング」（東京都写真美術館、2019）など。2007年、木村伊兵衛写真賞受賞。

ダークアンデパンダンに落ちてくる投稿からも、匂っていた。

根が深ければ深いほど、深淵でしか繋がれない人間関係がある。それは対話を信じず、孤独なコミュニケーションとして現れてくる。ひとつ、ひとつ、ひとつと霊的にポストされてくる無言の投稿とiPhoneで対面していた僕は、何ともいえない微睡(まどろ)みの中で、そこにかつて観客がゼロだったあの頃の自分を重ねながら、それらの闇を追いかけていた。

第12章 「WHITEHOUSE」

自律と独立

森美術館での回顧展「Chim↑Pom展：ハッピースプリング」では、僕らのデビュー作にして代表作であった《スーパーラット》のオリジナルバージョン（ピカチュウのデザインを転用）が美術館内に展示されていない。

当該作品は六本木ヒルズではなく、歩いて30分ほどのところにある小さなスペースに「追いやられている」。第二会場、という位置づけであるが、ことの経緯には長い議論を要した。端的に言えば、六本木ヒルズのテナントであるポケモン社にスーパーラットを展示しますとお伺いを立てた美術館の初動がミスった。ウォーホルを展示するのにキャンベルスープに報告などはしなかったと言うからポケモン社への身内対応だが、これに先方は「よりにもよって自分のオフィスがあるビルの上に。展示しないでほしい」というような強い要請で返答した。美術館がその時点で出した答えは、「ヒルズではなく第二会場を作ってそこで」という僕らへの提案である。これが館からなされたのが2021年5月のこと。「スクラップアンドビルドの延長的な展示にして……」と規制自体を覆い隠すような館長の提案に僕は拒否反応を起こした。

これまでやってきた「堪え難き」展や、ReFreedom_Aichiはなんだったのか。そのキャリアへの敬意も何もないような提案に乗ってChim↑Pomがスクラップアンドビルドとしてのプランを作れば、第二会場はアーティストの自主性に基づいたスペースになってしまう。問題の本質はただの排除であり、その責任を何故作家に負わせるのかと怒りの沸点を越えた僕は、そこから1ヶ月間、会議を全てボイコットするという強硬手段に出た。

対して美術館は、パロディの権利や、流通しているイメージを作品に「転用」し、文脈を置き換える「アプロプリエーション」という手法など、現代アートに広く共有されている価値観と、ユニバーサルな業界の常識に則って、展示は「美術館内で必ずする」と歩み寄ってくれた。複数の弁護士への聞き取りからも著作権法的に明らかな問題はなく、かつて「堪え難き」展でも展示した小学館からの内容証明も展示の障害にはならないとの回答が得られ、美術館からは「同じ船に乗っている」と信頼をアピールされた。協議が再開し、僕らも写真撮影禁止やカタログへの掲載不可、個数を減らすなどポケモン社への配慮に合意。実際に、それからは本気で館は頑張ってくれたと思う。

しかしふとその船に不安を感じた瞬間があった。森美術館は森ビル株式会社の一部署であり、その事情はこれまで何度も「だから難しい」とさまざまなプラン実現の困難さの理由として示されてきたのだ。「最終的に森ビルの判断になったらどうするのですか」と学芸チームに質問をしてみたところ、「そんな、他の会社に決定権が生まれてしまうような組織ではないと会社を信じています」という内容で答える。熱心に対応してくれていた社員だったし、これはその時点での彼の本気の答えだったように思うが、残念ながら船の行く末は結果的に変わることになる。開催2ヶ月前のことであった。

美術館からポケモン社にあてた「最終返答」が書類として送られたのがその少し前。館としては「これにて」というつもりであったが、ポケモン社の社長が森ビルの社長に直に連絡を取ったところから、様子が変わった。2ヶ月前にもかかわらず、「スーパーラットを展示するか、展覧会自体が実現できないか」といった2択がほのめかされたのだ。実際、単独のプレスリリースも森側の協賛金集めも上から止められていたことが発覚し、こんなに直前に展示自体が無くなるチョイスとは……とChim↑Pom「らしさ」を嫌な形で実感したが、コトはもう動かしようがないようだった。それならば、と第二会場案をのむ代わりに、経緯自体を公に検証することで美術館の自律性というものを議論する、共同のプロジェクトスペースとしてそこを立ち上げるのはどうかと逆提案した。

「自律」とは、広辞苑によると、「自分の行為を主体的に規制すること。外部からの支配や制御から脱して、自身の立てた規範に従って行動すること」とある。僕らとしては、はっきり言って展示内容に色々と外部から抗議するのは言論の自由の範疇だから、ポケモン社には他意は無いというかどうでも良い。それよりも問題は、「他の会社に決定権が生まれてしまうような組織ではない」と信じられた会社やその一部署としての美術館の「自律性」にあると思われる。そう返答してくれた社員の気持ちを想えば複雑だが、それすらも会社の論理に従えばやむなしと了承できる個々人の楽観性はどこから来るのだろうか。アジアのハブを自称する美術館ならば、表現の自由やアートの自律性を毅然と掲げ、CIMAMの会長という国際的なアートの立場に立つ館長ならば、本社に対して啓蒙するくらいの態度こそが望まれている。

しかしその身内関係においても美術の論理が挟める余地など、会社組織の上下関係にはあり得ないようだった。構造的には、森美術館の決定権の一部をポケモン社が持ったという悪しき事例としか思えないが、それでも館側としては、「展示するかしないかではなく」「なんとか展示できるようにした」という解釈で落ち着いている。例の吉開の一件におけるICCのコメント「公開しないという選択肢ではなく、どのようにすれば作品を公開できる可能性があるか」と同じ論理であるが、配慮した相手が「一般」ではなく、テナントであるという事実はより根が深い。

企業が美術館運営のような文化事業を行うにあたり、財団化などのかたちで自律性を確保する例は多くある。例えば、『サステナブル経営と企業メセナの役割』（公益社団法人企業メセナ協議会、2022）によると、瀬戸内国際芸術祭などを手がける福武財団の自律性を支えるのは、親会社であるベネッセとの距離感にあるという。創業者の福武家が保有するベネッセ株を福武財団に寄付して、財団がベネッセの実質的な株主となることで、財団は数字に縛られない公益性の高い活動が可能になっているというのだ。

美術館は表層である。検閲だ、インディペンデントだ、と極論で二元化せずとも、長い美術の歴史には必ず解決のヒントや知恵が隠されている。その方法を自ら召喚できる器や知性、探究心があるか。ここにこれからの美術館運営の肝がある。

アウトノミアが目指す「自律性」

美術館、というトップダウンな制度とは別に、この「自律性」を巡る議論はボトムアップにこそ発展してきた特異さを持つ。森美の一件などがまさにそうだが、資本主義という巨大なシステムに身も心も価値観も包摂される世にあって、自分らしい、人間らしい生き方はいかに可能か？という壮大なテーマのもとに「自律」は模索されてきた。

かつてはシステム自体を転覆すれば、と「革命」が標榜されたが、それも結局「党」や「組合」という組織に個人の動きが決定されるというジレンマを持つ。一方で、そんな大きな物語に一人一人を織り込まずとも、見回してみれば、例えば廃墟を占拠してクラブやライブハウスやギャラリーに変えるスクウォッティングや、国家の主権から逃れた公海上から放送する海賊ラジオ、電波法にかからない周波数帯を使用して地域社会に発信するミニＦＭなど、個人の特異な活動が世界のあらゆる隙間で資本主義の管理を脱却している事例が無数に見つけられた。

これに家事労働など私的な空間で行われている活動が正当な評価を求める風潮なども相まって、「自律性」という議論は革命のポストとして語られ始めるようになった。国家や党、会社などの論理ではなく、各々が各々の規律に基づく自治主義・自律主義……「アウトノミア」運動が活発になったのは、60〜70年代のことである。「自律」は社会から「独立」して閉鎖経済を作ろうというヒッピームーブメントなどにも聞こえは似ているが、異なる。むしろ社会の中でこそ、各人による自律とコミュニティの自治が求められるのだ。

『公の時代』では、「公」と「私」、そして「個」の関係を、「アーティストは、『私』（プライベート）という、『公共』と離れた領域に存在する『私人』ではなく、集団の中でこそ存在しうる『個』（インディビジュアル）の究極形」だと書いた。「個が立つ」とは言うけれど、「私が立つ」とは言わない。あらゆる集合体を揺るがすのは「私」ではなくて、「個」そのものの力なのである。

アウトノミアが目指す「自律性」とは、そんなアーティストの生き様などとも無縁ではない。ポスト・マルクス主義としてアントニオ・ネグリなどによって実践されたこの運動は、同時にアナキズム的にも解釈されている。1981〜82年にはロンドン初のアナーキー・センター「ワッピング・オートノミー（アウトノミア）・センター」が開設。運営はアナルコ・パンクの代表格であるクラスによるが、コミュニティ、音楽、デザイン、政治、アート、レーベルと多岐にわたった彼ら彼女らの一連の活動は、「パンク」という概念やサブカルチャーをSIからマルコム・マクラーレンの流れにおいて社会運動へと拡張したインパクトを持った。

アウトノミアに連なる日本の運動としては、中高生たちによる自主出版（最盛期で1万部）やフリースペース運動で一斉を風靡したと言われている青生舎の活動が外山恒一の『改訂版　全共闘以後』（イースト・プレス、2018）に詳しい。粉川哲夫らが盛んに喧伝していたイタリアのように、空き家や廃墟を占拠することは日本においてはどだい不可能である。そんなアナーキーなダイナミズムよりも、契約の隙間をついて賃貸物件を溜まり場や出入り自由の場にするという、「フリースペース運動」が盛んになったのだ。青生舎のものは特に85年1月から丸2年間の代々木時代が活発だったようで、

3LDKのマンションは、線路際にあり二重窓だったこともあって、深夜まで宴会をやろうが、いくら出入りが激しかろうが、苦情らしきものは来なかった。扉を開けば、常に何人もの若者がいて、学校をさぼってくるやつも、予備校に行くふりをしてくるやつも、たまりにたまった。漫画を読むやつも、『青生舎日誌』に思いのたけを書きつけるやつもいた。アトミック・カフェという反核ロックフェスのグループも、この空間で会議を開くようになり、元気塾という自主的学習会が行われた。毎週、月曜日には新聞の発行を柱としたトータルな運営会議がもたれ、時には大がかりなコンサートやイベントも行った。青生舎の一角に小さなアンプやエレキギターが姿を見せたかと思うと、「元気バカ組」「造反有理」などのバンドも生まれた。漫画を愛好するネットワークもできて、同人誌の発行が準備されたり――混然として、収拾はつかないけれど、アナーキーなエネルギーが渦まいている――そんなスペース運動は丸2年間続いた。

——外山恒一『改訂版　全共闘以後』より『ＫＩＤＳ』88年10月号

と記録されている。

アトミック・カフェはその後、日本最大級のロックフェスである「フジロックフェスティバル」へと成長し、現在の日本の音楽シーンの最高潮を担うようになる。当時、スタッフには作家の辻仁成がいたり、ブルーハーツの甲本ヒロトや真島昌利なども「スタッフに近い関係者」として出入りしていたというところにその萌芽を見る。

これらの多くは左派的な運動から出てきた資本主義への内部からの抵抗であった。対して近年は、リバタリアン（自由主義者）らによってむしろ自律を超えた独立空間の創出が試みられている。左も右もがあるというが、ここで目立つのはむしろ「国際資本主義」を牽引するテック系業界人などの動きである。公海上に独立した海上自治都市を作ろうという「シーステディング」（２０１７年には仏領ポリネシア政府と浮島開発に関する法案作成で合意）は、特にポリコレなど民主主義社会などのしがらみから抜け出す「自由空間」とされ、別世界という壮大なプライベートを作る試みとして計画されている。「ＤＩＳ」のメンバーであるローレン・ボイルによれば、その島の「ユーザー（市民）は加入も離脱も自由で、法は憲法よりもむしろソフトウェアに似ている」という。社会という「内部にとどまるのではなく外に出る」、「すでに存在しているものを改善するのではなく新しい構造を創り出そうとする」動向であると、そのスタートアップ的な性格を解説する（ローレンボイル著、中野勉訳「タイプやスワイプする親指」『新しいエコロジーとアート――「まごつき期」としての人新世』所収）。海賊ラジオやアメリカ西海岸のヒッピーカルチャー、インターネットの自由を宣言した「サイバースペース独立宣言」などの文脈にあるが、もはやここに社会変革を望むリベラルの影や、「社会の中でこそ」とされた「個」のマニフェストは見当たらない。

アートで言えば、それこそアーティスト・ラン・スペースなどはこれまで世界に無数にあった。それぞれが自律性や独立性を持ち得た活動であったろうことは想像に容易いが、ここでは「ダークアンデパンダン」との類似性としてエヴァフラが２０２０年11月に「Time Out of Joint」というダークウェブ上に開催したグループ展を挙げておく。「ダークアンデパンダン」と同じ年でありながら、こちらは完全なるオンラインプロジェクトである。

「企業化されたデータ産業複合体であるインターネットから遠く離れた場所に存在するダークウェブの芸術的可能性」を謳っている。

一過性であれ、見つかるな

このように、世に潜むことで自律性を持とうという考えは、1997年に刊行されたハキム・ベイ[*1]の『T.A.Z. 一時的自律ゾーン、存在論的アナーキー、詩的テロリズム』（インパクト出版会）によってより鋭利に強調されることになる。アナキズムやシチュエーショニズムを下敷きに、サイバーパンクなどのテクノロジー面やイスラム神秘主義、インディアンのオカルトを折り込みながら、冷戦終了時に一層スペクタクル化した資本主義と、グローバリズムを待望する風潮に対して狼煙を上げた。

インターネット前夜だったこともあり、今となっては予言的だったと語られる部分もある。が、言わんとすることはシンプルである。とにかくあらゆる場所に管理が行き届く時代にあって、「一過性であれ、見つかるな」と自律性の究極的な発揮の場として、恒常的ではない「一時性」に着目したのである。

> 「歴史」によれば、革命が「永続性」を、あるいは少なくとも持続を達成するのに対し、他方、反乱は「一時的」である。この意味で反乱とは、「通常の」意識や経験の基準とは反対の「至高体験」のようである。祝祭と同様、反乱は毎日発生することはない——さもなくばそれは「異常」ではなくなってしまうだろう。しかし、そのような強烈な瞬間こそが、生命の全体に形態と意味を与えるのである。シャーマンが舞い戻る——。
>
> ——ハキム・ベイ『T.A.Z. 一時的自律ゾーン、存在論的アナーキー、詩的テロリズム』

＊1　1945〜2022。アメリカの作家。ハキム・ベイは筆名。本名ピーター・ランボーン・ウィルソン。アナキズムに関する著述活動を行う。本名の著書に『海賊ユートピア 背教者と難民の17世紀マグリブ海洋世界』など。

国家というスペクタクルとはかかわらずに、その目に留まらないように生まれ、認識されたり押しつぶされる前に「姿を消す」。それをシチュアシオニストの直系らしく「地図」という概念の転用から示す。「地図製作者の注意を逃れ」るとするが、ようはこれは全ての場所が測量される地図上では、僻地であっても人類にその存在は「開かれている（バレている、と言っても良いだろう）」ということを前提にしたものだ。これを「閉ざす」こと（「地図の閉鎖」）によって、一時的な自律ゾーンを「開こう」という考え方である。

その性質からしてTAZは、イヴェントやスペースなどにこだわらずに、戦術的にウイルスやゲリラ的なハッキングとしても顕在化する、と予想されていた。アノニマスやダークウェブなどが予言されているようだが、とはいえ、わかりやすく挙げられる潜在的なTAZはパーティーであり、非日常を一時的に共有する祝祭であり、インディアンなどの先住民など「孤立したコミュニティ」の部族会議や、秘密結社の会議などである。一見「クローズド」なように聞こえるが、「親しい集団や、愛の同盟に誓いを立て資格を得たもの」に対して、「開かれている」という逆転の発想が強調される。

最大の独自性は、TAZにクローズドに共有される秘密がいかにユニークかという論点だろう。ひとつひとつが自律的であればこそ、TAZは外部の価値観に依存しない。テレビや劇場やマスコミ、今ならネットでの無数の情報などに晒される中で、TAZでしか共有し得ないものは何か。そんな秘匿性がクオリティを上げるというのは「ダークアンデパンダン」にも言えた。ハキムいわく、それは「マーヴェラスな秘密」なのである。

そんな隠れた異世界としてのTAZを既存の世界でキャッチする道筋を、ここでは「歩道を割って出てくる雑草のように、異世界から我々の世界に飛び出るもの」なり、「情報のバビロンの中のネズミの巣」なりと例えている。ここに、道やスーパーラットを調査し続けてきた僕のセンサーが共感したことは言うまでもない。

W H I T E H O U S E

「ホワイトハウス」や「WHITEHOUSE」もまた、検索には全くかからない。どちらの言葉もGoogleでは世界的に有名な白い建物や歴代の米国大統領などしか画像は出てこない。それもこれもネオダダからのレガシーである名前によって情報に紛れる戦術が功を奏していると言うことだろうか。

僕とわっくん（涌井智仁）、「ナオナカムラ」としてオルタナティブ・スペースのある種のパイオニアの一人である中村奈央の3人をディレクターとするWHITEHOUSE（図12−1、12−2）は、はじめて1年程のアートスペースである。300名限定のパスポート制と、展示ごとに一般にも開くという半開半閉のシステムによる自律空間であり、情報の公開は会員が登録するLINEのオープンチャットやメールで行われている。展覧会やイヴェントにはナンバリングが冠されていて、これを基に時系列が認知されにくいネット空間に、「地層」としてアーカイブを作るというプロジェクトである。

現在、課金性のトーク番組やオンラインサロンなど、開き切らないことでコミュニティを形成するスタイルは多々ある。これらが会員数と会費からなる儲けを無限に稼ごうという資本主義との諸刃の剣になっていることは周知のとおりであるが、そうなるとその先には、「不特定多数」への配慮が再び現れてくるという本末転倒な現状がある。WHITEHOUSEは数を限定することで自律性を持つが、これはわっくんにしてみれば、「ダンバー数」（人間が安定的な社会関係を維持できる認知的な上限）としての150人ほどがこの基準であり、奈央ちゃんにしてみても、「まあオルタナティブ・スペースの展覧会には200人も来れば」という実感に基づいている。GarterやChim↑Pomの自主企画で運営を手がけていた僕からしてみても、確かに「また明日も……」展のようにぶち上げるための企画ならまだしも、100人や200人規模の展覧会のためにわざわざプレスリリースを打って、その易しく一般化された文体での情報掲載を首を長くして待つ、という徒労にはかなりの違和感があった。

また、ニューヨークのマシュー・バーニー[*2]のスタジオ「Remains」がクローズドに連発してるイヴェントも参

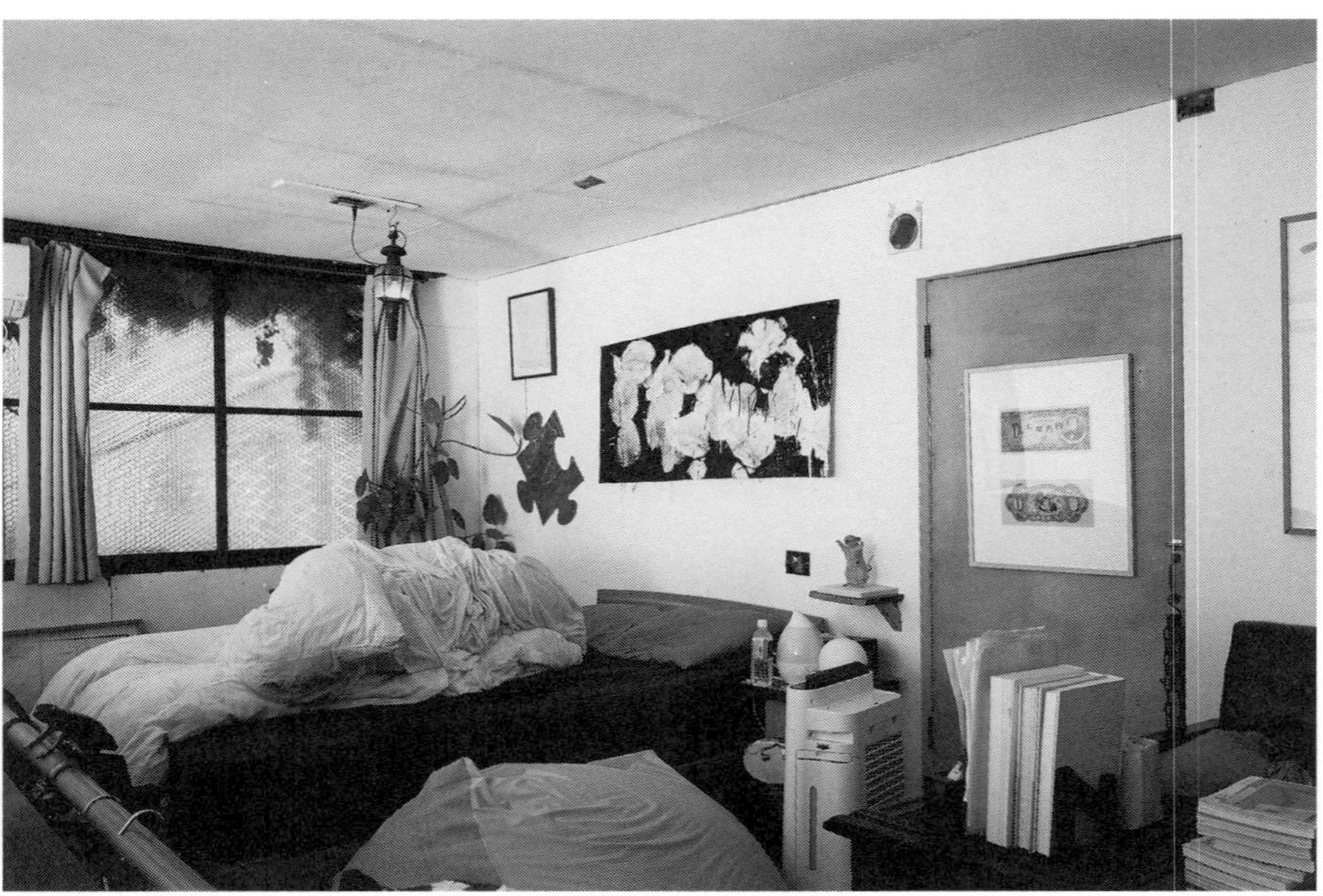

上・12-1、下・12-2　WHITEHOUSE
撮影＝高野ユリカ

考になった。向こうの知り合いから教えてもらって写真を見たのだが、2017年にドナルド・トランプがアメリカ大統領に就任したあと、近所に正体や理由を告げずにスタジオの外壁にデカデカと掲げたトランプの任期が切れるまでをカウントし続ける幅約7メートルのデジタルカウンターや、TEDさながらのステージでのAV男優のスピーチ、スクラップされた車に繋がれた人体や、本物の牛を伴った鼓笛隊などによる儀式など、凄まじいパフォーマンスや展示が連発されている様子である。これも友人たちや関係者とクローズドにやっている饗宴らしく、ググっても画像などは見つからない。

もはやSNSやマスコミはこのような世界を知るツールではないのである。黒塗りされたか易しい情報がオープンにされる場。国際ニュースやストリートビューを地図と照らし合わせて世界を垣間見ることは可能だろうが、スタジオ内で何が行われているかは知り得ない。その異世界を「情報のバビロン」からキャッチするには、「ネズミの巣」に入り込むしかない。

これらWHITEHOUSEの設計はわっくんに依るところが大きい。ナンバリングについてもあるインディーレーベルなどのCDのリリース方法から採用されているが、その見識の多様さは彼のキュレーション方法にもリンクする。僕からすれば現在最もハードコアなキュレーターだろうと確信しているが、今後のWHITEHOUSEはわっくんの実験をどれだけ生み出せるかが醍醐味になるだろうと思う。

＊2 1967〜。アーティスト。イェール大学医学部から美術学部に転身。拘束状態で空間内に絵を描く「拘束のドローイング」や、長編映画シリーズ『クレマスター』5部作などで知られる。

オーガナイズ

WHITEHOUSEのキュレーション

ここからはあくまでも「これまで」の僕のWHITEHOUSEでのキュレーションの一端を、本書の観点から考えていく。

WHITEHOUSEの運営はかなり流動的に変化してきた。そもそもは僕の住居も兼ねていたのだが、これは早々に破綻した。僕が家主として入れば運営の大黒柱にもなるだろうと軽く見積もっていたのだが、完全に絵に描いた餅だった。毎晩の飲み会や、出入りの激しさ。歌舞伎町から徒歩3分という立地にあっては、深夜に構わず人は押し寄せてくる。数時間の間に、一次会の場だったはずが、4次会としても復活する。育ちの悪い松田などは、後輩アーティストを連れてヘベレケで「卯城く〜ん」と深夜に閉まっているドアを無理やりこじ開けようと鍵を壊す。寝床から起きてまた飲んで潰れるようにベッドに転がり込むも、ある朝方などは家の前がなにやらガヤガヤと騒がしくて目が覚めた。拡声器のスイッチが「……ィーン」と入り、突然、「ここは新宿ホワイトハウス……」と女性の声でアナウンスが始まったのだ。シュプレヒコールでもあげられたかと思って布団に潜り込んで息を沈めると、「磯崎新さんが……」とか「ネオダダオルガナイザーズが……」などという調子の良い解説に続き、「現在はチンポムというアーティストが……」と近所の迷惑も省みない音量で家主の恥を晒すではないか。どうも何かのツアーをアテンドしているようで、新宿の建築を回っている一団であることが理解できた。これには参った。風呂やキッチンの一切合切を揃えるという渾身のリノベで挑んだ居住だったが、限界を感じた朝だった。

こけら落とし展の途中から家を引き払ったのだが、これが建物の管理を作家に委ねるという巣立ちであったことから、更に各個展のインスタレーションの自由度を拡大・加速させることに繋がった。

インスタレーションとは空間に対する考え方である。通常のギャラリーでの展覧会はそれに尽きるが、WHITEHOUSEでは、こけら落としとなったアーティストのurauny[*3]（ウラウニー）よる「urauny dinner」から今に至るまで、作家のアプローチは空間だけでなく、開館時間などの時間や、入場料などの制度、非会員の入場など、あらゆることに及ぶ。

「urauny dinner」（図12−3）は、予約制のレストランという形態だったこともあり、夕方から夜にかけての営業となった。ウラウニーはもともとわっくんの繋がりであり、匿名のアーティストである。わっくんがコミッションした「ダークアンデパンダン」での作品（行為?）がヤバすぎて、さらに「にんげんレストラン」でのイヴェントもツボであったことから開館一発目を任せた。

レストラン、と言っても、ここで出されたのは、「化粧品」や「ペットフード」……シアバター100％のリップクリームや蜂蜜由来の脱毛クリーム、有機素材からなるマウスウォッシュや目薬など、食べられるが食品ではない商品を素材とした料理である。インスタレーション自体も誰もが目を覆うほどにホワイトアウトしたような強烈な光を放つ幾つものライトが長テーブルの先に床から天井まで立ち上がる。そこで黙食が強いられるわけだけど、まずは目が慣れない。それに加えて文字化けしたメニューから提供されるものは、いくら彼がこのために資格を取ったと言えど、観客にとってはあまりに未知な料理体験である。「関係性の美学」と言ってカレーを観客に振る舞う作品なども今となってはクラシックだが、関係性を体内にまで迫ろうとする作品には大抵節度がある。カレーなどは既知なものとしての信頼があるが、ウラウニーの料理を体内に取り込むことを「大丈夫」と判を押すのは中々である。商品の成分表示や学者への聞き取り、そして身内の人体実験などから論理上は安全だと言っていることがわかるが、観客が安全を保証されると思っているものは、この匿名作家とキュレーターである僕、そして始まったばかりのWHITEHOUSEへの根拠なき信頼だけなのである。

＊3 アーティスト。味覚や嗅覚を通じた身体への介入などにより、アートや社会の常識を問う極めてラディカルな作品を制作。ゲーム開発やアパレルブランド「chloma」とのコラボレーションも行う。

心配が絶えることのない展示であったが、しかし味覚自体も「未知」なものとして調理した彼のガストロノミーを超越するような冒険心と、それを食すという観客との契りには、会員制スペースとしての真髄があったように思う。むしろ何故問題が起きなかったのか、今となってはそんな風にすら思えるエクストリームさを極めた展覧会だった。

そして、その自由さがWHITEHOUSEの皮切りとなる。

以来、全ての展覧会は開館時間が異なり、空間は作家によって究極的に全く違う世界へと変貌を遂げる。「会員制」も編集され、「会員無料、一般有料」や「会員会期中、一般日時指定」など常識的なルール変更ならまだしも、「一般は受付に座る卯城との合言葉制」という迷惑な工夫までが凝らされるようになった。

非会員の観客が来る度に合言葉の上の句である「好きです」を僕が連発し、その度に「ごめんなさい」と下の句で断られる……という罰ゲームのような制度に会員制を設計し直したのは、スリーピースのコレクティブであるクサムラ・マッド・ラット[*4]（図12-4）であった。

この個展もまた、出入り口は変わるわ開館時間は変わるわと大胆な変更に基づいた。2週間あった会期中、前半はなんと24時間。サイケデリックな洞窟へと変貌したカオスな会場内には、彼らが猿（コンセプトで言えばネアンデルタール）のように泊まり込んで客を捌く。昼間は昼間でバンドや漫才を突発的に始めるなど騒がしく、洞窟を造形する素材に吸音材を多用したにもかかわらず、ドラムの音が騒音となって日に何度も警察が来た。その度に対応するのがキュレーターとしての僕の日課となっていたのだが、しかし展示自体はまさに伝説的な饗宴として語り継がれるだろう、原始的・衝動的な美しさに輝いていた。考え過ぎる人類「ホモ・サピエンス」の知性に対する彼らの「ネアンデルタール」の身体的な引用は、令和とは思えないような直線的なエネルギーと爆発力を発揮した。その盛り上がりからコロナ禍としての密対策などは正直言って破綻をきたしていた。何もなければ良

＊4　2016年にヤマムライッキ、ホコジーニョ王子、オオムラチカラが広島で結成したアート・コレクティブ。音楽やお笑い、漫画、スポーツなど幅広い文化を取り込んだ活動を展開する。

上・12-3　urauny個展「urauny dinner」（WHITEHUOSE、東京、2021）
Courtesy of the artist

下・12-4　クサムラマッドラット個展「クサムラマッドラット」展示風景（WHITEHUOSE、東京、2021）
撮影＝林拓郎、石谷岳寛、小野寺康憲／Courtesy of the artist

いが、と気を配ったが、タイミング的に第五波のピークアウトに救われたように思う。

これらルール変更の美学を決定づけたのは、磯崎隼士[*5]の個展「今生」(図12-5)である。自身の血液5リットルを使った巨大な絵画で壁一面を隙間なく覆ったインスタレーションであるが、血液はかつての前衛アートのように過激さを表す素材としては考えられていない。自然界という有機的なネットワークの一部として捉えたものだった。

WH-009 磯崎隼士「今生」

「WH-009 磯崎隼士『今生』」2021
キュレーション：卯城竜太
DATE: 7/03–7/23 TIME: 0:00–24:00

磯崎隼士とのミーティングは鷹取山の山頂で行われる。横須賀市、追浜駅で待ち合わせ、かつて石切場だった山を歩き、人気のない磨崖仏を過ぎて獣道を登ると、立ち入りが無い巨大な岩壁が積み重なった頂に着りつく。

海抜139メートルという低山ながら、三浦半島の中腹に位置することからパノラマを眼下に望み、西と東には海が、南には街が、北にはさらなる低山とその尾根に建てられた巨大な鉄塔や車道が見晴らせる。耳にするのは遠い造船所の工場音と、辺りに潜む鳥の囀り(さえず)りや風のそよぎなど。低くなった空を重たく流れる雲からは、毎度、天井のような圧迫感が感じられる。日が落ちるまでの数時間、磯崎はそれらに見入りなが

＊5 1994〜。アーティスト。独自の死生観と世界の素朴さを追求し、身体感覚や皮膚感をシリコン製の人工皮膚や絵画で表現する。個展に「あの鳥のように」(CAPSULE、2019)など。

12-5　磯崎隼士「今生」展示風景（WHITEHOUSE、東京、2021）
撮影＝髙木遊／Courtesy of the artist

ら、言葉を選び、美や生命や一切合切への理に交え、展示プランを話す。

夜になる。肌寒くなってから山頂を降ると、山中に、10メートル程の巨大な石切りの崖に囲まれた、真っ暗な吹き抜けが現れている。

切り立った暗闇の断面に近づくも、何も見えない。しばらくいても目は慣れず、距離感が狂い、いわゆる「戻ってこれなくなる」ような感覚に陥る。

下山して西友の明るさなどを目にすると、一体どちらが現実なのかと錯覚してしまう。

これが磯崎と重ねた会議であり、対話である。

まだ若いペインターがこの山に入るようになった契機は、3年前の瀕死体験（理由は不明）と、その影響で昨年始めた絵画シリーズ《極めて退屈に塗られた》の制作である。

血液を使ったその作品を、磯崎は、「どうしようもなく破滅的で、絵として成立しない本当にダメな絵」だと言う。が、「自分の死に対して作品を作っているような」没入感は代え難いらしく、血が「ただ塗られただけ」で立ち現れる美しさを説明するために、そして本展がこの山の延長にあることを伝えるために、磯崎は鷹取山を会議の場に選ぶのだ。そこで、カメラの長回しのように景色や暗闇を見続けていると、太陽の位置によって刻々と表情を変える、その世界の無為の変化と存在感こそが、彼の作品の有り様だと気づく。

本展は、
・外光のみを灯りとして使用。
・その変化のために営業時間は24時間とする。
・観客は会員だけでなく、一般客も対象とする。
・主催者は常駐しない。
・その代わりに、希望するWHITEHOUSEの会員は、管理者としてそこに宿泊できることとする。
以上の設計から、WHITEHOUSEの鍵は、会期中、24時間あいていることとなる。「閉ざす」でもなく、「開く（ひらく）」でもない。ただ「あいている」という穴のような状態が、作品やスペースの意図を空にする。

本展のタイトル「今生（こんじょう）」は、磯崎が働く認知症の人々のための老人ホームでふと感じる感覚である。今生の別れは日々訪れるし、来週には忘れているかもしれない。
本展での身体を賭した大作を、厳しい制作中にその言葉が唱えられた証のように思う。

卯城竜太（Chim↑Pom）

ステイトメントで述べたことは、作品の基本情報であり、無防備な空間の「共同管理」の呼びかけであった。主催者の常駐はなく、24時間鍵をあけておく、というその開館時間と監視体制は、作品のあるべき姿から判断された設計である。この場のあり方について、キュレーターの髙木遊[*6]は『美術手帖』のレビューでこう記述している。

> 1970年代以降、アートインスティチュートが志向してきたような、権威が寛容となることで市民や都市に「開かれた」場とは異なる、場のあり方の設計が「今生」にはある。つまり、この設計は、いわゆるアートインスティチュートにおける【鑑賞⇔展覧会】というシステムを瓦解させること（ある程度の更地に戻すこと）を意味する。
> この「今生」という場／WHITEHOUSEにおいては、開場時間に制限がないのだから、社会的な時間に囚われない。監視もないのだから、アーティーな礼儀作法、慣習が不要となり肉体と精神は自由となる。そしてまた芸術作品もさまざまな制度からの庇護／制約から解き放たれた状態となる（ひとつまみの倫理は欲しいところだが）。つまり、そこには、柵から一時的に逸脱——簡易的ではあるが——した芸術作品と鑑賞者がただ「在る」という状態、両者の対峙、タイマンの舞台が生成されるのである。

*6 1994〜。金沢21世紀美術館キュレーター。HB. Nezu 'The 5th Floor 元ディレクター。ホワイトキューブにとらわれない場での実践を通して、共感の場としての展覧会のあり方を模索する。

――「新宿の繁華街で出会う『死』。髙木遊評『磯崎隼士「今生」』」ウェブ版『美術手帖』2021年8月5日

ただ「在る」という状態は、まさに僕と磯崎が作品について考えていた展示の在り方であり、山頂から眺めていた世界の有り様そのものである。「疎外」を再び持ち出すまでもなく、作品や作家は何よりも「本来」のかたちで展示・提案され、鑑賞されるべき、というのが僕にとっての唯一のキュレーション法である。だから個展にこだわるわけだが、その会場を構成するためには、空間が作品によって定義される様態になるのはもちろんのこと、時間も作品とともに流れなくてはいけない。光も、場所のルールもポリシーも、いかなる状況も作品によって変更されて然るべきなのだ。

だから当然、まずは絵画の展示としては前代未聞の空気をまとって素晴らしかった。特に、深夜に一人で入り込んだときの空間の異様さと闇の深さ……「夜の森を見ているようだ」とか「馬鹿でかい木の表面を眺めているようだ」とか反応は色々聞いたが、場に漂う生臭い匂いも相まって、総じて何か世界のどこか僕らがまだ知らないゾーンの入り口に一歩入り込んだような、そんな感覚に多くの鑑賞者が陥っていたように思う。まるで、それ以上行くと、「戻ってこれなくなる」ような。

この体験も髙木の血が通った言葉がリアルに伝える。「極めて個人的な描写と報告」として、批評の中にして淡々と、その鑑賞体験をメモに残す。

2021年7月4日22時半頃、新大久保駅と新宿駅の間に位置するWHITEHOUSEに到着。「今生」を初めて訪れる。

このとき私は「24時間来訪可能である」こと「磯崎隼士の個展である」の2つの情報を知るのみであった。入り口の扉は閉ざされている。自らの手で扉を開き、中に入る。

屋内に光りは灯されていない。

開け放たれた扉から、街灯の青白い光りが差しこむ。内部空間は極めて暗い。

WHITEHOUSE のがらんどうの空間にて、一壁面全体が異質であること、そして独特の匂いが充溢していることに気づく（何かの存在の気配を本能的に察知するという言い方が正しい）。

同時に人の気配を感じ、それが作家の磯崎隼士であるとわかる（僕は面識があるのでわかったに過ぎない）。座り込んでいる。

目がその暗さに慣れるまで、その異質な大壁面と距離を取り凝視し、佇む。

そして自身も床に座り込む。眺める。

磯崎隼士と他の来訪者との会話が始まる。

それらの言葉はノイズでしかない。

その会話をひたすら無視して、ただその作品である何かを眺める。

磯崎が開けっ放しであった扉をおもむろに閉める。

外光は屋内上部の小窓からの僅かなもので、自己と周りの蠢きを認識できる程度の暗闇に包まれる。

また、その何かを眺めはじめる。

まるで、夜の森の奥、木立をみているような、海をみているような感覚が続く、そして、ある瞬間それが人が生み出した作品であることをはっきりと悟る。

わかってしまうのだ。それは人間がつくったものなのだと。芸術作品なのだと。今ここには、私という一個人とこの芸術作品しか存在しないことを。

2021年7月23日の14時頃「今生」を再訪。展覧会の最終日であった。

作品シリーズが《極めて退屈に塗られた》（2020-）であると知る。

来訪者も多い。写真に記録をおさめようと務める。

1時間ほど滞在し、「今生」を後にする。

同日22時30分3度目の訪問。

1時間、2時間その芸術作品に対峙する。

WHITEHOUSEにてそのまま眠りにつく。

目が覚めると、作家・磯崎隼士がいつのまにか「今生」に戻り、眠っていることを確認する。

その後、予定調和的会話を「今生」にいる人々と交わし、最後に磯崎に「またね」と言う。磯崎もまた「またね」と答えてくれる。

他者によるノイズ

誰かが話す
「本作には5リットルあまりの作家の血液が使われているんですよ」。
誰かが話す
「今日は暑いですね」。
誰かが話す
「注射器で血液を抜く際に、作者は泣くんですって」。
誰かが話す
「荒川修作という作家を知っていますか。彼は不死を目指したんですよ」。
誰かが話す
「血液はすぐ固まるから、使用するのにはそれなりの処置が必要なんです」。
誰かが話す
「この作品は無理をせず、1年をかけて、ゆっくりかけてつくられたんだって」。
誰かが話す

「扉を閉めるとだいぶハードトリップですよ」。
誰かが話す
「美術って本当にいいよね」。
誰かが話す
「本当にいいよね」。
——同

この体験の異質さは、その場その時だけに立ち現れたものである。今後もう二度と味わえない。展示されたものはたしかに絵画だったが、しかし人々が対峙していたものは、もっと理解の出来ない自然界そのものにまつわる生と死、その営みを記録したような「壁」だった。そして、それが生み出した状況は場所の運営を人工的なものから世界の一部へと根本的に引き戻す、一種の社会実験でもあったように思う。

開くでも閉じるでもない、ただ空いている「洞窟」のような世界をどのように統治すれば良いか。

ここには、あいトリ以来ずっと考えてきた公共や社会という容れ物の開閉状態への一つのアンサーがあると確信できた。それは、作品以外によるコントロールを場所や時間に許さない、という極めて作品至上主義的な可能性と、しかし、世界はそもそも開くなどという意思も閉じるという主体性も持ち合わせていない、という「空白を運営する」ような不可能性を持ち合わせていた。

だからこそ悩みどころであり、作品が本当の洞窟壁画ならばいざ知らず、新宿のど真ん中で「穴」の状態を意識的に貫徹するには一体どうすれば良いのかを考える。何しろここには防犯上のリスクと倫理的な無責任さが極まっていて、恐怖が不安を上回る。

同じ場の開放としても、これはキタコレの《Chim↑Pom通り》とは全く違った感覚であった。道は、室内であれどやはり「外」であるとのメッセージをそのデザイン自体が放っている。街灯もあって、ライティングの意味は迷い込む人々に示されている。そういう意味では門が取っ払われたことすらも、「開放している」というアナーキーなメッセージを可視化して、強調していたように思う。それらデザインの総体から記号的にそこが

「道」であることや、「私有地内の公共圏」であること、「都市をテーマにしている」「作品」であることなどは万人に読み取られるように設計されていたのだ。

それに対してWHITEHOUSEの「今生」の鍵があいている様は、僕にとっては展示が終わって安堵するまで、全く理解が出来ない霊的な恐ろしさがあった。ドアもあり、建物としては他のものを装っていない。中には電気もなく、ただ血が塗られた壁が闇の中に距離感を狂わせている。それだけなのである、が、それだけだからこそ、その全てがあまりに自然過ぎて、管理が行き届いている人工的な街の中ではあまりに不自然だった。

そもそも、その壁がアートかどうか、絵なのか何なのかも初見の人にはわからないだろう。「道」は見るからに「道」であるが、この壁の正体は闇に何かただならぬ気配を感じるだけで、言い様がない。有機的な匂いは漂うが、むしろそれは孤独死のように決定的な不安を呼び覚ます。作品と捉えなければ照明のことなどはもとより頭に浮かばないし、鍵があいていることに何か社会的な理由があるわけでもない。それほどに、会場と作品が自然の果てから繋がっていて、現場では世界が社会を上回っていた。

ある夜など、人けのない空間に入ってみると、2階（と言っても吹き抜けと空間を共有することから壁はない）から何か気配が漂ってくる。階段を上った先には、僕が残したベッドに真っ暗な中で女性が一人で横になっていた。思わず「すみません……！」と管理者とは思えないような言葉を吐いて挨拶したが、聞くと家出をしてきたのだと所在の理由を話す。手塚マキと会ったことがあるということだが、磯崎のことも知らず、目の前に作品があることも知らない。建物や僕についてももちろん知らず、知っていることといえば、「ここって24時間あいてるんですよね……。そう聞いたんですけど……」ということだけである。

かつてのフリースペース運動などが生温く思うほどの戰慄を覚えたが、とりあえずは磯崎がギャラリーに来て一晩を見守るということでことなきを得た。が、こうなると会員も不審者も区別がつかない。誰が入り込んでいるかもわからない中で、預かっている建物の貴重さからしてあまりな防犯対策である。とにかくは作家もよく常駐してくれていたし、泊まる会員も数人いた。これでやり過ごせたのはやれやれの一言に尽きるが、共同管理、と言うのは全くもって我ながら無茶なアイデアだったように思う。聞こえは良いが、はっきり言ってこれは完全なる無政府状態を指してしまっている。結局いかなる社会もそれを実現出来ない理想型、自由、無責任、つまりは危険な形態なのである。対象とさせてもらった会員たちに、応募した時点で新宿ホワイトハウスやWHITEHOUSEへの興味があることはわかる。が、かといって全員知っているわけではもちろんないし、と言うかそもそもはその人たちは管理者ではない、「観客」なのである。それが突然管理者に指名されることなどあって良いのだろうか、と考える程に答えは詰まった。それでも何か実験としては最良にも思えたし、何しろこれまで会ってきた会員の人たちを思い浮かべると、面白そうではある。個人情報もホテルの予約以上には全会員から預かっているわけだから、そのくらいの信用を自分が彼ら彼女らに持てさえすれば、この場の自治の協働を呼びかけることは可能に思えたのだ。

この実践を建築的に読み解いたレポート『『洞窟』の運営——自主ゼミ『社会変革としての建築に向けて』レポート（橋本吉史）」には、これが公共を誘発する実験であったという認識が記されている。

> 洞窟という言葉は、これまで建築業界で使われてこなかったわけではない（伊東豊雄、藤本壮介、石上純也など）。しかし、それらは形態的なアナロジーや、空間の初源として、または近代建築の空間的均質性を否定するためのタームであった。卯城のいう「洞窟」とは、SNSのような開かれすぎた社会への疲れ、もしくは何かに開くこと自体が必ず他の何かを排除してしまうという気づき、そしてコロナ禍で経験した閉じてしまうことへの怖れという、現代的なリアリティから生み出された思想であり概念であることは間違いない。誰のためと決めずにただ開けていることにより、定義のしきれない暗闇を持つ「洞窟」というイメージは、これからの公共性に寄与するだろう。
>
> ——橋本吉史「『洞窟』の運営——自主ゼミ『社会変革としての建築に向けて』レポート」note、2021年12月22日

オーガナイズ

WHITEHOUSEの運営

ギャラリーというものは展示ごとに内容が入れ替わる。今まではコンテンツとしてあくまでもそれは空間的に考えられてきたが、WHITEHOUSEでは、これに「場の統治」や「運営」、「時間」や「レギュレーション」をも含めた、全ての制度までもが取り変わることもある。

その当事者はアーティストである。

オーナーとしては、新たな運営形態に毎回対応することに追われてきた。だからまずはノウハウというものが蓄積されていない。容れ物の枠組み自体が毎回リセットされるわけだから、管理者としては常に素人に戻ってしまうのである。ネオダダの聖地であるとか、パスポート制だとか、WHITEHOUSEの建物や文脈や歴史、場にはもちろん強力な特性が存在している。でありながら、その大枠すらも作家とキュレーターの僕は作品に従って解釈を変える。ルールを変更する権利を持つアーティストにここで求められているのは、言わばパラレルな「世界作り」そのものなのである。その連なりがナンバリングされることによって、「大枠」は理念やパッケージを後から更新していく。

アーティストや作品（個）が特異点であれば、それが存在する場や時間（公）も特異点であることがアートスペースには義務付けられている。

これにある種似たことを運営における「訂正性」として注目したのは、東浩紀による「訂正可能性の哲学、あるいは新しい公共性について」（『ゲンロン12』、２０２１）である。その中で東は再びアーレントの「公的領域」と「私的領域」から現在の公共を考えるが、それが「公共＝開放性」や「私的領域＝閉鎖性」と単純に解釈されている風潮に疑問を呈す。

一般に公共性の定義は開放性にあるとされているが、そもそもアーレントには多様な議論など「活動」が「現れ」る空間と、「共通の世界」という2種類の公共が示されている。それを前提にすれば、「活動」という無形で言語的なコミュニケーションが現れても、それを「共通の世界」という実際に落とし込むためには、現れたものを形にする「仕事」が必要になる。アーレントの思想の深掘りだが、このことから、「開放性としての公共性は活動によって可能になり、持続性としての公共性は制作によって可能になる」と、公共の定義には「持続性」もあるということを明らかにする。

モチベーションとしては、祝祭的なデモばかりで持続の制度設計が出来ない現在のリベラルへの物申しだ。ここで着目したいのは、その「持続性」というものが、「守るべきもの」を訂正し続ける「訂正性」にあるという指摘である。訂正によって、組織の根幹となるテーマや何か……これまでも受け継いできた「同じもの」は、何度も再定義が迫られる。しかしそのことによって容れ物の現実への適応力は都度都度あがり、それ自体を長らえさせることになる。

このことは兼ねてから言及してきたChim↑Pomの運営や、プロジェクトを行うときの対応力、僕にとってはスーパーラットの変異性などにも重なって聞こえてくる。信条やイデオロギーなど、絶対的なものに完全に囚われてしまえば、環境や人間関係、時代などの変化への対応は不可能となる。それこそが歩みを止めるのだという意見は実感としてある。

とはいえ、WHITEHOUSEの運営がいかに訂正や変異を繰り返した流動性を持つとしても、ギャラリーとしての持続性に長けているかと言えばかなり怪しい。あくまでも僕が行ってきた訂正は「いつ終わっても」な心持ちをベースにしたTAZ的な無茶であり、なんなら東が疑問を呈す一時的な祝祭感に近い。持続には安定した資金などが必要となるし、もとより僕にはあまりその自信もない。が、これを「新宿ホワイトハウス」から「WHITEHOUSE」への持続と考えるとどうだろうか。何を勝手なことを、とネオダダの面々に笑われそうだが、しかし僕自身の活動はあくまでこの場所に彼らの息吹を感じていてこそである。だから攻めた展示を続けられているわけで、つまりはオーサーシップが変わっても、「前衛の遺伝子」によってこの建物は、幾度の再定義の上でいまも1960年の頃と同様に東京の前線を担い続けているのだ。

『ガロ』にまつわる白土三平のアクション

その昔、『ガロ』という雑誌があった。日本初の青年向け漫画雑誌であり、戦後のサブカルチャーを牽引した伝説のプラットフォームである。

最初の東京五輪の1964年に創刊されて、2002年までの38年間続いたが、これを立ち上げたのは漫画家・白土三平と名物編集者の長井勝一だ。

『ガロ』にまつわる白土三平のアクションには、長年持続したプラットフォームの訂正性、さらには「疎外」や「WHITEHOUSE」、「ダークアンデパンダン」などで論じてきた作品と発表場所の一致など、これまで論じてきた諸々が見てとれる。

創刊の経緯は、当時少年漫画作家として人気を博していた白土の新作「カムイ伝」の構想が、既存の媒体で実を結ばなかったことにある。「カムイ伝」は、非人や農民を中心に江戸時代のヒエラルキーと差別を描き、農具や田畑の開発や一揆を通じて階級闘争と社会の発展などを総覧した一大スペクタクルである。

個人的には、親世代の漫画だがこれはぶっちぎりナンバーワンの僕のバイブルと言える。少年の頃にサンタクロースが届けてくれたこの本は、僕の社会観や人間観を決定づけたものと言っても過言ではない。そのことから、「将来の夢」は、「一揆の首謀者」(表向きには「画家」)であった。内容は子どもには難しいが、しかし拷問のシーンや一揆のヒーローが身内である農民らにフルボッコにされるラストシーンなどには、何度となく震えた。NHK大河ドラマには僕の目が黒いうちに、是非ともこれを年間を通したスケールで実写化してほしいと切に願う。が、当時の日本にはそのような漫画を発表する場はなかった。その連載の場として白土が立ち上げたのが、『ガロ』である。

この頃の白土の先進性はすごいの一言に尽きる。今でこそ同人誌やZINEなどD.I.Y.な出版は無数にあれど、漫画家が妥協なき発表のために雑誌を立ち上げるなど、当時にしては前代未聞である。ほとんどインディレーベルや独立系映画と同じ考え方だが、当時のそれらのセオリーに従って、『ガロ』もやはり貧乏な媒体だった。発行や活動は白土のメインストリームでの稼ぎに支えられていて、この実現のために白土は「赤目プロダクション」を立ち上げ制作を集団化、複数の作品の量産体制に入ったのである(当の「カムイ伝」の原稿料はボランティア)。これも現在の漫画家にしてみれば珍しくはないが、「赤目……」は日本初の漫画家の制作プロダクションと言われている。赤目、ガロ、カムイ伝の三位一体のスタイルは、その後、手塚治虫による虫プロ、COM、火の鳥にそのまま流用されて、漫画界に大改革をもたらすことになる。その後は大手出版社も青年向けの漫画雑誌を発行し、後に続く。

『ガロ』はコンテンツにも独自性を持った。カムイ伝と水木しげるの「鬼太郎夜話」というヘビーでダークな漫画が2大柱として全体の多くを占め、余ったスペースに赤目のスタッフだったつげ義春や、永島慎二といった当時の若手がレギュラーを持つ。ロゴも全体のレイアウトも白土が担っていたというから忙しい。同時に、その頃下火となって活躍の場がなくなりつつあった貸本漫画家たちにも門戸を開く。新人発掘に力を入れたことから、実験的な漫画の応募が殺到し、ここにカリスマとしての白土を乗り越える次世代の漫画家やカルチャーが入り込む隙を大きく作った。

80年代にはすっかり白土色は払拭され、みうらじゅんや蛭子能収、糸井重里や根本敬など、白土と作風を異にするお笑い系のアングラ・サブカルの特異点を多く輩出するようになる。新たに彼ら彼女らの実験と遊びの場として『ガロ』は持続されるが、そこには漫画だけでなく文化全般が入り込むカルチャー誌としての側面も足されていた。メンツを言うと、赤瀬川原平、アラーキー、久住昌之、しりあがり寿など、枚挙にいとまがないほどに日本のカルチャーのオールスターの様相を呈している。

「持続と訂正」の話で言えば、ここに手塚治虫のCOMと白土三平の『ガロ』の大きな違いが見受けられる。COMの活動は1967年から73年とされているが、実質的には71年いっぱいで休刊しているからおよそ4〜5年である。こちらも輩出した作家はあだち充や竹宮惠子、諸星大二郎、(何よりもコミケの前身と言われる活動「ぐら・こん」が異色さを放つ）と豪華だが、ガロのようなはっきりとしたカウンターカルチャーの性質や意識は持ち得なかった。何よりも、手塚という巨人の前に、それを「訂正」しながら持続する、という発想自体が生まれなかったのかもしれない。『ガロ』が代々の特異性をプラットフォームとして担えたのは、後輩による白土への無配慮と、しかし数々の実験漫画に「『ガロ』でなければいけない」と思わせてきた、創刊時に白土によって宣言された制作と発表の一致の歴史にあった。

白土にとって、『ガロ』とカムイ伝という産物は、ともに漫画界や社会へのアクションそのものだった。執筆という直接的なアクションと、その発表の「場づくり」というマネージメントとしてのアクション。ここにおいて彼の制作と運営は、完全に一致していたのである。

アクションというものは、聞こえ的には直接行動や行為のように単純な瞬発性を想起させる。が、それを成立させる背景には、作品（個）がいかに見られるか、という発表の場（公）の設定という入念な実践が伴う。この二つが乖離していては、説得力というものは生まれにくい。強調したいのは、引いて見たときに、この関係が雑誌やスペースといった具体的な場には留まらない、あらゆるシーンや社会自体を射程にしているというところにある。

運営には、会議やアーカイブ、マネタイズやデザイン、マネージメントや執筆、出版など、あらゆる個別の活動が含まれている。しかしそうなればアーティストや活動家でなくとも、もはや「アクション」の当事者には誰もがなり得るという可能性が示されるのだ。

では、ひとつひとつの活動は、いかに凡庸さをこえたアクションたり得るのか……。その「アクション性」のニュアンスをすくい取るときに、『ガロ』というマニアックな白土のレガシーは今も濃厚な泉として我々に「開かれている」のである。

第13章　コレクティヴィズム

わしら　たとえ　一ときといえど　百姓であったときがありましたじゃ。もうあともどりはごめんですじゃ。へへへ　死刑執行人……。屍の処理　そして猟犬のように同じ仲間を追いつめかみつく……。いったいなんのために……誰のために……

——白土三平『カムイ伝』15巻（小学館叢書）

日本における前衛の歴史

「制作と運営」の関係をある種の日本の美術史そのものと捉え、「表現とオペレーション」と言い換えるのはニューヨーク在住の美術史家・富井玲子である。

「荒野のラディカリズム」と題した展覧会をニューヨークでキュレーションしており、その「ラディカリズム」という響きに誘われて現地で会った。当時僕は『公の時代』を執筆中で、「前衛」という言葉遣いや定義に一抹の悩みがあったのだ。と言うのも、これはヨーロッパなどでは1920年代を想起されることが多く、アヴァンギャルドってかコンテンポラリー・アートでしょ、とキョトンとされることもある。アートの役割が特殊な先端性よりも生活に向いてきたという今日の状況を反映したリアクションだろうが、なぜか日本では何度も「前衛」はリフレインされてきた。長期にわたり、一定のスパンでアーティストに召喚され続けてきたのである。

一方で、研究者や批評家は慎重だ。基本はそう言わないで何と呼ぶかを模索するが、使うなら「あえて」を念押しするように脚注や前置きで先回りする。

個人的には、好きな言葉である。が、軍事用語でもあることからその実感は、戦間期や戦後にその語がリアルだった世代とはだいぶ異なるだろうなと思ったりもして、戦争を召喚せずとも時代に合った言葉があれば事足りるのにと思う。

これらのことを痛感したのは、『公の時代』の過程で話した椹木からの意見であった。「悪い場所」という忘却と反復を繰り返す日本の性質上、積み重ねという歴史が無いこの国には、欧州のような前衛は成り立たないのではないか、ということである。椹木の著書『日本・現代・美術』では、それを踏まえて本質的には日本で前衛と呼ばれてきたアーティストたちは「ラディカリストだ」と考えられている。膝を打ちたくなるような名回答だが、当時戦前の「ラディカリスト」たちにどっぷり浸かっていた僕には多少の違和感も残った。「悪い場所」だとしても、歴史の積み重ねが無いという前提は全面的に頷けるものではない。たしかに戦前と戦後を繋ぐ通史が論として無い現実は忘却を裏付けているし、どうも近代と現代を西洋のように一直線に描く欲望が日本の著述家たちには少ないように思う。なるべくして僕もリサーチが分散し、不便さを感じていたのだが、しかし、だからと言って、それを日本固有の特徴として放置し続けるというのはいかがなことか。無いならば作るべきで、日本の研究者たちには重い腰を上げることが求められている。何しろ、積み重ね方が悪かったとしても、活動自体は「在った」のだ。

戦間期に突入しようというその時代を駆け回ったダダイズムや未来派、構成主義などは、近代化を目指した国々による、世界同時多発的におきた現代美術の一歩目だった。日本で「大正アヴァンギャルド」と言われるパフォーマティブな動向を含む一連の美術家たちの活動を「大正期新興美術運動」と名付けたのは、近代美術史家の五十殿利治[*1]である。僕にとっては巨星であり、先日初めてお会いした際に、ドギマギしながら「何故日本には充分な通史が無いのか」を聞いてみた。「やっぱり1930年代からが……」と穏やかに話されていたが、そこには改めて戦争の影響の大きさが浮き上がっていた。ユーモラスだった芸術家がより政治色を強めて闘争的になり、体制による締め付けが増した、昭和初期である。

日本では社会学的に戦前と戦後で近代と現代を区分けする向きもあるが、ヨーロッパなどではこれは跨いで語られる。同じ敗戦国であるイタリアやドイツは、むしろ積極的にファシズムの影響と分断、その反省を喚起することで戦後の美術を特定する。

そもそも僕が大正期などにドハマりしていたのは、現在に「戦後民主主義」という時代設定がハマらないように感じていたからである。ネオダダや赤瀬川を参照しようにも、そのニヒルな個を受け止めていた公や時代のあり方自体が今の僕らの足元には見当たらない。それではどこに、と歴史を眺めたときに、現代美術の最初期に共感を覚えたのだ。

作家や時代の細かい記述は『公の時代』に譲るとして、ここでは影響を受けた4つの動向だけを紹介したい。

・先述した大正期最後の打ち上げ花火「理想展」。
・一般にもよく知られるコレクティブ「MAVO」。
・読売アンデパンダンに匹敵するエネルギーと実験精神が溢れる「劇場の三科」。
・大正期に僕の頭を完全に持っていった足立元著『前衛の遺伝子─アナキズムから戦後美術へ』（ブリュッケ、2012）でフューチャーされ、僕の見立てでは最重要作家とされるべき望月桂と「黒耀会」。

日本の前衛、といえば、世界的にも1950〜70年代の過激な反芸術が想起される。が、ネオダダとは、その名前からも明らかなように、ダダイズムの「ネオ」バーションである。元祖としてそれらの動きがあったことは、「ネオ」を語る側にとっても基礎的なリテラシーのはずだが、しかし赤瀬川やネオダダ関連の書籍からはそれを読み込めない。実際にギュウちゃん（篠原有司男）に聞いてみても、「先輩なんていねーよ」と言ったふうにポカンとされた覚えがある。元祖が忘却されたまま「ネオ」と名乗った反復があったことは歴史の一つの事実のようだが、これに頷けるような興味深い一節が、『いまやアクションあるのみ!』にある。

瀧口修造[*2]が読売アンデパンダンを見た際に、「こんな開放感やエネルギーは、こんな展覧会にして初めて実現

＊1 1951〜。筑波大学名誉教授・特命教授。専門は近代美術史。1995年『大正期新興美術運動の研究』で毎日出版文化賞奨励賞、2017年『非常時のモダニズム』で芸術選奨文部科学大臣賞受賞。

するのだから、それを否定するどころではない。そしてこの開放感やエネルギーこそ、日本の新しい造形芸術をつくる重要な動力になると思う。にもかかわらず私は個の凝縮力を最後に頼みとしたい。私は一つの絵、ひとつの彫刻がみたい。おそらくこの手の展覧会は外国にも類がないだろう」と書いたという記述であるが、瀧口は、言わずもがな戦前から活躍していた元祖の直接的な後輩にあたる。なのに三科やMAVOを頭にかすめず世界にも歴史にも初めてであるように語るのは何故だろうか。その真意は知り得ないが、これを間に受けた赤瀬川は、「あとがき」にこう続ける。

「とにかく1950年代の読売アンデパンダンは、本文に引用した瀧口修造の言葉にもあるように、世界でも類例のない展覧会だった。この日本でどうしてそんなことが起こったのか」

その理由に、「前衛の遺伝子」があろう可能性を現在の僕からしてみたら即答したくなるが、赤瀬川の文章は曖昧である。

「日本というのは悲しくも滑稽である一方で、クソ真面目であるほどに自由で面白い場所だと思う。無償の神々の国である。いまはまた大地のでこぼこに紛れ込んだ神々に、幸せのあらんことを」

意味が全くわからない自問自答である。赤瀬川らしい「のらりくらり」であるが、読者もケムに巻かれて忘却するしかない。

大正アヴァンギャルドにはじまる

富井の論点を追うはずが、またまたここに舞い戻ってきてしまった。頭がすっかり黒耀色に染まってしまっているようで辟易とする。こうなれば少し脱線し、大事なポイントなので望月桂と岡本唐貴という二人の作家について説明しておきたい。

望月が牽いた「黒耀会」は、関係者を総覧するだけでも時代のエッジだと見てとれる。

社会派演歌師（演説に起源をもつ流行歌）の草分けとして大衆的な人気を博していた添田唖蝉坊、アナキストの巨人にして黒耀会の理論的支柱だった大杉栄、コミュニストの代表的な人物である堺利彦、のちに柳田國男の右腕として彼の民俗学を全国に展開し、戦後は「生協」の名付け親にして東都生協連合会の初代理事長となった橋浦泰雄、『大菩薩峠』で知られる小説家の中里介山、ダダイストのアイコン的存在であった辻潤の他、有名どころでは小説家の島崎藤村や詩人・彫刻家の高村光太郎などもいたという。

まさに時代のオールスターズといった顔ぶれだが、これは日本のアンデパンダンの出発点とも言える展覧会である。他にも今は知り得ない相当な人たちがかかわっていたことだろう。大正8年から始まり、2回とも4回とも言われているアンデパンダン展を開催した、政治とアートの本邦初ともいえよう境界線だ。が、そんな挑発が大手を振って許容されるわけもなく、なるべくして手入れが入る。第二回の黒耀会が政治色を強めたことから、警察から合計140点の出品作のうち、28点が撤回命令を喰らう。これをシカトした結果、6点が押収されてしまうが、望月はこれにユーモアで応えている。警察で押収された作品の盗難届を出すという機転を利かせた返答だった。

黒耀会は、完全にクロスジャンルな展覧会だった。今にしてみれば他ジャンルが混じるような構成は「コラボレーション」と言えば受け止められる。とはいえ別に今だってメインストリームではないわけで、それが100年前となれば、これは江戸時代と明治時代ほどのギャップを美術界に感じさせたのではないか。望月はこの落差を自身の作品でも武器にしている。望月が同期である藤田嗣治[*3]や岡本一平[*4]と過ごした、現在の東京藝術大学の前身である東京美術学校では絵画といったらキャンバスなどに描かれるタブローのことであり、油絵具で何を画面

＊2　1903〜1979。美術評論家、画家。日本へのシュルレアリスムの紹介、芸術グループ「実験工房」の発足、若手美術作家の発掘など、戦前から戦後にかけて日本の前衛美術シーンを牽引した。

＊3　1886〜1968。画家。1913年渡仏。乳白色の下地と繊細な線描の作風で「エコール・ド・パリ」の代表作家となる。第二次世界大戦中は日本陸軍の戦争記録画（戦争画）の制作に従事。戦後、その責任を問われフランスに帰化。レオナール・フジタとして晩年を送った。

＊4　1886〜1948。画家、漫画家。東京美術学校卒業後、1912年に朝日新聞社に入社。漫画担当として人気を博し、庶民の芸術としての現代漫画の礎を築く。妻は作家の岡本かの子、息子は岡本太郎。

に描くかというモチーフこそが重要だった。技術も会得していた望月だが、その風潮に背を向けるように、紙に淡彩で「俳画」（漫画のルーツと言われている）を制作したのである。「ドローイング」や「ポップアート」などの概念はもちろんまだ無い。これを額装もせずに画鋲で壁に直張りしていたというが、その展示方法も芸術の高級さを否定した、早すぎる「インスタレーション」と呼べるだろう。

それを裏付けるのは、第一回黒耀会の2年前に望月が結成した「平民美術協会」の設立である。美術の商業主義に反対し、「芸術は売り物ではない」と民衆美術運動を展開した。のちの民藝運動にも繋がる動きだが、何しろロシア革命とデュシャンの《泉》、ツァラによる「ダダ宣言」と同じ1917年の設立である。高級か低級かと方向性こそ違えど、その前衛性は完全に世界とシンクロしていたのである。

黒耀会第二回展の望月の作品が、大問題作の《遠眼鏡》である。当時、現人神（あらひとがみ）として絶対的なタブーだった大正天皇を描いたものだが、そのモチーフがヤバすぎる。脳病が進行していた天皇が、勅書を丸めて目に当てて遠眼鏡にした、という帝国議会のエピソードに基づいたものだった。その危険な題材にして、タッチはゆるふわな俳画である。さらにここに未来派が用いた機械の動きを絵画に落とし込む方法などが採用されていて、もはや今からしてみても、ハイアートなのかロウアートなのかの見分けがつかない。

日本の絵画史の最重要作と議論があって然るべきだし、黒耀会などはアジアの現代美術の最初期の動きとして、もっと広く歴史に刻印されるべき動向だ。が、美術館が望月の作品を収蔵・展示しているのも聞かないし、学芸員による研究も進んでいない。黒耀会の作品群は、今も望月家の蔵に眠り続けているという。

その評価の残念さを裏付けるように、風間サチコがヤフオクで彼の絵を落札したときの値段は、1000円だったという。『公の時代』で熱心にその意義を語り下ろしても知名度が上がる気配すらないのが悔しい。

その後の望月の態度もひねくれている。

昭和に入ると美術界と距離を取るようなスタンスを決めて、徹底するのだ。「ダークアンデパンダン」のインスピレーションとなった《あの世からの花》は、獄死した同志の遺灰を撒いた土で育てた植物の押し花であるが、これはかつての同志らに送りつけた完全にプライベートなメールアートだし、戦後はいち農民芸術家としての生き方を貫いた。自分と自然の中に身を置いて、発表などもしない。初個展の開催が逝去する8ヶ月前、88歳のときだったというから相当に天邪鬼な人物である。

岡本唐貴という前衛の遺伝子

戦前と戦後の遺伝子の継承を考える上で、岡本唐貴は重要な存在である。今も美術館で作品を鑑賞することができるプロレタリアアートの巨匠だが、大正期には気鋭のダダイストだった。「ルンペンプロレタリア」という作品の記録などをみてみると、縄ばしごにヨレヨレの着物、オナニーで汚れた猿股などで構成された、「神妙な不快さが陳列(自称)」極まりないインスタレーションである。「絵画という二次元が三次元になり……」とまたもや赤瀬川の『いまやアクションあるのみ!』によると、このような狂った空間芸術は「読売アンデパンダン」などで生まれてきた戦後前衛美術の特異点のように語られてきた。が、これも反復だったようである。神妙な不快さが忘却された、円環上の類似点だった。

昭和に入ってからは絵画を専門とした。小林多喜二の死顔のデッサンなども有名だが、彼の影響が戦後に作ったいくつかのエピソードとしては、例えば黒澤明の絵の先生をしていたことなどが知られている。『七人の侍』で醸し出されていたダイナミックな庶民たちのエネルギーからはプロレタリア美術的に群像を通した社会性を、ゴッホの絵画などをシーンに挟む『夢』などからは、岡本に師事した画家を志したときのその影響が見てとれる。

そして岡本の実子に白土三平がいる。90年代までのサブカルのプラットフォーム『ガロ』を用意したことは先述したが、幼い頃は、拷問で身体を不自由にされた岡本の代わりに家事に励んでいた。各地を転々とした赤貧生活の中で、部落や在日朝鮮人などの差別を間近にしたのだが、その経験や徹底した拷問の描写、そしてリアリズムを突き詰めるような左翼史観とタッチが総動員された『カムイ伝』に父の影響が濃いことは言うまでもない。

岡本の伝承は物質的なアクションとしても記録されている。81歳のときに、MAVO、三科、のちにプロレタリア美術同盟になる「造型」というグループなどに関する一切の資料を埼玉の近代美術資料館というカフェの知人に託したのだ。反芸術運動も終焉していた85年、戦前と戦後の断絶やネオダダブームという反復をいかに見ていたのかが気になるところだが、目の黒いうちに記録を繋いだ。逝去する前年の出来事であった。

見てきたように、この国において「前衛の遺伝子」は、通史ではなく「忘却と反復」のなかで再生産されてきた。『ガロ』というサブカルにはダイレクトなかたちで継承された一方で、美術史という文脈至上主義であるはずの歴史には、一直線ではなく円環状に何度も巡った。その都度リフレインされてきたキャッチフレーズこそが、「前衛」なのである。この問題意識にある側面から応えていたのが、富井の論考「日本のコレクティビズム再考――DIY精神のDNAを〈オペレーション〉に探る」（『美術手帖』2018年4・5月合併号）だった。

これは、アジアのどの国にも先駆けてアートを輸入してしまった日本……西洋化と近代化を同義にその制作の方法論を身につけてしまった日本のアーティストらが、いかにして業界を作り上げてきたかという模索の系譜である。これを「団体展」の活動などから振り返り、近代～現代の日本の通史を「運営」の観点から描く。一見「歴史がない」椹木と真逆の解釈のように聞こえるが、しかし同様に前衛を潜ませ「ラディカリズム」と呼ぶ点に共振がみられる。

不思議に思って聞いてみると、「歴史はある。1世紀にわたってアーティストたちはどの国にもない制度を草の根的に作り上げてきた」としながらも、「前衛」という言葉を日本の過激な作家たちに与えたがる西洋美術史観を知るにつれ、そう呼ばずにどうパッケージできるかを考えてきたと、その経緯を語る。

富井は、日本の戦後美術をアメリカに紹介してきた張本人である。その人による日米の屈折に対する言葉は重く響くが、ここではそれ以上は問わない。「前衛」については書いてきた通りである。むしろ、僕が彼女の研究に強く心が惹かれたのは、件の論考で語られていた「オペレーション」と「表現」の関係の方だった。

オペレーション

日本がアートという概念を輸入したのは文明開花の頃である。アートを近代化に、近代化を西洋化に言い換えても良い。アジアでは最速だった「近代化」であったが、アートの「本場」であり「西洋化」の手本であった欧州の国々からは「遅れていた」。熱心に、汽車や、洋服や、パンや、工場や、油絵や、石膏像や、ブロンズ像などを取り入れたが、それでも起きていた「モダニズムの遅延」において、西洋では自ずと社会化されていた「美術界」という環境を転送するまでには至らなかった。

油絵だけ描けるようになっても、それを展示する場や、観客、コレクションする人や、売る人、またはその作品について書く人など、作品にまつわる必要事項はたくさんある。これらが絡み合ってこそ、作品は社会性を持つ。それが「無い無い尽くし」だった日本のアーティストらは、表現だけでなく、発表にまつわるあれこれまでもを自分で作らなくてはいけなかったのだ。

現在、韓国や東南アジア、中国など、現代アートは北朝鮮など一部の国を除いたアジア全域の国に広がっている。今や当然の風景と言えるが、そうなったのは実は最近のことである。「東アジアの前衛」を総括した「釜山ビエンナーレ２０１６」に参加した際に、「昔はみんな『美術手帖』でアートを勉強していた」などと韓国や台湾のキュレーターや批評家が口を揃えていたことに驚いた。が、何のことはない。アートのグローバル化は結局どこでも「民主化」と経済のグローバル化に重なって引き起こされてきた。自然発生的なものではない。タイやインドネシアがアートの国際舞台に躍り出たのはこの10年くらいのことだし、韓国の民主化も１９８７年である。民主化せずとも巨大な市場となったアート大国・中国の台頭も、21世紀の出来事である。文化政策として戦略的にアートを輸入した各国は、表現のトレンドや方法だけでなく、グローバルスタンダードに基づいた、作品を社会化させる美術雑誌やアートフェア、オークション、ビエンナーレ、美術館、メガコレクターの育成や美術教育、批評など、業界自体もセットで輸入したのである。

一方、１００年以上前。「無い無い尽くし」の日本人作家たちの事情はまるで違った。業界は貧しく、事足りていないものを自ら何かでカバーしなければならなかった。

日本美術協会（１８７９）ができて以降、各美術流派ごとに展覧会を行っていた動きを国が文展にまとめたのは明治40（１９０７）年のことである。官主導という制度は力を発揮したが、それだけでは十分ではなかったところにアーティストの自主的な動きが現れる。いわく、「文展を考えても、何故に洋画部門に二科を設立しないのか（二科会の設立動機）、何故に西洋近代洋画を摂取した日本画が評価されないのか（国画創作協会の設立動機）、など不満や批判はいくらでも出てくる」。

「自由な結社」だった団体展

今や二科展と聞くと保守的な世界をイメージするが、大正３（１９２８）年の設立当初はカウンターとして登場した在野団体だったのだ。官主導の世界に物申そうという気概があった作家たちが仲間を募って立ち上げた「オルタナティブ」であり、多くの若者が集まったのは想像に容易い。「大正アバンギャルド」の動向も、この二科からの派生が目立っていた。

展覧会事業だけではない。作家たちは独自に研究会を立ち上げ機関紙を発行し、言説の場を作り出していった。富井の言葉を借りれば、既存制度に対して「発揮された集団活動のしたたかなＤＩＹ精神」である。

草の根的に立ち上がった数々の運営（オペレーション）……社会学的に言えば「自由な結社」である団体展は、その後の日本に特異な状況を作り出していくことになる（同様に各国にも特異な状況があるだろうことは今後明らかになるのではないか）。例えば、現在世界的な脚光を浴びている「具体美術協会」は、その創始者である吉原治良[*5]の二科での経験に基づき運営された「団体展の亜種だったと言える」。「世界美術史の先端を行く表現を支えたのが団体展のオペレーションをお手本にした戦略」だったとは何とも皮肉な話だが、これに違和感を感じてしまうのは、やはり現在の団体展にもつ旧態依然としたイメージに、第3章で触れた「アクション　行為がアートになるとき」でラディカルに語られていた具体の現代アート観が結びつきにくいからであろう。

具体の活動は、１９５４年の結成から吉原が逝去する72年まで続く。18年間、吉原が生きていたらどこまで続いたかという安定と継続性を持つが、そもそも日本の団体展は総じてどれも活動が長い。保守的に映るのは当然で、それは「画壇」というヒエラルキーが団体展の「事業」として維持されてきたその戦略に由来しているのだ。

事業とは、いかに尖って始まろうが、組織としての安定を目指すことが避けられない運動である。特に会員制とした師弟関係に基づく団体展にはそれが顕著だった。順調な組織ほど、「やめられなくなる」。

とはいえ、この継続性と定着を巡る歴史は、見方を変えれば日本人アーティストのどうすれば「業界たりうるか」という学びの歩みでもある。道なき道を作ったそのしんどい努力と制度設計は、その苦労を代弁するように表現自体にも影響を及ぼすようになる。

富井によれば、これを反映した作品性こそが、「日本のアート」に広く見受けられる「大衆性」である。西洋では高尚な芸術をハイブロウと言い、ストリートアートなど教養なきアートをロウブロウと呼ぶ風習がある。それぞれに観客層が異なり、重なるところは重なるけど、偏った二極の価値観がそれぞれにシーンを持っている。では日本のアートの大衆性は何かと言えば、それはミドルブロウなのではないか。なにせ画壇の当事者たちには教養もある。権威的なムードはハイブロウ以上に持ちながらも、しかし実際は大衆受けが良い。尖れば尖るほど、観客というものが置いていかれるアートシーンにおいて、「遅延したモダニズム」を形成する過程で画壇は前衛アートのように社会のエッジにまでは行きえなかった。彼らにしてみれば、社会にモダニズムが根づくことこそが、彼らへの支援を増やすことに繋がり、ミドルブロウを推し進めることが、観客数の上昇や、社会でのポジションを形成することにリンクしていたのである。近代の日本において、その必要性からアートは一般化されるように作家に「オペレーション」されてきた。

考えてみると、これはミドルブロウなオペレーションを心得るChim↑PomのD.I.Y.な展示にも心当たりがあるし、コミケを参考にしたアートフェア「GEISAI」を運営した村上隆の問題意識にも通じている。今ならばやはり自前で展覧会を作り、テーマパークばりの動員数を叩き出すチームラボのオペレーションにも連なっていよう。

＊5　1905～1972。画家。54年、阪神の若手作家らと「具体美術協会」結成、リーダーとして活動。フランスの抽象画運動「アンフォルメル」の提唱者ミシェル・タピエとも交流。「具体」は近年、海外美術館での展示などで国際的に再評価が進んでいる。

こうしたミドルブロウの価値観は、戦後、団体展のモデルを全国各地に派生させるという普及力を持った。市展やミニ・サロンが各地に一気に増えることで、大衆化はいっそう進む。そしてこの流れは、その先にもう一つの日本の特徴とも言えよう、「地方」のシーンを準備することになる。80年代以降、トップダウンになったことで各県に設置されたハコモノ、公立美術館は、必ず市民ギャラリーを併設するという世界に類を見ないスタイルを作り、「地域アート」と呼ばれた芸術祭は、2010年代に津々浦々にまで広がっていく。これを富井の射程のど真ん中にあたる60～70年代にまで掘り下げてみると、そこには別の風景がパラレルのように立ち上がってくる。

全国に増殖した前衛アートグループ

ウイルスのごとく全国に増殖した、ご当地の前衛アートグループの乱立と、それらが開催した地元色を活かしたアンデパンダン展である。

その広がりを確かめられる資料がある。

磯崎新監修による大分市のアートプラザでの展覧会「ネオ・ダダJAPAN 1958-1998――磯崎新とホワイトハウスの面々」のカタログ（大分市教育委員会、1998）である。新宿ホワイトハウスに集っていた関係者一人一人にスポットを当てたその巻末には、メンバーの出身県に個人名が吹き出しとなった日本地図の見開きページがある。これに続き、次の見開きでは同じサイズとデザインの日本地図がコピペされ、「1947年～1967年版　日本列島前衛グループ一覧表」（図13-1）と題がつく。当時の各地のグループの名前がやはり各県からの吹き出しで記述されていて、総数44集団。よく調べたなあと感心するが、それほどに全く聞き覚えのないグループの名前が羅列されている。藤沢にはニュー・ジェオメトリック・アート、大宮にはガガ、福島には集団ZZE……と、北は旭川から南は熊本までと万遍ない。東京は謙虚に時間派ひとつに端折られているが、その不在がむしろ全国への広がりを強調しているようである。富井も、「東京だけ見ていてもわからないのよね」と僕に念を押していた。

富井はこの自主アンデパンダン運動こそが、現代アーティストにD.I.Y.なオペレーションを担わせて、社会への意識を高めた萌芽であったと分析する。言うなれば、「それが新しいコレクティヴィズムに繋がっていく」。

ここで例として引かれているのは、大阪のPLAY[*6]である。長良川アンデパンダン展を機に活動を始め、その後、海上に樹脂製の卵型のオブジェを投げ込み黒潮に乗せる《VOYAGE》や、77年からの9年間、毎年京都の山の山頂に丸太材で一片20メートルの三角塔を組み、その先端に避雷針をつけて落雷を待ち続けた《雷》など、自前のオペレーションによる代表的なプロジェクトに至る経緯が年表化されている。たしかに、もはやここまで来るとChim↑Pomのプロジェクトに急接近しているようである。そういえば「ピカッ」のときに初めてお会いした針生一郎が、まだ全国的に知られてはいなかったPLAYの写真を僕にみせてきて、「君たちはこっちに似ているよ」と独り言のように納得していたのを思い出す。

PLAYも、Chim↑Pomも、プロジェクトが突き進んだ先は草の根とD.I.Y.によるフィールドだった。芸術祭や支援やもとより豊富な欧米のように、美術機関と美術市場のパトロネーゼなどの制度の内側にあったものではない。その外側が当時は何だったのかと言ったときに、富井はそれを『荒野』だと言うしかない」と、定義した。

「荒野のラディカリズム」とは、まさに日本の美術史を貫くアーティストによる「表現（制作）とオペレーション（運営）」の果てであり、「前衛」を貫く主戦場のことを指していたのである。

これは奇妙な逆転現象だ。〈周縁〉で〈遅延〉の宿命を背負った日本がコレクティビズムのDIY精神で自前のモダニズムを形成しようと試行錯誤するうちに、コレクティビズム先進国となり、現在の〈コンテンポラ

＊6　関西を拠点に1967年から活動する美術家集団。メンバーは流動的で、参加人数は100名を超える。発泡スチロール製のいかだで川を下る《現代美術の流れ》などの行為を計画・実行し、記録に残した。告知印刷物や新聞記事などを網羅的に掲載した記録誌『PLAY』も発行した。

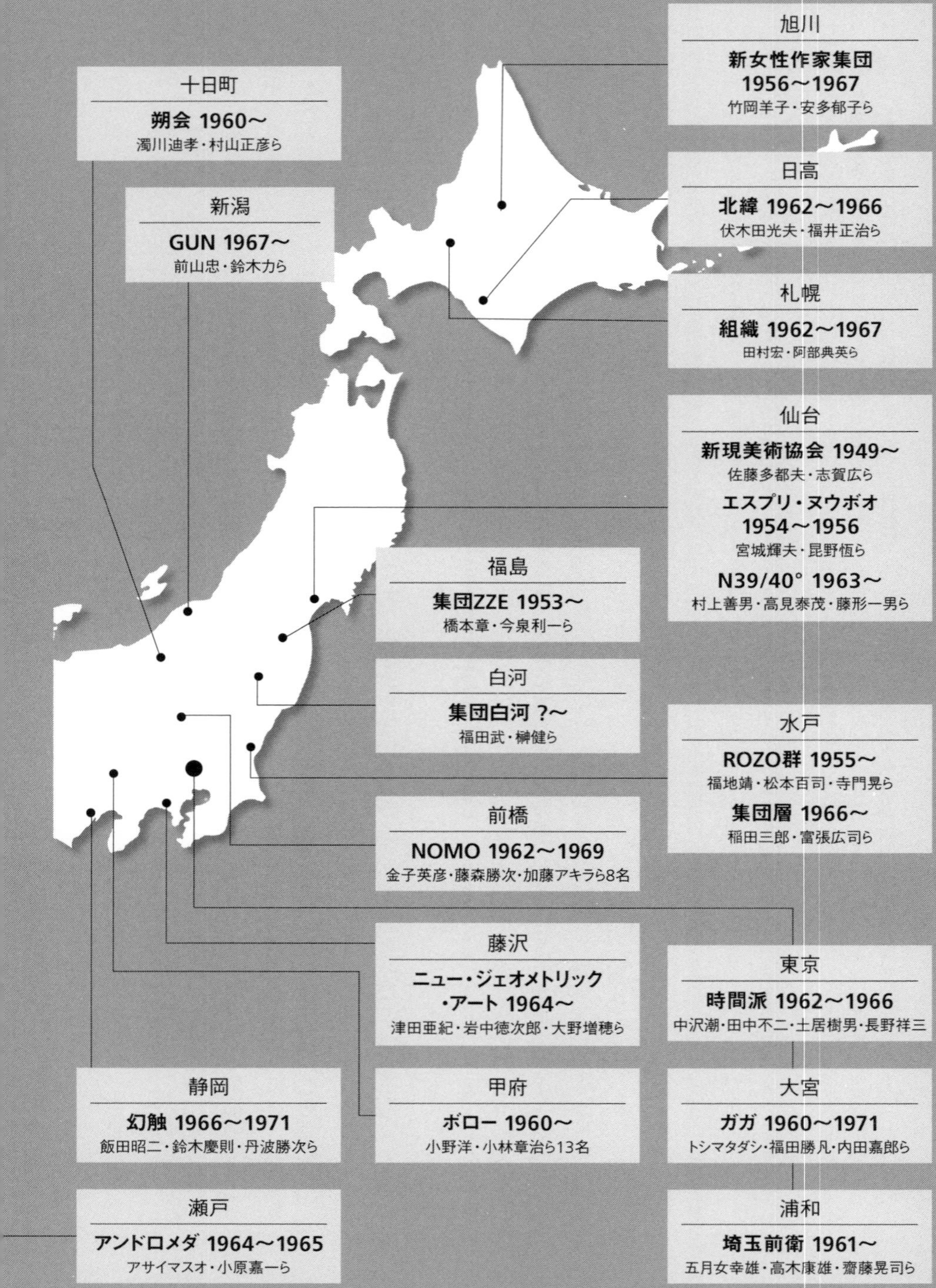

旭川

新女性作家集団 1956〜1967

竹岡羊子・安多郁子ら

十日町

朔会 1960〜

濁川迪孝・村山正彦ら

新潟

GUN 1967〜

前山忠・鈴木力ら

日高

北緯 1962〜1966

伏木田光夫・福井正治ら

札幌

組織 1962〜1967

田村宏・阿部典英ら

仙台

新現美術協会 1949〜

佐藤多都夫・志賀広ら

エスプリ・ヌウボオ 1954〜1956

宮城輝夫・昆野恒ら

N39/40° 1963〜

村上善男・高見泰茂・藤形一男ら

福島

集団ZZE 1953〜

橋本章・今泉利一ら

白河

集団白河 ?〜

福田武・榊健ら

水戸

ROZO群 1955〜

福地靖・松本百司・寺門晃ら

集団層 1966〜

稲田三郎・富張広司ら

前橋

NOMO 1962〜1969

金子英彦・藤森勝次・加藤アキラら8名

藤沢

ニュー・ジェオメトリック・アート 1964〜

津田亜紀・岩中徳次郎・大野増穂ら

東京

時間派 1962〜1966

中沢潮・田中不二・土居樹男・長野祥三

静岡

幻触 1966〜1971

飯田昭二・鈴木慶則・丹波勝次ら

甲府

ボロー 1960〜

小野洋・小林章治ら13名

大宮

ガガ 1960〜1971

トシマタダシ・福田勝凡・内田嘉郎ら

瀬戸

アンドロメダ 1964〜1965

アサイマスオ・小原嘉一ら

浦和

埼玉前衛 1961〜

五月女幸雄・高木康雄・齋藤晃司ら

1947年〜1967年版
日本列島前衛グループ一覧表

大阪

具体 1954〜1972
吉原治良・白髪一雄・向井修二・元永定正ら

TAM・TAM 1955〜
北田玲一郎・篠原央憲・東山カジ・織田繁ら

壁画集団 1961〜
藤波ちげん・浜田弘康ら

テンポ 1962〜1966
森口宏一・井原康雄・神吉定ら

国際造形芸術家集団 1963〜
難波田龍起・田中健三・西田信一ら

ニュー・ジェオメトリック・アート 1964〜
須賀卯夫・萩駿・鈴木正教ら

位 1965〜
河口龍夫・奥田善巳ら

PLAY 1967〜
池永慶一・岩倉正仁ら

岐阜

VAVA 1959〜
西尾一三・小本章・後藤昭夫ら

姫路

アート・セブン 1966〜
久森俊・福森金一ら

武生

北美 1948〜
櫁尾正次・八田豊・森本紀久子ら

岡山

岡山青年美術家集団 1963〜
横田建三・寺田武弘ら

金沢

青 1960〜
中村秀雄ら

福岡

九州派 1955〜
桜井孝身・菊畑茂久馬・石橋泰幸ら

洞窟派 1959〜
菊畑茂久馬・オチオサムら

核 1964〜
北山悌二郎・下川研ら

熊本

世代会 1955〜
宮崎静夫・芹川光行ら

堺

アロー・ライン ?〜
福岡道雄・村松達也・平田洋一ら

大分

新世紀群 1951〜
吉村益信・磯崎新・木村成敏

京都

パンリアル 1949〜
下村良之介・不動茂弥ら

高知

前衛土佐派 1962〜1967
浜田富治・寺尾孝ら

名古屋

朱泉会 1950〜
真島健三・石黒二郎・野村博ら

ゼロ次元 1960〜
加藤好弘・岩田信市ら

次元 1965〜
寺尾悦示・榊健・松本正司ら

13-1 『ネオ・ダダ JAPAN 1958-1998 ―磯崎新とホワイトハウスの面々』(大分市教育委員会、1998)を元に作成。

リー〉の一側面を先取りしてしまった。

――冨井玲子「日本のコレクティビズム再考――DIY精神のDNAを〈オペレーション〉に探る」『美術手帖』2018年4月・5月合併号

コレクティブ

森美術館での展示のプレスリリースのために、PRから肩書きを「アート集団」に出来ないか?と打診されたことがある。「コレクティブ」はまだ一般的ではなく、同じ意味だろうし、わかりやすい、とのことだったが、何か戸惑った。結果的には注釈ありきの「コレクティブ」になったが、では意味は何なのか、と言われたときに、「協働」という訳を初めて口にした。それまでは特に細かく考えたことはなかったのだ。が、この基本的なやりとりから何か根本的なことを気付かされた。

「コレクティヴィズム」には、「集団」という漠然とした個人の集まりに対して、あくまで自律した個と個の「協働」という前提が織り込まれている。しかし「協力して働く」と言っても、それは被災地の泥かきからヒトラー・ユーゲントにまで重宝される美徳である。「協業」も、会社や工場では自然発生的に生まれている。「協力したい」という自然な欲求は、いつでも「やりがい搾取」に転嫁できるし、それが労働者による意欲ならば、マルクスが言うように資本家にとっての「無料の儲け」にもなる。が、時代的には、もはや、僻地でも、引きこもりでも、仕事はできるようになっている。親指一本でコミュニケーションも出来るのに、なぜに個がわざわざ集まるのか。言葉の意味合いからしてこのことが尊重されていなければ、集団に属す価値などは1ミリもない。集団=グループに対して協働=コレクティブという図式が出てきた背景には、そんな「コレクティヴィズム」による既存の組織の論理への抵抗があった。

そのはずだった。

ハラスメント

富井による「1世紀にわたる」「オペレーション」の物語が掲載された2018年の『美術手帖』「ART COLLECTIVE」特集から、「コレクティヴィズム」と「集団性」のかけ違いについて少し考えてみたい。

そもそも特集の背景には「コレクティブ」という作家の形態が主題のひとつとなった時代の変化があった。とはいえ、富井の論考はすでに5年前に発表されたものである。Chim↑Pomが歌舞伎町振興組合ビルをD.I.Y.プロジェクトの場にしてから2年後、メキシコに「自前の」ツリーハウスを建設した1年後、台中の美術館で200メートルの道を育てた当年であり、「にんげんレストラン」開催と解散の危機、そして僕がリーダーを辞めた1年前である。論考の内容には完全に頷きながらも、しかし日一日と変化を体感してきた怒涛の日々は、僕にとってはそのまま「コレクティヴィズム」について思慮せざるを得なかった毎日でもあった。

コレクティブ特集から大きく変わったことがある。シーンで重要な役割を担っていた「カオス*ラウンジ」（カオスラ）が、現在は休止状態になっているのだ。ことの経緯は現在係争中で、集団的にスタッフに退社を迫ったハラスメントをはじめとした、いくつかの問題が重なっている。当事者ではないが、しかし僕にとっては他人事にはなり得ない出来事だった。

一つには、カオスラがChim↑Pomと若いアートシーンの両翼を担った対極として論じられていたコレクティブだったこと。それぞれ、会田誠周辺のリア充と、村上隆フックアップのオタク集団、と彼らの登場時には業界話が騒がれた。村上と袂を分かったその後には、東浩紀とゲンロンのもとで再ブレイク。教育と言説のプラットフォームとしても存在感を示すまでに成長した。が、ハラスメントはそこで起きた。告発の主たる対象であった批評家の黒瀬陽平がグループを率いていたこともあり、これは僕にリーダーを辞してもなお自分の立場などを振り返らせた。

二つには黒瀬が、稀代の論者として日本のアート批評界に欠かせない存在になっていたこと。今後為そうとした仕事が何だったのかは知る由もないが、彼によって美術界が刺激されていたことは明らかだった。

そして三つ目には、声を上げた作家、安西彩乃には、以前からChim↑Pomがとてもお世話になっていたということ。「また明日も観てくれるかな?」に応募してくれたインターンとして知り合ったが、その頃からアートの現場に夢中だった。快活で、心底アートが好きそうで、それを必要としていることが滲み出ていた。美大を落第していたが、現場主義の才覚があった。さまざまなアーティストのトークを廻って学びながら、プレイヤーとして生きる野良の覚悟を輝かせていた。

この現状と未来が、大きく変わってしまったのである。

業界も、評価基準も、そして人生さえも。その破綻は特に安西のメンタルを蝕み、裁判を戦うにも日常を過ごすにもケアを必要とした。が、彼女が社会に提起した変化は決してネガティブなものではない。それは既存の価値観をすっかりと疑わせ、人が生きる道がアート界にあるのかを問うた。その影響は大きく、僕も影響を受けた一人である。いまだに男性社会の染みが取れず、ことあるごとに己に加害者性があることを気づいて慄(おのの)くが、それでも変化を望んでいる。

2018年の「コレクティブ」特集は、芸術がひとりによってではなく協働において制作・発表される変化を告げた。そしてそれからの4年間は、その集団の論理のなかで個人が、特に弱い立場の個人がないがしろにされることなどの自問自答をアート界に促す期間となったのだ。それはまだまだ続くだろうが、この間、それでも協働体自体は増加し、コレクティブの問題は他にも発生するようになる。その都度囁かれるアーティストたちの「やっぱりソロでいいや」という声を聞くたびに、僕は耳の痛みを確かめてきた。

人とかかわるということは、期せずして加害者になり、被害者にもなり得るということである。そうやって歩んできた身としては、そのどちらをも経験してきたつもりだった。だから言葉としては理解していると考えていたが、それでもやっぱり「わかっていないこと」を痛感し、自分に戦慄した出来事があった。2020年に出した僕の論考「ポスト資本主義は『新しい』ということを特権としない」に、その時のことが記されている。安西の告発文がネット上にアップされた夜、そのことをアーティストやセイちゃんと話しあっていた僕に、当時同居していた人が苦言を呈したのだ。

この話題を、僕がアーティストや経営者のみと交わしていることを横目にして、彼女が泣いたことがあった。話の内容にではなく相手についてである。結局、どんなに頭で理解している人たちでも、個を立てて生きられている人間には、会社のなかで弱い身に起きていることを肌では理解できないでしょ、という僕への悟しである。

彼女自身は告発文を読んで、「なぜあのとき嫌だったことを嫌だと言わずに、笑ってやり過ごしたのか」と、自分が経験した職場でのいろいろを思い出して、言葉にならない感情が呼び起こされたという。被害と加害が入り組んでいるこの問題に、具体的に何かを言うつもりはない。だけど、彼女の言葉は胸に刺さって耳が痛かった。

——卯城竜太「ポスト資本主義は『新しい』ということを特権としないVol.3」ウェブ版『美術手帖』2020年11月1日

権威化

富井からコレクティブの話を聞いた際に、真っ先に思い出したのが「カオス*ラウンジ」だった。ニューヨークの喫茶店で富井を前にしながら、「団体展」という存在に何かシンクロするものを感じ、ふとその近代の活動形態が現在に転送されているような気がしたのだ。言い換えてみると、しかしそれは「自分たちは前衛だ」と繰り返していた黒瀬自身の意図というか、自覚的に新たな「団体展の亜種」を作ることを、オタクというドメスティックなアイデンティティを持つ身として背負っているようにも深読みできた。

その仮説に基づくならば、これはインターナショナルなアート界に背を向けるような捻くれた芸術の純粋性と、それはあえて「近代」を呼び込むアイロニーにも転換できる。そこに批評性が成り立つ現在性は何かと考えると、それは団体展や自主アンデパンダンでなんとか活動を持続する必要があったような時代ではもう無い、という意味において、いまがもはや「荒野」ではないという事実にあるのではないか。言うなれば、「モダニズムの遅延」によって現れた「団体展」、その「オペレーション」を西洋化どころかグローバル化した「現代」に持ち込むことで、「現代を近代化させる」。そこでメインとなっていたメディアが絵画であり、カリスマ的な作家を擁し、教育と審査制度によってカリスマ論者に中心性ができる……。この図式はそのまま団体展の構造としてトレースできないか。

富井の言葉を引用してより鋭利に言えばこうなる。

「これは奇妙な逆転現象だ。コレクティヴィズム先進国となった日本で、『モダニズム』が現在の〈コンテンポラリー〉の一側面を担うようになった」

カオスラの「前衛」的芸術実践において、その近代と現代のかけ違いには、何か「日本」という「遅れ」に正面から取り組むような批評性があった。それでも、近代的な制度というものはやっぱりカリスマティックな中心性を必要とし、そこにこそ集権的な組織論は準備されるのだ。オンラインサロンでのハラスメントなどにも類似性がありそうだが、つまりは「私的な城」のなかでは資本主義どころか封建制的な色が現れて、誰も望まなくても権威化が進む。個人の声は小さくなり、それを聴くはずのトップの耳は遠くなる。

現在、閉じた集団論理を打ち破っているのが、そこに「包摂」されなかったフェミニズムの潮流であるというのは、必然の成り行きだろう。

思えば彼らのはじまりは些細なものだった。オフ会のように発生し、絵が好きな人たちの同人サークルとなった。友だち同士だったのである。それから「カオス*ラウンジ」はメンバーが入れ替わるグループ展になり、キュレーターは教師になった。参加作家を輩出する教育の現場はいつしか課金制の番組になり、安定と継続が望まれる中で会社になった。彼らの夢は大きく膨らみ、そのことを業界も期待した。内からも、外からも、その成長が広く信じられた中で、「ひとり」の声が押しつぶされていたのである。

地方はどうなっているか

母さん、今日も雲がきれいです。母さんが見たっていう雲はどれだか分かりません……

——テレビドラマ『北の国から』第24話(フジテレビ)

「運送屋を継ぐ！」と東京を飛び出したみずのりは、現在、仕事と育児の合間を縫って、アーティストであるパートナーの久保寛子、浅田良幸（カルロス）と広島でAlternative Space CORE（図13-2）というスペースを運営している。そのモチベーションを聞くと、「朝から晩まで働いて、会社で話す同僚はパチンコや風俗とか俺の興味ない話しかしないから、文化的なものを渇望したんですよ。そう遠くない広島の中心地には文化的なものがあるんだけど、仕事で疲れてそこにすらいけなくなる。だから、近くにあればいいんじゃないかと思って」（『美術手帖』２０２２年４月号）と、相変わらず発言の志が低い。

COREは基町アパートという、みずのり家族も居住するメタボリズム建築のマンモス団地の一角にある。が、ここがまたややこしい。もともと原爆スラムと呼ばれる被爆者たちが作ったバラック集落だったが、火事などの頻発によって行政が再開発を決行。新設された巨大アパートには、その場にいた被爆者や、中国残留孤児、母子家庭など、経済的弱者が迎え入れられた。このことによって、外からは何かアンタッチャブルな場所だと囁かれるようになる。

気になってYahoo!で調べてみると、案の定、知恵袋の一つ目に質問がある。いわく、

「広島市基町アパートは、治安が悪いのですか？　知恵袋や他のサイトで治安が悪いと書いてあったのですが、昔住んでいた私の友人からはそんな話を聞いた事がなかったので。――補足――やはりそうなのですね…。例えばどう悪いのでしょうか。私の母子家庭の友人が引っ越そうか悩んでいるのですが、やめた方が良いでしょうか」と、失礼極まりない。

建築自体は教科書に載るくらいの重要さがあるが、奥行きが測りきれない迷路のような構造からして、何やら不審なスラムとして再認識されてしまう。現在は中国だけでなく、ネパールや在日コリアンの人も多く住み、COREが位置するシャッター商店街には、本格中華が軒を並べ、魚やホルモンの名店が路地裏に入り組むように点在する。とはいえ、立地は広島市街の中心部である。繁華街も近く、中央公園（現在はサッカー場を建設中）の真横という最高のロケーションである。東京では郊外で貧乏生活をしていたみずのりにしてみたら、これは天国の

13-2　Alternative Space CORE
撮影＝久保寛子

ように思えたのではないか。COREと自宅の家賃は合わせて8万円ほどというから、自分の財布でもやりくりできる。大黒柱というやつだろう。激安生活に変わりはないのだが、4・5階という謎の階層の自宅のベランダで、夜にビールを片手に中央公園を見下ろせば、そこは眼下にセントラルパークを望むダコタハウスやトランプタワーさながらマンハッタンのようである。「覇者だな、と思った」と、聞いてもいないのに新生活の感想を報告されたことがある。

それらみずのりの呑気な発言からは、まるで「荒野」感というものが感じられない。実際、広島には現代美術館も美大もあるし、ギャラリーやコレクターもいる。アート好きのパイこそ少ないと言うが、「荒野」と呼ぶには何と言うか、乾いた大地を独り往くカウボーイのようなイメージに失礼なくらいには潤っている。そのことからも「広島のアート界」の中でのCOREのポジションは、多分その名の通りに「オルタナティブ」なのだろう。企画もワイワイと楽しそうで、展覧会だけにはこだわっていない。2020年の年末には、カルロスという広島のカルチャー・モンスターがキュレーターとなって、古着やコーヒー、アルコール、アクセサリーなどが日替わりで出店されるイヴェントを開催。マイクロエコノミーが出来ていたような1ヶ月間だったというが、コロナ禍である。イヴェントなど出来ないでいた市内外の人たちも集い、コミュニティが育った。これは、当の古着屋がその後商店街に実店舗を出したことから地元にフィジカルに実装された。

定期的に行われているイヴェントにブロックパーティーがある。みずのりとDJのコン・ヒョンギ（権鉉基）とともに団地の住人によって主催されているが、これが高齢化・過疎化した団地に不思議な混じり合いとムードを作り上げている。ヒョンギのキャリアも在日2世の元朝鮮総連という変わり種である。《原爆の図》の研究者である日本人と恋に落ちたことから職を辞したというから、『パッチギ！』を地で行くようなハードコアである。

脈々と続いてきたD.I.Y.の流れ

「荒野のラディカリズム」は、日本の戦後前衛美術を地方の観点から再考した展覧会である。「協働」や「オペレーション」を背景にしていたが、それは県立美術館や芸術祭が普及した今も変わらない。

脈々と続いてきたこのD.I.Y.の流れの中で、現在浮上しているいくつかの事例をここに紹介しようと思うが、しかしこれはあくまでも僕の知る限り、しかも知り得た運営に限ったケースである。これまでにも数えきれないほどのスペースやコレクティブが運営されてきたのは想像に難くない。思えばこれは、画一化した社会やトップダウンな管理の中で、メインストリームを競う下剋上のようなものとは全く違う、独自の運営の試みを無数に作り出していた、ストリームで言えばフリンジ（周辺）とコモンズの実践の歩みである。ひとつの例を取ってみても、きっとそこには他に例を見ない独自性が必ずある。それらを掬い取れれば世界の多様な運営の形は自ずと導かれるように考えられるし、社会に全く違う存在の仕方があるのだという実例にもなる。ツルリとした大きく絶対的な陶器の上に、無数の運営形態が小さなヒビを入れる。その貫入の音の協奏にこそ、世界の美しさはある。

福島の「MOCAF」（図13−3、13−4）は、アート・ディレクターの緑川雄太郎らによる「美術館」である。「ミュージアム・オブ・コンテンポラリー・アート・フクシマ」の略であり、元避難区域である富岡町の、除染で建物が建て壊された空き地がその現場になっている。「もしもこの地に現代美術館があったら？」という問いがアートの意味を模索するが、だから美術館といっても建造物はない。看板はあるが、基本的には年に1日だけ開催される「無形のモニュメント」である。その日は3月11日と決められていて、近くなると緑川からメッセージがくる。それで方々から人が集まってきて、地震発生の14時46分に、町内放送で流れる黙祷のサイレンをともにする。

初年には回転ドアが登場した。参加者はその中をぐるぐると無限に回り続けたが、夕方近くには解体されて、焚き火の材料となって人々を温めた。2回目である今年はミュージアムショップだった。これもテンポラリーである。毎年何かひとつずつ、設備やコンテンツが現れて、更地に消滅を続けていくことが予想される。

正真正銘の「荒野」で「オペレーション」を独自に続けているのは、札幌とその周辺のアーティストたちである。講座を受け持っていることから、僕が毎年通っている「Think School」（図13−5）という私塾から派生した動きを追いかけている。この私塾はアーティストの高橋喜代史[7]と今村育子[8]によって運営されていて、「制作コース」と「企画コース」の両輪を特徴とする。運営に特化した「企画コース」の存在が、そこが「荒野」であることを

上・13-3　MOCAF, 2021
下・13-4　MOCAF, 2022

物語っている。札幌には、現代美術館も美大もない。札幌国際芸術祭があるが、これはキュレーターもディレクターも参加アーティストも、道外からの参加が目立っているし、それを観る機会も3年に1回と限られている。それでも、高橋によれば、札幌には「Think School」に繋がる私塾の歴史があり、それが独自の生態系を作り上げてきた。二人もCAIというギャラリーが運営していたアートスクール「CAI現代芸術研究所」の出で、在籍当時は古着屋のひとやクラバーなど、カルチャーっ子20人くらいで賑わっていたという。

高橋と今村の読みが当たっているのだろう。「企画コース」からは興味深い動きが発生している。まずは一期生だった不動産屋が巨大な元缶詰工場を物件として用意した。今や札幌のアートの拠点のひとつとなっていることの「naebono art studio」（図13-6）は、10人程のアーティストらによって運営される、シェアアトリエでありプラットフォームである。

ギャラリースペースを兼ねているほか、コマーシャルギャラリーのヴューイングルームや老舗のアーティスト・イン・レジデンスのオフィスなどもここに入る。

企画コース出身のまた別の若者は、なんと室蘭の歴史的建造物を買い取ったという。廃校となった円形校舎の小学校であるが、耐震工事費をクラファンで集めたことで、市から譲渡されたのだ。去年は実験的に小規模な芸術祭が行われたが、今年からはいよいよプロジェクトが立ち上がるという。

高橋はまた、行政とも独自のコネクションを持っている。地下通路の広場を管理し、展示やイヴェントの場にするだけでなく、地下のコンコースに延々と続くショーウィンドウ「500メートル美術館」で、キュレーションを担当している。ともに、雪が多く地下空間が発展した札幌の地の利を活かした見事な「オペレーション」である。

＊7　1974〜。美術家。一般社団法人PROJECTAディレクター。多様な言語や文化を用い、境界や領域を考察する作品を制作。札幌を拠点に「札幌大通地下ギャラリー500m美術館」などにも携わる。

＊8　1978〜。美術家。2006年より日常の微細な要素をモチーフに作品を制作。2011年に札幌駅前通まちづくり株式会社に入社し、「Think School」「PARC」などの企画や関連事業のデザインを担当。

上・13-5　Think School
2020年9月26日に行われた「制作コース」の授業風景。
下・13-6　naebono art studio
撮影＝武田浩志

naebono art studio で存在を知って、実際に訪れてみて驚いたのは、札幌から車で1時間ほどのところにある限界集落、美流渡である。雪深く、とにかく北海道らしいだだっ広い風景を左右に眺めながら車で走ると、小さな集落にたどり着く。廃校の外壁に壁画が現れ、元教職員官舎だった長屋に数人のクリエイターが活動している。『美術手帖』の副編集長だった來嶋路子[*9]が移住したのは、東日本大震災をキッカケにしたアクションだった。大胆にも山を買うなどして、美流渡にエコヴィレッジを作る構想である。山の値段は中古車1台分、固定資産税は5000円だという。彼女によると、フランス人作家のニコラン・ブラーがプロジェクトのためにこの地に500坪の土地を13万円という破格の値段で購入したり、札幌近郊にはシュタイナー哲学を全日制で学べる日本で唯一のコミュニティなどもあるという。思わず二度聞きしてしまいたくなるようなダイナミックな話だが、スケールで言えば何かランドアートや社会彫刻、宮沢賢治の『農民芸術概論綱要』に匹敵するような可能性を感じさせる。2019年に閉校した旧美流渡中学校では、2021年より地域PR団体「みる・とーぶ」が活用の窓口となって、さまざまな企画を展開。画家のMAYA MAXXはコロナ禍を機に美流渡に移り住み、膨大な量の作品を制作しながら、地元の工場や学校、バスなどに大きな壁画を残している（図13-7、13-8）。

この近隣の廃炭鉱でアートプロジェクトを展開してきたのは、地元で重要視されるアーティスト上遠野聡だ。まだお会いしたことはないが、炭鉱跡地の産業遺跡を転々としながら、10年間に及んで展覧会を企画してきたという。現在も炭鉱のそばにアトリエを構え、札幌や美流渡などを往復している。

他にも、京都と滋賀の山間に巨大シェアアトリエを構える「山中Suplex」や、地方でのマイクロスペース運動のパイオニアでもある有馬かおる[*10]の活動、「山形藝術界隈」と呼ばれる芸術運動体など、特筆すべき動向が中央集権というブラックホールから逃れて分散している。

＊9　編集者。1994年より美術出版社に勤務。『みづゑ』編集長や『美術手帖』副編集長を務める。2011年に北海道へ移住。15年にアートやデザインの書籍制作を行う「ミチクル編集工房」を設立。

＊10　1969〜。アーティスト。ドローイングを中心に制作。1996年に愛知県犬山市のアパートに「キワマリ荘」をオープン、のちに各地でも展開。参加展示に「夏への扉　マイクロポップの時代」（水戸芸術館現代美術ギャラリー、2007）など。

上・13-7　旧美流渡中学校。
1階の窓に打ちつけられていた雪除けの板に画家MAYA MAXXが地域の人々と一緒に絵を描いた。

下・13-8　校舎の除雪や草刈り、清掃はすべて地域のボランティアで行っている。
この日はグラウンドに「MIRUTO」の文字をMAYA MAXXが白線で描いてみた。

もちろん、同世代では、大阪で大きな影響力を持つに至ったコレクティブ「コンタクト・ゴンゾ」[*11]の活躍や、京都の名和晃平による「SANDWICH」[*12]など、これまでの成功例を挙げればキリがない。が、それらがグローバルスタンダードに地方のシーンの形成を手がけ、海外などとも交流する動きを見せていたのに対し、ここで挙げられた例にはそのような広がりは見受けられない。むしろ、その地そのものへのアクションであり、これから始まるネットワークの世界のアクターのように、集権の論理からも他のコミュニティとも、外れたり、繋がったりと、「リゾーム」のように独自の解釈で接している。それらとの繋がりを個と公の関係から考えると、その公はもはや、「業界」というよりも「生態系」に近い。

「山中Suplex」が手がけた「類比の鏡／The Analogically Mirrors」展は、夜の山中を車という隔離空間で回りながら展示を鑑賞する「ドライブイン」形式で、ソーシャルディスタンスが叫ばれたコロナ禍にあって話題を呼んだ。トランスミッターで解説の音声を車のラジオに飛ばすなど、ディテールの工夫にも面白みがある。

愛知県犬山をはじめとして、「キワマリ荘」というアーティスト・ラン・スペースを水戸や石巻にも開設してきた有馬かおるは、それらの運営を地元に引き継がせることで定着を図る。石巻の「キワマリ荘」も現地の若者らによって運営されて、自身はその近くに「ART DRUG CENTER」というスペースを新たに作っている。僕が訪れたときには、「山形藝術界隈」のあらましを教えてくれた。個別の作家性と作品のクオリティが非常に高い「山形藝術界隈」は、それらの作家が連なるコレクティブのような運動体である。各作家を紹介するZINEのデザインも格好良く、そのマネタイズを、「藝術」と焼かれたオリジナルの壺の販売で進めている点なども、新興宗教みたいに機転が利いている。

関係

「スペース」であれ、「コレクティブ」であれ、これらは双六のような大きなシステムの版をキャリアとして歩むアーティストの活動とは一線を画す。彼らの活動によって、「成功」という概念はかつての美術界のように一辺倒ではなくなった。

やり方は千差万別、それぞれに存在するD.I.Y.な集合性は、活動の場が「荒野」でも「更地」でも「オルタナティブ」でも「限界集落」でも「山中」でも、何でも良くなった。「歌舞伎町のど真ん中」でバー兼スペースを展開する「デカメロン」にもそれは当てはまる。どこにでもシーンやプロジェクトを形成するアートの柔軟さと、それらをゆるっと繋ぐネットワークは、多元宇宙のように世界が一つではないことを証明している。

そういえば、埼玉の保育園という謎のロケーションで開催された、「コレクティブ・カンファレンス」（２０１９）というイヴェントで、15組のコレクティブたちとの意見交換があった。招聘される、というか会場からして子どものお迎えのような出入りで集まってきた参加者の中で、このプレイルームに15通りの運営の方法論があるのか、とChim↑Pomの特異性からその15倍を想像し、感嘆した。絆の持ち方として、血判で連判するという恐ろしいコレクティブもいたりして、そんな独自さに唾を飲み込んでいるうちに、やはり活動や運営というものはアクションだな、とその急進性や実験精神に計り知れない価値を感じた。折もおり、あいトリが終わって1ヶ月後のことである。既存の公共の運営方法が通じなくなったことで、来るべく大衆と権力の監視による冬の時代はいかに運営されるべきか、と新しい方法論を僕は模索していたのである。D.I.Y.×15の公的芸術祭……と明らかに失敗の大量生産が予想される、しかしわずかでも巨大な成功例を新たな公共にもたらすだろう、その博打を想像してほくそ笑んだ。世界最大規模の芸術祭「ドクメンタ」がルアンルパによって運営される意義はまさにそこにある。

「なぜ、これほど多くのコレクティブが存在するのか」という現代的な問いを西洋から考えたエッセイがある。

＊11 ２００６〜。アート・コレクティブ。人と人の間の接触や肉体の衝突に焦点を当てた即興パフォーマンスなどを展開。個展に「コンタクト・ゴンゾフィジカトピア展」（ワタリウム美術館、２０１７）など。
＊12 ２００９年、彫刻家の名和晃平（１９７５〜）が京都市伏見区のサンドウィッチ工場跡地に設立した、スタジオや多目的スペースなどを含む創作のためのプラットフォーム。名和がディレクターを務める。
＊13 https://www.frieze.com/article/what-2021-turner-prize-nominees-tell-us-about-politics-art（２０２２年。5月31日閲覧）。

美術評論家のジュリエット・ジャックは、『frieze』誌で、「コレクティブの成長は2008年の金融危機と占拠に影響されたものだ」と述べている。[*13] 彼女の主な論点は、「少なくともイギリスでは、コレクティブが形成されるのは、何年にもわたる文化予算の削減のためであり、そのために互いの実践を維持するために助け合うようになった」ということである。

何やら「荒野」の復権を感じさせる意見のようだ。イギリスの本当のところはわからないから何とも言えないが、しかし僕の知っている範囲で何か言うとすれば、「理由をひとつに絞る必要があるのか？」という疑問に尽きる。社会と個の動きにパターンを見出したい気持ちはわかる。が、パターンで割り切れないのは、何よりもコレクティブが人間関係に基づいていることにある。個人の営みと違って、どんなに理由が社会的であれ、人間関係に実態がなければその活動は続かないではないか。少し感傷的にこう言ってみても良い。文化予算の有無で繋がりが証明されてしまう人間関係とは、どれほど合理的で、なんと頼りないものだろう。

カスみたいな俺たちなんだから、頑張るしかないじゃん

東京のアートシーンはロンドンとは比較にならないほどの「荒野」である。近代に比べれば天国だろうが、上や下を見ればキリがない。そこで活動しているコレクティブとして自らを振り返っても、最低でもChim↑Pomは互いの制作を助け合うために行動を共にしたことは一度もないように思う。行動原理をノリだ、結成の感じをバンドだ、という僕らの軽さについてはすでに述べた。

絆や協力についてもあまり重々しく考えたことはなく、エリイに言わせれば、「全員マジでサボりたがる。どうせ一人だと何もしない」くらいなものである。僕もその言葉を否定できないくらいには、マジで働きたくない。そんな6人が集まったわけだから、どうせならという気持ちがある。結成当初におかやんがよく「カスみたいな俺たちなんだから、頑張るしかないじゃん」と本気で呟いていたが、全くその通りである。だから、力を合わせたときくらいは、せめて自分の限界というものを取っ払いたい。

自らの時代に、大量消費された黒いゴミ袋を中から食い破る。食物か廃棄物か袋の中身を生活の正体として道ゆく人々に露出する。

スーパーラットや、カラスは、ゴミの有無だけで群れているわけではないのである。天敵を警戒し、つがいを探し、食糧を発見し、じゃれあう。傷つけあい、奪いあい、かばいあいながら、動く。自分が動くことは、相手を動かすことだ。

相手の動きとは、自分を動かす力だ。ひとつの餌を巡って死闘を繰り広げるネズミも見たし、子を喰らうネズミも見た。人間の手の中の剥製を仲間だと思い、助けようと群れて必死に追いかけてくるカラスもいた。

ともに生きる。

ともに消える。

ともに生きる。

ともに消える。

ともに生きる。

コミュニティの未来を想像してみよう。

そこは団地のスラムのマイクロエコノミーだ。元朝鮮総連のＤＪに、きっと年老いた誰か僕らの同世代が、身体を揺らす。被爆者はもういない。年に１日だけ更地に集まって、１分間黙って目を瞑り合う。これだけが残されたフィジカルなコミュニケーションなのかもしれない。

ビオトープかもしれないし、作品が押収されるアンデパンダンかもしれない。その姿が何であれ、「未来」はすでに現在にある。雪深い限界集落の繁栄も、過去のものではない。実際に「いま見ることができる未来」なのである。

かつてデヴィッド・グレーバーは原住民の世界観やアーティストの実践を例にして、資本主義に包摂されない価値観が世界に存在することは、「ある意味で私たちはすでに共産主義のうちに生きている」ことだと考えた。

それも「記憶を絶する古くから」。確かにグレーバーがアナキズムだという原住民の統治は実在するし、動物と人間を混在化させることで自分たちを理解するアボリジニの世界観や、自分にしか信じられない世界を描く人々は太古の昔からいた。それをいかに引き出すか。原住民ならばシャーマニスティックな儀式でのトランス状態が、アーティストなら作品がそれを可能にする。

グレーバーはこれを「共産主義」や「アナキズム」と呼ぶが、僕にしてみたら何でも良い。原住民の自然世界にイズムは通用しないだろうし、ハラスメントの告発者がイデオローグである必要も全くない。これまでの／これからの、アーティストが見てきた／見る「世界」は、地獄からユートピアまで、同じものはただの一つもないのである。

ポスト資本主義を照らし出すような生態系や世界観は未来にではなく、現在にも過去にもずっとあった。だからこそグレーバーは「現代アナキズム」の条件として、先端を担う「前衛」というもの自体を否定していたのである。

> 問題は、彼らが預言者であるために、自分の論証をつねに黙示録的な言葉にはめ込まなければならないことだ。先ほど示唆したように、現在の光に照らして過去を再検証する方が望ましくはないだろうか。もしかすると共産主義はいつも私たちとずっと一緒にいたのだ。私たちはただそれを見ないように訓練されているに過ぎない。
>
> ——デヴィッド・グレーバー著、上尾真道訳「ポスト労働者主義の悲哀——《芸術と非物質的労働》カンファレンスレビュー」

黒耀会から100年が経って、コレクティヴィズムは現在の姿になっている。

第14章　ポスト資本主義とプラネタリー

「アクション」（行為、行動、活動）をキーワードに、「個と公」を僕が解釈するさまざまな関係からみてきた。それは「作品とキュレーション」であり、「人と都市」であり、「メンバーとコレクティブ」であり、「作品とスペース」などに置き換えられてきた。

前章では「アクション」を「オペレーション」に、「個」を「地方」として語ることで、日本の現代美術史をその観点から通史で描こうという富井玲子の論を「コレクティヴィズム」から補完した。1世紀ほどの歴史の過去から現在までの話であるが、章の終わりでは「未来」が現在に含まれるかたちですでに現れていることを示唆した。

本章で本書は完結するが、ここでは「アクション」は一旦「ただの動き」として考察される。そして「個と公」は、地球上の人間以外も含むすべての「個」に対応する連なり……惑星的な「公」のスケールで考えられる。その「プラネタリー」な「動き」は、過去と現在という人間社会の歴史を語るよりもむしろ、「惑星社会」ともいうべき未来を立ち現すだろう。このなじみが悪い2つの単語が並ぶ概念を人類が実装出来るかはわからないが、どのみち更なる先には人類はいなくなり、「社会」という人工的な定義は無に帰す運命だ。「惑星」と「社会」は切り分けられて、ヒトの最たる発明であるそれはアカシックレコードの大海原に漂うだろう。

しかし災害やパンデミックを経験し、社会が都市やグローバリズムという人間活動の循環のなかで自己完結する、という構想が破綻をきたしていることは、本屋に平積みされた多くの新書が警告している通りである。社会が新たな土壌と時代にシフトするならば、人類はその動かし方を、惑星の繋がりへと変異させていかなければならない。

その点において本章で語りたいことは、過去ではなく未来についてである。

「この船がどこへ着くのか、乗船者もそして舵手さえ、予測することはできない」

三部作として構想された『カムイ伝』第一部の巻末に、白土が書いたメッセージの一文である。意欲は感じるが、結局彼の人生の中で描き進められたのは二部までだった。この不確かなコメントは永遠の現実となってしまったのだが、それが絶対的になったのは彼の訃報が飛び交ったその日のことである。

僕はこのニュースを母さんからのＬＩＮＥで知ったのだが、よりにもよって坪井さんの訃報の２日前（死没はその２週間前）だった。たった２日の間に、僕は身内以外で心に二人しかいなかったと言っても過言ではない、個人的な戦前との巨大な通史を失った。

振り返るとここにも白土三平がいた。

「カムイ伝」には、農村、海、街、城、忍者村、鉱山など、いくつもの世界が登場するが、その中でも特異な描き方がされているのは山である。一〜二部を通し、人間たちが登場しない山の奥の物語が相当の割合で描かれているのである。登場人物（？）はオオカミであり、猿であり、色々である。もちろん台詞はない。が、登場せずとも人間の影響はそこらに色々と現れている。

猿の集団が住み着いたのは廃城である。農民一揆の影響で大名が取りつぶしになり、城は猿山となった。猿たちは酒を見つけ、自然界にはなかったコミュニケーションを新たにつくる。白狼のカムイをバディとして認めて育てるのは、武士に愛好された犬追物から逃げ出し山に帰った一匹狼である。白狼も一度、非人村に住み着いて、人間や猫の習性を覚えて山に帰る。

動植物や微生物など人類以外の存在との絡みから共生を考える風潮の今にあっては、山の物語の読み方もそれなりに了解できるものになる。しかし描かれたのは高度成長期の真っ只中である。異常なスピードで都市化が進み、人間と自然との距離が加速的に離れる時代にあって、このセリフのない剥き出しの動物たちは読者にどのように受け止められたのだろう。それからだいぶ経って出会った幼い僕にしても、これは退屈極まりなくてごっそり飛ばして読んでいたように思う。テレビゲームなどを一切しない自然児ではあったが、山は話の筋にも関係してこないし、白土の意図がわからなすぎて難しく受け止めていたのである。

僕と自然との距離感は、基本的に遠い。消費の楽しみを覚えた思春期からは街を日常の場にし、「エコロジー」などの言説を冷笑し、都市のエクストリームを加速主義的に楽しんでいた。

「供給される都市」に退屈し、「都市の野生」と戯れる

不思議な逆転現象が起きたのはChim↑Pomのデビュー当時である。「供給される都市」に退屈し、ネズミやカラスなど「都市の野生」と戯れるようになったのだ。東京の郊外で幼少期を送り、しかしバーチャルな世界には没入できない自然児だった僕には、何かこれが一番しっくりきた。もちろん、そこには、これまでバックパッカーとして訪れたインドやネパール、タイなどの大都市からの影響もあった。ニューデリーなどはまだその頃は牛などが闊歩し、スパイスと汚物の匂い、車のクラクションと人々の怒鳴り声をかき消すように、路上で注がれた一杯のチャイにリラックスを求める混沌とした街だった。人間と動物、微生物、廃棄物などが織りなすカオスに真の都市の姿……フィジカルな生態系を見つけたのである。

その後3・11の大災害を経験。「環境に優しく」などと偉そうに、都市を内在化したような既存のエコの宣伝に人類の自惚を感じ、放射能災害からは「人新世」を知った。今でこそ人新世は温暖化や海洋汚染、SDGsなどを論じる観点から、生態学、歴史学、哲学、社会科学や市民運動に至るまで、広い文脈で使われているが、僕がこれを知った初期は「地層化されるほど長期にわたる人類の物質的な影響」が条件の地質学だったように思う。そこで真っ先に例に挙げられていたのが、10万年という歳月で残る放射性物質だった。

そして、コロナ禍である。ウイルスという存在に国際社会が破綻をきたし、もはや修復不可能と今は共生に踏

み込む段階である。都市化は、自然を切り拓く中で動物と接触する機会を増やすという皮肉な逆説がつきまとう。それは未知のウイルスや菌との接触の機会であることと同義であろう。都市と自然、国と国の往来が限定的だった高度成長期ならいざしらず、辺境すらも新自由主義化するグローバリズムにあっては、これは仕方がない。「都市」と「人間以外の存在」の関係は実に多様で、予測不可能である。ネズミやカラスは都市の変化に対応するよう変異するが、ウイルスや自然災害、自らが作り出した放射性物質などによって、都市や社会自体も変異する。その様変わりは、帰還困難区域だったり、スクラップアンドビルドだったり、ロックダウンだったりとさまざまに表出する。

2020年には、都市部のロックダウンによってネズミが共食いを始めたと複数の国のニュースで報じられていた。ゴミが減ったからであるが、緊急事態宣言下の歌舞伎町でその生態を改めて観察してみると、意外なことにむしろ例年よりも元気に動き回り、数も増えているように見受けられた。営業自体は減ったが、完全封鎖ではなかった街では飲食店がちらほら開き、少なからずゴミもあったからだろう。さらに夜の街から人けがなくなったことで、より大胆な方向へと行動原理が変わったのかもしれない。

帰還困難区域では家畜だった豚が野生化し、猪と交配し、「猪豚」が大量に発生した。それらが空き家を荒らし、人がまたそれを片付ける。放牧状態となった牛の群れが海や森に現れて、緊張感のある現地調査にスロウなムードを与えていた。空き家はカラスに占拠されていて、彼らは僕らを気にもとめずに道のど真ん中で家畜の死骸を夢中でついばんでいた。

「容れ物（公）」である都市は、個を人間だけには実は選んでいない。人のパターンやルーティン、人工的なルールだけで完結する公共は妄想なのである。こんな時代……東京でのウイルスの動きがすぐさまサンパウロに変化を与えるなんて……を、いったい誰が想像したろうか。さまざまな存在による微妙でよくわからない営みは、人知れず必ず何かを変えている。

A Drunk Pandemic

Chim↑Pomの2019年のプロジェクト「A Drunk Pandemic」（図14−1、14−2）は、コロナ禍前に、期せずして病原菌という「微生物」や「都市」の関係を描いた都市論だった。

マンチェスター・インターナショナル・フェスティバルに招聘されて、当初は産業革命の地であることから「労働」をテーマにと考えていたが、何故かあれよあれよと「ビール作り」にアイデアが変異したのだ。ひとつには、何しろビールというものが、イギリスの労働者にとってアイデンティティかのように大量摂取されていたことに起因する。そして直接的には、「ビクトリア・ステーション」という駅の地下に位置する廃トンネルの存在にくすぐられたのだ。

その地は、19世紀に流行したコレラの被害者が、隔離されるよう大量に埋められた「マスグレイブ」だったのである。現在はトンネル自体閉鎖されているが、僕らの提案はそれを開放し、中にオリジナルのビールを醸造するブルワリーを作るというものだった。コレラ禍に、醸造することから水よりも衛生的だと言われたビールである。その文脈を引き継ぎながらも、僕らは、酵母や病原菌という微生物に想いを馳せて、その場の空気でビールを作るというバイオロジカルなアプローチを試みたのである。ビールの銘柄は「A Drop of Pandemic」。工場見学として廃トンネルをツアーし、一般的な酒造工場の見学と同じく飲む場所を用意した。

「Pub Pandemic」は、公衆トイレを改装したバーであった。「献杯！」と死者にささげる日本の作法で全ての客と瓶をぶつける。観客が飲んでそのまま便器で排尿すると、僕らは「ドネーション！」とチリンチリンと鐘を鳴らした。尿は、配管をつたってトンネル内の別セクションの、ブリック工場に貯蔵されていく。

産業革命による突然の人口の密集は、都市の爆発的な増大と最悪な衛生環境をもたらした。100軒以上で一つのトイレをシェアしていた、という記録もあるほどで、公衆衛生の悪化はそのまま疫病の原因になったのだ。当時のマンチェスターの労働者の平均寿命は20代、その後に進んだ上下水道のインフラ整備は、そんな地獄と犠

上・14-1、下・14-2　「A Drunk Pandemic」2019
撮影＝ Michael Pollard
Courtesy of the artist, ANOMALY and MUJIN-TO Production

牲の上にあるのである。

僕ともっちゃんとおかやんは、毎日シフト制でブリック工場に防護服を着て向かい、木枠でかたどるという旧式の方法で溜まった尿の水分からセメントを固め、ブリックを黙々と生産し続けていた。それらが建設中のシアターや、自宅をリノベするパブ・パンデミックの客などに建築資材として振る舞われることで、人体を通ったトンネル内の歴史や空気が都市へと再びパンデミックするというナラティブである。

「A Drunk Pandemic」は、微生物や隠れたインフラ、人間などによる不可視のネットワークを酒やおしっこで可視化したプロジェクトであった。「世界の実態」そのものでいえば、これはその先に連なる更なる無数の動植物や廃棄物、土や水など……知り得ない存在が複雑に絡み合う無限のネットワークへと広がっていく。例えばトンネル内でプロジェクターを動かしていた電気ひとつを取ってみても、それは郊外の発電所から山々を巡って送電されてきたものだし、使われたセメントはかつて珊瑚や貝類だった石灰石である。それを産地から運ぶ物流のインフラやセメント工場自体はどこにあるのだろうか。マンチェスター・インターナショナル・フェスティバル自体も相当の廃棄物を出したろうが、その処理施設はどこにあるのだろうか……。それらが周辺の遠隔地に支えられているという事実を鑑みると、「街」というものは、もはや従来のように農村や自然との切り分けで考えられるものではなくなっている。

「都市的なるものの地球化」(「地球の変貌」)と呼ばれる、これらのことは、フランスの社会学者アンリ・ルフェーヴルによって考察が始まり、現在、『惑星都市理論』(プラネタリー・アーバニゼーション)』(平田周、仙波希望編、以文社、2021)としてまとめられている。都市がどんどん密集・拡大して発展する「高密度な都市化」が可能になるには、発電所や送電線、油田、パイプライン、物流システム、光ケーブルなどが繋がる場……農村であれ荒野であれ海中であれ、「広範囲の都市化」が必要となるというロジックである。その対象は今は宇宙ゴミなどにも広がっていて、惑星規模で「都市」の定義は相対化されている。

「プラネタリー・アーバニゼーション」との出会いは、基町アパートを研究しながらみずのりと飲み歩いていたその本の編者・仙波希望からの献本だった。Chim↑Pom スタジオだった頃の新宿ホワイトハウスで飲んだときに頂いたのだが、その「プラネタリー」という響きには、「グローバル」な制度に真っ向から対抗できるポテンシャルを感じて魅了された。さまざまな研究者の論文が収録された超難解な内容を知るためにも、編者のお二人にわざわざ Zoom でレクチャーをお願いしたりもした。

グローバルとローカル

「グローバリズム」の語源が「地球(globe)」を意味しながらも、それが人間による人間相手の制度であることは周知の事実である。国際化は世界中の都市にモデルケースを輸出入し、たった数十年のうちの市場拡大によって多くの街に均一化をもたらした。マックがあって、ビエンナーレがあって、スタジアムがあって、オリンピックが開催されて、「クリエイティブ都市論」でホームレスを排除する。街には高層ビルや高速道路が必要となり、そこを走る Uber や Amazon の流通はネット環境とエネルギーの安定によって支えられている……。こうした発展は、しかし実は「非都市」と思われていたフィールドの開発と同期することで進められてきたのである。福島で作られたエネルギーは東京に送電されて、どこかの油田からはパイプラインが数百キロにわたってアメリカの都市に延びてくる。

ここに、前章の「地方」という現場が再び現れてくる。かつてはひとつの個性として文化が自律していた空間であったが、中央集権的な政治経済と新自由主義的な再開発によって、駅前は無惨にも画一化された。それでも独自の文化や風土は残っているから、集権の地図を逆流するように、今度は「地域色」が観光や作品となって再び中央に流通されていく——「ローカル」と「グローバル」は、今やそんな相互関係において対になっていて、「グローカル」などと呼ばれる世界観、というよりもトーナメントのような構造を世界に作り上げている。これこそが、僕がコロナ前までに見ていた国際展などの日常的な風景であり、拭いきれなかった違和感の正体でもあった。

キュレーターは国際展で一つの世界を表そうとする。だから各国のアーティストをセレクトし、一つのプレゼンテーションの中に配置する。多様性が念押しされるかのように、参加作家のリストには名前の後に、Chim↑Pom（Tokyo）とカッコで出身地が明記されている。一見バランスが取れたラインナップが完成するが、そこにはトリックがある。カッコ内の通りに「地元」は分散したものの、作家たちの拠点は実はアメリカやヨーロッパにやはり偏っているのだ。欧米へのレジデンスや留学の経験などを盛り込めば、その数は圧倒的多数となるだろう。国内の展覧会だったら、とこれを東京と地方に置き換えて考えてみると良い。「ローカル」を強調するために、岡田将孝（宮崎）、松田修（兵庫）、涌井智仁（新潟）……などと東京在住の作家をリスト化しているようなものである。詐欺ではないか、とTokyoベースで海外留学の経験もない僕などは、欧州の国際展で「多様性」をみるたびにため息をもらす。

とはいえ当の作家たちも、自身の経験に基づけば、プレゼンする先が「コンテンポラリー・アート」というグローカルな制度であることは心得ている。どうしたら作品が理解されるか、と英語で戦略を練るし、キュレーターにしたって限られた視点と時間では、とてもじゃないけど各国各地域をリサーチできない。なるべくして需要と供給が欧米に集中していることはいまだに厳然たる事実であり、その中心性の匂いが多様性の実践であるはずの展示全体からも匂うのである。「ローカル」な諸問題を扱いながら、それら全ては英語に対応して作られている、という「偽善的」な匂いだ。

例えば僕は東京の人間だが、関西弁で会話してみようぜ、となると、人格は突然芸人っぽくなる。吉本芸人を笑えるリテラシーをマインドにインストールしているからである。英語のときにはアメリカ映画やドキュメンタリーのキャラが憑依する。リズムも変わる。一つのことを伝えようとしても、「標準語脳」と「関西弁脳」と「英語脳」では、伝え方は全く異なるのである。「ローカル」な題材を英語脳で翻訳し、国際展に出品する際には、やはりその前提にはインストールされた「コンテンポラリー・アート」が思考を導いている。

もちろん、Chim↑Pomもコンテンポラリー・アーティストであり、そんな構造に与し続けてきた一組である。特に英会話は僕の担当であり、ネイティヴとかけ離れている自分の行動がうさん臭いと思うことは多々あった。それでもその中で僕らがまだ特異に思えてきたのは、例えば《気合い100連発》や《スーパーラット》

《BLACK OF DEATH》など、作品における行為の方法論が、期せずして既存の美術のメソッドとは異なる形式で制作されているからである。対して他を観て歩けば、基本的にほとんどの作品が、言語だけでなく、作品の「フォーム（形式）」自体も「コンテンポラリー・アート」に依存し・包摂されている。戦略家の一人として分析してみれば……今ならポエティックな映像、マルチチャンネルで投影し、ノイジーな音で、リサーチに基づき、ナレーションが多用され、英語の字幕が必ずあって、抽象性と現実の問題を交差させる……と箇条書きできるくらいにはお決まりがある。これもまた、駅前の画一化とある意味通じていると思うのは僕だけだろうか。

「ローカル」というのは、本当のところ他の地域には理解でき得ない特性があるはずで、各地のそれがより集まれば、自ずとその数通りの「フォーム」というものが揃うはずなのである。が、国際展においてその多くは一つのフォームで表現されている。そう言ってみても過言ではないだろうと思う。悪意を持って表現すれば、「コンテンポラリー・アートのチェーン作家」が扱う地元ネタが、「グローカル」なトーナメント表の下部にまとめられている、それでいいのかといったところだろうか。

プラネタリー・アーバニゼーション

「プラネタリー・アーバニゼーション」の可能性は、その「グローカル」に対置された「中心性と周縁」の関係を、「プラネタリー」な価値観で変異させ得ることにある。

トランプ元米大統領がノースダコタ州に敷設予定だった石油パイプライン「ダコタ・アクセス」の建設を推進する大統領令に署名した際に、先住民が居留地のそばのミズーリ川を横切るその計画に反対したことは知られている。オバマ前政権による建設中止が撤回されたかたちだが、先住民、スタンディングロック・スー族は、反対の理由として、飲料水汚染の他に「貴重な先祖の遺産が汚される」と話していた。

アメリカのパイプライン建設には同様の事例がある。カナダとアメリカをまたぐ「ライン３」計画では、ミネソタの先住民が声を上げた。理由を見ると、やはり神聖な野生水田が汚される、というものである。この水田は徒歩では渡ることが出来ない（ボートで行くようだ）湿地帯に潜み、マガモやガンを呼び寄せている。五大湖周辺のアニシナアベ族にとってその米は、伝統的に食してきた、アイデンティティと文化の一部なのである。

トランプにしてみたらエネルギー効率という資本主義的な正論があり、これは双方理解し得ない水掛け論となった。都市的感覚で自然を捉えることが資本主義・グローバリズムの価値観だとすれば、一方の先住民たちの価値観は、山や川、岩、砂漠などの連なり（公）に、自分が一部（個）として混在化するところにある。「広範囲の都市化」はまさにそんな場所を現場とするが、その地はもとより資本主義ともモダニズムとも異なる「プラネタリー」な価値観で統治されていた場所なのである。

「第22回シドニービエンナーレ（NIRIN）」（2020）は、そんな時代性を発揮した特異点であった。出品作家の多くは、世界各地の先住民や、大地と資本主義の矛盾を暴いたアーティストなどである。「現代美術家たちの祭典」という典型を覆すキュラトリアルな実験であり、日本からはマユンキキが招聘された。アイヌとして生まれ、その伝統歌を歌う「マレウレウ」のメンバーである。アイヌ語の講師などもしながら国内外のアートフェスティバルに参加する気鋭の作家だ。

出品作のひとつ、ネパールのコレクティブ「ArTree Nepal」による《Not less expensive than gold》（ゴールドに負けず劣らず高価）は、まさに自然に基づく「プラネタリー」な伝統を、独占企業による「グローバル」な動きが搾取するさまをモチーフにしたプロジェクトである。

ヒマラヤというダイナミックな地形は、多くのレアな高山植物と、さまざまなハーブを育んだ。それらは伝統医療やシャーマニックな儀式に使われてきたが、ビエンナーレでは、いくつもの金色の医薬品用のボトルと、アクティヴィストとしても活動した同国の外科医によるテキストを全身に書き写した男たちが、ストリートをねり歩く映像が展示された。

その背景には、保健当局の民営化によって、それら地元の薬草が海外に流出し、製品化されて逆輸入されるようになったという実態がある。現地の人は、その「西洋の」薬品を、高額を払わないと入手できなくなっているそうだ。裸に書かれた文字は、私物化されたケアシステムについてである。そうして消えゆく共同社会の医療行為を、ArTree Nepal は皮肉まじりに「オルタナティブ・メディスン」とのパンチワードで呼んでいる。もっとも身近だった医療がオルタナティブになった、というアイロニーである。保健当局の民営化は、選択肢を増やすどころか「資本新世」的独占によって一択に絞ってしまったのだ。

儲けを出すという理由のために存在するものはあっていい。だけど、それ以外の理由で存在するものだってあって良いはずである。ネパールのハーブと地域社会では、その「存在理由」と「存在方法」は、ずっと一致していたのだ。あちこちで野生し、色々な手によって育てられて、儀式や医療に使われる。存在する理由も方法もいくつもあって、自然とそれはマッチしていた。それが製品化という理由一本で所有権が資本に独占されると、もう、存在方法は製薬会社の開発基準に則るだけになる。そこに多様にあった存在理由には、もはや存在方法にマッチングがない。

先住民の世界観に資本主義に包摂されない価値観をみて、「ある意味で私たちはすでに共産主義のうちに生きている」と語ったグレーバーの言葉は先に述べた。

大地や海にひもづく「プラネタリーな価値観」は、ここにおいて人間中心的な「グローバル資本主義」と、真っ向から矛盾することを宣言しているのである。

「世界は誰のものか」「どのように統治されるべきか」……その問題を個別な事例から深掘りすることで、「地域」に独自に存在してきた価値観から「未来」のシステムを掬い上げる。画一化した「グローバル」な物語の読み方を変えるために、翻訳の種類を無限に増やし、動植物や大地や水や石などの「言葉」を追記する。「グローバル」を「プラネタリー」へと「変異」させる意味において、このシドニービエンナーレは「グローバリズム」を初めて脱却した惑星的な国際展となったと言えるだろう。

ドメスティックの真義

「グローバル」というワイドなスケールが「プラネタリー」へと変異するのだとしたら、「グローカル」でミクロなスケールに対応する「ローカル」は、どんな概念に変異するのだろうか？

そもそも、「ローカル」という言葉が活躍してきた内実をみると、そこには、観光にも作品にも作家にも使い回せる自在さというものが見て取れる。ローカル線、とかローカルフード、とか、とにかく何にでも被せられる便利な言葉なのだ。そう言われると「あ、地域のものね」とピンとくるのだが、この汎用性が行き過ぎると、「ローカリズム」など自律性を高める自治などの「閉じる」ニュアンスよりも、観光や作品として「開かれていく」方の調子が目立つようになる。その果てがグローカルであることは言うまでもないが、広く伝えようとするほどに、言葉自体が情報化するといえようか。血や肉や体温、風土に籠る念などの、「知り得ない」ものすら語られるように錯覚してしまう。


一方で、だからこそ「ローカル」というニュアンスが何ともフィットしないような存在もある。日本で例えれば、会田誠や団体展、オタクなど、これらが海外で語られる際には、「ローカル」よりも「ドメスティック」という言葉がよく似合う。「ローカル」と言ってしまうと、何か地図上のピンのように、位置付け程度の情報となる。「ローカル・スターとしての会田さん」や「ローカル・カルチャーのオタク」は、東京のエキゾニズムとしてコンテンツ化はできようが、その真実には全く触れていないように響く。考えるべきは、なぜ会田さんが村上のようなグローバルな展開に対して「閉じた」か……。答えは、その「閉ざされた」空気感の中にこそ漂う、「開かれた」国際社会には理解し得ないキモさの中にある。

「グローバリズム」は、世界が理解可能だという前提に基づくコミュニケーションでもある。政治、経済、文化、あらゆるところで「グローカル」な交流が生まれ、だからこそ英語という言語が翻訳し、理解可能という喜びの先に画一化をもたらした。その相手が人間である以上、理解できるという期待はたしかに捨て切って良いものではない。

「プラネタリー」といえば、交流する相手は人間以外の生命体、交信でいったらシャーマニスティックな霊性やマグマの動向にまで及んでいる。地震や噴火、ウイルスや細菌、微生物、動植物、ミネソタの野生米を育む水やマガモやガン……。そこにはいつかきっと地球を光らしている太陽や月、神という概念まで含まれるようになろう。想像すれば早い。「こんにちは、あなたは誰ですか。私は神です。あなたたちがそう呼ぶ概念です」……なんてコミュニケーションはあり得ないだろう。神も、微生物も、理解し難い。「わかった」として、真に理解はしあえないのだ。

アート界の影響力を順位づける『ArtReview』誌の「Power100」2021年版で突然2位になった研究者アナ・チンの著書『マツタケ——不確定な時代を生きる術』(赤嶺淳訳、みすず書房、2019)には、それがいまだに養殖できないことや、広島の原爆の後に生えてきたこと、どこに生えるかの完全な予測ができないことなど、松茸の特性と人間の不思議な関係が描かれている。これだけ長い付き合いであるにもかかわらず、お互いに理解不能な領域が多いのである。ともに単独で存立している訳でもなく、無数の関係が間に複雑に絡み合う。よくわからないバランスの上で調和は勝手に成り立っている。

「ローカル」が「グローバル」の相方として、理解可能だと相手に自らを「開く」性質があったと仮定してみる。一方で、会田さんに使われる「ドメスティック」という語はどうかと言えば、そこには、内側に向かって「閉ざす」ことや、その中のことが外からは何か「理解し得ない」という微妙なニュアンスが含まれている。「ドメスティック・バイオレンス」(家庭内暴力)しかり、「土着」しかり。家庭内で起きている本当のことは情報化されず、当事者以外にはわからない。先祖代々の土に染み「着いている」もの……念や細菌、霊、風土、温度なども、情報にはなりにくい、伝わりにくい、わかり得ないものだ。

グローバルの限界

ドメスティックの語源は、ラテン語のドメスティカスである。家や内側を指す言葉であったことから、今も家庭内や国内など「内向き」な状態を指す。会田さんという作家の活動は多岐にわたるが、「ドメスティック」と言われる理由は主にその点にある。前提として、日本に固執し、国内で活動をする。その変態性などを「外人」に簡単に解説されることを拒みながらも、しかし国際的なプラットフォームであるアートのステージでも活動する。その際には、「ローカル」であることを負け組として英語圏に自虐し、「閉鎖的」な態度から「開かれた世界」を冷笑する。「ローカル」な問題を「グローバル」に開く国際展の常連作家とは、全く真逆のセオリーである。

しかし考えさせられるのは、はたしてドメスティックというものが内側に閉じるような意味合いを持ちながら、語源の「家」を拡大解釈していった先には、そして西洋と東洋にねじれた接地点には、実は日本語の「公共」の語源が突然現れてくる、という不思議な縁が存在していることだ。「公（おおやけ）」という言葉が「大きな家（やけ）」からきているという説はよく知られている。古代では内裏のことを指していたことから、もともと「おおやけ」は天皇のことを指していた。

会田さんという作家を考えるときに、僕はいつもこの「閉ざされている」家的な日本の固有性と、「開かれている」公共的な現代美術の、奇妙な一致と矛盾を楽しんできた。僕や会田さんにとってはその相反するARTと芸術はトートロジーでありながら、しかし全く違う性質のものでもある。が、これらを何度も読み替えながら活動を続けてしまうのは、このふたつ……「家と公共」や「芸術とART」という両者が内側と外側へとねじれるところまでねじ切った先で、実は同じ点に接着をするということを知っているからである。

考えてみれば、今や最も「開かれている」作品であるモナ・リザは、作者ダ・ヴィンチにとっては決して他者に公開しなかったクローズドなものなのだった。

これこそが「閉ざす」WHITEHOUSEと「開く」森美術館での個展、アートが同義性をもたらすと僕が見出すダイナミズムであるが、しかしその「開くこと」を志向する公共の限界が森美の方にあるとしたら、そこにはやはり「グローバル」の限界が横たわっている。一方で、この開閉のワームホールを「ドメスティック」と「公共」の関係にスパークさせ得るのが、「プラネタリー」というスケールの法則なのだが、それはのちに語ることにする。

このことに呼応するのは、椹木による「MOCAF」についてのレビューである。MOCAFだけでなく、団体展などの作家をそこでは紹介しているのだが、その記事のタイトルを「ART/DOMESTIC 2021」とした真意についてこう書いている。

「時代の体温 ART/DOMESTIC」は、のちに日本で数少ないインディペンデント・キュレーターを自称するようになる故・東谷隆司が、学芸員として世田谷美術館に在籍した時代に企画した唯一の展覧会である。私はこの展覧会の内容について当人から知らされたとき、なによりその展覧会の名称に気を引かれた。そしてまずそれは「時代の体温」と「ART/DOMESTIC」が同格として扱われていることにあった。世界がますますグローバルな様相を呈し、人の体温から遠くへ、より離れて加速度的に流通するようになり始めていた時期に、東谷はあえて「体温」という内発的で密着する距離の無さの内部でしか発現しない言葉をみずからの展覧会のタイトルに据えた。そして、それが「ART」がグローバルであるよりもむしろ「DOMESTIC」であることについての重要な意義と考えたのだ。つまり、この場合のドメスティックとは、一見して誰もが感じるグローバルな時代に逆行する価値観ではなく、いわば体温を感じさせる、言い換えればごく身近な距離のなかで美術を考える、ということでもあったはずなのだ。(略)ところで、まだウェブサイトが今ほど盛んでなかった時代に、その痕跡としてわずかに残る同展の主旨について、東谷は次のように書いている。

「これは同時代の国内(DOMESTIC)のARTの展覧会です。
この企画展の出品者は自分たちの環境や日常を外から眺めるのではなく、そのただなかから何かをつくり続けています。
同時代の人々が等しく抱く素朴な感情を絵画/彫刻にたくす奈良美智、身近な素材をもちいて内なる衝動を行為にかえる多田正美、家庭にありふれたもので日常生活にひそむ違和感をあらわにする東恩納裕一、概念や時流に惑わされず同じモチーフを描き長く静かに衝動を燃やし続ける田中敦子、我々の社会や心の陰部を描きこむ漫画家・根本敬、映画作家・大木裕之は身のまわりの人々/風景に愛と欲望をもって迫り、大竹伸朗は、ポップスやカラオケ等我々をとりまく雑然とした文化を消化し視覚化/聴覚化します。彼らは共通して理屈よりも自らの衝動や、ものの手触りを大事にし、気負うことはありません。その表現がはらむ熱、それをこの時代の体温として感じとってみたいと思います。『身近（DOMESTIC）』な場所としての日本のART。これは、この時代を生き抜く『私たち』の展覧会です（世田谷美術館ウェブサイトより）」

——椹木野衣「美術と時評95：ART/DOMESTIC 2021」ARTiT、２０２１年3月31日

「時代の体温」展は、山塚アイなどのサブカルチャーがアートとクロスした瞬間として、当時ノイズやパンクをこじらせていた僕と林の目を覚ましたひとつの契機だった。

プラネタリーとドメスティック

この論考が発表されたあと、WHITEHOUSEでわっくん（涌井智仁）なども交えて椹木と話す機会があった。そこで、「ドメスティック」というものが「グローバル」の反意語として語られたこの一連の流れについて、酔った勢いで「プラネタリー」や「ローカル」という概念も挟んで3人で深掘りしたことを覚えている。特に椹木の『震美術論』には、自然災害というプラネタリーなスケールをテーマにしていたことから噛み合った。以降、「ドメスティック」を語る椹木のこの論考は、その回を含む全3回（タイトル的には分かれている）へと深まり、地熱という「地球の体温」をして「プラネタリー」という表現も登場するようになる。

「グローバルとローカル」という「公と個」が、理解可能という「開かれた」ものとして大小のスケールで対置し続けてきたことに対し、「プラネタリーとドメスティック」は、理解不能であることを含む。「閉じた」先に「あいている」……WHITEHOUSEでの磯崎隼士の個展が洞窟に例えられたように、万物は互いに理解し合えずとも、己を他者に開きもしないが閉ざしもしない。しかし何故か互いが通じているというそのネットワークとして、「プラネタリーとドメスティック」はいつかグローバリズムというハコモノを変異させるはずだ（単語の採用はともかくとして、概念は必ずそうなると思う）。

このことを自分の実践から、僕がかつてキュレーションした4つの個展を紹介して語ってみたい。その理由は端的である。ここまで本書を読み進めてきた読者になら既に予想の範疇だろうが、この「理解しきれない存在」のネットワークに、僕は、会田さんがChim↑Pomを表現した「ビオトープ」という生態系を重ねている。互いの違いをルールやヴィジョン、ゴール設定などで効率的に同化させることは「理解」ではない。互いの動きは別々であり、しかし相互に関係しながら互いを動かし続ける。そんなアクションからなる生態系的な「公」は、ライターの杉原環樹がChim↑Pomを表現するところの「輪郭」程度のフレキシブルさにこそ宿るのだ。

これらの個展は、まさにそれを地でいくようなものだった。そこで展示されていた構成物たちは、もはや「作品」というよりも「展覧会という輪郭」を形成するアクターでしかない。

個を突きつめると公になる

建築家としても活動する秋山佑太[*1]は、コロナを機にセメントの産地である秩父に居を持った。秋山佑太個展「super vision／スーパービジョン」（2021）（図14-3、14-4）の展示空間の入り口には秩父でセメントをガムのように噛み噛みし、作家が自ら唾で硬化させている映像があり、奥にはそれによってできたいびつな形のセメント製オブジェの3Dデータが、何十台もの3Dプリンタによってせっせとコピーされ続けるセクションがある。中央には自身の排泄物を肥料として含んだ秩父の土が入ったコンテナボックスが積まれていて、メッシュの穴の数々からは、土に混じっていた何かしらの雑草の種が芽吹き、会期中成長を続けていた。さらに左手にはぬか床があり、中には野菜が漬けられる。すべてが運動と連動を続けていて、「完成」なんてないようなインスタレーションだった。だからか、ついつい深読みしてしまうような無限性があって、草の種類やプリンタの動きに見とれて

*1　1981〜。美術家、建築家。長年の建設作業員経験をベースに、見過ごされがちな都市空間の諸要素を抽出して作品を制作。個展に「supervision」（WHITEHOUSE、2021）など。

上・14-3、下・14-4　秋山佑太個展「supervision ／スーパービジョン」展示風景（WHITEHOUSE、東京、2021）
撮影＝松尾宇人

しまう。まるで、それぞれが意思を持っているような自然とテクノロジーと人間によるアクション……「動き」だった。

これを逆にヒューマニズムも交えて最も理論的に実践したもののひとつが、平井有太による「ビオクラシー」展（２０１６）（図14-5）である。平井は突撃取材で知られるライターだった。その対象は、哲学者のアントニオ・ネグリ、欧州緑の党の議長ダニエル・コーン、世界一貧しい大統領として話題を集めたウルグアイ元大統領ムヒカ、ヒップホップのレジェンドであるアフリカ・バンバータ、前衛アーティストのダダカン、レゲエのリー・ペリー、そして数々の無名の市民など、ディープに、かつ縦にも横にも広がっている。３・11の後には福島の生協に就職して、大規模なスクリーニング調査に参加。現在は自然エネルギーの生産者と消費者のマッチングを行う「みんな電力」のＰＲも担っている。

展覧会は、他者との対話を重ねてきた平井らしいものとなった。福島から取り寄せた野菜の直売店（近所にはその八百屋の折り込み広告が撒かれた）とか、ギャラリーの電力を東電から小規模生産者の太陽光に切り替えるプロジェクトだとか（そのギャラリーの電気のネーミングライツを販売）。そしてほとんどの展示物を、キュレーションとして他者の制作物やコラボレーション、取材の記録で成立させたのである。このほぼ自分が登場しない脱作家性としての共存思想を展覧会と出版で宣言したのが、彼の造語である「ビオクラシー」である。これは「BIO（生）」による支配を、デモクラシーのポストとして宣言した、いわゆる「生命主義」と言える。

福島でのプロジェクトを自然のなかで行ってきた彼は、これについて、「あらゆる生命と共存するのに、『民』が『主』（デモクラシー）とはどれだけおこがましい態度なのか」と語っている。この思想がコロナ禍にさらにリアリティを持ったことは言うまでもない。

また、自然物ではなく、人工物を使うことで人間の視点を脱却した、涌井智仁の「Long,Long,Long,」（２０１６）展も究極的な展覧会だった。個展の期間中、メディアアート的にプログラムされた自身の作品の動作を二進法に変換し、電波として、そのデータを北極星に向けてアンテナから宇宙の何者かへと発信し続けたのである。人間どころか地球にすら留まらない、想像力を極めたプロジェクトであった。

上・14-5　平井有太個展「ビオクラシー」展示風景（Garter、東京、2016）
撮影＝前田ユキ ／ Courtesy of the artist
下・14-6　《サンルーム》（部分）渡辺志桜里個展「べべ」展示風景（WHITEHOUSE、東京、2021）より
撮影＝ WHITEHOUSE ／ Courtesy of the artist

渡辺志桜里[*2]の代表作《サンルーム》(図14-6)は、植物、魚、バクテリア、線形動物、溶岩、緑藻などをそれぞれ水槽に分離させ、それらを繋いだホースで水を循環させることで、自動の生態系を作り出す「システム」である。全てホース上に点在し、その円環の内側には何も存在しないという構造を持つが、それら生態の豊かさと「空虚な中心性」のイメージを、渡辺は自身がすぐそばで生まれ育った皇居に求めてきた。東京の空虚な中心であり、日本の「精神性」の中心である。が、だからこそ、その場は誰をも政治的に外部とし、人に「閉じた」ことで人間の影響を受けづらい原生林となっている。

現在の「エコロジーブーム」が来る前から、5年間ずっと循環し続けてきた《サンルーム》であるが、その初期の植物と魚、水は、だから全て皇居から採取されていた。「作品」として考えるには、あまりに規格外な「小さな皇居/地球」であるが、時を経るうちにお濠の水は雨水に引き継がれ、皇居の雑草が枯れた代わりに、植物はいくつかの固定種の種とその交配によってシステムに適応した野菜へと変わってきた。魚は皇居のモツゴから、金魚へと代替え。そのたびに渡辺は固定種同士の交配にみる純血論や、金魚の繁栄という人工的な種の継承など、さまざまなところにやはり皇室の宿命を見てきたと言う。

《サンルーム》は完結しないことで分散性と拡張性を特徴とするプロジェクトだが、そもそも展示される循環自体も、屋内では完結せず、雨水や電気など、外部との接続によって維持されている。思弁的に「人類絶滅後」や「ノンヒューマン」といったテーマが語られるようになった昨今であるが、渡辺はそれを電気の存在に見出している。これも「人類が続く限り供給可能」なものであると捉え、だから《サンルーム》は電気が止まるまで、つまりは人類が存続する限りは観られるものだと、電気を「鑑賞の条件」として定義づけてきた。

先ほど会田さんを引き合いに「家と公共」は、閉じていった先と開いていった先に必ず出会うと書いた。僕がそのことを初めて確信したのは、実は《サンルーム》について考えたときのことである。この作品において、動植物や溶岩、虫などそれぞれの「個」からなるビオトープが、天皇に語源をもつ日本語の「公」にいつのまにか接続されているということに気づき、合点がいったからである。その意味で、《サンルーム》は究極的にプラネタリーでありながら、同時にドメスティックな作品と言えるだろう。別に皇室と公共と同一視して「天皇を頂点とした……」というナショナリスティックな国家像をここで示したいわけではない。閉じきった先と開ききった先の接続……「ドメスティカス」と「おおやけ」がどこかで一致するという考え方が、プラネタリーに「個」を分析したときにこそ表れてくるということを強調したいのだ。

個と公は同じもの

「個と公」の関係を散々語ってきた本書であるが、結局のところ、極論をいえば個と公は同じものを指している。卯城という個からはじまり、その公であるところのChim↑Pomは、しかし東京のアート界という公においては個となって、東京のアート界は日本のアート界におけるひとつのローカルとしての「個」にもなる。その先にはアジアが、世界が……と、マクロに関係を連ねていけば無限に続くように聞こえるが、このゲームが「グローカル」であれば、その辺りにゴールが見えてくる。が、これを「プラネタリー／ドメスティック」に捉え直してみると、その先には地球というガイアが、そして無限の宇宙が存在し、卯城というはじまりの「個」をミクロに分解していけば、器官や菌や細胞や……、と理解不能な存在によって自分の輪郭が「個」として怪しくなる。ビオトープが、どのスケールにも形成されてしまうのだ。

結局、「個」というものを突き詰めると、それは「公」という概念と同義になる。シンプルに科学的過ぎて面白味のない話だが、しかし、だからこそ、僕は、あなたは、自分という「個」が他者と切り離された「私（プライベート）」ではない。「公」そのものとして、他の「個・公」である恋人や家族、メンバーや友人などの他者や、コレクティブや業界、社会や世界や惑星などの連なりからなる「ひとつの大きな身体」に、一部としての責任を負っているのだ。そのマクロに連なる関係を放棄することは、器官や常在菌や血液、細胞やＤＮＡと言ったミ

＊２　１９８４〜。アーティスト。従来の「彫刻」概念への疑問から出発し、皇居などをモチーフにした円環的で脱中心的な作品を制作。個展に「べべ」（WHITEHOUSE、２０２１）など。

クロに連なる自分のビオトープを断つことにも等しい。

では、その個が一部として持つ責任の性質とはどんなものだろうか。「ひとつの大きな身体」に属したとして、歌舞伎町という生態系が他者への無関心をベースにすることを思い出せば、その関係すべてに無責任でいるということも逆説的にはあり得るだろう。むしろ、個がその身体の命令に身を委ねて動くことは、公に対しての無責任なアクションであると言えるからだ。天皇と個でいえば、臣民との関係において公私が一体化したその姿が大日本帝国という国家であったことは言うまでもないが、その公はだからこそ破綻した。考えてみると、帝国は、体制が「私」を知り尽くすことで統治し、臣民が体制を信じきることで成立する。互いに理解可能をスパークさせた「グローカル」的ヒエラルキーの究極体のような構造だった。だからこそ、「プラネタリー／ドメスティック」の関係においては、個が理解不能であることに重大な責任が発生している。「ひとつの大きな身体」が起こすアクション自体に、個は命令に背いてでもイレギュラーな影響を及ぼす動き……アクションを持ち得ていなければ公自体を滅ぼすのだ。ビオトープの姿は、つまりはそのイレギュラー……個の突然変異によって更新されるのである。

本書が公共論のひとつとして機能すれば嬉しいが、しかし僕がずっと問うてきたものは「公」に見えて、個人や作品やアーティストという「個」の可能性の方なのである。結局「公」について語らざるを得ないのは、個を語ることは公を語ることと同じ行為であり、個の力が疎外されることなく「本来」の動きを織りなすビオトープ(公)と、その惑星の運営……循環を作りだす個々のアクションを語ることが同じことだからだ。

これを政治に置き換え、少し乱暴だがアナキズムと絡めて単純化してみる。

誰もリードしない無政府という調和は、既に自分の身体や惑星においては備わっている。この統治のシステムが最も理想的で、優れ、複雑さと単純さが一致していることは、宇宙や自然界においては誰もが心得ている。にして枠組みが人間「社会」となったときに、「政府」は突然現れる。

章の冒頭に書いた「惑星社会」というものがあり得るならば、それは結局すべての個が突然変異というイレギュラーまでも含めた本来の動き……アクションを連ねているだけの状態なのだろう。

クロポトキンや大杉栄が、プラグマティズム（行動主義）を生物界から細胞や遺伝子レベルで引き寄せて観察し、考えていたことはすでに述べた。大杉は労働運動という集団による行動（アクション）が、バラバラな個人による単なる動き（アクション）からなることを理想とし、集団の統制（公のオペレーション）をその観点から模索していた。管理されるものではなく、輪郭のようにいつでも変わるフレキシブルなかたちを見据えていたのである。栗原康著『大杉栄伝　永遠のアナキズム』（夜光社、２０１３）には、そのことが端的な一節で示されている。

世界には全体的なものがあるわけではなく、ただ無数の極微物質の運動があるだけだ。極微物質が群れあつまると、それはひとつの身体のように動きはじめ、なんらかの法則があるかのようにもおもわれるのだが、しかし極微物質がほんのすこしでも流れを変えると、その身体はまったく別のものへと変形をとげてしまう。

——栗原康『大杉栄伝　永遠のアナキズム』

いまやアクションあるのみ！

「Chim↑Pom 17年おめでとうございます。よく続けてこれましたね。持続の秘訣は何ですか？」

森美術館での回顧展でさまざまなメディアから執拗に聞かれた愚問である。17年間なんて一言で言われても、ただ頑張って一緒に考え、作り、頑張って一緒にいただけの積み重ねである。だから当初その答えには詰まったが、会田さんの言う「ビオトープ」と僕らの「スーパーラット」に立ち返ると、何となく単純な答えが浮かび上がってくるように思えた。

個々の動き——アクションが止まれば、それが属するビオトープも終わる。個々が動き続ければそれは持続できる。自分を動かすことは、相手を動かすことである。相手の動きとは、自分を動かす力のことである。ゴールなんかがあったらその時点で動きは止まるし、循環も止まる。だから全てはプロセスであり、17年間なんてその意味で、「アクションあるのみ!」であったとしか言いようがない。

そもそも「スーパーラット」は何故これほどまでに繁栄しているのだろう。人間は害獣と定義し、殺鼠剤は年々強烈になる。人間はネズミと必死に闘っているが、スーパーラットをみている限り、そっち側には「闘争の歴史」なんて全くない。彼ら彼女らは闘わずして繁栄を遂げているのである。ネズミは、個体差や知能では人間に敵わないことはわかっているようだ。その生存戦略としてのアクションは、自分の負けを認め、自らを変異させていくことだった。

「闘わずして世界は良くなるのか?」と、活動家やラディカルなアーティストたちからの批判が聞こえてきそうである。が、それでもネズミは繁栄しているし、世界や宇宙は動いている。「退化」や「進化」という現在のベクトルで進退を示す言葉はあえてこれまで伏せてきたが、しかし彼らが「進化」したきっかけを作ったのは、闘いを仕掛けた人間なのである。攻撃相手に対して反撃でもなく、防衛でもない、新宿のネズミは自らを変異させることで繁栄し、いまの「歌舞伎町」という街の姿——「公」自体を作り変えている。毒が栄養である限り、「敵」は変異のきっかけに過ぎない。

さて、本書もようやく一区切り付きそうである。しかし自分の活動（アクション）がまだ道半ばであることから、これは終着点にはならない。

「バラバラの個人」……Chim↑Pomというビオトープを構成するメンバーから触発されて、この言葉は何度も語られてきたが、しかしそこには一つの誤解の誘導が含まれている。

人は、バラバラになるために生まれてきたわけではない。正確にいえば、個人を2つの側面に切り分けたときに、「私（プライベート）」はそれでも良いが、「個」はあくまでの「公」の外側ではなく内側にいる（外側に出たってそこに他者がいれば、そこもまたどうせ内側になる）。それでこそ誰かまた違う「個」と出会うことが出来て、その自律した個人同士の動き（アクション）の共振から公を揺さぶることができるのだ。バラバラであるということは、別れていることを意味しているわけではない。その動き方も存在理由もバラバラであることから、バラバラなほどに共振自体が複雑になるという協働のエネルギーを指し示している。

活動芸術（アクション）

僕はそのことを忘れ、アート界でキャリアを求めるためにChim↑Pomを「リード」した。それがメンバーのためになる、と思い込んである種の同化を集団のヴィジョンに当てはめたのは、僕が「アート」の道というものを一つの選択肢に当てこんでいたからだろう。だけど、そうしてChim↑Pomという枠組み自体は変異した。リーダーという役割を放棄した僕の変異でもあるが、それを促したのは僕に反発したメンバーの声、という当時の自分にとっての「毒」だった。

僕らに何があったのか、その一部は本文の中でも述べてきた。ただしそれは僕一人の解釈である。メンバーそれぞれがどう考えるかわからないし、そもそも解釈は違うだろう。例えば1章で僕はメンバーやChim↑Pomを「友だち」だと言った。このことからして反論するメンバーもいるだろうと思う。矛盾に聞こえるかもしれないが、Chim↑Pomはやっぱりお友だちグループではない。その重要性は「バラバラな人間」による協働という可能性で本書で何度も述べてきた通りである。友だちだけど、お友だちグループではない……そのアンバランスが、きっと僕らの人間関係に緊張感を持たせ続け、17年間（これからはもちろんわからない）行動をともにさせてきたのかもしれない。

互いに何度も変異を迫りあった。その度に毒を与え合った。友だちでいるということは、なんと厳しいことだろうか。

思えば、小学校の友だちも中学校の友だちも、今は一人もいない。先に述べたように、何か夢中になることを見つけたら、その関係でのみ友だちを作ってきた。が、熱しやすく冷めやすい性格である。アートを続けてこれたのは、まさに単に「飽きなかったから」だ。何か理念や愛がそうさせたわけでは毛頭ない。そんな身勝手な生き方からして、また再び孤独に気づくこともあり得るだろうと思う。

だから「厳しい友だち」との協働を続けてこれたのは、ひとえにアートが僕らを媒介し、ともに作品を考え、

Chim↑Pomという「公」を作ってきたからである。僕らは、制作でもってのみ自分たちや社会との厳しい関係を、「作品」という姿に変異させられることを示してきたのだ。本書で疑いを投げかけた、「作品至上主義」そのもののような発言だけど、それ（作品）がなければ、僕には社会が地獄となるし、友だちがごそっと5人もいなくなる。

ドメスティックに、理解し得ない者同士がネットワークとして輪郭を作る。

プラネタリーな概念が社会化されつつある現在、私たちの社会はこの太古よりの「制度」に未来を見つけなければいけない。「惑星社会」のような概念が実装されるかどうかは今の時点ではわからないが、しかしアート・コレクティブや、マイクロアートスペースの運営、アートプロジェクト、そして作品……それらにはすでに実験結果がさまざまな形で現れている。

現在は、既に未来なのである。

その時空の最前線を張っている点において、アートが現代の「前衛」であることは、やはり今もなんら変わっていない。

そこから新しい時代を作っていくことは、新しい自分に変異するように誰にだって可能なのだ。

あとは、「いまやアクションあるのみ!」である。

了

Chim↑Pom from Smappa!Groupの歩み2005〜2022

17年に及ぶChim↑Pomの活動のなかから、主な作品・展覧会・プロジェクトを紹介。■=個展 □=グループ展
雑誌『美術手帖』2022年4月号「Chim↑Pom」特集を元に作成

2005

8月 **7日・卯城、林が遠藤一郎らと結成した「ふつう研究所」を経て、Chim↑Pomを結成**
メンバー全員が会田誠を通して出会う。稲岡は同年9月18日に加入。

11月 **■会田誠個展「Drink Sake Alone」(Lisa Dent Gallery、サンフランシスコ)参加**
《ERIGERO》を上映。

2006

12月 **□初個展「スーパー☆ラット」(無人島プロダクション、東京。以下、無人島)開催**
ヴィデオ・カメラで撮った最初の作品《ERIGERO》や、《スーパーラット》を展示。

2007

6月 **□「Re-Act 新・公募展2007」(広島市現代美術館)参加**
《サンキューセレブプロジェクト アイムボカン》を展示。同美術館賞を受賞。

7月 **■「オーマイゴッド」(無人島)開催**
《ともだち》《オレオレ》《エロキテル》《ヴェネツィア・ビエンナーレ ゲリラ参加@東京ディズニーシー》《天国の芸術家》を展示。

11月 **■「サンキューセレブプロジェクト アイムボカン」(無人島)開催**
カンボジアにて、エリイの私物である高級バッグやiPod、セレブ・ポーズのエリイの等身大の石膏像などを、撤去地雷とともに爆破。その様子を映像作品《サンキューセレブプロジェクト アイムボカン》として展示。さらに爆破物をチャリティーオークションにて販売。売り上げをカンボジアの人々に寄付した。

□「KITA!!: Japanese Artists Meet Indonesia」(ジョグジャ・ナショナル・ミュージアム、ジョグジャカルタ)参加
バリ島のゴミ山とリゾート地を舞台に世界の格差を体現した《Saya mau pergi ke TPA》《狐狗狸刺青(こっくりさんタトゥー)》を展示。

2008

4月 **□「ライフがフォームになるとき——未来への対話/ブラジル、日本」(サンパウロ近代美術館)参加**
《BLACK OF DEATH》(2007〜)などを展示。

7月 ■「日本のアートは10年おくれている」（NADiff a/p/a/r/t、東京）開催
NADiff a/p/a/r/tの地下ギャラリーのこけら落とし展に際し、ギャラリー全体を冠水させ、２００匹の蛍を放した《日本のアートは10年おくれている　世界のアートは7、8年おくれている》を制作。

8月 ■「友情か友喰いか友倒れか／BLACK OF DEATH curated by 無人島プロダクション」（hiromiyoshii、東京）開催
水野がネズミとカラスと食料をともにして密室で過ごす作品《友情か友喰いか友倒れか》などを発表。

9月 ■「オーマイゴッド〜気分はマイアミビーチ〜」開催（無人島）
《アイランド・ヒート》などを展示。

10月 ・《ヒロシマの空をピカッとさせる》制作
広島の原爆ドーム上空に飛行機雲で「ピカッ」という文字を描く。メディアで報道され騒動に。被爆者団体との交流を続ける。

2009

3月 ■自主企画展「広島！」（VACANT、東京）開催
書籍『なぜ広島の空をピカッとさせてはいけないのか』（無人島プロダクション）刊行

5月 ■「捨てられたちんぽ」（ギャラリー・ヴァギナ a.k.a. 無人島、東京）開催
□「ウィンター・ガーデン：日本現代美術におけるマイクロポップ的想像力の展開」（原美術館、東京）参加

6月 ■「にんげんていいな」（山本現代、東京）開催
パーティーのらんちき騒ぎを、映像と食品サンプルで再現した《くるくるパーティー》や、稲岡が身体の即身仏化に挑んだ《Making of the 即身仏》を展示。

9月 □「Urban Stories: The X Baltic Triennial of International Art」（コンテンポラリー・アート・センター、ヴィリニュス）参加

2010

3月 ・最初の作品集『Chim↑Pom』（河出書房新社）刊行

5月 ・美学校にて卯城が講師を務める「天才ハイスクール!!!!」開講（〜２０１５）
キュンチョメ、涌井智仁、毒山凡太朗らが参加。

8月 ■「Imagine」（無人島）開催
ブラインドサッカー日本代表の寺西一と協働し、盲人同士によるにらめっこを写した映像作品《Make love in the dark》などを展示。

9月 □第29回サンパウロ・ビエンナーレ参加（共同キュレーター：長谷川祐子）

2011

4月11日・**東京電力福島第一原発事故による警戒区域内に入る**

東京電力敷地内展望台に放射能マークを描いた旗を立てるまでを撮影した《REAL TIMES》、原子炉建屋に近接する畑に防護服とガスマスク姿のカカシを設置した《without SAY GOODBYE》を制作。

4月30日・**《LEVEL 7 feat.『明日の神話』》制作**

深夜、渋谷駅にある岡本太郎の壁画《明日の神話》（1968〜69）の右下に、東京電力福島第一原子力発電所の事故を描いた絵を付け足す。翌日、新聞等メディアで報道される。

5月 ■**「REAL TIMES」（無人島）開催**

《REAL TIMES》、福島第一原子力発電所で収束作業に従事した水野が爆発した3号機を前に撮影した《Red Card》や、《without SAY GOODBYE》《気合い100連発》《Never Give Up》などを展示（6月に大阪のスタンダードブックストア心斎橋へ巡回）。日本人の震災・原発事故への反応として、多数の海外メディアが取り上げた。

9月 ■**「SURVIVAL DANCE」（無人島）開催**

福島県内の砂場でつくったサンド・アートを撮影した《Destiny Child》などを展示。

11月 ■**MoMA PS1（ニューヨーク）にて、映像作品《気合い100連発》を上映**

12月 ■**「LEVEL 7 feat. 広島!!!!」（原爆の図丸木美術館、埼玉）開催**

2012

2月・**『美術手帖』「Chim↑Pomプレゼンツ REAL TIMES」特集号発売**

ヴォイナやJR、バンクシーら社会変革を目指す世界の表現者たちの動向を紹介。

3月 ■**「Beautiful World: SURVIVAL DANCE」（PROJECTFULFILL ART SPACE、台北）開催**

4月 □**「ひっくりかえる展」（ワタリウム美術館、東京）開催**

ヴォイナ、JR、アドバスターズ、Chim↑Pomなどの作品を紹介。

7月・**書籍『アイデアインク03 芸術実行犯』（朝日出版社）刊行**

9月 ■**「Chim↑Pom展」（パルコミュージアム、東京）開催**

人が内部に入って遊べる巨大なバルーン型の作品《Gold Experience》を渋谷パルコの入り口に設置。外壁のネオンサイン「PARCO」から「C」と「P」を取り外し、店内のギャラリーに設置した《PAVILION》も展示。

10月 □**第9回上海ビエンナーレ参加**

《Red Card》（2011）を出品。

11月・**作品集『SUPER RAT』（PARCO出版）刊行**

2013

7月 ■「広島!!!!!展」準備展!(広島市内11ヶ所)開催

12月 ■「広島!!!!!!」(旧日本銀行広島支店)開催

2014

1月 ・披露宴デモ《LOVE IS OVER》敢行

エリイの結婚披露宴パーティー後、街頭デモを実施。東京・新宿歌舞伎町から歩き始め、西新宿にあるロバート・インディアナのパブリック・アート《LOVE》を目指した。この様子は写真集『エリイはいつも気持ち悪い』(朝日出版社)に収録された。

10月 □「Zero Tolerance」(MoMA PS1)参加

《REAL TIMES》を出品。

11月 ■「ヤジルシソビエトル〜ChimとPomのパラドックス」(無人島)開催

《It's the wall world》などを展示。

12月 □「アジアン・アート・ビエンナーレ・バングラデシュ2014」参加

《下町のパラドックス》《It's the wall world》を出品。

2015

1月 ・プルデンシャル・アイ・アワードにて受賞

グランプリ「Emerging Artist of the Year」およびデジタル・ヴィデオ部門の最優秀賞受賞。同年のサーチ・ギャラリー(ロンドン)における個展開催の権利を得る。

3月 □国際展「Don't Follow the Wind」スタート

東京電力福島第一原発事故に伴う帰還困難区域にて、同地の封鎖が解除される日まで見に行くことができない展示を企画。

6月 ・東京・高円寺のキタコレビルにアーティスト・ラン・スペース「Garter」オープン

8月 ■「堪え難きを耐え↑忍び難きを忍ぶ」(Garter、東京)開催

結成10周年記念展として、これまで検閲に遭い、自主規制してきた〝黒歴史〟を振り返る展示を開催。

9月 □「Don't Follow the Wind: Non-Visitor Center」(ワタリウム美術館、東京)開催

■「SUPER RAT」(サーチ・ギャラリー、ロンドン)開催

2016

3月 □「第20回シドニー・ビエンナーレ」参加

《Don' t Follow the Wind: A Walk in Fukushima》を展示。

9月 □「釜山ビエンナーレ2016」参加
折り鶴をドーム状に積み重ねた《PAVILION》を展示。

10月 ■「また明日も観てくれるかな?」(歌舞伎町商店街振興組合ビル、東京)開催
《ビルバーガー》《5輪》などを展示したほか、2日間のイベントにはDJやパフォーマーが多数集結した。

2017

2月 ■「The other side」(無人島)開催
アメリカへの入国が制限されているエリイの事情をテーマにした《COYOTE》(2014)、メキシコ・ティファナにある国境沿いのスラム地域に住む家族と出会い、アメリカに入国できない人々のためのツリーハウスを制作した《U.S.A. Visitor Center》(2017)や、《LIBERTAD》《The Grounds》などを展示。

7月 □「Reborn-Art Festival 2017」参加
津波で家族を失った遺族から譲り受けた涙を氷にしてガラスケースに収めた《ひとかけら》を出品。

■「Sukurappu ando Birudoプロジェクト 道が拓ける」(Garter、東京)開催
「また明日も観てくれるかな?」に続くスクラップアンドビルドプロジェクトとして、キタコレビルの敷地内に常設作品《Chim↑Pom通り》《The Road Show》などを制作。

・「Alternative Space CORE」開設
水野が久保寛子、浅田良幸とともに広島に多目的スペースをオープン。

8月 ・書籍『都市は人なり「Sukurappu ando Birudoプロジェクト」全記録』(LIXIL出版)刊行

■アメリカの美術館での初の回顧展「Non-Burnnable」(ダラス・コンテンポラリー)開催

9月 □「アジア・アート・ビエンナーレ2017」(国立台湾美術館、台中)参加
美術館内に《道(Street)》を展示。

2018

5月 ■「Why Open?」(White Rainbow、ロンドン)開催

7月 ■「日本のアートは」(NADiff a/p/a/r/t)開催

10月 ・「にんげんレストラン」(歌舞伎町ブックセンタービル、東京)開催
解体予定のビルにて2週間限定のパフォーマンスイベントを開催。多数の表現者が連日パフォーマンスを行った。

11月 ■ANOMALYの開廊記念展として「グランドオープン」展(ANOMALY、東京)開催

2019

4月 ■「Threat of Peace(広島!!!!!)」(Art in General、ニューヨーク)開催

6月　・作品集『We Don't Know God: Chim↑Pom 2005-2019』(ユナイテッドヴァガボンズ)刊行

7月　□「マンチェスター・インターナショナル・フェスティバル」参加

「A Drunk Pandemic」を発表。19世紀、コレラによる死者が埋葬されたマンチェスターの地下の廃墟に「ビール工場」を設置し、オリジナルビールを醸造。

8月　□「あいちトリエンナーレ2019」参加

「表現の不自由展・その後」に《気合い100連発》(2011)、《堪え難き気合い100連発》(2015)を展示。

9月　・『ArtReview』誌の表紙を飾る

・卯城竜太+松田修『公の時代』(朝日出版社)刊行

・エリイの連載「OH MY GOD」(『新潮』)開始

全18回、2022年に書籍『はい、こんにちは―Chim↑Pomエリイの生活と意見―』として新潮社より刊行。

2020

5月　□「ダークアンデパンダン」展 開催

卯城がキュンチョメ、松田修、涌井智仁らと企画。誰もがアクセスできるウェブサイトと、主催者によってキュレーションされた観客のみが観覧できるリアルな展覧会(会場非公開)で構成。

6月　■「May, 2020, Tokyo / A Drunk Pandemic」(ANOMALY)開催

緊急事態宣言下の5月、サイアノタイプ(青焼き)の感光液を塗った看板を様々な場所に最長2週間放置し、画面に外気の痕跡を「焼き付け」た《May, 2020, Tokyo》を発表。

2021

3月　・「WHITE HOUSE」オープン

卯城がアーティストの涌井智仁、ナオナカムラの中村奈央とともに会員制のアートスペースを新宿に開設。

11月　□「HERE AND NOW at Museum Ludwig: together for and against it」(ルートヴィヒ美術館、ケルン)参加

12月　□「やんばるアートフェスティバル2021-2022」参加

2022

2月　■「Chim↑Pom展：ハッピースプリング」(森美術館、東京)開催

4月　・Chim↑Pom from Smappa!Groupへと改名

■「Chim↑Pom from Smappa!Group」(ANOMALY)開催

■「いつのことだか思い出してごらん」(無人島)開催

参考文献

・赤瀬川原平『いまやアクションあるのみ！〈読売アンデパンダン〉という現象』（のちに『反芸術アンパン』に改題）筑摩書房、１９８５年

・赤瀬川原平『東京ミキサー計画 ハイレッド・センター直接行動の記録』ちくま文庫、１９９４年

・青木淳『原っぱと遊園地――建築にとってその場の質とは何か』王国社、２００４年

・浅田彰「浅田彰のドタバタ日記 第2回」（Realtokyo、２００８年6月26日）http://archive.realtokyo.co.jp/docs/ja/column/asada/bn/asada_002/（最終閲覧 ２０２２年5月31日）

・東琢磨『ヒロシマ独立論』青土社、２００７年

・東浩紀『思想地図β vol.4-2 福島第一原発観光地化計画』ゲンロン、２０１３年

・東浩紀「運営と制作の一致、あるいは等価交換の外部について」『ゲンロンβ32』、株式会社ゲンロン、２０１８年

・東浩紀『ゲンロン戦記「知の観客」をつくる』中公新書ラクレ、２０２０年

・東浩紀「アクションとポイエーシス」『新潮』２０２０年1月号、新潮社

・東浩紀「訂正可能性の哲学、あるいは新しい公共性について」『ゲンロン12』、株式会社ゲンロン、２０２１年

・足立元『前衛の遺伝子――アナキズムから戦後美術へ』ブリュッケ、２０１２年

・アナ・チン『マツタケ――不確定な時代を生きる術』赤嶺淳訳、みすず書房、２０１９年

・アントニオ・ネグリ『ネグリ 生政治（ビオポリティーク）的自伝――帰還』杉村昌昭訳、作品社、２００３年

・Henri Neuendorf "Marina Abramović Says Children Hold Back Female Artists", *artnet news* (July 25, 2016) https://news.artnet.com/art-world/marina-abramovic-says-children-hold-back-female-artists-575150（最終閲覧２０２２年5月31日）

・五十嵐太郎『誰のための排除アート？ 不寛容と自己責任論』岩波ブックレット、２０２２年

・いがらしみきお『I【アイ】』3巻、小学館、２０１３年

・岩本憲児編『村山知義 劇的尖端――メディアとパフォーマンスの20世紀〈1〉』森話社、２０１２年

・卯城竜太「公の時代」『新潮』２０２０年2月号、新潮社

・卯城竜太「ダークアンデパンダン」『新潮』２０２０年8月号、新潮社

・卯城竜太、松田修『公の時代――官民による巨大プロジェクトが相次ぎ、炎上やポリコレが広がる新時代。社会にアートが拡大するにつれ埋没してゆく「アーティスト」と、その先に消えゆく「個」の居場所を、二人の美術家がラディカルに語り合う。』朝日出版社、２０１９年

・卯城竜太「ポスト資本主義は新しいということを特権としない Vol.1」（ウェブ版『美術手帖』２０２０年10月26日）https://bijutsutecho.com/magazine/insight/22854（最終閲覧 ２０２２年5月31日）

・卯城竜太「ポスト資本主義は新しいということを特権としない Vol.2」（ウェブ版『美術手帖』２０２０年10月28日）https://bijutsutecho.com/magazine/insight/22944（最終閲覧 ２０２２年5月31日）

・卯城竜太「ポスト資本主義は新しいということを特権としない Vol.3」(ウェブ版『美術手帖』２０２０年11月1日) https://bijutsutecho.com/magazine/insight/22981(最終閲覧 ２０２２年5月31日)
・エリイ『はい、こんにちは—Chim↑Pomエリイの生活と意見—』新潮社、２０２２年
・岡村幸宣『《原爆の図》全国巡回——占領下、１００万人が観た!』新宿書房、２０１５年
・奥野克巳、シンジルト編、MOSA＝マンガ『マンガ版マルチスピーシーズ人類学』以文社、２０２１年
・小崎哲哉『現代アートを殺さないために　ソフトな恐怖政治と表現の自由』河出書房新社、２０２０年
・小田原のどか『近代を彫刻／超克する』講談社、２０２１年
・五十殿利治『大正期新興美術運動の研究』スカイドア、１９９８年
・五十殿利治『日本のアヴァンギャルド——〈マヴォ〉とその時代』青土社、２００１年
・風間サチコ「ブログ　窓外の黒化粧」http://kazamasachiko.com/(最終閲覧 ２０２２年5月31日)
・歌舞伎町商店街振興組合『歌舞伎町の60年　歌舞伎町商店街振興組合の歩み』歌舞伎町商店街振興組合、２００９年
・カレ・ラースン『さよなら、消費社会 カルチャー・ジャマーの挑戦』加藤あきら訳、大月書店、２００６年
・木澤佐登志『ダークウェブ・アンダーグラウンド——社会秩序を逸脱するネット暗部の住人たち』イースト・プレス、２０１９年
・木澤佐登志『ニック・ランドと新反動主義 現代世界を覆う〈ダーク〉な思想』星海社、２０１９年
・木澤佐登志「欧米を揺るがす『インテレクチャル・ダークウェブ』のヤバい存在感」(現代ビジネス、２０１９年1月17日) https://gendai.ismedia.jp/articles/-/59351(最終閲覧 ２０２２年5月31日)
・北川フラム『ひらく美術　地域と人間のつながりを取り戻す』ちくま新書、２０１５年
・ギー・ドゥボール『スペクタクルの社会』木下誠訳、ちくま学芸文庫、２００３年
・CAROLINA A. MIRANDA "As Trump talks building a wall, a Japanese art collective's Tijuana treehouse peeks across the border", *Los Angeles Times* (JAN. 23, 2017) https://www.latimes.com/entertainment/arts/miranda/la-et-cam-chim-pom-tijuana-treehouse-20170123-story.html(最終閲覧 ２０２２年5月31日)
・久保明教『ブルーノ・ラトゥールの取説　アクターネットワーク論から存在様態探求へ』月曜社、２０１９年
・栗原康『大杉栄伝　永遠のアナキズム』夜光社、２０１３年
・来島路子『山を買う』ミチクル編集工房、２０１９年
・クレア・ビショップ『人工地獄　現代アートと観客の政治学』大森俊克訳、フィルムアート社、２０１６年
・グレアム・ハーマン『四方対象　オブジェクト指向存在論入門』岡嶋隆佑監訳、人文書院、２０１７年
・黒田雷児編『ネオ・ダダの写真　流動する美術３』福岡市美術館、１９９３年
・黒ダライ児『肉体のアナーキズム １９６０年代・日本美術におけるパフォーマンスの地下水脈』grambooks、２０１０年
・黒瀬陽平『情報社会の情念　クリエイティブの条件を問う』ＮＨＫブックス、２０１３年

・Kate Brown "Ruangrupa, the Collective in Charge of the Next Documenta, Reflect on What It Means to Curate in Times of Crisis", *artnet news* (June 4, 2020) https://news.artnet.com/opinion/ruangrupa-the-collective-in-charge-of-the-next-documenta-reflect-on-what-it-means-to-curate-in-times-of-crisis-1878111（最終閲覧２０２２年5月31日）
・小松理虔『新復興論』株式会社ゲンロン、２０１８年
・小松隆二『大正自由人物語――望月桂とその周辺』岩波書店、１９８８年
・小島毅『朱子学と陽明学』ちくま学芸文庫、２０１３年
・篠原有司男『前衛の道』美術出版社、１９６８年
・篠原有司男著、田名網敬一監修『LETTER FROM NEW YORK』東京キララ社、２０２１年
・ジル・ドゥルーズ『アベセデール』國分功一郎監修、KADOKAWA、２０１５年
・ジュディス・バトラー「パフォーマティヴ・アクトとジェンダーの構成――現象学とフェミニズム理論」吉川純子訳、『シアターアーツ』第3号、晩成書房、１９９５年
・ショシャナ・ズボフ『監視資本主義　人類の未来を賭けた闘い』野中香方子訳、東洋経済新報社、２０２１年
・白川昌生『日本のダダ　１９２０-１９７０　増補新版』水声社、２００５年
・斎藤幸平『大洪水の前に　マルクスと惑星の物質代謝』堀之内出版、２０１９年
・斎藤幸平『人新世の「資本論」』集英社新書、２０２０年
・Jason Waite "Michi no Oku / The End of the Land: Contemporary Art in Japan and the Catastrophic Condition"
・JULIET JACQUES "What the 2021 Turner Prize Nominees Tell Us About the Politics of Art", *Frieze* (12 MAY 21) https://www.frieze.com/article/what-2021-turner-prize-nominees-tell-us-about-politics-art（最終閲覧２０２２年5月31日）
・椹木野衣『日本・現代・美術』新潮社、１９９８年
・椹木野衣『「爆心地」の芸術』晶文社、２００２年
・椹木野衣『震美術論』美術出版社、２０１７年
・椹木野衣「美術と時評」(Art iT) https://www.art-it.asia/u/admin_ed_contri9_j/kAOqaExNoKvdM6WGVnCg（最終閲覧２０２２年5月31日）
・Joseph Constable "Chim↑Pom and the Embrace of Precarity", *Chim↑Pom*, White Rainbow, 2018
・白井聡『武器としての「資本論」』東洋経済新報社、２０２０年
・白土三平『カムイ伝』15巻、小学館叢書、１９８９年
・高木遊「新宿の繁華街で出会う『死』。高木遊評『磯崎隼士「今生」』」（ウェブ版『美術手帖』２０２１年8月6日）https://bijutsutecho.com/magazine/review/24420（最終閲覧２０２２年5月31日）
・高桑和巳『アガンベンの名を借りて』青弓社、２０１６年
・高桑和巳『哲学で抵抗する』集英社、２０２２年
・高山明『テアトロン　社会と演劇をつなぐもの』河出書房新社、２０２１年

・立川キウイ『談志のはなし』新潮新書、２０２１年
・ダナ・ハラウェイ『伴侶種宣言　犬と人の「重要な他者性」』永野文香訳、以文社、２０１３年
・Chim↑Pom、阿部謙一編『なぜ広島の空をピカッとさせてはいけないのか』無人島プロダクション、２００９年
・Chim↑Pom『Chim↑Pom作品集』河出書房新社、２０１０年
・Chim↑Pom『芸術実行犯』朝日出版社、２０１２年
・Chim↑Pom『エリイはいつも気持ち悪い　エリイ写真集 produced by Chim↑Pom』朝日出版社、２０１４年
・Chim↑Pom、椹木野衣編『Don't Follow the Wind　展覧会公式カタログ２０１５』河出書房新社、２０１５年
・Chim↑Pom『都市は人なり「Sukurappu ando Birudo プロジェクト」全記録』ＬＩＸＩＬ出版、２０１７年
・Chim↑Pom『We Don't Know God: Chim↑Pom 2005–2019』ユナイテッドヴァガボンズ、２０１９年
・ティム・インゴルド、石倉敏明ほか『表現の生態系　世界との関係をつくりかえる』左右社、２０１９年
・手塚マキ『新宿・歌舞伎町　人はなぜ〈夜の街〉を求めるのか』幻冬舎、２０２０年
・手塚マキ「『今までだって、水商売を疎外して、勝手にやらせてきたじゃないか』新型コロナの打撃受ける歌舞伎町で――ホストクラブ経営者・手塚マキ」（BLOGOS、２０２０年６月３日）https://blogos.com/article/461947/（最終閲覧２０２２年５月31日）
・デヴィッド・グレーバー『アナーキスト人類学のための断章』高祖岩三郎訳、以文社、２００６年
・デヴィッド・グレーバー「ポスト労働者主義の悲哀――《芸術と非物質的労働》カンファレンス・レヴュー」上尾真道訳、『Punk! The Revolution of Everyday Life』展カタログ、川上幸之介、２０２１年
・David Ley "Artists, Aestheticisation and the Field of Gentrification" (November 1, 2003)
・David Teh "Who Cares a Lot? Ruangrupa as Curatorship", *Afterall* (7th June 2012) https://www.afterall.org/article/who-cares-a-lot-ruangrupa-as-curatorship（最終閲覧２０２２年５月31日）
・富井玲子「日本のコレクティビズム再考――DIY精神のDNAを〈オペレーション〉に探る」『美術手帖』２０１８年４・５月合併号、美術出版社
・外山恒一『改訂版　全共闘以後』イースト・プレス、２０１８年
・西成典久「まちなかの再生と広場のデザイン―日本都市における広場論―」講演録 https://www.city.kumamoto.jp/common/UploadFileDsp.aspx?c_id=5&id=3281&sub_id=1&flid=26038（最終閲覧２０２２年５月31日）
・野路千晶「映像は黒塗りされる必要があったのか？　吉開菜央が語る『表現を規制すること』」（ウェブ版『美術手帖』２０１９年５月28日）https://bijutsutecho.com/magazine/news/headline/19808（最終閲覧２０２２年５月31日）
・HAPAX編『反政治――HAPAX7』夜光社、２０１７年
・ハキム・ベイ『T.A.Z. 一時的自律ゾーン、存在論的アナーキー、詩的テロリズム』箕輪裕訳、インパクト出版会、１９９７年
・橋本吉史「『洞窟』の運営――自主ゼミ『社会変革としての建築に向けて』レポート」（note、２０２１年12月22日）https://note.com/_millegraph/n/n1e4b66ff205e（最終閲覧２０２２年５月31日）

・長谷川祐子編『新しいエコロジーとアート――「まごつき期」としての人新世』以文社、２０２２年
・原武史『皇居前広場』光文社新書、２００３年
・ハンナ・アーレント『人間の条件』志水速雄訳、ちくま学芸文庫、２００９年
・ピョートル・クロポトキン『増補修訂版 相互扶助論』大杉栄訳、同時代社、２０１２年
・平井有太『ビオクラシー　福島に、すでにある』サンクチュアリ出版、２０１６年
・平田周、仙波希望編『惑星都市理論』以文社、２０２１年
・広島県朝鮮人被爆者協議会編『白いチョゴリの被爆者』労働旬報社、１９７９年
・フィオナ・ダンカン「ウルマンの虚構世界」(SSENSE) https://www.google.com/url?q=https://www.ssense.com/ja-jp/editorial/culture-ja/escape-from-l-a-with-amalia-ulman?lang%3Dja&sa=D&source=docs&ust=1652947872856519&usg=AOvVaw3hhuynZN01olnPvYMB1TVE（最終閲覧２０２２年５月31日）
・福住廉「没後50年〝日本のルソー〟横井弘三の世界展」(artscapeレビュー、２０１６年７月１日) https://artscape.jp/report/review/10124713_1735.html（最終閲覧２０２２年５月31日）
・福住廉「洞窟の奥の暗がりで――ダークアンデパンダン darkindependants」（note、２０２０年５月31日）https://note.com/fukuzumiren/n/nba270bbd1c82（最終閲覧２０２２年５月31日）
・E.J.ホブズボーム『反抗の原初形態　千年王国主義と社会運動』中公新書、１９７１年
・ボリス・グロイス『流れの中で　インターネット時代のアート』河村彩訳、人文書院、２０２１年
・三島由紀夫『行動学入門』文春文庫、１９７０年
・水野祐『法のデザイン――創造性とイノベーションは法によって加速する』フィルムアート社、２０１７年
・宮崎賢太郎『カクレキリシタン　現代に生きる民俗信仰』角川ソフィア文庫、２０１８年
・宮沢賢治『農民芸術概論綱要』青空文庫、１９９８年 https://www.aozora.gr.jp/cards/000081/files/2386_13825.html（最終閲覧２０２２年５月31日）
・森稔『ヒルズ　挑戦する都市』朝日新書、２００９年
・四方田犬彦『白土三平論』作品社、２００４年
・リチャード・フロリダ『クリエイティブ都市論――創造性は居心地のよい場所を求める』井口典夫訳、ダイヤモンド社、２００９年
・ReFreedom_Aichi編『ReFreedom_Aichi活動記録集――表現の自由とアーティスト』ReFreedom_Aichi実行委員会、２０２０年
・Roger McDonald "The Nishi-Ogikubo Biennale 2005" https://rogermc.blogs.com/tactical/2005/04/the_nishiogikub.html（最終閲覧２０２２年５月31日）
・『ネオ・ダダJAPAN 1958−1998―磯崎新とホワイトハウスの面々』展図録、アートプラザ、大分市教育委員会、１９９８年
・"Power 100", ArtReview https://artreview.com/power-100/（最終閲覧２０２２年５月31日）
・「特集：フルクサス発」『STUDIO VOICE』１９９５年４月号、INFAS

・『吉村益信の実験展：応答と変容』展図録、大分市美術館、２０００年
・「特集：針生一郎」『機関』17号、海鳥社、２００１年
・『サステナブル経営と企業メセナの役割』公益社団法人企業メセナ協議会、２０２２年
・『望月桂展：民衆美術運動の唱導者』展図録、公益財団法人八十二文化財団、２００２年
・「特集・アマチュアの発想」『思想の科学』１９６３年９月号、思想の科学社
・「建築論壇『新宿ホワイトハウス』を巡って 半世紀前の回顧 ネオ・ダダと磯崎新の処女作」『新建築』２０１１年４月号、新建築社
・「特集：劇薬アート」『アートコレクターズ』２０２２年４月号、生活の友社
・『2020±1—The 5th Floor アニュアル・ブック』立石従寛／The 5th Floor、２０２１年
・『１９６８年　激動の時代の芸術』展図録、千葉市美術館ほか、２０１８年
・『１９２０年代日本展——都市と造形のモンタージュ』展図録、東京都美術館、朝日新聞社、１９８８年
・『アクション 行為がアートになるとき１９４９-１９７９』展図録、東京都現代美術館、１９９９年
・『百年の編み手たち——流動する日本の近現代美術』展図録、東京都現代美術館、美術出版社、２０１９年
・『地図で見る新宿区の移り変わり』東京都新宿区教育委員会、１９８４年
・「特集・望月桂」『美術グラフ』１９７７年４月号、時の美術社
・『ハイレッド・センター：直接行動の軌跡』展図録、ハイレッド・センター展実行委員会、２０１３年
・「特集：日本近現代史美術」『美術手帖』２００５年７月号、美術出版社
・「特集：Chim↑Pomプレゼンツ REAL TIMES」『美術手帖』２０１２年３月号、美術出版社
・「特集：ART COLLECTIVE」『美術手帖』２０１８年４・５月合併号、美術出版社
・「Chim↑Pom《道》プロジェクトin台湾　共犯関係から生まれる公共圏」『美術手帖』２０１８年４・５月合併号、美術出版社
・「渋谷・ミヤシタパークに鈴木康広によるパブリック・アート《渋谷の方位磁針 ｜ ハチの宇宙》が登場」（ウェブ版『美術手帖』２０２０年７月21日） https://bijutsutecho.com/magazine/news/headline/22375（最終閲覧 ２０２２年５月31日）
・「特集：ポスト資本主義とアート」『美術手帖』２０２０年10月号、美術出版社
・「特集：Chim↑Pom」『美術手帖』２０２２年４月号、美術出版社
・「アート市場活性化を通じた文化と経済の好循環による『文化芸術立国』の実現に向けて」文化審議会文化政策部会アート市場活性化ワーキンググループ、２０２１年３月31日 https://www.bunka.go.jp/koho_hodo_oshirase/hodohappyo/pdf/92929401_03.pdf（最終閲覧２０２２年５月31日）
・「FLUSH-水に流せば-」展 EUKARYOTE、２０２１年 https://eukaryote.jp/exhibition/flush/（最終閲覧２０２２年５月31日）
・「ダークアンデパンダン」ウェブサイト https://darkindependants.web.app/（最終閲覧２０２２年５月31日）
・「ドクメンタ15」ウェブサイト　https://documenta-fifteen.de/en/（最終閲覧２０２２年５月31日）
・「Don't Follow the Wind」ウェブサイト http://dontfollowthewind.info/（最終閲覧２０２２年５月31日）

謝辞（敬称略）

まずは
Chim↑Pom from Smappa!Groupメンバー
林靖高
エリイ
岡田将孝
稲岡求
水野俊紀
WHITEHOUSEでキュレーションさせてもらったアーティストたち一人一人
Don't Follow the Wind 関係者
ReFreedom_Aichiをともにした関係者
ダークアンデパンダン 関係者
無人島プロダクション 藤城里香
ANOMALY 山本裕子
Chim↑Pom Studio 中村奈央
Chim↑Pom Studio 水野響
手塚マキ

この本をともに作ってくれた
穂原俊二
木村奈緒
杉原環樹
岩根彰子
（特に穂原さんには育てられ、ヴィジョンから最後に至るまで協働していただきました）

素晴らしい装丁に仕上げて下さった
鈴木成一
大口典子

本の内容に理論的に協力してくれた
松田修
涌井智仁
仙波希望
渡辺志桜里

加藤翼
卯城公啓
被団協
スペシャルサンクス　ギャラリーG
Alternative Space CORE
森美術館
ミヅマアートギャラリー
ワタリウム美術館
緑川雄太郎
來嶋路子
高橋喜代史
今村育子
望月かおる
吉田山
大舘奈津子
キュンチョメ
籔前知子
甲斐荘秀生
Anna Sasaki
竹田麻央子
木村瞳
島村真佐利
臼田彩穂

校正　東京出版サービスセンター

何より機会を作ってくれた　会田誠

活動芸術論

二〇二二年七月二二日　初版第一刷発行

著者　卯城竜太
編集発行人　穂原俊二
発行所　株式会社イースト・プレス
〒一〇一-〇〇五一
東京都千代田区神田神保町二-四-七 久月神田ビル
電話〇三-五二一三-四七〇〇
ファクス〇三-五二一三-四七〇一
https://www.eastpress.co.jp
印刷所　中央精版印刷株式会社

978-4-7816-2064-0 C0095

Chim↑Pom from Smappa!Group

卯城竜太・林靖高・エリイ・岡田将孝・稲岡求・水野俊紀により、2005年に東京で結成されたアーティストコレクティブ。時代のリアルを追究し、現代社会に全力で介入したクリティカルな作品を次々と発表。世界中の展覧会に参加するだけでなく、独自でもさまざまなプロジェクトを展開する。広島や福島などの被曝のクロニクルに対し、さまざまな当事者意識でリアクションをし、メディアを巻き込んだ議論を続発。帰還困難区域内では、封鎖が解除されるまで「観に行くことができない」長期にわたる国際展「Don't Follow the Wind」の発案と立ち上げを行い、作家としても参加、2015年にオープンし、いまも開催中。2016-17年、「境界線」の機能と個の自由や関わりをテーマに、メキシコとアメリカの「壁」にアプローチ、国境沿いに《U.S.A Visitor Center》としてのツリーハウスを建設。移民や国境問題に介入。また結成当初より、「個と公」を表象した「都市論」をテーマに、さまざまなプロジェクトを公共圏で展開。毒に耐性を持つネズミを捕獲する《スーパーラット》(2006〜)、上空にカラスを集めて誘導する《BLACK OF DEATH》(2008、2013)、メンバーのエリイの結婚式をデモとして路上で行った《LOVE IS OVER》(2014)などの他、自らのアーティストラン・スペースの敷地内に公共のあり方を実践する「道」自体を取り込んだ《Chim↑Pom通り》(2016〜)など、ストリートの可能性を拡張してきた。2017年、台湾で開催されたアジアン・アート・ビエンナーレでは、公道から美術館内にかけて、200mの《道》を敷き、公私を超えた独自のレギュレーションを公布、ブロックパーティやデモの場となり、伝説となる。2018年には、東京オリンピックに伴う再開発の中で、建て壊される直前の歌舞伎町のビルで制作したプロジェクト「にんげんレストラン」を発表。様々な人々と場所性が混じり合うライブなアートイヴェントとして、社会にスポンティニアスな生き方を提示し、大きな影響を与えた。ほかにも大量消費・大量廃棄による環境問題や、メンバーの人生自体をテーマにした作品などにも取り組んできた。多くのプロジェクトを一過性のものとして消費せず/させず、書籍の刊行などによって議論の場やアーカイブを独自に創出。膨大なニュースの中で埋もれそうになってしまう事象への警鐘として、プロジェクトをさまざまな形に変容させながら継続している。また同時代を生きる他のアーティストたちやさまざまなジャンルの展覧会やイヴェントの企画など、キュレーションも積極的に行い、アーティストの在り方だけでなく「周縁」の状況を変容、拡大させている。そのプロジェクトベースの作品は、日本の美術館だけでなくグッゲンハイム美術館、ポンピドゥセンターなどにコレクションされ、アジアを代表するコレクティブとして時代を切り開く活動を展開中。2022年4月Chim↑PomからChim↑Pom from Smappa!Groupへ改名。

卯城竜太

（うしろ・りゅうた）

1977年東京都出身。Chim↑Pom from Smappa!Groupのメンバー。Chim↑Pom from Smappa!Groupは、2005年に東京で結成されたアーティストコレクティブ。2018年までリーダーを務めた。美学校でのクラス「天才ハイスクール!!!!」をはじめ、WHITEHOUSEでのキュレーション、「ダークアンデパンダン」の主催、「ReFreedom_Aichi」など、オーガナイザーとしての活動や執筆をしている。

人名索引

名前は基本的に本文中の表記に合わせています。

あ行

か行

さ行

た行

な行

は行

ま行

や行

ら行

アルファベット